La Fontaine

Du même auteur

Mme de Sévigné, Correspondance, édition critique, Bibliothèque de la Pléiade, 3 volumes, Gallimard, 1973-1978.

Écrire au temps de Mme de Sévigné : lettres et texte littéraire, Vrin, 1981.

Mme de Sévigné, ou la chance d'être femme, Fayard, 1982.

Courrier, édition des lettres de Louis Brauquier à Gabriel Audisio (1920-1960), M. Schefer, 1982.

L'imposture littéraire dans les Provinciales *de Pascal*, Université de Provence, J. Laffitte, 1984.

Ninon de Lenclos, la courtisane du Grand Siècle, Fayard, 1984.

Histoire de Provence-Alpes-Côte d'Azur
La Provence devient française (536-1789), Fayard, 1986.
Naissance d'une région (1945-1985), Fayard, 1986.

Molière, l'École des femmes, Hachette, 1986.

La Fontaine, Fables, livres I à VI, Hachette, 1987.

Mme de La Fayette, la romancière aux cent bras, Fayard, 1988.

Histoires de Marseille, Michel Garçon, 1989.

Mme de Sévigné et la lettre d'amour, Bordas 1970, réédition Klincksieck, 1992.

Histoire amoureuse des Gaules, de Bussy-Rabutin, (en collaboration avec Jacqueline Duchêne), « Folio », Gallimard, 1993.

L'impossible Marcel Proust, Robert Laffont, 1994.

Roger DUCHÊNE

La Fontaine

nouvelle édition

FAYARD

Avant-propos

La Fontaine
ou les Fausses Confidences

Quel que soit le sujet de la biographie, quel que soit le biographe, il y a toujours des critiques chagrins pour entonner le refrain : « Encore une biographie... A quoi bon cette enquête sur un homme dont seuls importent les chefs-d'œuvre ? » Ce serait rabaisser les grands auteurs que de les montrer, que d'essayer de les montrer dans leur vie quotidienne, souvent médiocre. Comme si la qualité de la vie devait correspondre à la qualité de l'œuvre, ou inversement. Bien qu'il soit d'autre part entendu que la vie ne peut « expliquer » l'œuvre.

Et La Fontaine donc! Un poète si profond, si charmant... Pourquoi perturber le lecteur en le montrant si différent de sa légende ? lui, un homme qui a piteusement gâché ses chances de réussite bourgeoise pour se retrouver démuni parmi des intellectuels libertins ou des nobles encanaillés, plus par mégarde, par occasion et par dégoût de l'ordre qu'impétueusement entraîné par une noble vocation littéraire ? un poète insatisfait, qui a toujours couru après une autre sorte de gloire que celle que lui avaient donnée par hasard ses contes d'abord, ses fables dans la foulée ? un être partagé, qui voudrait être à la fois la cigale et la fourmi, le loup et le chien, avide à la fois de la reconnaissance qu'apportent les pensions royales et de la sombre jouissance qu'on éprouve à se sentir pauvre et libre ? bref un *marginal*, même à la cour de Foucquet, auquel il s'est montré moins longtemps fidèle qu'on ne l'a dit ? Tout cela est bien incroyable. Et bien inutile à savoir...

A moins que La Fontaine lui-même n'ait conduit son lecteur à s'interroger sur l'auteur des œuvres qui l'enchantent. A force d'y parler de lui. A force de s'y introduire comme une sorte de personnage supplémentaire et omniprésent. A force de prendre plaisir à inventer, bien avant Proust et encore plus subtilement, un narrateur qui lui ressemble toujours et n'est jamais vraiment lui-même. Écrire (ou lire) une biographie de La Fontaine, ce n'est pas (pas seulement) le regarder vivre par une curiosité gratuite et un peu malsaine, celle que suscitent toutes les « vedettes » de l'histoire (y compris celles de cette parente pauvre, l'histoire littéraire). C'est entrer dans son perpétuel jeu de cache-cache avec son lecteur. C'est avoir un moyen de mieux comprendre et de mieux goûter son œuvre. C'est la saisir dans son évolution et sa diversité. Ce n'est pas en élucider le mystère, mais en éclairer les facettes. Cette biographie d'un homme est aussi, est surtout, une histoire de son rapport à l'écriture, une présentation progressive et cohérente de l'ensemble de ses écrits, dont seules subsistent quelques fables universellement connues. Il doit en être bien marri.

Personne n'a mieux inventé et répandu lui-même sa légende que le bon Jean de La Fontaine. Nul n'a autant parlé de soi au XVIIe siècle. Non qu'il ait laissé des Mémoires pour raconter sa vie. A son aise dans la forme brève de la fable ou du conte, il n'a pas entrepris de donner la clé de ses faits et gestes dans un récit continu et cohérent. Ce sont les Retz ou les demoiselles de Montpensier, grands personnages et écrivains d'occasion, qui ont éprouvé le besoin de se raconter pour s'expliquer à la postérité. Aucun auteur de profession ne s'est cru digne, en ce temps-là, de rapporter sa propre histoire. Si La Fontaine a parlé de lui, c'est chemin faisant, au hasard de confidences disparates.

Il ne subsiste presque rien de sa correspondance privée : quelques lettres dispersées entre plusieurs destinataires. A quoi s'ajoutent des lettres en prose mêlée de vers, six à sa femme, une douzaine à divers personnages. Ce ne sont pas des textes écrits au fil de la plume par un épistolier se livrant spontanément à autrui. Même discrète, la présence de la forme poétique trahit l'élaboration littéraire, l'écriture calculée, la médiation consciente de l'expression. On appelle La Fontaine « le bonhomme » pour sa simplicité naïve. Il ne parle pourtant jamais de soi simplement et naïvement. Sa constante préférence pour le vers marque son goût pour l'apprêt.

A la lettre, il préfère l'épître. On en a conservé de toutes les périodes de sa vie. Ce ne sont pas de purs jeux sans relation avec ce qu'il est, ce qui lui arrive, ce qu'il pense. « Je vous l'avoue, et c'est la vérité », écrit-il à Foucquet. Vérité de sa situation de poète s'appliquant à mériter sa réputation et sa pension. Mais vérité poétisée, dont on ne sait au juste ce qu'il pense à part lui. Un bon contrat notarié précisant ses obligations et le montant de la somme régulièrement versée en récompense de ses vers ferait beaucoup mieux notre affaire pour connaître son statut à la cour de Vaux. Une large part de son œuvre est ainsi largement autobiographique sans l'être tout à fait. C'est un trait caractéristique du prétendu bonhomme que le plaisir qu'il prend à se cacher sans cesse derrière un personnage trop complaisamment étalé.

Ses contes sont pareillement remplis de confidences truquées. Dans *Joconde*, l'un des deux premiers publiés, il vient à peine d'introduire son héros et de le dire « marié depuis peu » qu'il ajoute : « content, je n'en sais rien ». Le voilà qui s'immisce entre son récit et son lecteur, sceptique sur l'effet « de la jeunesse, de la beauté, de la délicatesse » d'une épouse sur son époux. Même doute sur les marques de douleur qu'elle affiche à l'annonce du départ du mari. On aurait cru qu'elle allait rendre l'âme. « Moi, qui sais ce que c'est que l'esprit d'une femme, je m'en serais à bon droit défié. » Revenu par hasard sur ses pas après les adieux, Joconde découvre sa jeune épouse endormie dans les bras d'un « lourdaud de valet ». Il veut les tuer, mais n'en fait rien. Il repart sans les réveiller. « Et mon avis est qu'il fit bien. » Moins on fait de bruit « en telle affaire », mieux cela vaut.

Point de conte sans conteur. La Fontaine l'a compris, qui interrompt l'action à l'improviste pour donner son avis. Son avis ? Celui plutôt du personnage qu'il joue aux côtés des héros de l'histoire. Intermédiaire entre elle et nous, il ne livre pas bonnement le fond de sa pensée, comme il s'en donne l'air. Il confie à un personnage fictif, qui dit « *je* » à sa place, le soin d'anticiper sur les réactions du public, qu'il feigne de partager ses préjugés ou qu'il se plaise à le scandaliser par des opinions insolites.

Sur la malice et perfidie des femmes, La Fontaine a repris un lieu commun traditionnel sachant que cela fait toujours rire le public. Mais il écrit comme s'il en était lui-même persuadé. Puisque c'est une idée reçue, pourquoi ne la croirait-il pas vraie comme tout le monde ? En revanche, personne n'oserait alors avouer dans la vie qu'il préfère fermer les yeux sur son cocuage ou sur le caractère douteux du pucelage de sa femme. La Fontaine pas plus que les autres. Mais il le fait dire par son substitut, le conteur. Et l'idée passe avec l'histoire. Bien malin qui peut décider ce qu'il en pense personnellement.

Même présence ambiguë dans les *Fables*. Tout un peuple d'animaux est là, avide de monopoliser la parole que les apologues des Anciens leur ont donnée. Dès « La Besace » pourtant, septième fable du premier recueil, La Fontaine s'introduit subrepticement dans son récit en qualité de membre de l'espèce humaine. Jupiter s'y adresse à « tout ce qui respire » pour savoir ce que chacun pense de soi. Tout le monde est content. « Mais parmi les plus fous, *notre* espèce excella », commente le fabuliste. « *Nous nous* pardonnons tout, et rien aux autres hommes. » Comme conteur dans le récit, comme commentateur dans la morale, le poète a toujours une bonne raison d'être là.

Nulle solution de continuité entre les *Contes* et les *Fables*. Il garde dans celles-ci le même rôle de récitant que dans ceux-là. Il en profite parfois pour avoir l'air de nous faire des confidences. « Amour, ce tyran de ma vie », lit-on dans l'Épilogue des *Fables*. Et en guise de morale, à la fin du « Lion amoureux » : « Amour, amour, quand tu *nous* tiens, / On peut bien dire adieu prudence. » Quelle vie et quelles amours pourrait avoir le fabuliste sinon celles de La Fontaine ? Tout pousse à les confondre. Il faut cependant s'en garder. Les fables, comme les contes et les épîtres, mettent en scène un personnage fictif. Elles ne peignent pas fidèlement la personnalité réelle de leur auteur. On ne peut déduire l'une de l'autre qu'en tenant le plus grand compte des conventions littéraires.

« Amour, ce tyran de ma vie » : la fable tourne à la biographie. Illusion. La biographie s'inscrit dans la littérature. « Amour, ce tyran de ma vie / Veut que je change de sujets. » La Fontaine n'a parlé d'amour que pour annoncer son pro-

chain livre. « Retournons, dit-il, à *Psyché*. » Il y conte les
amours de l'Amour. On ne sait plus ce qui le tyrannise : la
passion, ou seulement l'obligation d'achever l'œuvre en
train, son histoire de Psyché et de Cupidon. La confidence
s'est muée en jeu littéraire.

Condamnation de l'insensibilité dédiée à une « cruelle »
(la fille de Mme de Sévigné), « Le Lion amoureux » rappelle
l'universalité de la toute-puissance de l'amour. En se mettant parmi tout le monde dans la conclusion (« Amour,
Amour, quand tu *nous* tiens, / On peut bien dire adieu prudence »), le conteur ne confie pas des sentiments personnels,
il s'implique, et nous avec lui, dans une expérience générale,
qui devient la morale de la fable, exprimée sous forme de
proverbe. Ce qui pouvait paraître un aveu singulier n'est que
l'expression de la sagesse des nations.

A la différence d'une Mme de Sévigné et de tous ceux
dont on a gardé des confidences privées, La Fontaine ne
cesse jamais d'être un auteur en représentation devant son
public. « Qui ne voit que ceci est jeu ? », écrit-il dans la Préface de ses premiers *Contes* pour se défendre d'avoir médit
de la vertu des femmes. Ce qu'il dit de lui-même n'est pas
moins jeu que ces pseudo-médisances où se mêlent lieux
communs grivois et fantaisie débridée. Plus que ce qu'il prétend révéler de lui-même importe ce constant plaisir de La
Fontaine de jouer avec soi devant nous, de mêler le vrai et le
faux, de se montrer pour se masquer.

Fables et contes abondent en fausses confidences sur son
œuvre. Elles montrent combien il est homme de lettres,
superlativement attentif à tout ce qui assure l'efficacité de
son récit. « J'entends déjà maint esprit fort / M'objecter que
la vraisemblance / N'est pas en ceci tout à fait » respectée,
lit-on au beau milieu des aventures de Joconde.
Qu'importe ? est-il aussitôt répondu. « Si l'on voulait à
chaque pas / Arrêter un conteur d'histoire, / Il n'aurait
jamais fait. Suffit qu'en pareil cas, / Je promets à ces gens
quelque jour de les croire. » Le narrateur s'introduit dans
son récit pour définir le pacte de confiance mutuelle qui
doit, en telle affaire, lier celui qui parle et celui qui écoute.
Sous le masque du conteur, La Fontaine est venu dicter à
son lecteur le mode d'emploi de son livre.

Il lui arrive de consacrer toute une fable à son art.

« Contre ceux qui ont le goût difficile » est un dialogue avec ses « critiques ». Délaissant la poésie épique, il s'est, dit-il, entièrement consacré « aux mensonges d'Ésope ». Cela lui donne le droit de feindre : « Le mensonge et les vers de tout temps sont amis. » Il commence à conter. A trois reprises et sur trois sujets différents, des censeurs le font taire. Il s'arrête. Il ne peut progresser sans l'adhésion de son public. Au personnage que joue La Fontaine pour conter ses histoires s'ajoute souvent celui de l'auteur qui s'interroge devant nous sur la façon dont elles opèrent. Véritable interrogation d'un homme qui ne cesse de mettre son art en cause, ou ruse d'un poète habile à nous mettre de son côté par de prétendues confidences ?

Personne (sauf Corneille) n'a autant commenté ses œuvres, au XVIIe siècle, par d'amples préfaces et avertissements. La Fontaine n'a quasi rien publié sans avoir pris sa plume pour présenter lui-même ses textes à son public et expliquer ce qu'il a voulu faire, le plus souvent à la première personne. Il tenait donc à dialoguer (ou à paraître dialoguer) avec ceux qui le lisaient, à les consulter, à aller au-devant de leur goût. Quelles qu'aient été les arrière-pensées de l'homme, qui restent inaccessibles, ce dialogue est un témoignage sur l'image qu'il voulait qu'on ait de lui. « Le Ciel... m'a fait auteur », confie-t-il en 1675 à Mme de Thianges. Et aussi, dans la même épître : « Je suis homme de vers. » De toutes ses confidences, voilà vraisemblablement la moins fausse, celle qui donne la clé de son personnage à défaut de sa personne. Encore qu'à la longue, les deux ont dû finir par coïncider.

La Fontaine ne s'est pas contenté de se peindre à la première personne. Il lui arrive de parler de lui à la troisième. L'Avertissement des premiers Contes, en décembre 1664, explique qu'ils sont écrits selon deux techniques différentes, « en vers irréguliers » et « en vieux langage ». « L'auteur a tenté ces deux voies sans être encore certain laquelle est la bonne. C'est au lecteur à le décider là-dessus. » L'auteur, le lecteur : La Fontaine répartit clairement les rôles. Comme auteur, il ne s'adresse pas à son lecteur pour se confier à lui, mais selon un projet esthétique. L'œuvre est « bonne » quand elle donne du plaisir. Il n'écrira de nouveaux contes qu'une fois « assuré du succès » de ceux qu'il offre en spécimens, s'ils sont « du goût de la plupart des personnes qui les liront ». En fait, il en publiera beaucoup d'autres sans jamais trancher entre les deux formes proposées. N'a-t-il donc donné le choix que fictivement et par jeu ?

A ces divers portraits s'ajoutent ceux qu'il a faits de lui en se mettant en scène, par exemple sous le nom d'Acante dans *Le Songe de Vaux*... « Je feins donc, explique l'auteur dans l'Avertissement qui présente le texte, qu'une nuit de printemps, m'étant endormi, je m'imagine que je vas trouver le Sommeil, et le prie que par son moyen je puisse voir Vaux en songe. » C'était le seul moyen de décrire sous sa forme achevée le château de Foucquet qu'on était en train de construire. Le poème montre donc Acante au palais du Sommeil, qu'il invoque comme un fidèle invoque son Dieu : « Tu sais que j'ai toujours honoré tes autels ; / Je t'offre plus d'encens que pas un des mortels : / Doux sommeil, rends-toi donc à ma juste prière. » Le personnage du *Songe* s'accorde parfaitement avec l'image du récitant paresseux et rêveur que l'on trouve dans les Fables. La Fontaine devait tenir à cette image, puisqu'il l'a répandue lui-même.

Elle n'en fait pas moins partie d'une fiction à trois étages : le poète feint qu'il s'imagine qu'il songe... La confidence sur la paresse est on ne peut plus indirecte. Elle est d'autant moins personnelle qu'elle reprend un thème familier aux hôtes du Surintendant. Pellisson, son secrétaire, a composé vers le même temps que La Fontaine un *Temple de la Paresse* où il use des mêmes procédés pour développer les mêmes thèmes. Il y loue lui aussi les songes qui « charment les plus misérables » et « savent contenter leurs plus ardents désirs ». Les deux amis partagent le même goût de la rêverie paresseuse, à moins qu'ils ne s'amusent ensemble à rivaliser littérairement sur un sujet à la mode dans le milieu où ils se trouvent à ce moment-là.

Il y a une grande part de jeu dans tout cela. La meilleure preuve en est que La Fontaine s'est amusé dans ce poème à emprunter à Pellisson son surnom familier d'Acante. C'est lui, en effet, et non La Fontaine qui était connu sous ce nom-là dans les années 60. Pellisson l'avait pris dans plusieurs poèmes, dont un « Dialogue entre Acante et la fauvette » qu'il avait adressé à sa tendre amie, Mlle de Scudéry. On lui écrivait sous ce nom. Ménage s'était même amusé en

1658 à composer son épitaphe : « Ici gît le fameux Acante, / L'honneur du rivage français... » Bref, au moment où La Fontaine se présente comme Acante dans *Le Songe de Vaux*, personne n'ignore qu'il n'en peut être que la contrefaçon... Il s'amuse à brouiller les cartes en prenant le surnom de son ami, pour souligner leur ressemblance – ou pour marquer la distance entre une vraie confidence et un jeu littéraire.

La Fontaine a beaucoup parlé de lui, mais sous un grand nombre de masques, allant jusqu'à voler l'identité d'autrui. Moi de l'auteur de lettres et d'épîtres, moi du conteur ou du récitant, moi de l'écrivain qui présente et critique ses propres ouvrages, personnage fictif intervenant en son nom ou prenant le surnom d'un ami, les images du poète sont trop nombreuses pour qu'on aperçoive clairement ce qu'il a véritablement été quand il cessait d'être en représentation. On voit du moins qu'il avait le goût du déguisement et de la mystification. Il y était poussé par son métier de créateur. Il semble y avoir pris plaisir.

A la fin de la Préface de son premier recueil de *Fables*, La Fontaine a tenu à placer une vie d'Ésope, le fondateur du genre. Il la raconte d'après Planude. Il sait, dit-il, que tout le monde ou presque la considère comme entièrement inventée. « On s'imagine que cet auteur a voulu donner à son Héros un caractère et des aventures qui répondissent à ses Fables. » Le danger qui menace le biographe, et particulièrement de celui qui rapporte la vie d'un conteur d'histoires, est, en effet, de passer trop facilement du contenu de l'œuvre à la personne de son auteur. La Fontaine a un temps reconnu, dit-il, le bien-fondé de cette objection. Puis il a finalement pensé qu'il fallait passer outre. Pour deux raisons.

La première est d'ordre scientifique : « Le caractère que Planude donne à Ésope est semblable à celui que Plutarque lui a donné dans son Banquet des sept Sages. » Un témoin est crédible quand ce qu'il dit se trouve confirmé par un autre témoin digne de foi. On peut appliquer ce principe à La Fontaine lui-même, et le croire quand ses confidences se trouvent corroborées par celles de ses contemporains. On peut aussi chercher, derrière le personnage qu'il met en scène, les confidences qu'il a faites sur lui sans le vouloir. La principale raison d'écrire une biographie de La Fontaine, et

le principal plaisir que peut y trouver le lecteur, c'est de
mieux saisir la distance qu'il met entre lui et nous par la
constante présence d'un narrateur qui prétend nous parler
en son nom, mais dont la vraie fonction est d'assurer, sur des
tons et par des moyens variés, l'efficacité esthétique de chacune de ses œuvres.

La deuxième raison invoquée par La Fontaine pour s'en
tenir à Planude est plus spécieuse. Quand Plutarque aurait
« voulu imposer à la postérité dans ce traité-là », autant mentir sur « la foi d'autrui » que sur la sienne. « Car ce que je
puis est de composer un tissu de mes conjectures, lequel
j'intitulerai : Vie d'Ésope. Quelque vraisemblable que je le
rende, on ne s'y assurera pas ; et Fable pour Fable, le lecteur
préférera toujours celle de Planude à la mienne. » Belle
leçon sur la difficulté de rétablir la vérité quand il existe déjà
un récit cohérent qui satisfait l'imagination du public. Clé
peut-être de maintes confidences ou pseudo-confidences du
poète : il a été à la fois Ésope et Planude, le fabuliste et son
biographe.

Il faut s'y résigner. On est bien souvent obligé d'en croire
La Fontaine et de le représenter d'après son propre témoignage, selon *sa* vraisemblance, en partant des images qu'il a
voulu laisser de lui. Mais on n'est pas toujours aussi démuni
que lui devant la Vie d'Ésope. Il y a quelques (rares) témoignages sur lui de ses contemporains, et les documents objectifs ne manquent pas pour établir les faits marquants de son
existence. « Je suis un homme de Champagne », assure-t-il
dans une de ses épîtres. Nous savons qu'il dit vrai puisque
nous possédons son acte de baptême.

Février 1995

1.
Fables

« La Cigale et la Fourmi », « Le Corbeau et le Renard »,
« Le Lièvre et la Tortue »... On aime les *Fables*. On en
raconte d'étonnantes sur leur auteur. Comme s'il avait lui
aussi appartenu au monde merveilleux du « temps où les
bêtes parlaient ». On en est persuadé d'avance : Jean de La
Fontaine ne s'est pas conduit comme les autres hommes.

En 1725, trente ans après sa mort, sa première biographie
complète se termine sur la fable du « Poète qui a Oublié ses
Amis ». Il passait quelques jours à Antony. Voici qu'il n'est
pas là pour le déjeuner. On l'appelle, on le sonne. Il ne vient
point. Il arrive le repas fini. On lui demande d'où il sort. Il
répond qu'il était à l'enterrement d'une fourmi, qu'il en a
suivi le convoi dans le jardin et qu'il a reconduit la famille
jusqu'à sa maison, autrement dit à la fourmilière. Il entreprend là-dessus « une description naïve du gouvernement de
ces petits animaux, qu'il a portés depuis dans les *Fables* ». Il
avait passé tout son temps à étudier la nature. « Ses distractions étaient bien philosophiques, conclut Mathieu Marais,
et il nous préparait ses excellents ouvrages qui en sont le
fruit. »

Le poète a été marié et père de famille. Rien que de
banal. Mais la Fable nous dit : « Il ne l'a pas été banalement. » Elle nous récite « Le Voyageur et la Dévote ». Mme
de La Fontaine s'est retirée à Château-Thierry, excédée des
fredaines de son mari. Racine et Boileau, ses amis,
l'engagent à un raccommodement. Il cède à leurs raisons et
décide d'aller la rejoindre. Quittant la capitale, il file droit à

la maison conjugale. Sa femme n'est pas là. « Elle est à l'église, au salut », lui dit sur le pas de la porte un domestique qui ne le connaît pas. Il reprend la voiture qui l'avait amené et revient sans attendre à Paris. Ses amis l'y accueillent et lui demandent s'il est content de son voyage : « J'ai été pour voir ma femme, leur répond-il simplement, mais je ne l'ai pas trouvée. Elle était au salut. »

Faussetés, réplique un défenseur de sa mémoire, qui nous raconte « Le Voyageur étourdi », fable qu'il tient, dit-il, des petites-filles du poète. Jean venait souvent voir sa femme. Il passait auprès d'elle des semaines entières. Un jour, arrivant de Paris, il apprend qu'elle vient juste de s'en aller à l'église. Il rencontre un de ses amis, qui l'invite à souper chez lui, à une lieue à peine. La dévote n'est pas près de rentrer. On est dans la belle saison. On le ramènera de bonne heure. La Fontaine ne sait pas dire non. Il suit son compagnon, qui lui fait bonne chère. Il y a d'autres invités. Dans la gaieté du repas, l'un d'eux lui fait promettre de venir le lendemain déjeuner chez lui, à deux lieues de là. Il le suit. Il s'éloigne encore de sa femme. Nouvel ami. Nouvelle proposition. Nouvel éloignement. Le bonhomme, protestant toujours qu'il s'en va chez lui, se trouve maintenant à six lieues de Château-Thierry, sur le chemin de la capitale. Un temps affreux survient, qui le dissuade de quitter son dernier hôte. Une occasion se présente de regagner agréablement Paris où il doit assister à une séance importante de l'Académie française. Il décide alors de rejoindre la capitale sans avoir vu sa femme. Il le regrette. Du moins le dit-il en riant de son aventure.

Refus du fabuliste de se retrouver chez lui face à face avec une dévote ? Faiblesse du poète qui se laisse entraîner par les plaisirs de la bonne table et des joyeuses conversations entre amis ? Dans les deux cas, le conte est trop bon pour qu'on aille gâcher son plaisir en en contestant l'origine. On le répète et on l'amplifie depuis que Fréron, Cideville et Louis Racine l'ont rapporté les premiers, une cinquantaine d'années après la mort du poète. On ne leur demande pas d'être véridiques. Il suffit qu'ils paraissent dire vrai. Parce que leurs récits sont, comme toute fable, un mensonge signifiant la vérité, celle d'un étourdi oublieux de ses promesses, d'un faible emporté au caprice des circonstances, d'un ennemi de la contrainte.

Ce mari peu zélé ne pouvait être qu'un père distrait. Nouvelle fable : « Le Père qui avait Oublié son Fils. » La Fontaine avait eu un garçon, qu'il n'avait pas gardé près de lui. Il ne le voyait pas souvent. Un jour, dans une demeure amie, il découvre un beau jeune homme, lui trouve de l'esprit et du goût. Il le dit à la compagnie. « C'est votre fils », lui réplique-t-on, surpris de ses compliments. Et lui, sans s'étonner : « J'en suis fort aise. » La scène viendrait d'un témoin oculaire. Pourquoi pas ? La fable vaut surtout par ce qu'elle révèle : le refus des devoirs de la paternité, la rupture du poète avec la continuité familiale, sa tranquillité devant le caractère scandaleux de son indifférence. Rousseau s'est justifié d'avoir abandonné ses enfants; il en avait mauvaise conscience. La Fontaine n'a pas même l'idée qu'il pourrait être traité de mauvais père. Il est bien trop distrait, trop en marge du monde pour qu'on puisse le juger comme un homme ordinaire.

Allant un jour à Versailles, la duchesse de Bouillon l'aperçut un matin en train de rêver sous un arbre. Le soir, en s'en allant, elle le trouva au même endroit et dans la même attitude, quoiqu'il fît très froid et qu'il eût plu toute la journée. Il ne s'en était pas aperçu. « C'est à ces poétiques rêveries, dit Fréron, que l'on doit attribuer toutes les distractions » d'un auteur constamment perdu dans ses idées ou dans son dernier enthousiasme. Dès qu'il avait pris goût pour quelque ouvrage, raconte le fils de Jean Racine, son esprit en était entièrement occupé. Il en parlait à tout propos. Racine, qui l'avait un jour emmené à l'office des Ténèbres, s'aperçut qu'il s'ennuyait fort. Il lui donna une Bible pour le distraire. La Fontaine tomba sur Baruch, un des petits prophètes de l'Ancien Testament. Il y lut la prière des Juifs, et il la trouva admirable. Il le dit à Racine en lui demandant qui était ce Baruch. Puis, pendant plusieurs jours, à tous ceux de sa connaissance qu'il rencontrait, il disait seulement : « Avez-vous lu Baruch ? C'est un fort grand génie. »

Son enthousiasme lui ôtait toute mesure. Il oubliait où il était et à qui il parlait. Peu de temps avant sa dernière maladie, raconte Brossette, il dînait chez l'évêque de Soissons. On se mit à parler du goût du siècle. « Vous trouveriez encore parmi nous, dit-il très sérieusement, une infinité de gens qui estiment plus saint Augustin que Rabelais. » La compagnie eut beau s'esclaffer, le poète s'entêta dans son opinion.

Son confesseur, à l'occasion d'une maladie, l'exhorta à faire des prières et des aumônes. « Pour les aumônes, répondit-il, je n'en puis faire. Je n'ai rien à donner. Mais on a fait une nouvelle édition de mes *Contes*, et le libraire doit m'en donner cent exemplaires. Je vous les donnerai; vous les ferez vendre pour les pauvres. » Le confesseur, « presque aussi simple que son pénitent », à en croire celui qui rapporte l'anecdote, s'en alla consulter un théologien pour savoir s'il pouvait accepter l'aumône...

Même mécanisme dans tous les cas : il s'agit d'excuser par la simplicité ou l'étourderie de La Fontaine une conduite qui choque les principes établis de la religion, de la morale ou du simple bon sens. Pendant sa maladie, dit encore Louis Racine, Boileau et son père allèrent le voir. La femme qui le gardait les pria de ne pas entrer : il dormait. « Nous venions, lui dirent-ils, pour l'exhorter à songer à sa conscience, car il a de grandes fautes à se reprocher. » La garde, qui ne connaissait ni son malade ni ceux à qui elle parlait, répondit : « Messieurs, il est simple comme un enfant. S'il a fait des fautes, c'est donc par bêtise plus que par malice. »

On excuse de la même façon sa brouille avec Furetière, coupable d'avoir publié son *Dictionnaire* avant que l'Académie n'ait donné le sien. La Fontaine, explique-t-on, se rendit à la séance dans l'intention de se montrer favorable à un confrère qui était son ami. « Mais par une absence impardonnable, il jeta la boule noire au lieu de la boule blanche. » Rien de plus faux : La Fontaine, on le sait par ailleurs, vota librement et volontairement l'exclusion de Furetière. Et c'est avec la même liberté et la même bonne conscience qu'il a, jusqu'à la fin de sa vie, écrit des *Contes* qu'il savait parfaitement condamnés par l'Église et les gens de bien au nom de la morale. Ce que révèlent en fait ces fables inventées pour innocenter le poète, c'est qu'aux yeux de ceux qui les ont imaginées et rapportées, il avait grand besoin d'être excusé.

Tout aimable qu'elle soit, sa légende ne cache pas, en effet, que La Fontaine a vécu en marginal. En ce siècle classique où s'instaure l'ordre de Louis XIV et de la Contre-Réforme, il n'a pas cru devoir faire comme tout le monde. Dans sa vie de famille comme dans sa vie professionnelle, il s'est le plus possible comporté à sa guise, au mépris des normes établies. Singulier paradoxe : notre grand fabuliste, l'auteur qui a introduit et répandu en France le seul genre moral à avoir connu un succès populaire, celui qu'on donne depuis des siècles à lire aux enfants pour leur apprendre à bien vivre, a vécu au mépris des lois. On le cite pour donner la Fourmi en exemple, mais lui-même s'est toujours conduit comme la Cigale... On le met du côté des Chiens de garde, oubliant ses sympathies pour le Loup, qui préfère les risques de la liberté à l'assurance du bon gîte et des bons soupers. Qu'il le voulût ou non, il dut rentrer dans l'ordre. Et puisqu'on ne pouvait cacher ce qui l'en avait écarté, le mieux était de renchérir sur ses sottises et de le déclarer irresponsable : « Ce La Fontaine, quand même, quel étourdi ! »

Étourdi, il le fut en effet. « Qui dirait au bon La Fontaine qu'il est visionnaire, il se fâcherait, lit-on dans un dialogue publié en 1695. Et pourtant, au fond, c'est un visionnaire. Il n'est jamais où on le voit, toujours abstrait quand on lui parle, et au lieu de répondre à ce qu'on lui demande, il fait à tout moment des *spropositi* ridicules. » Loin de diminuer, ses distractions ont augmenté avec le temps. « C'est au point, dit ce témoin, qu'au sortir de dîner avec des amis, un moment après il ne les reconnaît pas dans la rue. Un soir de mai 1690, lui et moi fûmes au convoi funèbre du pauvre Mitton. Huit jours après, il alla chez lui demander à sa nièce des nouvelles de sa santé. » La discussion, quand on parle du fabuliste, ne porte donc pas sur ses absences; seulement sur leur degré et leurs circonstances.

Vigneul-Marville a raconté le complot formé avec trois autres de ses amis pour attirer « cet homme rare » en dehors de la ville, dans « une maison consacrée aux Muses » où ils lui donnèrent un repas « pour avoir le plaisir de jouir de son agréable entretien ». Le bonhomme ne se fait point prier. Il arrive bien à l'heure, à midi. « La compagnie était bonne, la table propre et délicate, et le buffet bien garni. » Au lieu de saluer et de remercier ses hôtes, il se met à table sans dire un mot. « Il mangea comme quatre et but de même. » Le repas fini, on pense qu'il va enfin parler. Il s'endort. Après trois quarts d'heure de sommeil, il se réveille et ne parle que pour s'excuser d'avoir dormi : il était fatigué. On lui dit que cela n'a pas d'importance et qu'il a bien fait. On s'empresse auprès de lui pour « le mettre en humeur et l'obliger à laisser voir son esprit ». Peine perdue : son esprit ne parut point. « Peut-être alors animait-il une grenouille dans les marais, une cigale dans les prés ou un renard dans sa tanière, car durant tout le temps que La Fontaine fut avec nous, il nous sembla n'être qu'une machine sans âme. On le jeta dans un carrosse, et nous lui dîmes adieu pour toujours. Jamais gens ne furent plus surpris. Nous nous disions les uns les autres : comment se peut-il faire qu'un homme qui a su rendre spirituelles les plus grosses bêtes du monde et les faire parler le plus joli langage qu'on ait jamais ouï ait une conversation si sèche et ne puisse pas, pour un quart d'heure, faire venir son esprit sur ses lèvres et nous avertir qu'il est là ? »

Vigneul-Marville tire lui-même la leçon de sa fable, « Le Convive muet » : « C'est le naturel des grands génies d'être partout ailleurs qu'à l'endroit où on les demande. » Ce lieu commun sur l'étourderie de l'intellectuel surdoué ménage la susceptibilité des convives. Il les empêche de se demander si La Fontaine ne s'est pas moqué d'eux. En gardant le silence, il a refusé d'entrer dans le rôle qu'on voulait lui faire jouer. Il n'est pas de ces parasites qui gagnent leur repas en flattant ceux qui les nourrissent. En toute circonstance, il entend demeurer un homme libre et ne converser avec autrui que s'il y trouve lui-même du plaisir. Sa pente vers la rêverie l'arrange : elle est un excellent moyen d'oublier les autres et de ne pas se contraindre. Elle préserve sa liberté.

Vraies ou fausses dans le détail, les fables racontées sur La Fontaine sont trop nombreuses et trop convergentes pour ne pas révéler un trait fondamental de son comportement. Il a su ne pas vivre comme les autres, et il s'est servi de son étourderie pour y parvenir. Elle n'implique pas, comme l'ont cru de bonnes âmes, l'irresponsabilité du « visionnaire ». Loin de la subir, il s'est servi de sa rêverie. Il l'a lucidement employée pour échapper à ses devoirs et à la morale de son temps. Il s'est arrangé pour qu'elle permette d'excuser à tout moment ses nombreux comportements marginaux. Elle aurait pu n'être qu'une fuite dans l'imaginaire, une façon maladroite de garder ses distances par rapport à une réalité où il ne se serait senti ni à sa place ni à son aise. La Fontaine en a fait une arme, un moyen apparemment innocent d'assumer, dans une société d'ordre, ses nombreux choix non conformistes.

En janvier 1724, l'abbé d'Olivet lut à l'Académie française l'éloge du fabuliste qu'il avait composé pour son *Histoire* de cette institution. On lui reprocha le ton de son travail. « Tout le monde, dit-il, ne m'approuva pas d'avoir trop appuyé sur la simplicité de M. de La Fontaine, et ceux-mêmes qui rendirent le plus de justice à mes intentions me conseillèrent de supprimer divers traits qu'en effet je supprimai, de peur qu'on n'en prît occasion de rire. » La première biographie du fabuliste a été censurée et tronquée pour excès d'originalité du modèle. Sa statue ne pouvait figurer parmi celles de ses confrères qu'après avoir été coulée dans un moule commun.

A défaut de rapporter les traits qui avaient choqué, d'Olivet imagine lui aussi une fable. Il suppose une république « composée d'hommes comme La Fontaine ». Elle ne connaîtrait « ni fraude, ni mensonge, ni querelle, ni procès, ni chicane, ni luxe, ni ambition ». Les terres y seraient mal régies. On n'y trouverait « personne capable d'être magistrat ou soldat ». Dans un monde où ces personnages seraient devenus inutiles, « on suivrait aveuglément l'instinct de la nature, qui porte à se contenter de peu et à ne goûter que des plaisirs innocents ». Ce serait le fameux Âge d'or que « les poètes ont dépeint et qui n'exista jamais ». On ne saurait dire plus clairement que le poète a vécu dans un rêve et hors du temps : « *Il était une fois* un fabuliste qui s'appelait Jean de La Fontaine... »

Reste à savoir si l'homme qui a écrit les *Fables* a vécu comme dans sa légende.

2.
Rue des Cordeliers

Rien ne destinait Jean de La Fontaine à devenir un marginal. Tout le prédisposait au contraire à poursuivre l'ascension sociale d'une famille enracinée depuis longtemps à Château-Thierry. Au moment de sa naissance, en 1621, elle était en train de passer de la bourgeoisie marchande à la petite fonction publique, premier pas vers l'anoblissement. Cinq générations plus tôt, un Pierre de La Fontaine exerçait dans la ville le métier de marchand-drapier. Son fils avait repris sa boutique, de même que son petit-fils, un Jean de La Fontaine, qui sera le parrain du futur fabuliste. Entre les deux, un Nicolas avait, une première fois, essayé de sortir la famille du commerce. Sans quitter son pays natal, il s'était orienté vers la profession de « contrôleur des aides et tailles ». Il veillait à la bonne répartition et à la perception des impôts du roi en prenant sa part au passage.

Jean, son fils, n'avait pas continué dans cette voie. Il reprit le chemin de la boutique ancestrale. Mais son fils Charles, baptisé le 30 novembre 1594, renouvela bientôt la tentative d'ascension sociale de Nicolas en s'engageant sur une autre voie, moins lucrative, mais plus prestigieuse. Il acheta la charge de maître particulier des eaux et forêts pour le duché de Château-Thierry et la prévôté voisine de Châtillon-sur-Marne. Il n'était pas nommé à ce poste, comme on le serait aujourd'hui, il en était le légitime propriétaire. Cette possession, qui lui donnait indépendance et stabilité, lui conférait aussi surface sociale et considération. Avec cette charge qui faisait de lui un officier du roi, Charles de La Fontaine passait de la petite à la moyenne bourgeoisie. Et dans une petite ville comme la sienne, sa famille prenait place parmi les premières du pays.

Pour réaliser cette importante promotion, il lui avait fallu trouver de l'argent. Un bon mariage y avait pourvu. Le 13 janvier 1617, il avait épousé Françoise Pidoux. C'était un riche parti, qui lui apporta 30 000 livres de dot, dont 20 000 payées comptant. Grosse somme à l'époque où la dot d'une fille de notable de province ne dépassait guère les 10 000 livres. Ce n'était qu'une avance sur ses biens, car la mariée gardait ses droits sur les héritages et partages à venir. Selon Furetière, qui s'est amusé dans son roman bourgeois à donner « une évaluation des partis sortables », une femme qui avait de 30 000 à 45 000 livres de dot pouvait espérer épouser « un auditeur des comptes, un trésorier de France ou payeur de rentes ». Françoise Pidoux s'était montrée beaucoup moins exigeante.

Charles de La Fontaine avait vingt-trois ans. Elle en avait trente-cinq : douze de plus que lui. Ce n'était pas une pucelle. Elle était veuve de Louis de Jouy, un marchand dont la particule ne doit pas faire illusion. Elle amenait avec elle une fille déjà grande, puisqu'on la mariera dès 1627. C'étaient là de sérieux handicaps qu'elle compensait par son argent et par une origine sociale moins modeste que celle des La Fontaine.

Si les Pidoux étaient, comme eux, des bourgeois issus de la marchandise, la branche poitevine dont provenait l'épouse de Charles l'avait quittée depuis plus d'un siècle. Elle avait donné au roi Henri II un médecin dont le fils, Jean Pidoux, avait été à son tour médecin de Henri III et de Henri IV. Il avait écrit et publié un savant traité sur les eaux minérales de Pougues en Nivernais, dont on lui attribuait la découverte. Médecin aussi, son fils François, né en 1582, sera maire de Poitiers après plusieurs autres Pidoux. C'était le frère de la mariée. Il se mêlait, dit-on, de faire des vers. Il venait de mourir, en 1662, quand Jean de La Fontaine évoque depuis Limoges, en septembre 1663, un de ses fils, son cousin germain, qu'il connaît seulement pour avoir autrefois été en procès avec lui au sujet de la succession de leur commun grand-père.

En épousant Louis de Jouy, marchand de Coulommiers,

Françoise Pidoux, sœur d'un bailli du même lieu, était retournée dans la petite bourgeoisie d'où venait sa famille. Seuls son argent et sa parenté lui valaient, sans fondements légaux, une certaine apparence, qui explique que Charles de La Fontaine, en écartelant ses armes de celles de sa femme, donna la place d'honneur à celles des Pidoux. Pour se montrer digne de cette belle union, il prit dans son contrat le titre d'écuyer, réservé aux nobles. Modestement et plus véridiquement, Jean de La Fontaine, son père, s'y déclarait « noble homme », selon la formule paradoxalement réservée aux roturiers en de telles circonstances. Ce décalage manifestait le désir d'ascension sociale du jeune homme. Il comptait fermement sur son mariage pour l'accomplir.

Son père vivant encore, il ne disposait pas de biens patrimoniaux pour s'établir. La dot de sa femme y pourvut. Ce n'est pas avant son mariage, mais seulement en 1620, juste après sa majorité (vingt-cinq ans en ce temps-là), qu'il apparaît comme maître alternatif, puis comme maître particulier ancien des eaux et forêts. Dans la seconde de ces charges, il succédait à Claude Gaultier; dans la première, à François de La Fontaine, et non à Jean, son père, comme on l'a cru longtemps. Par cette acquisition, à vingt-cinq ans, il devenait un important chef de service régional, ayant sous ses ordres, dans chacun des deux sièges de sa maîtrise, un lieutenant, un procureur du roi, un maître-sergent et garde-marteau, un greffier, des contrôleurs, des sergents et des gardes, soit une vingtaine de personnes, ce qui était beaucoup dans l'administration de ce temps-là.

Directement dépendant du grand maître des eaux et forêts, il ne partageait un peu de son pouvoir qu'avec François Guvin, maître particulier alternatif, dont le rôle était en principe, selon le nom de sa charge, d'exercer en alternance (six mois par an, ou un an sur deux) les mêmes fonctions que lui. En fait, ils se partageaient le travail sous l'autorité de celui qui avait la première charge, le maître ancien. Preuve de la bonne entente des deux hommes et signe de son intégration dans son nouveau milieu, Charles de La Fontaine prit Claude Josse pour marraine de son premier-né. C'était la femme de François Guvin.

Le 8 juillet 1621, en l'église Saint-Crépin de Château-Thierry où avaient été baptisés son père, son grand-père et beaucoup de ses aïeux, Jean de La Fontaine, probablement né le jour même ou la veille, reçoit le baptême des mains d'Antoine de La Vallée, curé de la paroisse. On peut imaginer le cortège, la cérémonie et la fête familiale, quoique nul document n'ait conservé le souvenir d'un événement aussi banal. Personne n'imaginait la suite. Si on a parlé de l'avenir de l'enfant, on l'a plutôt vu surveillant, comme son père et le mari de sa marraine, les étangs et les bois de son pays natal. Lui aussi serait un petit notable de province.

Premier signe, particulièrement visible, du progrès de Charles dans la société : des deniers de sa femme, il acquiert une belle demeure, bien située. Elle s'étalait paisiblement au pied de la hauteur qui dominait la ville, protégée par l'ancien château fort, récemment restauré par Louis XIII. La maison consistait en trois corps de logis entre cour et jardin. Couverte de tuiles, elle s'élevait entre le couvent des Cordeliers et la cour Buisson, donnant d'un côté sur les remparts, s'ouvrant de l'autre sur la rue de Beauvais, appelée à l'époque rue des Cordeliers, maintenant rue Jean-de-La-Fontaine. C'était la plus belle maison du pays. En 1644, après les améliorations qu'y apportèrent les La Fontaine, on l'estimait à 9 000 livres. Jean la vendra 11 000 en 1676. A une époque où l'on étalait volontiers les marques de sa réussite, on ne pouvait rêver meilleur signe extérieur de richesse.

On ignore le moment exact de cette acquisition. Peut-être à l'occasion du mariage de Charles, mais peut-être seulement après la naissance de son premier enfant, par exemple quand Françoise Pidoux hérita 12 000 livres de sa mère, le 20 mai 1622. Quelques mois plus tard, le 26 février 1623, lors du partage des biens d'un de ses frères, François, elle reçut encore 2 465 livres. Dans le même temps, soucieuse de ne rien perdre de ses droits, elle s'associait à ses frères et sœurs dans un procès contre leur aîné, Valentin Pidoux, bailli de Coulommiers, qu'ils estimaient trop avantagé par leur père, mort en 1610. Par sa naissance, Jean de La Fontaine appartient donc à une famille de riches bourgeois où les solidarités familiales n'excluent pas d'âpres luttes d'intérêts. Il ne suffit pas d'être riche et d'avoir du bien. Il faut en avoir toujours plus et revendiquer tous ses droits.

Curieux foyer que celui du petit Jean, où le rapport d'âge des parents inverse les habitudes du temps de façon presque scandaleuse. A sa naissance, son père, qui a vingt-sept ans, est plutôt jeune pour l'époque, mais sa mère, à trente-neuf ans, est bien vieille pour un premier fils. Elle lui donnera deux ans plus tard, un petit frère, Claude, baptisé le 26 septembre 1623. Mais, surtout, elle avait amené avec elle sa fille du premier lit, Anne de Jouy, qui avait une dizaine d'années de plus que le garçon. Il la vit près de son berceau dès qu'il ouvrit les yeux. A côté de sa mère selon le sang, elle lui fut une mère selon l'imagination. D'où peut-être l'incapacité de La Fontaine à se fixer. Dès sa plus tendre enfance, et dans l'inconscience même des premiers jours, il s'est trouvé dans l'impossibilité de choisir entre deux femmes, tiraillé qu'il était entre des images à la fois contraires et semblables.

Il a dû ressentir d'autant plus fortement cette situation que sa mère et sa demi-sœur ont vite été les seules femmes d'un foyer réduit. A sa naissance, le petit Jean avait perdu ses deux grands-parents maternels. Seul lui restait son grand-père paternel et parrain, veuf dès le mariage de son fils. Les Pidoux n'habitaient pas Château-Thierry. Charles de La Fontaine n'y avait ni frère ni sœur. Contrairement à la plupart des enfants, élevés d'ordinaire au sein d'une tribu de frères, de sœurs, d'oncles, de tantes, de cousins et de cousines, le futur fabuliste n'avait qu'un cercle étroit où fixer ses premières affections.

Au début de 1627, ce cercle se rétrécit encore. Anne de Jouy quitte la maison de Château-Thierry pour se marier avec un Parisien. A cinq ans et demi, La Fontaine a sûrement vécu son départ comme un déchirement. D'autant qu'il ne s'est pas fait dans le calme et la bonne entente, mais dans les disputes et les procès. Conjointement avec son épouse, Charles exerçait les fonctions de tuteur et de curateur de la jeune fille. Quand le projet de mariage se précisa, il s'y opposa de toutes ses forces. La preuve en est que, devant son refus, sa propre femme ouvrit une procédure contre lui. Le 15 janvier, sur le rapport écrit d'Adam, sergent royal, qui exposait la situation, Charles de La Haye, prévôt, juge ordinaire et lieutenant-criminel de Château-Thierry, prononça à l'encontre du beau-père, qui n'avait pas voulu comparaître ni envoyer de représentant, une sentence autorisant Françoise Pidoux à procéder seule au mariage de sa fille et à y stipuler sans lui.

Pour le mariage avec Philippe de Prast, le 7 février 1627, la femme de Charles de La Fontaine est donc seule à Paris, où elle loge rue du Four, paroisse Saint-Séverin. Plus grave encore : elle est domiciliée, dans le contrat, « en la ville de Coulommiers en Brie ». Les deux époux vivent donc séparés, l'un à Château-Thierry, où le retient sa charge, l'autre au pays de sa famille, qui est aussi le pays natal d'Anne de Jouy. Séparation toute provisoire, puisqu'en mai tout est rentré dans l'ordre. Le 10 du mois, les deux époux signent conjointement l'inventaire et compte rendu de tutelle de la nouvelle mariée, et le 13, la transaction qui s'ensuit entre les tuteurs et leur ancienne pupille, assistée de son mari.

Il ne faut sûrement pas chercher dans des complications sentimentales l'origine de la brouille provisoire des époux. Ils n'étaient pas d'accord sur l'opportunité d'un mariage qui causait des difficultés financières. Marier Anne de Jouy revenait à la mettre en possession des biens de son père pour constituer sa dot. A ce titre, à la signature du contrat, on lui céda cinq fermes et une maison valant 27 000 livres. On lui promit aussi 15 000 livres en argent liquide, et 3 000 formant le principal de diverses rentes, payables la veille des épousailles. En tout 45 000 livres de dot, intégralement payées lors de la transaction du 13 mai. Cette somme constituait l'héritage paternel d'Anne de Jouy et ne pesait pas, en principe, sur les biens de Charles de La Fontaine. Mais il en perdait la gestion. C'étaient autant de disponibilités en moins.

Pis encore, il fallut rendre le compte de tutelle. Calculs faits, Françoise Pidoux et son second mari s'y trouvèrent redevables à leur pupille de 20 850 livres, preuve qu'ils avaient engagé son argent pour leurs propres affaires. Charles de La Fontaine avait espéré profiter plus longtemps de cette situation et de l'aisance qu'elle lui apportait. Trois jours plus tard, on procéda aux remboursement et compensations nécessaires. Anne de Jouy rentra le jour même dans la totalité de ses droits, avec un excédent de 1 486 livres à reprendre plus tard sur l'héritage de sa mère. Tout le monde, dans la transaction finale, se déclarait satisfait d'un arrangement qui évitait les longueurs et les frais d'un procès. Mais en diminuant les avantages qu'il avait attendus de son propre mariage, celui de sa belle-fille entravait la progression sociale du nouveau maître des eaux et forêts.

Au petit Jean, ce difficile mariage n'avait apporté que des perturbations. Qu'il ait suivi sa mère à Coulommiers ou qu'il soit demeuré près de son père à Château-Thierry, pour lui qui n'avait pas conscience des intérêts en jeu, le nid familial avait un jour brusquement explosé sans raison. Et la sœur à laquelle il s'était attaché s'en allait loin de lui avec un étranger. On lui ravissait l'élément féminin le plus jeune du foyer, la « petite maman » qui dédoublait agréablement la vraie, la princesse charmante vers laquelle allaient ses désirs. Toute sa vie il la cherchera, perpétuellement en quête de son paradis perdu, à travers mille femmes imaginaires et quelques aventures réelles. En vain. Le départ brutal d'Anne de Jouy, quand La Fontaine n'avait pas encore ses six ans, explique sans doute son instabilité et qu'il se soit très tôt réfugié dans les compensations du rêve.

De sa mère, il n'a rien dit dans les textes conservés et publiés. Dans l'un de ses *Contes*, « Le Faucon », il rappelle la puissance de l'amour maternel : « On sait que d'ordinaire / A ses enfants mère ne sait que faire / Pour leur montrer l'amour qu'elle a pour eux. » Il y représente Clitie, veuve jeune et belle, « toute la journée » demandant à son fils unique « ce qu'il veut, ce qu'il a / S'il mangerait volontiers de cela / Si ce jouet, enfin si cette chose / Est à son gré ». Souvenir personnel d'enfant gâté ? Peut-être. Ou bien expression d'un regret ? « *D'ordinaire* » implique l'existence d'exceptions... L'enfant du conte meurt bientôt. La mère le pleure fort et se console vite en se remariant par amour. On ne peut conclure de ces jeux aux sentiments que Jean éprouva pour sa mère, ni à ceux qu'elle eut pour lui.

On croyait qu'il l'avait perdue assez tôt, vers 1637. Mais on la voit intervenir, le 7 juillet 1642, dans une donation de René Pidoux à Anne de Jouy, et c'est seulement en août 1644 (peut-être juste après son décès) que fut établi devant notaires un état de ses biens, préliminaire nécessaire à leur partage entre ses trois héritiers, Anne, sa fille du premier lit, Jean et Claude, ses fils du second. Tous calculs faits, toutes dettes et tous frais payés, l'héritage de Françoise Pidoux s'élevait à près de 43 000 livres. Le mari y préleva plus de 6 500 livres pour sa part de leur communauté. Restaient 36 417 livres pour ses enfants, soit 9 146 livres par tête. « En considération de l'amitié et affection » qu'il avait toujours eues pour Anne de Jouy, en son nom et en celui de ses fils mineurs, « de sa bonne volonté », Charles porta la part de celle-ci à 12 000 livres, préférant un arrangement à l'amiable à quelque difficile procès.

Sur son père, Jean garde dans ses œuvres le même silence que sur sa mère. Dans « Jupiter et les Tonnerres », il semble croire à une constante indulgence paternelle : « Tout père, dit-il, frappe à côté. » Dans « Les Oies de frère Philippe », il met en scène un père attentif, mais on ne peut lui appliquer l'histoire de ce veuf, devenu ermite, qui a élevé son fils loin de la corruption des villes et de la séduction des femmes. A la différence de François Pidoux, et par l'effet des hasards de la conservation des lettres, Charles de La Fontaine apparaît quatre fois dans celles de son fils. Il lui accorderait sûrement, dit-il, sa garantie pour une vente, « mais je ne romps jamais la tête à mon père de mes affaires ». Piété filiale ? Indépendance de caractère ? Manque de confiance dans les aptitudes financières de Charles dont les capacités de gestionnaire ne semblent pas avoir été à la hauteur des ambitions ? On n'a pas les moyens d'en décider.

A partir de 1627 et jusqu'au moment où il les a quittés pour aller finir ses études à Paris, Jean a paisiblement vécu avec ses deux parents et son frère dans la belle maison de la rue des Cordeliers. A la charge de maître des eaux et forêts, son père avait bientôt ajouté celle de capitaine des chasses. C'est précisément par les forêts et les chasses de Château-Thierry que Louis XIII avait été séduit. A trois reprises, il y séjourna quelques mois entre 1631 et 1635. Nul doute que les fonctions de Charles ne l'aient conduit à rencontrer le roi et le cardinal de Richelieu. Jean de La Fontaine pouvait s'enorgueillir d'être le fils d'un riche bourgeois et d'un fonctionnaire important.

3.

Des maîtres de campagne

La Fontaine « étudia sous des maîtres de campagne », dit l'abbé d'Olivet. Ce petit provincial n'a pas été l'élève d'un grand collège de ville importante. Et il est en effet parrain, en l'église de son propre baptême, Saint-Crépin, le 17 janvier 1630 et le 7 août 1633. Les écoliers, en ce temps-là, n'étaient en vacances ni au milieu de janvier, ni au milieu d'août, et les pensionnaires n'avaient pas le droit de sortir les dimanches et jours de fête. Ses signatures sur les registres paroissiaux corroborent donc l'affirmation de l'*Histoire de l'Académie française* : jusqu'à douze ans et demi au moins, le futur fabuliste demeura dans son pays natal, fréquentant le collège de Château-Thierry.

Il y en avait un, rue du Château, à deux pas de la maison familiale de la rue des Cordeliers. Il n'était pas tenu par des enseignants professionnels comme les jésuites et les oratoriens, mais par des maîtres moins prestigieux, recrutés par la ville. A ce titre également, c'étaient des « maîtres de campagne ». Leur savoir avait probablement suffi au père de Jean, qui concevait l'avenir de son fils à l'image de sa propre existence : il serait comme lui un petit officier royal, dans les eaux et forêts de préférence. Il ne pouvait deviner qu'il aurait dû lui donner la meilleure instruction dans le meilleur collège, seule digne à nos yeux de notre plus grand fabuliste !

J. B. Rathery affirme en 1852 avoir vu personnellement un livre de classe prouvant que La Fontaine a connu dès ce temps-là celui qui demeura jusqu'à la mort son meilleur ami, François Maucroix. Il s'agit d'un choix de dialogues de Lucien, publié en 1621 à Poitiers, avec une traduction en latin, par un jésuite, à l'usage des collèges de la Société. On lisait sur la page de titre : « *Ludovicus Maucroix* », signe que le livre avait appartenu d'abord à Louis, frère aîné de François. Le nom de La Fontaine figure deux fois à l'intérieur du livre, « tracé négligemment et incomplètement en caractères majuscules se rapprochant de ceux d'imprimerie ». Ils seraient de la main du petit Jean. Et c'est François Maucroix qui aurait écrit, « au haut de la première garde intérieure collée sur le carton », le premier portrait conservé du futur fabuliste : « De La Fontaine, bon garçon, fort sage, fort modeste. » Le précieux volume est devenu introuvable après Rathery, détruit peut-être dans l'incendie de la bibliothèque du Louvre dont il était conservateur. Attestée cinquante ans avant lui par l'abbé Hébert dans une histoire manuscrite de Château-Thierry, son existence paraît pourtant incontestable.

Le jugement porté par Maucroix sur La Fontaine dans un livre scolaire ne s'explique qu'entre condisciples dont l'un s'amuse à donner son avis sur l'autre. Ils ont donc fréquenté le même collège. Les *Dialogues des morts* de Lucien étant au programme de troisième, cela date leur rencontre au plus tard du temps où le possesseur du livre se trouvait dans cette classe. « Nous avons été amis plus de cinquante ans », écrit Maucroix après la mort du fabuliste. A prendre les chiffres en toute rigueur, voilà qui conduit seulement aux alentours de 1645. Pour marquer qu'il avait fréquenté Jean dès le collège, François aurait dû écrire qu'ils étaient liés depuis « plus de soixante ans ». Mais il cherchait à souligner la solidité d'une longue amitié, non à en établir la chronologie. « Maucroix – écrit Richelet en 1695, à une époque où ce personnage vivait encore – vint à Paris qu'il n'avait que dix-sept à dix-huit ans. Il y étudia en droit. » Lui aussi a donc fait ses études secondaires en province. Le Lucien donne à penser qu'il les fit avec La Fontaine. La vraisemblance veut que ce soit à Château-Thierry.

Les deux garçons étaient dans la même classe. Autrement, Maucroix n'aurait pas fait le portrait de son camarade. Les élèves des classes supérieures s'intéressent rarement aux élèves des classes moins élevées, et l'administration y veillait de son côté, pour des raisons morales. Elle était en revanche peu sensible aux écarts d'âge. Charles Perrault a terminé sa philosophie vers quinze ans et demi, Boileau à seize ans, Racine à vingt. Cela fait un cursus moyen de dix-huit ans : celui de Maucroix, parti faire son droit à Paris en 1637. Plus précoce, son ami Jean a terminé ses premières études dès seize ans, comme Boileau.

« Il est trois points dans l'homme de collège, dira un jour le fabuliste : Présomption, injures, mauvais sens. » Pour faire bonne mesure, il en ajoute un quatrième : « Qu'il aille voir la cour tant qu'il voudra/Jamais la cour ne le décrassera. » Dans « L'Enfant et le Maître d'école », il attaque la conduite des « pédants » et leur triste « privilège » de « gâter la raison ». Mais il critique aussi l'Enfant « qui sentait son collège, / Doublement sot et doublement fripon » par son jeune âge et par la mauvaise influence de ses maîtres. Tout bien pesé, il renvoie les parties dos à dos : « Ne sais bête au monde pire / Que l'écolier si ce n'est le pédant. » Il ne voudrait pas avoir « le meilleur des deux » pour voisin... Ces portraits peu flatteurs doivent sans doute plus aux lieux communs livresques qu'à l'expérience personnelle de La Fontaine, sur laquelle nous ne savons rien.

S'il avait fréquenté un collège de jésuites ou d'oratoriens, on pourrait assez précisément déduire du programme commun aux établissements de chaque ordre (et notamment de la fameuse *ratio studiorum* des premiers) les enseignements qu'il y aurait reçus. Les « maîtres de campagne » avaient plus de liberté et moins de moyens. D'Olivet a marqué leurs limites : ils « ne lui enseignèrent que du latin ». La restriction marque évidemment qu'ils ne lui ont pas enseigné le grec. Dans ses mémoires sur la vie de Jean Racine, son fils Louis rapporte que La Fontaine avait « fait une étude particulière de Platon dans la traduction latine » et qu'il lisait parfois Homère avec son père en traduction. François Maucroix et son ami Jean ont dû pareillement ne pratiquer que la partie latine de leur Lucien. Même ceux qui avaient appris le grec au collège connaissaient d'ordinaire mal cette langue, vite oubliée dès la fin des études. La Bruyère, traducteur de Théophraste en français, s'aidait d'une version des *Caractères* en latin.

La formule de l'abbé d'Olivet va plus loin. Elle suggère

que l'enfant n'a appris à Château-Thierry que la langue, à l'exclusion des grands auteurs de l'Antiquité. Il ne les découvrit, selon lui, que longtemps après sa sortie du collège. C'est possible. L'enseignement dispensé dans une petite ville de province devait être axé sur la grammaire et la rhétorique, réputées d'apprentissage plus facile, au détriment de l'explication des grands textes. Comme il était dispensé entièrement en latin, le petit Jean y a du moins acquis une parfaite et définitive maîtrise de cette langue, qui lui a permis d'accéder toute sa vie à la double culture léguée par les Anciens, directement pour les auteurs latins, en traduction pour les auteurs grecs. On juge l'arbre à ses fruits. Si les maîtres du petit Jean l'ont insuffisamment initié aux belles lettres classiques, il ne l'en ont point dégoûté. Il leur doit la solide formation initiale sur laquelle se greffera le très vaste savoir qui sous-tend presque toute son œuvre.

C'est au collège qu'il a nécessairement rencontré les fables ésopiques. Elles étaient au programme des petites classes (les grecques, en traduction latine). Faciles pour les débutants, ces petites histoires d'animaux étaient bien accueillies de jeunes élèves qui n'avaient ni Mickey ni Tintin pour parler à leurs imaginations. On en tirait maintes leçons pour leur éducation morale. Le succès des fables de La Fontaine en français a complètement bouleversé le statut d'un genre littéraire jusque-là confiné à l'école pour l'instruction des enfants, ou chez les doctes qui en établissaient de savants recueils. Au collège de sa ville, le petit Jean a étudié les fables dans des livres scolaires qui les traitaient surtout en instruments pédagogiques. A preuve le titre du recueil publié par Le Maistre de Sacy en 1647 : *Les Fables de Phèdre, affranchi d'Auguste, traduites en français avec le latin à côté, pour servir à bien entendre la langue latine et à bien traduire en français.*

La Fontaine avait quitté le collège au moment de cette parution. Il y entrait quand Jean Meslier donna, en 1629, des « fables ésopiques en français, en latin et en grec, avec des explications qui rendent très facile la compréhension du grec ». L'auteur en était le principal du collège de Laon, un voisin, et son livre a été, dit-on, un classique au collège de Reims. Pourquoi pas à Château-Thierry ? C'était, selon le titre entièrement libellé en latin, « un ouvrage utile, facile et

agréable aux enfants qui veulent étudier la langue grecque ».
Il s'ouvre sur la traduction française des cent cinquante
fables recueillies. Le texte grec suit, avec le latin en regard,
puis quatre cents pages d'encouragements et de commentaires. On pouvait y étudier le grec, selon l'intention
affichée de l'ouvrage. Mais on pouvait aussi y étudier le latin
en s'aidant de la traduction française. On pouvait même,
comme l'ordre du livre y invitait, se régaler de cette seule
traduction qui, fait nouveau, débordait son modèle en
s'enracinant dans le quotidien des lecteurs à l'aide d'une
langue à la fois imagée et concrète, presque populaire. Jean
Meslier préfigure La Fontaine.

On ne peut mesurer l'influence de « maîtres de campagne » dont on ignore la valeur et la méthode sur la formation intellectuelle du poète. Mais, par une chance qui
contrebalance tous les éventuels handicaps, il leur doit du
moins d'avoir pu étudier en demeurant chez lui. Il a pu,
grâce à eux, ne pas être enfermé dans un internat et profiter,
pendant toute son adolescence, de la présence de ses parents,
du confort de la belle maison familiale, de la proximité de la
campagne. Les journées scolaires étaient longues, les
vacances rares, et les élèves devaient se rendre au collège
tous les jours, y compris le dimanche pour y suivre les offices
religieux. Même la vie d'un externe était largement rythmée
par le collège. Elle ne l'était pas totalement. En restant à
Château-Thierry, La Fontaine a eu le privilège de pouvoir
disposer à sa guise de ses moments de liberté.

Ce n'est certainement pas quand il est devenu maître des
eaux et forêts, à trente ans passés, qu'il a découvert et aimé
la nature et ses « hôtes ». Ils étaient à deux pas de sa maison,
dès les remparts franchis. Comme tous les villageois de
France, il est allé jouer dans les champs avec ses camarades
d'école. Il a pu continuer de les fréquenter pendant ses
années de collège. Ses études ne l'ont pas arraché à ses
racines. Peut-être a-t-il dès son jeune âge accompagné parfois son père dans ses tournées d'inspection à cheval parmi
les étangs et les bois. L'éloignement ne l'a pas obligé à y
renoncer dès son adolescence. Il serait naïf et faux de croire
qu'il a puisé dans ces expériences de jeunesse la vision des
végétaux et des animaux qui peuplent son œuvre. Elle doit
plus à ses lectures qu'à ses promenades. Mais il se serait sûre-

ment moins intéressé aux mœurs et coutumes des personnages ésopiques de ses livres s'il n'en avait connu familièrement les originaux dans son pays natal.

Étant à la maison, il n'a pas eu besoin, comme ceux qui étaient enfermés dans leur collège, de se cacher pour lire ce qui n'était pas au programme : les livres en français. Dans une jolie ballade, il a vanté plus tard, l'œuvre « exquise » d'Honoré d'Urfé : « Étant petit garçon, je lisais son roman/ Et je le lis encore ayant la barbe grise. » Confidence ambiguë, puisque le poète se met en scène entre Cloris et Alizon, personnages fictifs, et se prête à lui-même « barbe grise » vers la quarantaine. Confidence dont on peut tout de même conclure avec vraisemblance qu'il y avait chez les La Fontaine une *Astrée* dont le petit Jean a nourri son imagination.

Ce roman était le symbole d'une nouvelle littérature qui allait droit au cœur d'un large public de femmes et d'adolescents. Furetière, dans son *Roman bourgeois*, en dira plus tard les dangers : « Plus il exprime naturellement les passions amoureuses, et mieux elles s'insinuent dans les jeunes âmes, où il se glisse un venin imperceptible qui a gagné le cœur avant qu'on puisse avoir pris du contrepoison. Ce n'est pas comme ces autres romans où il n'y a que des amours de princes et de paladins, qui, n'ayant rien de proportionné avec les personnes du commun, ne les touchent point et ne font point naître d'envie de les imiter. » Ce que Furetière reproche à *L'Astrée* en 1666, La Fontaine le vante presque au même moment dans sa ballade.

Il aimait la littérature du cœur sous toutes ses formes, y compris dans les romans de chevalerie auxquels son ami faisait grâce pour leur manque de réalisme. « Même dans les plus vieux, je tiens qu'on peut apprendre, dit-il dans la même ballade. Perceval le Gallois vient encore à son tour : / Cervantès me ravit ; et pour tout y comprendre, / Je me plais aux livres d'amour. » Reprise six fois en refrain, la dernière phrase est une sorte de provocation visant tous ceux qui, à l'époque, ne cessaient de dénoncer les dangers de la passion et le rôle corrupteur de la littérature romanesque. La Fontaine reconnaît lui-même, dans la préface du Recueil où figure sa ballade, que les romans font « impression sur les âmes » et que même « les plus chastes et les plus modestes »

dégagent « une douce mélancolie » qui est « une grande préparation pour l'amour ». A la différence de Furetière qui
exprime l'opinion générale, le poète ne s'insurge pas contre
ces douces émotions. Il y prend plaisir. Comme Rousseau un
siècle plus tard, découvrant tout enfant les romans en les
lisant avec son père, il s'est nourri très jeune de romanesque
et d'imaginations amoureuses.

On a récemment insisté sur l'opposition entre la culture
des fils de gentilshommes et celle des fils de robins. Pris
pour exemple de la seconde, André d'Ormesson, d'une
grande famille de robe, énumère dans ses mémoires les
auteurs qui lui ont été « lus en classe dans sa jeunesse ». Il
cite les *Églogues* de Virgile, *L'Eunuque* et le *Phormion* de
Térence, deux héroïdes d'Ovide, la satire d'Horace sur
Mécène, une autre de Juvénal et quelques lettres de Cicéron. Bien peu de choses au total. Mais il n'a, souligne-t-il,
rien oublié de ses vieilles leçons, et il prend plaisir à s'en res-
souvenir, car « nous ne sommes savants que de ce que nous
savons par cœur ». Ce sévère magistrat a vécu toute sa vie
sur un fonds solide d'idées simples et de textes « classiques »,
assimilés dès le collège et qui le rendent capable, en toute
circonstance, de ne pas rester court. Il lui suffit de faire
appel à ce qu'il a, dès l'enfance, engrangé dans son recueil
de citations. La Fontaine, à Château-Thierry, a reçu la
même formation qui lui a fourni le même trésor restreint de
lieux communs, la même méthode pour les employer
comme il faut et au bon moment.

A cette image s'oppose celle que Tristan a donnée de lui
dans *Le Page disgracié* : « Je vous dirai que je n'avais guère
plus de quatre ans que je savais lire et que je commençai à
prendre plaisir à la lecture des romans que je débitais agréablement à mon aïeule et à mon grand-père, lorsque, pour me
détourner de cette lecture inutile, ils m'envoyèrent au collège pour apprendre les éléments de la langue latine. » Tristan y dépérit et se console en lisant en cachette des romans
héroïques, ceux, par exemple, de l'Arioste et du Tasse, dont
il se sert pour faire sa cour à une jolie fille. Devenu page
chez un grand seigneur, il y devient « le vivant répertoire des
romans et des contes fabuleux ». Culture de cour qui n'obéit
qu'aux critères de l'agréable et du frivole, entièrement gui-
dée par la fantaisie individuelle et tournée vers les délecta-

tions de l'imaginaire et de la fiction. La Fontaine, qui n'est pas de la cour, lit chez lui les mêmes livres, s'abandonne aux mêmes délices et aux mêmes fantaisies. Le dressage culturel opéré par ses maîtres ne l'empêche pas de jouir de l'autre culture, celle des romans français et des livres de chevalerie.

Chez Tristan également, la synthèse a fini par s'opérer : « Je pouvais agréablement et facilement débiter, dit-il, toutes les fables qui nous sont connues, depuis celles d'Homère et d'Ovide jusqu'à celles d'Ésope et de Peau d'Âne. » Sa mémoire a été, malgré lui, formée par les dures disciplines du collège. Il connaît les fables de l'Antiquité et s'en régale comme des romans et des contes de nourrice. S'il existe bien en ce temps-là une double culture, fondée l'une sur la rude discipline scolaire et l'autre sur le libre choix et le plaisir du lecteur, elles ne sont que rarement exclusives l'une de l'autre. Même le Francion de Charles Sorel, enfermé dans le collège où il est pensionnaire, lit *L'Astrée* malgré les pédants qui le surveillent. Chez La Fontaine, ces deux cultures cohabiteront et s'enrichiront mutuellement toute sa vie durant. Il devra à ses maîtres de campagne l'acquisition de solides mécanismes qui lui permettront de rêver sans divaguer : ils lui ont donné les points de repère qui empêchent de s'égarer. Il pourra d'autant mieux s'en aller librement dans les marges qu'il connaît les limites à ne pas franchir.

4.
Loisirs

Le mariage d'Anne de Jouy, en 1627, avait entravé l'ascension sociale de Charles de La Fontaine. Il en avait manifesté de l'humeur. On s'était vite réconcilié. Heureusement, car dix ans plus tard, il dut recourir au crédit et à l'aide de son gendre pour conserver sa situation. Le roi, ayant besoin d'argent, décida de créer et de vendre de nouvelles charges de maîtres des eaux et forêts. A celles qui existaient déjà à Château-Thierry et Châtillon-sur-Marne (la maîtrise ancienne de Charles et l'« alternative » de Nicolas Guvin, bientôt remplacé par François), il en ajouta une de maître triennal en décembre 1635. Cette création risquait de détruire l'équilibre des fonctions établi entre les deux maîtres et d'ôter de son prestige à celui qui avait conservé l'autorité, le maître ancien. Pour Charles, la meilleure solution, couramment adoptée dans des cas analogues, était d'acheter la nouvelle charge, ou encore de la faire acheter par un prête-nom. Pour mener cette opération à bien, en 1637, il s'adressa à sa belle-fille et à Philippe de Prast, son mari.

Comme il n'avait pas d'argent liquide, il leur demanda de le cautionner dans l'emprunt qu'il fallait contracter. En récompense, Philippe de Prast serait officiellement pourvu du nouvel office, simple sinécure puisqu'il continuerait d'exercer à Paris sa charge d'audiencier au Châtelet. Son beau-père, à Château-Thierry, assumerait les mêmes fonctions qu'avant la dernière création, renforçant même sa position par rapport à Guvin, puisqu'il aurait désormais les deux tiers de la maîtrise primitive.

On hésita sur le prêteur. Ce fut d'abord Denis Amelot, qui fournit 7 000 livres le 24 avril, somme insuffisante. On le remboursa dès le 7 mai quand René Pidoux, abbé de La Valence, près de Bordeaux, cousin de la femme de Charles, absente mais se déclarant solidaire en cette affaire, accepta de prêter 13 500 livres à 5,5 %. Le maître des eaux et forêts passa les deux contrats rue Neuve-Saint-Louis, paroisse Notre-Dame, dans la maison de ses enfants où il demeurait pendant son séjour parisien.

Les prêts étaient gagés sur l'ensemble de ses biens. Dans le second contrat, comme on était entre parents, on se contenta de les énumérer sommairement. Pour le premier, Denis Amelot s'était montré plus circonspect, et Charles de La Fontaine avait dû établir un inventaire sommaire de ce qu'il avait hérité de ses père et mère ou de leur famille (ses « propres ») et de ce qui était entré dans la communauté existant entre sa femme et lui depuis son mariage (les « acquêts »). Cela donne une sorte d'inventaire minimum de ce qu'il possédait au moment où son fils achevait ses études secondaires à Château-Thierry. C'est une belle fortune.

Elle comporte plusieurs prêts hypothécaires lui assurant 1 520 livres par an, des prés à Coulommiers, Clignon et Montmirail (660 livres), 4 000 livres de rente sur plusieurs maisons et terres situées à Château-Thierry, principalement sur quatre maisons lui appartenant dans la grand-rue (celle qu'il habite et trois autres qu'il loue), soit au total 6 180 livres de revenus annuels, correspondant à plus de 120 000 livres de capital. Elle comporte également deux fermes à La Mothe et à La Fontaine-Regnard, plus une autre à Oulchy et cinq arpents de vigne à Gland, dont les revenus ne sont pas indiqués, plus deux maisons situées dans les faubourgs de la ville. S'y ajoute la charge de maître ancien (12 000 livres d'après un autre acte). Et il faut encore tenir compte des biens propres de la femme de Charles : 36 000 livres d'actif selon l'évaluation qui en sera faite sept ans plus tard. Les parents de La Fontaine étaient riches.

En mars 1652, dans une très officielle attestation de bonnes vie et mœurs en faveur de Jean, Antoine Furetière, son aîné de quelques mois, atteste sous serment qu'il le

connaît bien « depuis seize ans et plus », car ils ont « étudié
ensemble, et, lesdites études finies », ils se sont « fréquentés
familièrement ». En 1686, au moment où les deux hommes
se brouilleront à mort, l'auteur du *Dictionnaire* regrette dans
un factum la trahison du fabuliste, auquel il a, dit-il, « rendu
pendant cinquante ans une infinité de bons offices ». Dans
les deux cas, cela fait remonter leur connaissance à 1636. On
retrouve à un an près la date à laquelle Maucroix est parti
faire son droit à Paris. Le parisien Furetière n'est sûrement
pas allé à Château-Thierry achever ses études secondaires
parmi des « maîtres de campagne »; cinquante ans est pour
lui un chiffre rond donnant plus de poids à son attestation.
C'est donc bien en 1637 que Jean est parti pour la capitale
avec Maucroix et qu'il y a connu celui qui regrettera un jour
la trahison du « plus vieux de ses amis ».

Nul doute que La Fontaine, Maucroix, Furetière aient
alors constitué à Paris un joyeux trio de bons compagnons
plus ou moins occupés de leurs études de droit. Ils se pare-
ront tous d'un titre d'avocat. Pour l'obtenir, ils ont dû s'inscrire à la *Constantissima juris canonici facultas* (la très
immuable faculté de droit canon), l'enseignement du droit
civil n'existant pas encore officiellement à l'université de
Paris comme sujet explicite d'enseignement. Les études y
duraient deux années pour le baccalauréat, trois pour la
licence, une de plus pour le doctorat. A l'époque de La Fontaine, il n'y avait pratiquement qu'un professeur, Philippe
de Buisine, au lieu des six prévus, et ses cours étaient rares.
Mais ceux qui voulaient obtenir une véritable compétence
juridique allaient les compléter en suivant l'enseignement
semi-clandestin de docteurs en droit qu'on appelait « les
souffleurs ».

Maucroix était le plus pressé. « La situation de sa famille,
dit l'abbé d'Olivet, le détermina, un peu malgré lui, à se faire
avocat et à fréquenter le barreau. » Il fit ses études en trois
ans, puisqu'il a, paraît-il, exercé cette profession dès 1640. Il
ne s'y éternisa point. « Comment oserai-je parler d'éloquence, dira-t-il sur la fin de ses jours, moi qui n'ai de ma vie
plaidé que cinq ou six fois, et qui ne montai jamais en
chaire ? » Il s'était pourtant fait homme d'Église en 1647.
Dans l'intervalle, il dut à ses connaissances juridiques un
poste de secrétaire de Robert de Joyeuse, lieutenant du roi

au gouvernement de Champagne, qui l'entraîna loin de Paris, à Reims ou dans ses maisons de campagne. Le meilleur ami de La Fontaine était redevenu un provincial.

Furetière était le fils d'un robin aisé, « secrétaire de la Chambre du roi ». A en croire son *Médecin pédant*, il poussa un soupir de soulagement à la fin de ses études : « Moi, dit-il, qui depuis trois ans jouis du privilège / De ne voir ni Latin, ni Pédants, ni Collèges... » Lui aussi entra au barreau de Paris. Il est qualifié d'avocat en 1655 dans le privilège (l'équivalent du « contrat d'édition » d'aujourd'hui) de ses *Poésies*. Il portait déjà le même titre en 1652 quand il acheta la charge de procureur fiscal au bailliage de Saint-Germain-des-Prés, l'une des vingt-cinq justices particulières de Paris. Il dut l'abandonner en 1656. Il vécut alors de ses rentes et de deux bénéfices ecclésiastiques. Comme le chanoine Maucroix, l'abbé Furetière avait tout son temps pour se consacrer aux études et aux belles-lettres. Mais ses études lui avaient appris, par contraste avec l'enflure creuse des pédants de collège, la stricte exactitude des termes et des procédures. On en trouvera trace plus tard dans ses factums et dans son *Dictionnaire*.

Quand Jean quitta Château-Thierry pour aller étudier à Paris, il n'y fut pas conduit, comme ses amis, par la nécessité d'acquérir les connaissances et titres nécessaires à l'exercice d'une profession. Ce riche fils de famille n'avait pas à se soucier de son avenir. Charles de La Fontaine avait de quoi l'entretenir. Et l'étudiant savait pouvoir compter ensuite sur un bon mariage avec une femme qui lui apporterait en dot de quoi s'établir ou vivre de ses rentes. Au pis, il prendrait une des deux charges de son père dans les eaux et forêts, en attendant d'hériter de l'autre. Point besoin pour cela de grades universitaires. Mais ils pourraient servir un jour si l'occasion lui était donnée de prétendre à d'autres offices, plus prestigieux, qui en exigeaient.

Puisque Furetière atteste qu'ils ont « étudié ensemble », La Fontaine a dû faire son droit au même rythme que lui. De 1637 à 1641, avec ses deux amis et beaucoup d'autres compagnons, Jean a porté l'austère soutane des étudiants en droit sur la montagne Sainte-Geneviève. Mais il ne s'est dit avocat que plus tard, en 1649, deux ans après son contrat de mariage, dans lequel il ne porte aucun titre. Quand il se fit enfin recevoir au barreau, il avait sans doute obtenu depuis longtemps des examens faciles. Buisine avait la réputation de les accorder sans peine à tous ceux dont la bourse était bien garnie. Comme le *Dictionnaire* de Furetière, les *Fables* de La Fontaine montrent une bonne connaissance du vocabulaire juridique et des pratiques des hommes de loi. Ses études ont confirmé ses origines : il appartient à la petite bourgeoisie de robe.

Elles ne l'ont pas empêché de mener joyeuse vie dans la plus grande et la plus peuplée des villes du monde qui, juste à ce moment-là, devenait, sous l'impulsion de Richelieu, une capitale intellectuelle. Le théâtre y était en pleine expansion. De 1637 à 1641, Corneille donna des chefs-d'œuvre en y faisant jouer *Le Cid, Horace, Cinna* et *Polyeucte*. Signe de l'importance que prenait désormais la vie littéraire, on se querella ferme autour de la première de ces pièces. Signe de son institutionalisation, on fit appel à l'Académie française pour trancher le débat. Celle-ci venait tout juste de naître. Ses réunions, dont on avait commencé à tenir registre en mars 1634, avaient été officialisées par lettres patentes de janvier 1635, enregistrées par le parlement de Paris en juillet 1637. Maucroix n'y entra jamais, Furetière y fut admis dès 1662, La Fontaine en 1684 seulement.

C'est à l'ombre de ces deux amis que Jean dut s'initier à la vie littéraire. Antoine publia le premier son volume de *Poésies choisies*. Il affirme dans sa préface avoir « fait la plupart de ces pièces au sortir du collège ». Même s'il triche un peu, il prétend prendre rang parmi ceux qui commencent à écrire très jeunes. Il y cultive la veine satirique (les trois amis ne sont pas tendres pour le monde qui les entoure). Il y cultive aussi la veine galante, qui est à la mode, sans cacher qu'il n'a pas fait vœu de chasteté : « Allons dans cette grotte sombre, dit-il à son amie en parodiant Saint-Amant, / Prendre de si secrets ébats / Que même nous n'y puissions pas / Être accompagnés de nos ombres. » Dans des « Stances à la belle Iris », il développe, comme Malherbe, l'idée qu'il préfère le solide immédiat aux longues cours incertaines : « Je sais que vous êtes parfaite, / Mais pour vous parler franchement / Je me donne à qui mieux me traite. » C'est peut-être un jeu littéraire; il ne serait pas anormal qu'il exprime le réel appétit de jouissance de ces trois jeunes gens de vingt ans.

Maucroix ne publia rien sur le moment, mais l'éditeur de ses *Œuvres complètes* a daté plusieurs pièces du temps de ses études. On y trouve des vers platoniques à une Olympe qui lit *L'Astrée,* comme son soupirant. On y lit aussi maints appels aux plaisirs de l'amour, et même de l'amour facile : « Amants, connaissez les belles, / Si vous voulez être heureux : / Elles ne font les cruelles / Que pour allumer vos feux... / A la fin la plus sévère / Se laisse toucher le cœur. » Ou encore : « Mourons d'amour, ma belle, / Mais mourons de plaisir. » La Fontaine appartient à un groupe d'amis où l'on se pique de cultiver les Vénus bien en chair. Peut-être écrivit-il lui aussi, dans le même style, des vers qui n'ont pas été conservés. Peut-être se contentait-il d'approuver ceux de ses amis.

Leurs vers éloignaient les jeunes gens de la Sorbonne pour les conduire parmi les beaux esprits, dans les salons. Ils furent sans doute de ces « amphibies », avocats ou élèves-avocats un moment de la journée, apprentis courtisans le reste du temps, dont s'est moqué Furetière dans son *Roman bourgeois* en dépeignant Bedout, un robin qui se donne des airs d'honnête homme : « Il portait le matin la robe au Palais pour plaider ou pour écouter, et le soir il portait les grands canons et les galants d'or pour aller cajoler les dames. C'était un de ces jeunes bourgeois qui, malgré leur naissance et leur éducation, veulent passer pour des gens du bel air et qui croient, quand ils sont vêtus à la mode et qu'ils méprisent ou raillent leur parenté, qu'ils ont acquis un grand degré d'élévation au-dessus de leurs semblables. » Ce n'était pas alors une mince affaire que de changer de vêtements, puisque c'était changer de catégorie sociale.

Le Dorante du *Menteur* de Corneille fait comme Bedout, le ridicule en moins. Il serait impossible de séduire une dame en lui disant tout crûment : « J'apporte à vos beautés / Un cœur nouveau venu des universités. » Pour pénétrer aux Tuileries, « le pays du beau monde et des galanteries », il s'habille donc en « cavalier », soucieux de n'avoir « rien qui sente l'écolier ». De ses études, il ne retient que l'éloquence, « art de mentir » qui lui permet de modeler le faux au point de le rendre aussi crédible que le vrai. Maître de son langage, il est de ceux « qui savent persuader de ce qui ne fut jamais ». A condition de la sortir du Palais où elle est contenue dans des règles étroites, l'habileté oratoire apporte à son

possesseur une sorte de vertigineuse royauté. Il y avait à
Château-Thierry le latin de l'école et les romans de la maison. La même dualité subsiste pendant les études parisiennes. L'université est le lieu de la soutane et des livres
techniques à retenir par cœur; le reste de la ville est le
champ de la séduction par le costume et les jeux de parole,
petits vers ou discours amoureux qui en imposent aux
dames.

Comme ses amis, La Fontaine est un bourgeois qui a fait
des études. Cette formation le prédispose à appartenir à
l'ennuyeuse catégorie des savants spécialistes, ceux qu'on
appelle alors les doctes. Mais, jeune et désireux de séduire
un public largement féminin, il sait par expérience qu'il faut
surtout veiller à ne pas paraître pédant. Pour les dames et les
cavaliers qui lui ont fait l'honneur de l'accueillir dans leur
salon (la marquise de Rambouillet peut-être, avec laquelle
Maucroix restera étroitement lié), toute culture doit paraître
un don des dieux, non le fruit d'un travail pénible. Nul ne
retiendra mieux que lui la leçon de ces années où il dut
mener double vie : on ne réussit dans le monde qu'en
cachant le savoir sous la frivolité. Il en tirera plus tard tout
l'esprit de son œuvre.

Quand il arriva à Paris, un avocat lettré, son aîné de dix-
sept ans, avait déjà conquis une grande autorité parmi les
jeunes auteurs en s'efforçant de concilier le goût de la Cour
et les austérités du Palais. Il voulait égayer la sévérité humaniste. Ses plaidoyers, qu'il publia, tâchaient d'introduire un
peu de l'élégance cicéronienne dans la sévérité de la
chicane. L'Académie le récompensa de ses efforts pour
développer le beau langage et la culture mondaine dans un
milieu qui ne leur était pas naturel en l'accueillant en 1640.
Il s'appelait Olivier Patru. Il avait passionnément aimé
L'Astrée dont il avait rencontré l'auteur à Turin. Il l'y « cherchait, dira-t-il, comme on cherche une maîtresse ». La Fontaine le connut sans doute par Maucroix, qui fut un de ses
bons amis, malgré leur différence d'âge. Un quart de siècle
plus tard, au moment de la publication des premières fables,
il avait conservé tout son prestige sur leur auteur, qui le dit
« un des maîtres de l'éloquence ». Son exemple lui avait
montré que le droit pouvait conduire à la réussite littéraire.

Mais Jean, en ce temps-là, s'est cru appelé par une tout
autre vocation.

5.

Un moment de ferveur

Le 4 avril 1641, La Fontaine entre à l'Oratoire, une des plus sévères congrégations religieuses de l'époque. Événement surprenant pour qui sait la suite, et pourtant l'un des faits de sa vie le plus sûr et le mieux attesté. « M. Jean de la Fontaine, âgé de vingt ans, notent à cette date les Annales manuscrites de la maison mère, a été reçu pour faire les exercices de piété de nos confrères. Il est de Château-Thierry et fils de Charles, conseiller du Roi et maître des eaux et forêts de ce duché. » On situe géographiquement et socialement le nouvel arrivé. On ne dit rien du lieu où il a fait ses études. Certains en ont conclu qu'il ne venait pas d'un collège de l'Oratoire. D'autres ont souligné au contraire qu'il ne serait pas entré là s'il venait des jésuites. Ces vraisemblances contradictoires perdent tout intérêt si le jeune homme est parti pour la capitale une fois ses études secondaires achevées.

Sa vocation n'en serait que plus sérieuse. Elle ne viendrait pas de l'influence passagère d'un maître de collège prestigieux. Elle serait un choix librement consenti pendant le temps de l'université. Selon Adry, qui fut plus tard bibliothécaire de l'Oratoire, elle lui aurait été «inspirée par G. Héricart, chanoine de Soissons, qui à cette époque lui fit présent, entre autres livres de piété, d'un *Lactance*». Le témoin se flattait d'avoir à lui l'exemplaire du poète, «de l'édition de Tournes, Lyon, 1548». Pour célébrer la ferveur des martyrs et des premiers chrétiens, Lactance avait écrit un ouvrage apologétique qui était en effet de nature à susciter l'enthousiasme d'un La Fontaine. Mais le chanoine cité par Adry n'était pas encore né au moment de l'entrée de Jean à l'Oratoire...

L. Batterel, le premier historien de l'institution, insiste sur les circonstances de la vocation du jeune homme : « Quoique l'aîné de sa famille, un mouvement de ferveur lui inspira d'être ecclésiastique. » Ce n'est pas froidement, mais sur un élan de son cœur que le jeune homme s'est « présenté » à l'Oratoire. Sans ce « mouvement » d'enthousiasme sincère, on ne comprendrait pas une telle initiative, venant d'un fils aîné. Ceux qui allaient vers l'Église pour y trouver leur subsistance – et ils étaient nombreux – n'étaient pas d'ordinaire les premiers-nés de bons et riches bourgeois. Jean n'avait pas de problème de subsistance. Son devoir était clair : continuer la famille, lui donner des héritiers qui mèneraient plus loin encore l'ascension sociale commencée. Seul un irrésistible appel pouvait justifier à des yeux chrétiens ce qui devait passer pour une insigne dérobade selon le monde.

L'étonnant est que Claude, seul frère de La Fontaine, le rejoignit bientôt. « Son exemple, écrit Adry, y attira au mois d'octobre son frère puîné, qui ne sortit de l'Oratoire qu'en 1650. » Charles, leur père, se désolait de ne plus avoir de successeur. Heureusement, son aîné commençait à se lasser au moment où le cadet le suivit. « Sur nos Registres, note Batterel, je trouve au 28 octobre 1641 que notre confrère de La Fontaine, l'aîné, se rendra à Saint-Magloire pour y étudier en théologie, à quoi il doit être convié et pressé, ce qui suppose qu'il en avait du dégoût et que peut-être il songeait dès lors à se retirer, comme il fit vraisemblablement peu de temps après, n'étant plus mention de lui après cela dans nos livres. »

Jean se rendit d'abord à la maison mère, à Paris, rue Saint-Honoré, près du Louvre, ouverte en 1616 par Bérulle, fondateur de l'institution. Elle était encore toute récente. Son successeur direct, le père de Condren, venait de mourir, le 7 janvier, quand La Fontaine y arriva. Il avait jalousement veillé à préserver l'originalité d'une congrégation dont la première mission était « d'annoncer à toute la terre les desseins de Jésus-Christ ». La Réforme catholique était en train de rétablir la règle et la piété parmi les religieux des couvents. Il fallait pareillement renouveler l'« état de prêtrise » pour lui rendre « la perfection qui lui convient selon son ancien usage et sa première institution ». Il fallait restaurer et glorifier l'idée du sacerdoce catholique dont le Christ avait donné le modèle.

La Fontaine ne s'était pas orienté vers la facilité. L'Oratoire voulait que ses prêtres fussent des modèles pour les autres prêtres. Ils devaient, expliquait Condren, être « autant élevés en pureté, en humilité, en obéissance, en modestie, en charité, en zèle, en piété, en perfection, en sainteté de vie, par-dessus le commun des ecclésiastiques, que les plus saints religieux sont élevés au-dessus du commun des laïcs ». Sans prononcer de vœux particuliers, les membres de la congrégation se faisaient un devoir de porter la soutane et de vivre en commun. Ils renonçaient à toutes les gloires profanes, particulièrement à « l'ambition des bénéfices », ces revenus ecclésiastiques qui étaient trop souvent le seul mobile conduisant vers les ordres sacrés des intellectuels sans ressources.

Saint-Magloire, où on envoya le jeune homme au bout de six mois, avait été établi tout près de Saint-Jacques et du Val-de-Grâce, « dans l'air le plus pur » de Paris, afin que les ecclésiastiques pussent aller en grand nombre y « respirer l'air encore plus pur de la discipline cléricale ». Située dans un faubourg qui était une sorte de ville sainte, la maison était entourée de couvents et de pieuses fondations, avec leurs cloîtres et leurs jardins. On y trouvait la douce paix de la campagne, troublée seulement par le tintement des cloches appelant aux offices. A sa tête, le père Gibieuf était une âme vibrante dont on vantait « la ferveur des larmes et les extases du saint autel ». Jamais il ne rangeait sa bible sans la baiser en disant : « *Haec sunt verba sancta* » (là se trouve la Parole sacrée).

Selon une ancienne tradition, plus gracieuse que certaine, le poète aurait aussi connu la maison des oratoriens de Juilly, ouverte en 1638. « On montre encore au second étage la fenêtre du haut de laquelle il s'amusait à faire descendre au bout d'une longue corde sa barrette remplie de mie de pain jusque dans la basse-cour, pour attirer la volaille et rire tout à son aise des mœurs querelleuses et gloutonnes de la gent qui porte crête. » La scène convient bien au futur peintre animalier... Mais on ne voit pas quand la placer, ni pourquoi on aurait une nouvelle fois changé La Fontaine de séminaire.

A Juilly ou ailleurs, il faut l'imaginer avec son bonnet à cornes et son grand habit noir d'ecclésiastique. Il menait la rude vie des novices. Il devait se lever dès quatre heures du matin pour adorer le Verbe de Dieu en se prosternant. En s'habillant, il devait se rappeler la valeur symbolique de sa soutane, « toison de l'agneau de Dieu », qui l'avertissait « d'enfermer Jésus en son âme » comme elle enfermait son corps. Puis c'était la prière, une heure de méditation solitaire sur la vie du Seigneur. Il s'y aidait peut-être du livre que venait de publier le père Bourgoing, supérieur de l'Oratoire depuis le 7 mai, *Les Vérités et Excellences de Jésus-Christ disposées par méditations pour tous les jours de l'année.* Comme les autres, il allait ensuite à la chapelle entendre la messe et participer aux offices collectifs. On y récitait les versets de l'Écriture sainte. On y chantait des cantiques soigneusement répétés, car les oratoriens tenaient à leur réputation de « pères aux beaux chants ».

Venait alors le temps de l'étude. On y expliquait le catéchisme du concile de Trente et des livres de piété comme le *Mémorial de Grenade.* On mangeait frugalement et en silence tandis qu'un des novices lisait du haut d'une chaire un ouvrage édifiant. Une récréation suivait, pendant laquelle il était enfin permis de converser avec les prêtres et les autres novices. Études et offices partageaient l'après-midi. On y incluait, comme le matin, une demi-heure d'activité physique, « non pas tant pour la santé, quoique ce soit utile, disait le règlement, que pour se rendre conforme au Fils de Dieu qui a quelquefois travaillé et fait exercice ». On se couchait de bonne heure après une soirée passée dans le silence et la prière.

« La Fontaine a été de l'Oratoire, dit un manuscrit qui prête à Brienne, un ami du poète, divers propos tenus vers 1670. Le père Desmares a été son directeur. » Le Verrier, confident de Boileau à la fin du siècle, confirme le rôle de ce père : « J'ai ouï dire à La Fontaine que pendant qu'il portait le petit collet (car il y a été dix-huit mois), il passait sa vie avec Desmares, qui était d'une si affreuse retraite que ses confrères ne connaissaient pas ce qu'il valait. » Souvenir simplifié, car, loin d'être inconnu dans son ordre, l'oratorien auquel on avait confié la vocation de La Fontaine avait été l'ami intime de Condren, le supérieur qui venait de mourir. Mais il aimait la méditation solitaire.

Solide théologien, nourri de saint Thomas et de saint Augustin, Toussaint Desmares était d'une grande piété. « Recueilli et mortifié », d'une intense vie intérieure, il donnait l'impression d'être replié sur lui-même et de vivre à l'écart des autres. A trente-neuf ans, il était resté simple et naïf. On le trompait « comme un enfant ». Si ce qu'on dit de la simplicité, de la naïveté et du goût de la solitude du poète est vrai, il lui ressemblait, la spiritualité en plus. On comprend que l'on ait compté sur lui pour instruire le novice et éprouver sa vocation. Les deux hommes sympathisèrent. Bientôt, pourtant, ils se rendirent tous deux à l'évidence : La Fontaine n'était pas à sa place à l'Oratoire. Il devait rentrer dans le monde.

Le Verrier a résumé la situation dans une anecdote symbolique : « La Fontaine disait : " Desmares voulait m'enseigner la théologie, les oratoriens ne le voulaient pas. Ils crurent qu'ils ne pourraient me l'enseigner ni moi l'apprendre. – Mais à quoi passiez-vous donc la journée ? Desmares s'amusait à lire son saint Augustin, et moi mon *Astrée.* " » Au bout de quelques mois, on avait donc désespéré d'enseigner la théologie au jeune homme par les voies ordinaires. Laissant une grande liberté à son élève, lui permettant de lire ce qui lui plaisait, Desmares avait été le professeur de la dernière chance. Il avait espéré que sa vocation serait la plus forte et qu'il reviendrait de lui-même à la théologie. Il se trompait.

La Fontaine entendait d'autres appels, plus forts que celui de la vie religieuse. « L'ascendant qui le poussait à faire des vers se fit sentir dès le temps de l'institution, écrit Batterel. Il a avoué depuis à son ami Boileau qu'il s'y occupait plus volontiers à lire des poètes que Rodriguez et faire des études ecclésiastiques. » Après le temps de la « ferveur », l'aridité d'un enseignement auquel il ne se sentait pas adapté l'avait découragé. Il avait cédé à un mouvement de son cœur, et on lui remplissait la tête de spéculations scolastiques qui le rebutaient. Ce qu'on lui apprenait de morale ne lui était pas moins étranger. Il s'ennuyait à lire le jésuite espagnol Alphonse Rodriguez, dont *La Pratique de la perfection chré-*

tienne lui paraissait trop austère et trop abstraite. Il n'y retrouvait pas les élans qui l'avaient conduit à entrer en religion.

Il finit donc par s'en aller. « Il en sortit, dit Brienne, ou on le pria de s'en retirer parce qu'il fit des vers sur la manière de prier de l'Oratoire... Il ne pouvait aller à l'oraison, et il ne travaille que la nuit. » Voilà pour La Fontaine bien des raisons de quitter le noviciat, malgré la compréhension silencieuse du père Desmares. Incapable de se lever tôt le matin pour aller à l'office après avoir veillé tard dans la nuit pour écrire, il ne peut s'adapter à un rythme de vie qui n'est pas fait pour lui. Il n'aime pas la façon dont les oratoriens pratiquent la prière et la méditation. « Il faut, disent-ils selon Brienne, planter une croix en Jérusalem, se figurer, etc. » Ils devaient en effet se représenter en esprit les grandes scènes de la vie de Jésus et de Marie. La Fontaine n'est pas un méditatif. Il aime laisser vagabonder sa pensée, non la conduire avec méthode pour se représenter des scènes précises sur un thème imposé.

Dans le silence et le calme de l'Oratoire, au lieu de prier, il se laisse emporter par le démon de la rêverie, plus attrayante pour lui que les occupations d'une journée trop régulière. A mesure que s'avancent les mois, il se sent de moins en moins capable de se passer de ses poètes et romanciers favoris. Ce n'est pas de spéculations théologiques ou morales qu'il a besoin, ni de prières ordonnées, mais de se plonger dans l'imaginaire. Son « ascendant » le pousse à écrire. Il ne peut s'empêcher de se moquer des façons dont on prie autour de lui. Ce sens du ridicule et ce penchant à la satire sont des traits distinctifs du caractère du « bon » Jean de La Fontaine. Ils font partie de ses contradictions. On le croit un rêveur indulgent, romanesquement emporté hors du monde, et il montre soudain qu'il a tout vu et tout entendu de son ridicule en le restituant au centuple.

La Fontaine était entré à l'Oratoire sur un coup de cœur. Il ne le quitta pas sur un coup de tête, ayant perdu la foi. Toute sa vie, à côté de l'exubérance de l'inspiration la plus gauloise, la plus grivoise, la plus païenne même, s'est maintenue, plus discrète mais non moins tenace, une autre inspiration, chrétienne, austère et parfois janséniste. Comme s'il y avait toujours eu deux hommes en lui, entre lesquels il lui aurait été impossible de choisir. Après les joyeusetés de la vie d'étudiant vint le temps de l'austérité oratorienne, puis ce furent de nouveau les plaisirs du monde, mais avec une constante aspiration à la solitude et à la retraite, et cette fondamentale tendance à se retirer en soi-même qui s'appelle la rêverie.

La Fontaine n'a pu supporter la régularité oratorienne ni l'obligation d'imaginer sur commande les scènes de la vie de Jésus. Il aimait trop sa liberté. Il ne pouvait l'aliéner, même pour son salut. Mais il aurait aimé pouvoir le faire. Spontanément et comme par nature, il retombait sans cesse dans les délices du désordre, mais sans mépris pour les calmes plaisirs d'un ordre auquel il aspirait sans y parvenir. Le noviciat de La Fontaine à vingt ans, après plusieurs années de liberté parisienne, ne saurait être l'effet du hasard ou de l'étourderie d'un rêveur. Il voulut y trouver une réponse à ses contradictions. Il crut pouvoir, à ce moment de sa vie, privilégier l'ordre sur le désordre. Il regretta de ne pouvoir y parvenir.

Le départ de Maucroix, qui s'en va prendre ses fonctions près de Joyeuse au moment où La Fontaine entre à l'Oratoire, marque pour tous deux la fin d'une longue période d'études, d'amitié et d'insouciance. François se range. Poussé par la nécessité, il prend un emploi loin de Paris. Jean n'a pas besoin de gagner sa vie. Mais il sent lui aussi le besoin de marquer l'étape et de choisir son destin. Insatisfait des plaisirs faciles partagés jusque-là sans vergogne avec ses camarades étudiants, il se laisse emporter par un besoin de paix, de prière et de pureté. L'absence de son ami lui a donné une mauvaise impression de solitude. A l'Oratoire, il vécut en communauté. Il y resta trop longtemps pour n'y avoir point trouvé un peu de ce qu'il cherchait. Il y mûrit. Il s'y forgea un nouvel équilibre. Il y est devenu adulte.

Le 11 août 1644, Charles de La Fontaine, en son nom et en celui de ses deux fils encore mineurs, établit à l'amiable avec Anne de Jouy et son mari un état des biens de Françoise Pidoux, liquidant avec eux la part qui revenait à chacun de ses enfants. Parmi les charges à déduire de l'actif figurent 690 livres pour les frais de ses obsèques et funérailles. Somme énorme, qui suppose que la morte avait voulu un enterrement de riche. Elle comprend, il est vrai, « le bout de l'an, les aumônes et annuel », un capital donné à la paroisse ou à des religieux pour une ou plusieurs messes chaque année. Puisque le service anniversaire est déjà payé, le décès remonte à plus d'un an. Comme on a traité à l'amiable et qu'il n'est pas fait mention d'intérêts, on n'a pas dû laisser traîner la succession. Françoise Pidoux a dû mourir peu après le retour de son fils à la vie laïque. Nul document ne permet de préciser davantage la date de son deuil, nulle confidence d'exprimer ce qu'il a ressenti. L'événement ressemblait à une vengeance du Ciel, irrité de sa désertion. Peut-être s'en est-il senti obscurément coupable. Mais il avait maintenant une trop bonne formation religieuse pour croire son Dieu aussi mesquin.

6.

« L'ascendant qui le poussait à faire des vers »

Parmi les premiers biographes de La Fontaine, Charles Perrault et l'abbé d'Olivet ont seuls raconté les circonstances de sa vocation poétique. En 1696, dans ses *Hommes illustres*, le premier l'attribue à une exigence de son père. Passionné de poésie sans y connaître grand-chose, « ce bonhomme » obligea son fils à « s'y appliquer ». A la vue de ses premiers vers, il éprouva une « joie inexprimable » qui compensa son regret du « peu de goût » de Jean pour la charge de maître des eaux et forêts dont il l'avait revêtu dès qu'il l'avait pu. Loin d'avoir répondu spontanément à un irrésistible appel, le jeune homme a d'abord cultivé la poésie sous la contrainte, comme une sorte de tardif violon d'Ingres.

Publié juste après la mort de La Fontaine, le témoignage de Charles Perrault s'inscrit déjà dans sa légende. A l'image du poète maudit, rejeté par les siens qui ne se reconnaissent pas dans un être singulier refusant de s'inscrire dans la tradition familiale, il substitue celle du poète « bon garçon », réalisant de son mieux les ambitions paternelles. Perrault, qui se trompe sur les circonstances des débuts de Jean dans les eaux et forêts, se trompe sans doute aussi sur ses débuts poétiques. Ceux qui l'ont connu vieux ne savaient pas grand-chose de sa jeunesse. Ils l'imaginent à leur idée, ou la rapportent d'après ses confidences, souvent fausses. Même si Charles de La Fontaine ne s'est pas farouchement opposé à la poésie de Jean, il est peu probable qu'elle l'ait réjoui, car elle n'allait pas dans le sens de l'ascension sociale qu'il avait amorcée. On pense plutôt à un compromis : le père accepta la vocation du fils, et le fils consentit au principe d'exercer un jour le métier de son père.

Trente ans plus tard, l'abbé d'Olivet a repris l'idée que La Fontaine était un homme fait quand il a découvert la poésie. « Il avait déjà vingt-deux ans qu'il ne se portait encore à rien lorsqu'un officier, qui était à Château-Thierry en quartiers d'hiver, lut devant lui par occasion, et avec emphase, cette ode de Malherbe : " *Que direz-vous, races futures...* " » Il en fut transporté de « joie, d'admiration et d'étonnement », comme s'il découvrait pour la première fois ce qu'était « l'harmonie poétique ». Séduit, « il se mit aussitôt à lire Malherbe et s'y attacha de telle sorte qu'après avoir passé les nuits à l'apprendre par cœur, il allait de jour le déclamer dans les bois. Il ne tarda pas à vouloir l'imiter, et ses essais de versification, comme il nous l'apprend lui-même, furent dans le goût de Malherbe ». C'est au sortir de l'Oratoire que La Fontaine se serait enfin sérieusement mis à l'étude.

Mais toute étude sérieuse passe en ce temps-là par les Anciens. « Un de ses parents nommé Pintrel, homme de bon sens et qui n'était pas ignorant, lui fit comprendre que pour se former, il ne devait pas se borner à nos poètes français; qu'il devait lire et lire sans cesse Horace, Virgile, Térence. Il se rendit à ce sage conseil » et, rejetant Malherbe, qui « péchait » par « être trop beau, ou plutôt trop embelli », il préféra « la manière des Latins » qu'il trouvait « plus naturelle, plus simple, moins chargée d'ornements ambitieux » que celle de ses contemporains. Elle s'accordait à son propre « penchant » pour « une naïveté noble et ingénieuse ».

La vocation tardive du jeune homme résulte donc, selon d'Olivet, d'une double conversion : à la grande poésie française représentée par Malherbe, puis à un modèle idéal étudié chez d'illustres Anciens. Dans une sorte de chemin de Damas, il a eu la révélation soudaine et inattendue de la beauté des vers : « Ce qu'éprouverait un homme né pour la musique et qui, après avoir été nourri au fond d'un bois, viendrait tout d'un coup à entendre un clavecin bien touché, c'est l'impression que l'harmonie poétique fit sur l'oreille de La Fontaine. » D'abord le temps de l'enthousiasme. Puis vient celui de la raison. Le don n'est rien sans le travail et la culture. Le poète se forme le goût et le style en lisant les plus grands classiques. Au hasard de la rencontre d'un offi-

cier inconnu succède l'influence réglée d'un parent nommément désigné, Pierre Pintrel, son aîné de huit ans, plus tard
traducteur en français des épîtres de Sénèque.

La Fontaine n'a pas fait beaucoup de confidences sur sa
vocation poétique. A l'inverse de ses biographes, dans le seul
texte où il l'invoque précisément, une épître à Bouillon de
1664, il la fait remonter à sa plus tendre enfance. On le
poursuivait pour usurpation de noblesse. Que lui sert,
demande-t-il, de vivre innocemment, « d'être sans faste et
cultiver les Muses ? ». Elles seront bien « confuses » quand
on viendra leur apprendre sa condamnation. « Ce nourrisson
que vous chérissiez tant, leur dira-t-on, / Qui préférait à la
pompe des villes / Vos antres cois, vos chants simples et
doux, / Qui dès l'enfance a vécu parmi vous / Est succombé
sous une injuste peine. » En cette affaire, son seul tort est
d'avoir été fidèle à son être de toujours et de s'être comporté
en poète. Pour montrer la justesse de sa cause et obtenir la
protection de Bouillon, il lui suffit de raconter sa vie.

Confidence truquée. L'auteur connaît l'épître de Marot
demandant sa protection à Lyon Jamet. Il connaît la longue
suite de ceux qui, depuis les Grecs et les Latins jusqu'à Ronsard, ont associé la naissance de leur talent aux Muses champêtres de leur enfance. Le récit biographique est orienté par
la tradition culturelle. Elle n'implique pas que tout soit fiction dans ce qu'il raconte : La Fontaine risquait une amende
et il est devenu poète. Mais ces éléments de vérité font l'objet
d'une mise en scène. Jean ne parle pas directement de soi. Il
crée en vers, dans un texte dont la vérité est d'ordre littéraire, un personnage de « nourrisson des Muses » dont la
bonne foi et la naïveté le garantiront, espère-t-il, des
attaques de ceux qui l'accusent, dans la vie, d'avoir usurpé
un titre d'écuyer auquel il n'avait pas droit.

Les fictions de l'épître les mettent dans leur tort. Dans la
réalité, ils avaient raison. Ce n'est pas dans deux actes seulement et par mégarde, comme il le prétend, que le poète s'est
octroyé le titre défendu d'écuyer. Il l'a fait à maintes
reprises, et son père avant lui. Comme beaucoup d'autres, ils
essayaient de profiter de leurs fonctions pour se glisser à la
longue dans la noblesse. Le mensonge entourant le chef
d'accusation rend douteuse la confidence sur la vocation
poétique, qui risque fort d'appartenir elle aussi à la fiction

littéraire. En la faisant remonter à son enfance, La Fontaine oppose à ses accusateurs le thème traditionnel du poète innocent auquel les dieux ont conféré dès sa naissance une noblesse imprescriptible. Pour une fois qu'il évoque sa vocation, tout le conduit à inventer une vérité poétique qui n'est pas forcément conforme à la vérité biographique.

« Je m'étais toute ma vie exercé en ce genre de poésie que nous nommons héroïque », affirme-t-il dans l'Avertissement d'*Adonis* en 1669. « Toute ma vie »... Que signifie cette expression quand on a près de cinquante ans ? Englobe-t-elle le plus jeune âge, ou désigne-t-elle seulement la part de l'existence où les choix sont définitivement opérés ? Et que devient, dans le cas d'un appel des Muses remontant à l'enfance, le moment de ferveur religieuse qui a conduit le jeune homme à l'Oratoire ? Si sa vocation poétique a préexisté à sa vocation religieuse, il faut alors imaginer les combats que les deux vocations ont dû se livrer dans l'âme de Jean avant son entrée au séminaire. Et son désespoir quand il découvrit que la poésie était plus forte que Dieu.

Les choses ont été moins tragiques. De 1637 à 1641, La Fontaine a mené la vie d'étudiant parisien. Il y a certainement connu les diverses formes de poésie à la mode, celle de Malherbe comme celle des salons. Peut-être a-t-il pratiqué quelquefois la seconde, qui n'était qu'un jeu. La première l'intéressait sans lui infuser encore l'enthousiasme qui viendra plus tard. Ces expériences lui demeuraient extérieures. Elles ne l'empêchèrent pas de quitter le monde pour suivre ce qu'il croyait être sa vraie vocation, la vocation religieuse. La poésie, en lui, n'était pas encore un besoin. Et il dut être tout surpris de découvrir, dans la solitude de la retraite de Saint-Magloire, qu'il éprouvait parfois, parmi les exercices de la piété, ce que Batterel a appelé « l'ascendant qui le poussait à faire des vers ». Il n'y avait vu jusque-là qu'un passe-temps. Il sentait à présent qu'il avait du mal à se passer d'écrire. Il n'aimait plus les dévotions de l'Oratoire. Il commença par en faire la satire.

A sa sortie, il découvrit plus ou moins fortuitement la force de Malherbe. Il découvrit en même temps son impréparation pour les formes poétiques les plus hautes, celles qui faisaient la gloire des grands poètes. Il ne pouvait devenir l'un d'entre eux sans se mettre à l'écoute des meilleurs

modernes, et surtout à l'école des Anciens. Avec ceux qui
régentaient alors le monde des lettres, il croyait que la vraie
poésie est le fruit du travail et d'une vaste culture. Il reprit
donc ses études, facilitées par la bonne connaissance du latin
que lui avaient donnée ses « maîtres de campagne ». C'est
pour expliquer tout cela que ses biographes, bien des années
après, ont recueilli et arrangé des anecdotes où se devine le
souvenir confus de la vérité.

En 1687, La Fontaine a évoqué son lointain apprentissage
littéraire dans une célèbre épître à Huet. Il prit « certain
auteur autrefois pour son maître ». Il faillit le « gâter », car si
ce modèle « avait du bon » et même du « meilleur », si « la
France estimait dans ses vers le tour et la cadence », il
gâchait ces qualités par un excès de recherche : « trop
d'esprit s'y épand en trop de belles choses ». Cela plaisait
alors, et le jeune poète en était « ravi », comme tout le
monde. Il avait cependant grand tort de se laisser entraîner
par un maître qui donnait un mauvais exemple, puisque
« ses traits ont perdu quiconque l'a suivi ». D'Olivet a identifié ce poète admiré, puis renié, à Malherbe dont chacun
admirait en effet « le tour et la cadence ». Mais une note de
l'épître contredit son hypothèse : « Quelques auteurs de ce
temps-là, écrit La Fontaine, affectaient les antithèses et ces
sortes de pensées qu'on appelle *concetti*. Cela a suivi immédiatement Malherbe. » Il s'agit donc d'un auteur postérieur à
Malherbe. Les « traits » ont quelquefois fait penser à Voiture. Mais le reste ne lui convient pas.

Cette impossibilité de trancher n'est pas fortuite. Elle a
été voulue par le poète. Elle illustre son art de brouiller les
pistes par de fausses confidences. Un demi-siècle après l'événement, il aurait pu fournir un nom sans diffamer personne.
Il a préféré jouer sur la curiosité de son lecteur, qu'il aiguil-
lonne par des indications apparemment précises, insuffi-
santes pourtant pour trouver une vraie clé désignant un
auteur particulier. Ce maître qui lui a révélé la poésie et qui
a failli le perdre est en fait un personnage collectif. C'est le
climat poétique de son temps. Il y a découvert à la fois le
meilleur – le sens du rythme et de l'harmonie poétique – et
le pire – un goût excessif pour les ornements et pour les
pointes. Contradiction si forte et si répandue qu'elle se
trouve même dans le Malherbe des ballets de Cour dont La

Fontaine s'amuse à insérer un vers parmi les siens : « Tous métaux y sont or, toutes fleurs y sont roses. » A l'en croire, lui-même aurait commencé dans ce style balancé, recherché et antithétique.

Au modèle qui l'entraînait sur ce mauvais chemin, il oppose nommément son sauveur : « Mais Horace à la fin me descilla les yeux. » C'est confirmer le témoignage de l'abbé d'Olivet. Sa vocation poétique a bien eu lieu en deux temps. Il n'a compris et entendu l'appel des vraies Muses, les Muses latines, qu'après avoir cédé à celui des brillantes et faciles Muses modernes.

Mais, parmi les Muses latines, la plus simple et la plus facile, celle d'Horace, n'est intervenue qu' « à la fin ». Tardivement, si l'on en juge par les confidences faites au début d'*Adonis* en 1658 : « Je n'ai jamais chanté que l'ombrage des bois, / Flore, Écho, les Zéphirs, et leurs molles haleines, / Le vert tapis des prés et l'argent des fontaines. » On dirait qu'il s'agit de poésie bucolique. Il n'en est rien. En 1669, un Avertissement placé en tête du même poème explique que l'auteur s'est « toute sa vie » exercé au style héroïque – non celui d'Homère et de Virgile, mais celui d'Ovide qui lui a fourni son sujet. On est loin de la simplicité horacienne.

La Fontaine n'a rien publié avant 1654. Il avait alors trente-trois ans. Même s'il a composé maints essais de jeunesse, il n'a rien fait qui le satisfasse avant cette date. On peut, au gré des témoignages, l'imaginer commençant à écrire selon trois genres différents : la satire, le grand lyrisme, la poésie héroïque. La satire, il la pratiquait à l'Oratoire. Il n'en est rien resté que l'esprit général de son œuvre. Le grand lyrisme à la Malherbe ? A en croire d'Olivet, il y aurait consacré « ses essais de versification ». Il n'en est rien resté non plus. La poésie héroïque, c'est lui-même qui a prétendu, à propos d'*Adonis,* s'y être consacré « toute sa vie ». Mais, curieusement, c'est une pièce appartenant à un quatrième genre littéraire, une comédie, qu'il a donnée d'abord au public. Sous prétexte de confidence, La Fontaine a une fois de plus brouillé les cartes. Il avait deux bonnes raisons de le faire : cacher son passage à l'Oratoire, et masquer le caractère tardif de son entrée en poésie.

7.

Autour de la Table ronde

« *Racan et autres rêveurs* », titre Tallemant. « Jamais la force du génie ne parut si clairement en un auteur qu'en celui-ci, car, hors les vers, il semble qu'il n'ait pas le sens commun. Il a la mine d'un fermier, il bégaie et n'a jamais su prononcer son nom. » Racan est le premier des trois originaux retenus sous ce titre par l'auteur des *Historiettes*. Brancas vient en dernier. Il le prend de haut avec des voleurs qu'il croit être ses domestiques. « On l'a fait aller un jour en compagnie avec son bonnet de nuit. » C'est le plus fameux distrait du Grand Siècle. La Bruyère, quarante ans plus tard, le prendra pour modèle de son fameux Ménalque. Entre les deux, Tallemant place La Fontaine, qu'il connaît bien, puisqu'il est lui aussi un ami de Maucroix.

Un rêveur, à en croire Furetière, est « un esprit distrait », un étourdi. Mais c'est aussi un homme « qui dit ou fait des choses extravagantes » dont on rit sans y attacher d'importance. L'étourderie transforme le rêveur en personnage à part, marginalisé par le ridicule de ses comportements inattendus. On le traite en malade irresponsable, qui a sa bizarrerie dans le corps. La médecine distingue en effet quatre sortes d'humeurs, dont la bile noire, dite atrabile ou mélancolie. « Les humeurs mélancoliques font les esprits rêveurs et bourrus. » Alceste, en ce sens, est un « rêveur »; il fait partie de la grande famille de ceux qui fuient dans l'imaginaire leur inadaptation au monde ambiant. La mélancolie du rêveur le prédispose à devenir poète.

« Un garçon de belles-lettres et qui fait des vers, nommé

La Fontaine, est encore un grand rêveur », dit Tallemant. Témoignage capital et de première main, portant explicitement sur la période qui a précédé le mariage du poète. Le Lucien du collège mis à part, c'est le premier portrait qu'on ait de lui, d'autant plus digne de foi qu'il porte sur un jeune homme encore inconnu du public. On y trouve affirmées sa culture, sa pratique de la poésie, et bien avant qu'elle ne soit relevée par tout le monde, une propension à la rêverie véritablement exceptionnelle, puisqu'elle n'a d'égales que celle, déjà légendaire, de son aîné Racan, et celle qui allait le devenir, de son contemporain Brancas. Ce trait de caractère fait de lui un être à part, aux réactions incontrôlables, impossible à classer et à juger selon les règles habituelles.

La Fontaine est distrait en affaires. A Paris pour un procès important, son père lui dit : « Tiens, va vite faire telle chose, car cela presse. » Bon fils, il se hâte d'y aller, « mais n'est pas plus tôt hors du logis qu'il oublie » ce qu'on lui a dit. Il rencontre des camarades. Ils lui demandent s'il est occupé. « Non », répond-il, et il s'en va à la comédie avec eux. Il vit dans l'instant, se laisse emporter aux premières tentations qui passent. Une autre fois, il va de Paris à Château-Thierry avec « un gros sac de papiers importants » attaché « à l'arçon de la selle » de son cheval. Le sac tombe. La voiture de la poste passe derrière lui. Le postillon trouve le sac, rattrape Jean et lui demande s'il n'a rien perdu. Non, répond-il. On lui montre le sac. Il le reconnaît. « Ah, c'est mon sac! s'exclame-t-il. Il y va de tout mon bien. » Il le prend dans ses bras et l'emporte jusqu'à l'étape en le serrant contre son cœur...

La rêverie a d'autres formes que la distraction, et « ce garçon » se révèle très capable d'extravagances concertées. Il « alla une fois, durant une forte gelée, à une grande lieue de Château-Thierry, la nuit, en bottes blanches, et une lanterne sourde à la main ». Projet fou qu'une telle expédition par un si mauvais temps, mais rationnellement menée par un homme qui ne veut pas qu'on le voie. Les bottes blanches devraient se confondre avec la neige, et la lanterne sourde a la particularité de laisser dans l'ombre celui qui la porte... à condition toutefois qu'il soit habillé sombrement. Le rêveur n'a pas pensé que ses deux précautions étaient contradictoires, et ses bottes déplacées, puisqu'il n'allait pas à cheval...

Le but d'une telle expédition ne pouvait être qu'une aventure galante comme celle qui suit dans Tallemant. Nouvelle preuve d'organisation dans la manie : « Une autre fois, il se saisit d'une petite chienne qui était chez la lieutenante-générale de Château-Thierry, parce que cette chienne était de trop bonne garde. » Nouvel exemple de rêverie : il prend des risques extravagants. Un jour que le mari est absent, « il se cache sous une table de la chambre, qui était couverte d'un tapis à housse ». Contretemps : la dame a retenu une amie à coucher. Il s'obstine dans sa folle entreprise. Il attend que l'amie s'endorme. Quand enfin il l'entend ronfler, il « s'approche du lit, prend la main de la lieutenante, qui ne dormait point ». Heureusement, elle ne prit pas peur. « Elle ne cria point », et il lui dit vite son nom pour se faire reconnaître malgré la nuit. Cette audace insensée la toucha. Elle y vit une grande marque d'amour.

De la belle, La Fontaine prétendit n'avoir eu que « la petite oie », autrement dit les premières faveurs. Tallemant se dit persuadé qu'il a menti et qu'elle « lui accorda toute chose » tandis que l'amie continuait de dormir. Les *Contes* sont pleins de ces aventures où l'on se donne bien du plaisir tandis que dort un compagnon de lit... Le galant part avant que la dormeuse ne s'éveille. « Et comme dans ces petites villes, on est toujours les uns chez les autres, on ne trouva point étrange de le voir sortir de bonne heure d'une maison qui était comme une maison publique. » Le domicile du lieutenant était aussi le lieu où se trouvaient ses bureaux.

La réputation de « rêverie » attachée au personnage de La Fontaine n'est pas une légende inventée tardivement. Elle remonte au temps de sa jeunesse et lui a été faite par des amis qui le connaissaient bien. Cette rêverie n'a rien de romantique. Le poète n'est pas perdu dans des passions toutes imaginaires. Elle ne le détourne pas des aventures galantes. Elle les favorise, au contraire, en lui donnant l'audace de l'inconscience. Distrait pour tout ce qui ne l'intéresse pas, il n'est pas extravagant par amour, mais pour parvenir à ses fins. Il se comporte en gaillard conquérant, sûr de son pouvoir sur les femmes. Faussement discret sur la conclusion, il prend plaisir à se flatter du bon accueil qu'elles lui font. Le rêveur de Tallemant est aussi un fieffé séducteur.

La Fontaine est à Paris quand son père s'y rend pour un procès. Il en vient quand il perd son sac bourré de documents précieux. Il se trouve à Château-Thierry quand il va dans la neige ou qu'il séduit la lieutenante. Entre la capitale et son pays natal, il n'a pas encore fait son choix, et il mettra longtemps à le faire. Au sortir de l'Oratoire, il est redevenu un fils de famille oisif. Achevant sans se presser des « études » de droit ou prenant gaiement son parti d'être un avocat sans cause, il mène joyeusement sa vie de garçon avec des « camarades » qui le détournent facilement de son devoir. Sa « rêverie » ne le conduit pas à des folies gratuites. L'amour et la littérature en sont déjà les pôles.

Il fait maintenant partie d'un groupe d'amis organisé, d'une « troupe » qui tire son nom du cabaret de la Table ronde où elle se réunit. Plusieurs épîtres échangées en 1645-1646 en ont conservé le climat, les rites et les activités. L'une d'elles s'adresse à La Fontaine un jour qu'il est reparti pour la Champagne « sans avoir daigné dire adieu ». Elle rappelle à l'ordre le « parjure /Qui, par un étrange hourvari, /S'en est fui à Château-Thierry ». Le poète est un faible qui n'a pas quitté la bande franchement. Il a rusé, employant la technique des animaux qui trompent la meute lancée à leurs trousses en revenant à l'endroit d'où ils sont partis, tandis que les chasseurs crient « Hourvari » pour ramener leurs chiens. Le fuyard a péché contre les règles du clan, et « Demoiselle Courtoisie », vexée d'un tel départ, entreprend son procès :

> C'est très mal entendre son monde,
> Que de quitter la Table ronde
> Sans dire aux nobles chevaliers :
> « Adieu, braves aventuriers ! »

Le coupable mérite punition. Comme il se doit dans ce milieu d'apprentis écrivains, elle est toute littéraire. « La troupe a fait un livre » pour lui « apprendre à vivre ». La Fontaine, qui ne sait que répondre, garde un silence embarrassé. « Hé ? ne vous grattez point la tête », dit l'auteur de l'épître, plaidant l'irresponsabilité :

La Fontaine est un bon garçon
Qui n'y fait point tant de façon;
Belle paresse est tout son vice.
Et peut-être quand il partit,
A peine était-il hors du lit.

« Bon garçon. » La formule inscrite par le camarade de collège sur le Lucien revient spontanément sous la plume du compagnon de la Table ronde pour définir La Fontaine. Malgré les apparences, il n'a pas agi par malice, mais sans réflexion, par instinct, suivant bonnement son double désir de retourner chez soi et ne pas s'embarrasser d'explications auprès de ses amis.

Le « grand rêveur » de Tallemant et le « bon garçon » de Maucroix s'allient en un personnage ennemi de toute contrainte. Sa rêverie se nourrit de « paresse », à moins que ce ne soit l'inverse. Les circonstances lui sont favorables, puisque le jeune homme a suffisamment de ressources, grâce à la situation de son père, pour vivre dans l'oisiveté. « C'est se tromper, dira bientôt La Rochefoucauld, que de croire qu'il n'y ait que les violentes passions, comme l'amour et l'ambition, qui puissent triompher des autres; la paresse, toute languissante qu'elle est, ne laisse pas d'être souvent la maîtresse. » Au lieu de se prendre énergiquement en main, La Fontaine s'abandonne mollement aux caprices qui le possèdent.

Pour le moment, il a la chance d'appartenir à une « troupe » qui l'introduit activement dans le monde de la littérature. Comme l'indique son nom, elle se plaît, fût-ce pour les parodier, dans les romans de chevalerie médiévaux. C'est prendre parti pour les antiquités nationales contre la Pléiade et Malherbe. On y aime les allégories. On y met en valeur des mots rares. On n'y craint pas le sautillement des vers irréguliers. Le conteur et fabuliste, qui puisera largement dans les vieilles traditions, n'hésitera pas, vingt ans plus tard, à garder ces habitudes de jeunesse.

Malgré des fonctions qui le retenaient presque toujours en province, Maucroix faisait partie de la troupe et participait à ses réunions quand il venait à Paris. Cassandre, un de ses amis, lui envoie après l'un de ses départs une épître lui racontant les rencontres qui ont eu lieu « au logis de l'ami

parfait », chez Pellisson. La première fois, Furetière y a lu,
« presque entière », une satire contre les médecins. Elle
paraîtra dans ses *Poésies* en 1655. Un poète débutant y a
débité une « Lettre contre Énée », fort applaudie pour son
« style charmant ». Puis la vedette du groupe, le poète Mainard, a présenté ses épigrammes « en latin, mais non de
pédant ». C'étaient sa dernière œuvre et son dernier séjour à
Paris. Il allait mourir quelques mois plus tard, juste après la
parution de ses *Œuvres*. La fois suivante, ce sera au tour
d'un autre débutant, Charpentier, de réciter de « jolis vers ».
Enfin, « la dernière fois », Pellisson en personne donne une
« ode héroïque » à la mémoire du « grand Pisani », le fils de
Mme de Rambouillet, mort à la guerre en août 1645.

On ne se contente pas, dans ces assemblées, de parler littérature. On y aborde des sujets politico-philosophiques. « La
troupe savante » se demande « si le potentat/ Doit donner
borne à son État ». Elle traite donc d'expansionnisme et de
« frontières naturelles ». Un autre jour, elle discute « Si le
savoir absolument/ Nuit au sage gouvernement/ Ou s'il veut
peu de gens d'études ». Ancien débat qui remonte à Platon
et qui débouchera, au siècle suivant, sur le despotisme
éclairé. En 1645-1646, peu après la mort de Richelieu et de
Louis XIII, pendant le calme de « la bonne Régence » qui a
précédé la tempête de la Fronde, un climat de liberté incite
les jeunes intellectuels à s'interroger sur les conditions du
pouvoir. C'est sans doute avec ses amis de la Table ronde
que La Fontaine a commencé son apprentissage des idées
politiques.

Cette « troupe » amicale n'est pas un groupe inorganisé.
La Fontaine aurait dû la prévenir de son départ. Son « parjure » suppose une sorte de serment prêté le jour où il y a été
reçu. Elle fonctionne comme une académie dont Mainard
fut un temps « président ». Pellisson lui succède le jour où il
lit son ode sur la mort de Pisani. On y mène des débats, non
de simples conversations. Chacun apporte ses textes au jour
dit et à son tour, les soumettant à la critique commune. La
Table ronde fournit à ses membres un public où essayer
leurs productions. Elles sont lues à haute voix et entendues
collectivement avant d'être publiées et découvertes par des
lecteurs muets et solitaires. On y écrit donc pour l'oreille
plus que pour les yeux. On y est conteur avant d'être écri-

vain. Le futur fabuliste y a pris l'habitude de s'adresser au public comme à un auditeur, voire à un critique avec lequel on peut dialoguer amicalement.

La Table ronde est un milieu ouvert, un creuset où se mêlent des Parisiens comme Furetière et Cassandre, de proches provinciaux d'Ile-de-France comme Maucroix et La Fontaine, et de lointains méridionaux comme Mainard et Pellisson. Le premier était un Toulousain qui avait deux fois vingt ans de plus que les autres compagnons. C'était l'ancêtre prestigieux, le garant de la qualité des réunions, le maître autour duquel se réunissaient des sortes de disciples. Il aimait les esprits libres et les caractères indépendants, ceux qui préféraient à la réussite sociale les plaisirs délicats de la bonne chère, de l'amour et de l'intelligence. Selon Malherbe, il manquait de force, mais il était « l'homme de France qui savait le mieux faire des vers ». Il fut le plus fidèle de ses disciples. Parce que son maître aimait Martial et ses épigrammes latines, il voulut être le Martial français, et, surtout à la fin de sa vie, prodigua pointes et traits. La Fontaine admirait en lui le successeur de Malherbe. S'il faut donner un nom au maître qui faillit le gâter, c'est sûrement celui de Mainard.

Paul Pellisson était un tout jeune homme. Né à Castres en 1624, il arrive à Paris en 1645 pour terminer ses études de droit. Ambitieux et cultivé, savant même, il n'avait de goût que pour les lettres et les grandes idées. Il composa une épître pour dire son ennui d'être « tous les jours » en robe d'avocat (« en soutane ») et de « n'étudier qu'en chicane ». La « troupe » partageait ou avait partagé son opinion. Il était protestant, et Conrart, secrétaire de l'Académie française, l'accueillit et le patronna à ce titre dans la capitale. Il avait déjà animé à Toulouse l'« académie des Lanternistes ». Il aimait les réunions érudites où l'on traitait avec ordre de littérature et de sujets généraux, voire de questions religieuses. Rien d'étonnant si, malgré sa jeunesse, il prit bientôt la tête des réunions de la Table ronde.

La Fontaine s'y intéressait aux nuances individuelles et aux divergences de principes. Il aimait la diversité. S'il se plaisait dans la « troupe » présidée par Mainard, puis par Pellisson, c'est qu'on ne cherchait pas à y définir des positions obligatoires. « Chacun fut de son propre avis », répond Cas-

sandre à Maucroix qui demandait quelle opinion avait pré-
valu. Sur un fonds d'idées communes, malgré le prestige de
Malherbe, le poids de Chapelain et de Conrart, rien n'est
encore fixé de ce qu'on appellera plus tard la « doctrine classique ». Ce fut la chance de La Fontaine, esprit cultivé, que
de trouver un groupe d'amis où il put connaître et discuter
doctement les idées qui faisaient partie de l'air du temps. Ce
fut sa chance, comme esprit libre, d'avoir vingt-cinq ans en
un temps où les débats littéraires et même politiques restaient largement ouverts. Il refusait tout embrigadement. A
la Table ronde même, il n'appartenait qu'en suivant ses
caprices. S'il avait envie de s'en retourner à Château-
Thierry, il s'en allait. A l'organisation du groupe et aux serments prêtés, il préférait sa liberté. La paresse du rêveur servait d'alibi à l'indiscipline du jeune loup.

8.

Un mari de complaisance

La Fontaine avait vingt-six ans. « Son père l'a marié, dit Tallemant, et lui l'a fait par complaisance. » Mariage banal selon les habitudes du temps, où la famille décide plus que l'intéressé du moment opportun et des conditions financières de l' « affaire ». Les garçons devaient se soumettre tout comme les filles à ces impératifs sociaux. Fermes sur les principes, les parents accordaient toutefois, malgré ce qu'en dit Molière, une assez large liberté de choix à leurs enfants qui disposaient, à défaut d'un droit de présentation du futur ou de la future, d'un large droit de refus des partis proposés. Majeur depuis un an, Jean s'est marié parce qu'on avait jugé qu'il devait le faire et qu'on lui avait trouvé une femme acceptable. Acceptable pour sa famille, mais aussi pour lui. En vue de s'établir, son père avait épousé une veuve sur le retour. Il lui présenta un tendron.

Marie Héricart n'avait que quatorze ans et demi. On peut penser qu'elle était belle. D'Olivet le dit, et qu'elle avait de l'esprit. A se marier « par complaisance » (d'Olivet reprend Tallemant), La Fontaine n'aurait sûrement pas accepté d'épouser une femme sotte ou laide, ou les deux. Il prenait une femme-enfant. Il n'était pas le premier, et l'écart de leurs âges se perdait dans sa propre jeunesse. Ce n'était pas Arnolphe épousant Agnès. C'était un garçon dans la force de l'âge prenant une pucelle à point pour les plaisirs de la vie conjugale.

A moins qu'en Marie Héricart il ait cru (plus ou moins consciemment) retrouver Anne de Jouy, la petite maman perdue quand il avait six ans et qu'elle était partie se marier au loin, à peu près à l'âge de Marie. Situation paradoxale et difficile à vivre. Orpheline à huit ans, sa jeune femme est toute disposée à voir en lui le substitut de son père disparu. Il cherche en elle la mère perdue, la mère de ses fantasmes d'enfant. Il aimerait se fixer sur cette femme, trouver en elle de quoi stabiliser ses désirs et sortir de sa rêverie pour affronter enfin lucidement les réalités de la vie. Mais Marie Héricart n'est pas faite pour jouer ce rôle. Elle n'est pas encore assez mûre. Le mariage fut un échec. La Fontaine continuera toute sa vie à rêver et à chercher ailleurs la femme capable de combler enfin sa secrète frustration.

Le 10 novembre 1647, on signa sans cérémonie le contrat à La Ferté-Milon, le pays natal de Racine, où la future était née et avait été baptisée en avril 1633. Malgré la proximité des villages, séparés d'une trentaine de kilomètres seulement, les La Fontaine ne se déplacèrent pas. Jean n'était assisté que de son père. La jeune fille l'était de sa mère, Agnès Petit, de ses deux grands-parents paternels, de son frère Louis, de sa tante paternelle et marraine, qui s'appelait comme elle Marie Héricart, et surtout du mari de celle-ci, le seul personnage donnant un peu de lustre à cette union assez terne, Jacques Jannart, substitut du procureur général au parlement de Paris.

C'est lui, dit-on, qui aurait arrangé l'affaire. Sans doute, puisqu'il s'était allié aux Héricart dès 1636 et que les liens de sa famille avec celle de La Fontaine remontaient très haut : un Jean de La Fontaine, frère du trisaïeul du poète, avait épousé une Marie Jannart... Clin d'œil du destin : en novembre 1624, un Jannart signe sur le registre des baptêmes à la place d'un parrain de trois ans qui ne sait pas écrire : le « fils de Charles, maître des eaux et forêts ». La même année, en avril, une Marguerite Jannart avait été commère, à la même paroisse, d'un Pierre Pidoux apparenté à la mère du petit Jean. La Fontaine se mariait en pays de connaissance.

Cette union contribuait à l'ascension sociale de sa famille. Le père de la mariée avait été, comme son grand-père Guillaume, lieutenant civil et criminel au bailliage de La Ferté-Milon. Ils appartenaient donc à la petite magistrature. Ils étaient tous deux « conseillers du Roi ». Mais on reste dans la bourgeoisie : aucun des signataires n'ose se prétendre écuyer, pas même le « noble homme » Jacques Jannart. Agnès Petit était, dit-on, de bonne noblesse. Fille de Marie Moët, elle descendait d'un Jean Moët, anobli en 1446, et d'un Charles Petit, procureur du roi aux eaux et forêts de Châtillon, lui aussi de noble famille. Plutôt que cette noblesse, éclipsée par la bourgeoisie des Héricart, ce sont les fonctions forestières qui ont rapproché les familles. Charles de La Fontaine ne prend pas d'autre titre que celui de sa maîtrise dans le contrat de Jean, simplement désigné par son nom et comme fils de son père. C'est un fils à papa sans charge et sans emploi que l'on marie.

Compte tenu de son milieu social, la jeune fille apportait une belle dot, 30 000 livres, la même que la veuve de Jouy avait apportée à Charles. La majeure partie, 20 000 livres, lui était donnée par son grand-père Guillaume, dont la moitié en argent comptant et le reste en rentes et en fonds de terre. Sa mère lui donnait 10 000 livres, également en rentes et en terres. Tous ces petits fonctionnaires royaux étaient propriétaires fonciers. Outre sa dot, Marie Héricart gardait des espérances. Les 30 000 livres ne lui étaient payées qu'en avance d'hoirie. Elle restait héritière et de son grand-père et de sa mère. Selon l'usage, seule une part de la dot, 10 000 livres, entrait dans la communauté. Le reste et tout ce qui pourrait lui échoir à l'avenir demeuraient son bien propre. En aucun cas, elle ne serait tenue des dettes que le futur aurait pu contracter.

A l'occasion de son mariage, Charles de La Fontaine donnait à son fils tout le bien qui lui revenait de sa mère (à peu près 10 000 livres), et, de son côté, un de ses offices de maître particulier des eaux et forêts, à moins qu'il ne préférât la somme de 12 000 livres en biens immobiliers. Curieux choix, qui n'est bizarrement pas tranché au moment décisif du mariage, entre un emploi qui donnait au jeune homme un établissement, et une terre susceptible de lui apporter régulièrement des revenus, mais aussi d'être vendue et dilapidée.

En vertu de leur contrat de mariage, les époux se trouvaient en principe à la tête d'une petite fortune, l'équivalent de 52 000 livres de capital ! Au taux légal, placé en bonnes constitutions de rentes, cela pouvait donner jusqu'à près de 3 000 livres de revenus annuels. A conserver les terres, qui rapportaient un peu moins, on pouvait encore compter sur au moins 2 000 livres. Il y fallait seulement un peu de temps. Celui, pour Jean, de choisir entre une charge ou des terres. Celui d'évaluer les terres cédées à sa fille par Agnès Petit. Celui, pour le grand-père Guillaume, de trouver de l'argent liquide. Il versa 8 000 livres entre avril et novembre 1648. Les jeunes gens n'étaient pas pressés. Et ils logeaient gratis dans la belle maison de la rue des Cordeliers, trop vaste pour le seul père du marié.

On peut imaginer la vie des jeunes époux. « La maison paternelle était bien située, explique Louis Roche. On pouvait en sortir pour une promenade sans traverser la ville. Rien de plus agréable pour une lune de miel. Lui, dans la cour, attendait patiemment sa femme; il la voyait arriver toute rose; il sifflait un chien, on partait... Douces flâneries au grand air et, quoi qu'il ait pu advenir plus tard, griserie de l'amour dans la campagne lumineuse. Le mari qui, hier encore (et fiancé déjà), cyniquement riait avec une maîtresse, aujourd'hui s'amusait d'être marié. Il regardait avec une curiosité un peu attendrie sa compagne de chaînes. On n'est pas impunément en présence d'une toute jeune femme, jolie, et vive, et qui veut plaire à son mari : quelques baisers aidant, vaille que vaille, voilà de la tendresse. Et puis c'était nouveau. » Mais il pleut souvent en Champagne à la fin de novembre, et Marie Héricart n'aimait peut-être pas les promenades dans les champs humides... La vérité est qu'on ne sait rien de ce que furent les débuts de son mariage avec le poète.

Dans *Joconde*, près de vingt ans plus tard, il a fait de son héros un jeune homme « marié depuis peu ». Il commente malicieusement : « Content ? Je n'en sais rien. » Le sûr est que Joconde se retrouve bientôt cocu... Dans *Daphné*, Momus est encore plus pessimiste :

Hyménée est un dieu jeune, charmant et blond.
Mais les jours avec lui ne se ressemblent guères :
Le premier est amour, amitié le second.
Le troisième est froideur, songez-y bien, bergères.

Substitut de l'auteur, le récitant précise qu'après « deux ans de paradis », ce fut pour les époux « l'enfer des enfers ». Si l'on veut deviner le climat du mariage de La Fontaine entre les lignes de son œuvre, on a le choix entre le cocuage immédiat, une lune de miel de deux ans, et une lente dégradation de l'amour à l'indifférence.

Nulle confidence sur la nuit de noces. Le poète a joliment raconté celle de Psyché. Les nymphes la déshabillent et la baignent. Elles la revêtent d'habits nuptiaux pour lesquels on n'a épargné ni diamants ni pierreries. La jeune fille se réjouit de se voir si belle dans les miroirs qui l'entourent. On la régale de nectar, d'ambroisie et de musique. On lui dit qu'il est temps de se reposer. « Il lui prit alors une petite inquiétude accompagnée de crainte, et telle que les filles l'ont d'ordinaire le jour de leurs noces, sans savoir pourquoi. La belle fit cependant ce que l'on voulut. On la met au lit et on se retire. » Le marié arrive alors dans la nuit (c'est l'Amour, mais elle ne doit pas le savoir). « On n'a jamais su ce qu'ils se dirent ni même d'autres circonstances plus importantes que celles-là. Seulement a-t-on remarqué que le lendemain les Nymphes riaient entre elles, et que Psyché rougissait en les voyant rire. » Beaux habits, grand festin, coucher public des mariés (et non de la seule mariée), mystères du lit conjugal aux rideaux tirés, plaisanteries matinales de l'entourage sur celle qui est devenue femme : sous les embellissements littéraires, on retrouve toutes les circonstances d'un mariage bourgeois. Celui de La Fontaine comme de beaucoup d'autres.

Cet événement était censé marquer une importante étape dans sa vie. « Il vous sied bien de vouloir vous marier, vous qui ne cherchez que le plaisir! », dit à son fils volage une Vénus plus sage que le père du poète. « Voyez, je vous prie, l'homme de bien et le personnage grave et retiré que voilà! Sans mentir, je voudrais vous avoir vu père de famille pour un peu de temps; comment vous y prendriez-vous? » Le mariage, pour un fils de famille, doit marquer la fin de ses folies de jeunesse. La Fontaine le savait, et que son père lui avait pour cela proposé d'exercer une de ses charges. Il n'en était pas persuadé. Il acceptait le mariage; il en refusait les austérités. S'il trouvait en sa jeune femme une complice pour ses rêveries, tant mieux. Sinon, il continuerait à chercher ailleurs.

Ces rêveries n'étaient pas toujours éthérées. A en croire une « chanson » composée par lui « peu de jours avant ses noces », il avait joyeusement enterré sa vie de garçon. Il se peint « caressant Mimi », une fille de rien, se plaignant auprès d'elle de « ne baiser qu'à demi » :

> *Si je ne vous fous,*
> *C'est fait de moi, chère maîtresse.*
> *La belle aux yeux doux,*
> *Quand je vous vois, le vit me dresse.*

Ces paillardises de circonstance, qui ne peignent pas forcément la réalité, ne choquaient pas, venant d'un étudiant prolongé, qui avait depuis longtemps cessé d'être un enfant de chœur et qui était censé se ranger à vingt-six ans. C'était un jeu dont Maucroix, qui l'a conservé, était le témoin et le destinataire.

En 1641, quand La Fontaine était entré à l'Oratoire, cet ami avait quitté Paris pour aller en Champagne prendre un emploi. Au moment de son mariage, il venait lui aussi de s'établir. Il avait choisi l'Église et le confort d'un canonicat au chapitre de la cathédrale de Reims. Il y avait été reçu le 8 avril 1647. Dans l'intervalle, il avait consacré sa vie et ses écrits à Henriette de Joyeuse. Elle avait quatorze ans quand il était entré chez son père. Il l'avait aimée et elle ne l'avait pas repoussé, lui accordant toutes les faveurs, sauf la dernière, par scrupule religieux et par souci de son rang. Au grand désespoir du jeune homme, ses parents fiancèrent Henriette au marquis de Lenoncourt en 1643, et Maucroix s'en revint à Paris, s'arrêtant, dit-on, à Château-Thierry où La Fontaine le consola. En juin, la guerre emporta le fiancé et l'amoureux reprit son emploi. Il disait à la belle qu'Alcidon, en mourant, avait beaucoup perdu, puisqu'il ne l'avait plus. Il avait mal choisi : « Philis, en bonne foi, ne valait-il pas mieux/ Mourir entre vos bras que dans une tranchée ? »

Les deux jeunes gens y gagnèrent trois années d'amour tendre. Puis Joyeuse décida de marier sa fille, ou plutôt de la « sacrifier », dit Tallemant, à un marquis de Brosses, « l'un de ses compagnons de plaisirs, roux, brutal, et qui ne rachetait ses difformités et ses vices par aucune qualité aimable ». Ce beau mariage eut lieu le 24 juin 1646. Dix mois plus tard,

Maucroix devenait chanoine, moins par désespoir amoureux que par nécessité d'avoir une situation lucrative. Il connaissait les avantages du chapitre de Reims, dont son frère aîné faisait partie depuis dix ans. Assuré du vivre et du couvert grâce à sa prébende, il allait désormais pouvoir mener à son gré une vie de loisirs paisibles, largement consacrée aux activités littéraires.

Selon Brossette, confident et annotateur de Boileau à la fin du siècle, Maucroix, au moment de prendre cette grave décision, aurait consulté La Fontaine, lequel lui aurait répondu par « Le Meunier, son fils et l'âne ». Ce serait la première de ses Fables, écrite plus de vingt ans avant la parution du premier recueil. Ce n'est guère vraisemblable, mais il est possible qu'au moment de prendre des décisions qui les engageaient pour la vie, les jeunes gens se soient souvenus de la demande de Racan à Malherbe en pareille circonstance et de la réponse du vieux maître, support à la future fable.

> *Dois-je dans la province établir mon séjour,*
> *Prendre emploi dans l'armée ou bien charge à la Cour ?*
> *... Si je suivais mon goût, je saurais où buter,*
> *Mais j'ai les miens, la Cour, le peuple à contenter...*

Même si la conduite des deux amis n'était pas à ce point surveillée, ils avaient éprouvé ensemble la difficulté de « contenter tout le monde et son père », particulièrement La Fontaine qui allait se marier « par complaisance » envers le sien...

Maucroix se faisait homme d'Église par déception, pour mieux jouir de la vie. Sa décision dut beaucoup contribuer à celle que son ami prit sans conviction six mois plus tard. Il se maria puisqu'on le voulait, avec une complaisance toute relative. En refusant de s'établir tout de suite dans une des charges paternelles, il différa le choix essentiel. Il n'avait nulle envie de changer ses façons. Rien ne réussissait à l'arracher à ses folies, pas même la jeunesse de sa compagne. « Sa femme dit qu'il rêve tellement qu'il est quelquefois trois semaines sans se croire marié. » Recueillie par Tallemant à la meilleure source, cette confidence révèle l'échec immédiat d'un mariage que l'intéressé n'avait pas désiré. A Paris ou à Château-Thierry, avec ou sans celle qu'il avait épousée sans y croire, il continua de mener sa vie de fils de famille paresseux. Pourquoi aurait-il travaillé, puisqu'il avait assez d'argent pour vivre sans rien faire ?

A la différence de son ami, Maucroix ne regrettait pas son choix. La Fontaine en fit un poème, l'un des premiers que nous ayons de lui, deux quatrains parodiant un cantique du temps de Pâques. Tant qu'il a été avocat, disait l'un, le jeune homme n'a jamais gagné le moindre argent. Le canonicat, au contraire,

> *Lui rapporte force écus*
> *Qu'il veut offrir au dieu Bacchus,*
> *Ou bien en faire des cocus !*
> *Alleluia !*

Dans ces vers conservés par un ami de Maucroix, lui aussi chanoine de Reims, qui les a recopiés, La Fontaine n'hésite pas à employer des mots grossiers. Avec ceux de la chanson sur son mariage et d'une autre qu'il va bientôt écrire sur le curé de Bussière, ce sont les seuls de ce style qu'on ait de lui. Peut-être y en eut-il beaucoup d'autres. Le futur fabuliste n'entre pas en poésie par la grande porte. A l'Oratoire, il s'amusait à écrire des satires. Avec ses camarades avocats, il met en vers des obscénités. Il lui faudra du temps pour devenir l'auteur des *Contes*, fier de tout dire sans blesser la pudeur du langage.

9.

Fronde familiale

En août 1648, la Journée des barricades avait obligé la reine mère à céder à la pression du peuple de Paris appuyant les revendications des parlementaires révoltés. En septembre, elle s'était réfugiée à Rueil, d'où elle revint en octobre après une paix de compromis. Elle ne s'y sentait pas en sécurité. Elle fuit de nouveau sa capitale dans la nuit du 5 au 6 janvier 1649. Agé de dix ans, le petit Louis XIV la suit à Saint-Germain, comme il l'accompagnera bientôt à travers la France pour lutter contre la rébellion. La Fronde se transformait en guerre civile. Elle allait ensanglanter le pays pendant quatre ans. Partout où elle passait, et à Paris où elle séjourna, elle perturbait la vie quotidienne des particuliers qui subissaient les pillages et exactions des troupes. Elle entravait l'essor intellectuel en troublant la vie des salons, académies ou cabarets « littéraires ». Elle partageait poètes et écrivains entre les camps adverses.

La Fontaine, qui eut trente ans pendant les événements, aurait pu être amené à prendre parti. Mais il était trop peu connu pour être sollicité, et trop peu combatif pour se jeter de lui-même dans la mêlée. Il s'occupa à régler des intérêts privés. La mort de Guillaume Héricart, le 21 décembre 1648, avait ouvert une succession sur laquelle, par son contrat de mariage, la jeune femme de La Fontaine conservait tous ses droits. Le défunt avait eu une fille, la femme de Jannart, et un fils, décédé quelques années plus tôt en laissant deux cohéritiers, Louis, son fils, et Marie, la femme du poète.

Pour maintenir la tradition familiale, Louis souhaitait garder la maison et la charge de son grand-père à La Ferté-Milon, comme l'aurait fait son père avant de les lui transmettre s'il avait vécu. Tout le monde s'accordait sur ce point. Restait à surmonter les difficultés financières qui en résultaient. Pour y contribuer, la veuve de Guillaume décida de donner tout son bien à ses héritiers en vue d'un partage général, sous réserve de ses droits matrimoniaux et d'usufruits lui permettant de subsister jusqu'à sa mort. Le 7 janvier 1649, lendemain de la fuite du roi à Saint-Germain, on avait passé une transaction en bonne et due forme pour enregistrer cette situation. Elle laissait aux experts le soin d'estimer la maison et la charge attribuées au beau-frère de La Fontaine et remettait à plus tard la répartition des autres biens de Guillaume, terres et rentes, entre les héritiers.

Obligé, comme mari, de s'occuper des affaires de sa femme, doublement mineure aux yeux de la loi par son âge et par son sexe, le poète dut dans le même temps s'occuper aussi des siennes en s'accordant avec son frère, qui venait d'avoir vingt-cinq ans en septembre. L'Oratoire où il était resté n'étant pas un ordre religieux, il conservait sa personnalité civile, et, partant, tous ses droits à l'héritage de ses parents. Maintenant qu'il était majeur, il pouvait réclamer sa part maternelle. Comme chaque fois qu'on ne disposait pas d'argent liquide (c'était aussi le cas pour l'héritage de Guillaume Héricart), on se heurtait à l'épineuse question de la répartition des charges et des biens immobiliers. Les unes conféraient à leur possesseur une importance sociale plus grande que leur valeur financière, et on risquait de dévaluer les autres en les démembrant.

Le 21 janvier, Jean se rendit donc à Rosoy (le Rozoy-Bellevalle d'aujourd'hui) où Claude s'était retiré chez leurs parents Vitard. Dès 1647, ils avaient décidé de s'entendre « tant pour l'amitié fraternelle » qui les unissait « qu'en faveur du mariage » avec Marie Héricart qui se préparait. Les affaires de la famille étaient trop embrouillées, et les biens maternels trop confondus avec les paternels pour qu'il fût possible d'en donner quoi que ce soit dans l'immédiat à Claude. Il accepta de ne rien avoir avant la mort de son père, principal bénéficiaire de l'accord dans l'immédiat. Après ? La meilleure solution pour ne pas disperser le patrimoine était de ne rien en accorder au cadet, qui recevrait en compensation une rente annuelle assurant sa sécurité financière. C'était là une chose entendue. On avait procédé aux évaluations permettant de fixer convenablement le montant de la somme que l'aîné devrait verser chaque année. On l'arrêta à onze cents livres.

Il ne restait plus qu'à mettre tout cela en forme. Claude prit la plume et rédigea la donation. Il renonçait à tous les biens échus ou à échoir des successions paternelles et maternelles au profit de son frère, qui lui garantissait en retour, gagée sur tous ses biens, une pension viagère payable par trimestre. Jean promit de faire agréer l'accord par sa femme qui le ratifierait quand elle serait majeure. Puis il prit à son tour la plume pour ajouter : « Ce qui a été par moi accepté, Jean de La Fontaine, et avons tous deux signé. » Il inscrivit son patronyme, son prénom, puis son frère parapha : « Claude de La Fontaine. » Accord conclu. Mieux valait cependant lui conférer plus de solennité en l'enregistrant devant notaire. Claude reprit la plume pour le noter, Jean pour marquer son acceptation. Ils signèrent tous deux à nouveau. Voilà une bonne chose de faite, pensèrent-ils, heureux de s'être entendus sur un avenir qu'ils n'avaient pas lieu de croire proche. Leur père était encore jeune et en bonne santé.

Quatre jours plus tard, de retour à Château-Thierry, Jean soumit à sa femme le texte qu'il avait emporté avec lui. Elle prit la plume pour y ajouter de sa main qu'en présence de son mari et avec son consentement, elle n'avait rien à opposer, « en tant que cela la touchait », au « traité » des deux frères. Elle signa. Quatre mois plus tard, le 17 mai, Jean de La Fontaine se rendit au greffe de la paroisse de Château-Thierry, où il fit enregistrer le document. Il le fit pareillement enregistrer au greffe du bailliage. Il tenait beaucoup à ce texte qui fixait, en principe pour toujours, ses rapports financiers avec son frère.

C'était pour lui une bonne affaire. Au taux légal, les 10 000 livres revenant à Claude pour sa part d'héritage maternel correspondaient à 500 livres d'intérêt, presque la moitié de la rente. Le complément réduisait sa part paternelle aux revenus d'un capital de 12 000 livres, juste la valeur de la charge ou des terres cédées à Jean par son contrat de mariage. Egalité toute apparente, puisque, dans l'immédiat, le cadet ne touchait rien, et qu'après la mort de son père, tout le reste des biens irait à son aîné. Il n'en souffrirait pas : étant homme d'Église, il aurait des revenus sans avoir de charges de famille.

Dans l'accord passé entre les deux frères le 21 janvier, Jean de La Fontaine se dit « avocat en la cour du parlement, demeurant à Château-Thierry ». C'est la première fois qu'il prend ce titre, qu'on retrouve dans quelques contrats, mais jamais systématiquement, entre cette date et 1668. Après avoir terminé ses études, il avait donc rempli les formalités nécessaires pour avoir le droit de le porter. Il avait dû s'inscrire au barreau de Paris. Peut-être songea-t-il à plaider, ce qui aurait été une façon de s'établir. Il est peu probable qu'il le fît : comment être vraiment avocat au parlement en demeurant à Château-Thierry ? Pendant longtemps encore, comme au temps de la Table ronde, il ne fut Parisien que par intervalles, continuant à demeurer dans son pays natal. En 1649, les troubles de la Fronde qui déchiraient Paris ne l'incitaient guère à le quitter.

A la fin de l'année, pourtant, il s'y rendit pour conclure un emprunt. Le 9 décembre 1649, il était chez Jannart, l'oncle de sa femme, quai des Augustins, paroisse Saint-André-des-Arts, pour y recevoir 4 500 livres tournois en espèces. Jean était riche, mais il manquait d'argent liquide. La mort de Guillaume Héricart avait suspendu le versement de la dot de sa femme, et son père ne se pressait pas de lui remettre les 12 000 livres promis par son contrat. Le mariage ne lui avait pas apporté toute l'indépendance financière qu'il en avait espérée. Pressé d'en profiter, il décida d'user du crédit que lui donnaient ses biens à venir, et, comme on dit, de manger son blé en herbe. Il en parla à Jacques Jannart, qui avait fourni à Guillaume Héricart l'argent versé pour la dot de sa femme. Sans s'engager lui-même, l'oncle lui trouva un prêteur, Charles de Ligny, qui lui donna procuration pour traiter à sa place. Sans doute n'était-il qu'un prête-nom.

Devant les notaires venus chez Jannart constater la remise effective de la somme empruntée, Jean constitua à Ligny 250 livres de rente annuelle, payable par quartier et garantie sur tous ses biens. Signe du crédit de l'emprunteur, on ne précisa ni de quels biens il s'agissait, ni à quoi l'argent serait employé. Ce n'était pas une petite somme. Elle sera suivie de beaucoup d'autres dont on ne retrouve pas aussitôt l'emploi dans un autre acte notarié, comme cela a lieu d'ordinaire chez les gens sérieux. Où donc ont pu passer les 4 500 livres, le prix d'une bonne terre, de quoi acheter quantité de vaches ou de moutons ? Elles se sont évanouies entre les mains d'un gaspilleur, pour plaire aux dames et en pertes au jeu. On se demande comment il a pu faire, dans une petite ville comme Château-Thierry, où il avait le vivre et le couvert, pour dilapider tant d'argent...

La Fontaine devait encore être à Paris le 11 décembre quand on y attaqua mystérieusement le carrosse de Condé. Il n'avait pas l'intention de s'y fixer. Pour tout ce qui regardait son emprunt, il élit domicile chez un homme d'affaires, procureur au parlement. Il était vraisemblablement de retour chez lui un mois plus tard, le 18 janvier 1650, au moment de l'arrestation de Condé et de son frère Conti. Les affaires de sa femme l'y rappelaient, car on avançait péniblement vers le règlement de la succession de Guillaume Héricart. Les La Fontaine, qui voulaient en tirer plus que les 20 000 livres promises dans leur contrat de mariage, avaient pris le risque de participer au partage au lieu d'exiger simplement les 12 000 livres de dot impayées.

Entre avril et octobre, Jannart et les autres héritiers s'étaient accordés pour fixer à 25 000 livres la valeur de la maison et des charges de Guillaume reprises par son petit-fils Louis, frère de la femme de La Fontaine. Mais comment effectuer le partage à partir de cette situation, alors qu'il n'y avait pas d'argent liquide dans la succession pour dédommager les autres héritiers ? A la maison et aux charges de lieutenant à La Ferté-Milon s'ajoutaient seulement deux grosses fermes, faciles à gérer et à négocier, à Dammard et à Passy, et une poussière d'autres fermes à Villeneuve, Vinly et autres lieux, plus quelques rentes.

Jacques Jannart proposa une solution simple. Puisque sa femme avait droit à la moitié de l'héritage, on compensait d'abord l'avantage fait à Louis en lui donnant l'équivalent de cette moitié en rentes et en terres comprenant nécessairement l'une des grosses fermes. Puis, avec le reste, on faisait deux lots égaux (l'un comprenant la seconde grosse ferme) qu'on tirerait au sort entre sa femme d'une part, les deux

cohéritiers, Louis et Marie de l'autre, qui s'arrangeraient
ensuite pour partager leur lot en tenant compte de ce que
Louis avait déjà reçu charges et maison. La Fontaine et sa
femme répliquèrent, indignés, que Louis profitant seul de la
maison et des charges du grand-père, ils ne pouvaient accepter, « sous prétexte d'un avantage » fait à leur frère, d'être
« frustrés » de leur espérance légitime « d'avoir pour leur
part quelque pièce considérable comme pouvait être l'une
des fermes de Passy ou de Dammard ». Ils refusaient de
n'avoir « dans le hasard du sort » que des terres divisées et
des petites fermes « toutes morcelées ».

L'opposition des intérêts pouvait susciter des contestations
dont la longueur imprévisible risquait d'entraîner d'irrépa-
rables torts à la succession, et, finalement, de nuire à tout le
monde. On se résigna à un compromis que signèrent
Jacques Jannart, Agnès Petit, Louis Héricart, sa sœur Marie
et le mari de celle-ci, Jean de La Fontaine, tous réunis le 28
octobre 1651 dans la maison familiale de Guillaume. Pour
dédommager les Jannart, Louis leur paierait d'ici huit ans la
moitié de la valeur de la maison et des charges de Guillaume, 12 500 livres dont il leur verserait les intérêts en
attendant. Pour les lots, on adopta la solution préconisée par
La Fontaine. Dammard fut mis dans l'un, et Passy dans
l'autre, les petites fermes et les diverses rentes étant réparties
entre les deux pour en égaler la valeur.

Le sort donna à la femme de Jannart le lot qui comprenait
la ferme de Passy, à Louis et à Marie le lot où se trouvait
celle de Dammard. Louis ne pouvant espérer garder la
grosse ferme en raison des compensations qu'il devait à sa
sœur pour la maison et les charges de Guillaume, Dammard
revint logiquement aux La Fontaine. Cinq ans plus tard,
Jean la vendit à Louis l'équivalent d'un peu plus de 19 000
livres. Avec les 8 000 livres touchées du vivant de Guillaume, cela porte à plus de 27 000 livres ce que sa femme
reçut de l'héritage du grand-père, et à plus de 37 000 ses
biens personnels, puisqu'elle avait eu aussi 10 000 livres de
sa mère.

Cette affaire offre un bel exemple des conflits qui s'éle-
vaient dans les familles autour des questions d'intérêts.
L'oncle Jannart ne refuse pas de prêter ou de mettre son
crédit au profit de la famille dans laquelle il est entré. Mais

c'est un homme d'affaires réaliste qui entend ne pas y perdre. Dans le partage des biens de Guillaume, son beau-père, il est l'obstacle à surmonter par les deux autres héritiers qui forment bloc contre lui. La Fontaine et sa femme ne prétendent pas, comme leur oncle, obtenir de l'argent liquide de Louis et de sa mère, prêts à leur accorder en compensation le droit de choisir « la première et plus considérable part » qui se trouverait dans leur lot. Dans la lutte, les La Fontaine se trouvent ainsi en première ligne. Ce sont eux et eux seuls qui pensent avoir avantage à ce que Jannart ne reçoive qu'une des deux grosses fermes.

C'est pourquoi l'acte notarié donne par moments l'impression d'entendre La Fontaine parler au nom de sa femme, et Jannart en train de lui répliquer. En cette occasion, du moins, il ne s'est pas désintéressé de ses affaires, défendant pied à pied ses intérêts. On pourrait en conclure qu'il se range, et que le nouvel avocat a donné à tout un chacun une preuve de son savoir-faire. C'est oublier que de telles transactions sont toujours préparées par des hommes d'affaires et que le notaire a peut-être consigné sous le nom de La Fontaine ce que son procureur avait dit à sa place ou lui avait conseillé de dire. En fait, son insistance à bénéficier d'une seule grosse terre trahit son paresseux désir de ne pas avoir de soucis de gestion. Un avocat combatif aurait joué la carte inverse et augmenté sa part en acceptant des biens dispersés et sous-évalués, sûr d'y gagner puisqu'à la différence de Jannart, il résidait dans la région.

Ce qui a guidé Jean, c'est au contraire l'idée qu'il aurait moins de mal à réaliser sa part d'héritage si elle n'était pas morcelée. Il songeait déjà à la vendre, ainsi qu'il le fera en 1656. Il put alors s'apercevoir qu'il n'avait pas raisonné juste et qu'il n'est pas toujours facile de tirer un bon parti d'une grosse ferme. Pour se débarrasser « enfin » de Dammard, comme il dira, il devra l'échanger contre des rentes cédées par son beau-frère conjointement avec une autre terre plus petite et plus facile à vendre. Il y a certainement perdu. Chaque fois qu'il procède à une opération financière, La Fontaine brade le patrimoine, celui de sa femme comme le sien.

Le règlement de la succession de Guillaume a duré deux années complètes. « Bataille de chiffonniers » autour d'un héritage ? On l'a dit. Mais ce long délai ne prouve rien, puisque, dès le 7 janvier 1649, dix-sept jours après la mort du grand-père, on s'était mis d'accord sur l'essentiel : Louis assurerait la continuité des Héricart en gardant sa maison, lieu et symbole de la solidarité familiale, et ses charges de lieutenant au bailliage de La Ferté-Milon, signe visible du statut social auquel on était parvenu. On mit longtemps, ensuite, à s'accorder sur la valeur des biens et leur répartition. Ce n'étaient que broutilles par rapport à l'accord initial. On fut plus d'une fois près de le rompre et au bord d'un procès. Il était de bonne guerre d'agiter cette crainte pour intimider l'adversaire. On finit par s'entendre, et c'est ce qui empêche la banale formule du notaire sur le désir des héritiers de « nourrir paix et amitié entre eux comme parents et alliés » d'être une pure clause de style. Aux hasards d'un procès, ils ont préféré une bonne transaction conclue selon l'avis « de leurs amis et conseil ». Comme il arrive dans les familles de bonne volonté où personne ne se risque à bloquer la situation par des prétentions définitivement excessives, l'intérêt et les sentiments allaient dans le même sens.

Pour introduire dans le parlement frondeur un agent sur lequel il savait pouvoir compter, Mazarin suscita et accepta, en novembre 1650, la candidature de Foucquet au poste de procureur général au parlement de Paris en remplacement de Méliand, qui n'était pas sûr. Cela ne changea rien à la situation de Jannart, qui avait dû être fidèle au pouvoir, puisqu'il conserva ses fonctions de substitut auprès du nouveau procureur. Il fut bientôt entraîné dans son orbite parmi les plus fidèles partisans de Mazarin. La Fontaine et sa femme se trouvèrent du même coup dans le camp de celui qui, malgré les discussions autour de l'héritage de Guillaume, se trouvait le « patron » d'une famille qui avait constamment besoin de lui. Comme rien ne les obligeait à s'engager effectivement dans la lutte, ils attendirent sagement la fin des troubles dans leur maison de Château-Thierry.

10.
La sinécure des eaux et forêts

La Fontaine avait « si peu de goût » pour sa charge de maître des eaux et forêts « qu'il n'en fit les fonctions pendant plus de vingt ans que par complaisance ». A propos de son métier, Charles Perrault emploie en 1696, juste après la mort du poète, le même mot que Tallemant pour expliquer son mariage un demi-siècle plus tôt. Mot ambigu. Complaire, c'est « se rendre agréable à quelqu'un en déférant à ses volontés et à ses sentiments ». Qualité positive quand on complaît à ses parents ou à ses supérieurs. Qualité agréable dans la vie de société. « Un homme complaisant, dit Furetière, est bienvenu en toutes sortes de compagnies. » Comme Philinte, il sait se mettre au diapason d'autrui. Pour faire plaisir, mais aussi quelquefois par intérêt. On complaît à son Prince. On complaît à sa dame pour en obtenir des faveurs. « La complaisance, reconnaît Furetière, est d'ordinaire accompagnée de flatterie. » On soupçonne facilement le « complaisant » d'hypocrisie ou de manque de volonté. La complaisance est la vertu (ou le défaut) de ceux qui n'osent pas tenir tête à autrui.

Comme sa rêverie, la complaisance de La Fontaine était une évidence pour ses contemporains, puisque deux d'entre eux, à un si long intervalle, ont rapporté à ce trait de caractère les deux décisions les plus importantes de sa vie : son mariage et son métier. Pour celui-ci, pourtant, sa complaisance n'a été que relative. Jean n'accepta que tardivement, et forcé par les circonstances, la charge que son père lui avait proposée à l'occasion de son mariage. Dans l'immédiat, il avait préféré les 12 000 livres en biens immeubles. La preuve, c'est qu'en novembre 1652, il passe le bail de la ferme d'Oulchy-le-Château qui lui appartient désormais.

Puisqu'il a opté pour les terres, c'est donc par-dessus le marché qu'il reçoit en janvier 1652 la charge de maître triennal des eaux et forêts. Le voici, à trente ans, le collègue et l'adjoint de son père, maître ancien, et du fils de son parrain, maître alternatif. Ces deux maîtres étaient en principe égaux : le maître alternatif, comme l'indiquait son titre, alternait avec l'ancien, devenu lui aussi alternatif dans les faits. En l'occurrence, on s'était organisé autrement : les deux maîtres agissaient conjointement selon les besoins. La création d'un office de maître triennal en 1635 aurait dû les conduire à ne plus exercer leur charge qu'un an sur trois. En fait, elle n'avait rien changé à la situation : Charles de La Fontaine s'était arrangé en 1637 pour en faire une sinécure au profit du mari de sa belle-fille, Philippe de Prast. C'était une parade usuelle à la multiplication des charges parallèles que leur rachat par le principal titulaire, désireux d'empêcher le démembrement de son emploi.

Charles de La Fontaine n'avait laissé la nouvelle charge à son gendre qu'en apparence et très provisoirement. Parce qu'il savait que, retenu à Paris par ses obligations professionnelles, il ne viendrait pas l'exercer à Château-Thierry. Parce qu'il comptait bien en reprendre la propriété à la première occasion. Il s'en présenta une à la mort de sa femme. En août 1644, on fit le bilan de la succession. Le 11, on en tira les conséquences dans un accord fixant les droits de chacun. Anne et son mari, Philippe de Prast, y sont tenus, à la première requête que leur en feraient leur beau-père ou ses enfants Jean et Claude, de « passer procuration à leur profit de l'office de maître particulier triennal des eaux et forêts au duché de Château-Thierry et prévôté de Châtillon-sur-Marne », dont de Prast est pourvu, « au profit de qui bon semblera audit La Fontaine comme à lui appartenant » pour « part héréditaire des biens » de Françoise Pidoux et en « remplacement » des biens cédés par lui à Anne de Jouy.

En octobre 1651, sentant sa fin prochaine (son inventaire après décès est du 31 de ce mois), Philippe de Prast résigna son office à Jacques Journet « qui, ne voulant s'y faire recevoir, s'en est démis au profit dudit La Fontaine ». Datées du

27 janvier 1652, les lettres de provision (nous dirions l'arrêté de nomination) mentionnent le prénom. Il s'agit bien de Jean, qui a effectivement été longtemps maître des eaux et forêts, mais pas au moment de son mariage ni en vertu de la clause de son contrat qui lui en donnait la possibilité. Il l'a été malgré lui, plus de quatre ans après avoir épousé Marie Héricart, dans une charge que son père n'avait jamais exercée officiellement, et parce que le successeur prévu l'avait refusée.

Si Jean de La Fontaine s'est finalement résigné à devenir « maître triennal », c'est parce qu'il n'y avait pas moyen de faire autrement. Le duché de Château-Thierry dépendant de la Couronne, Charles y avait acheté une charge d'officier royal. Elle était en train de changer de statut. En 1642, Louis XIII avait promis au duc de Bouillon de lui donner ce duché contre les principautés de Sedan et de Raucourt. On pouvait encore espérer. Mais voilà qu'en mars 1651, sous le ministère de Mazarin, un contrat en bonne et due forme était officiellement conclu pour fixer l'affaire. On ne pouvait même pas compter sur la Fronde. Le parlement enregistra l'échange en février 1652, refusant seulement de reconnaître aux Bouillon la qualité de « princes étrangers ». Cette réserve n'importait guère aux La Fontaine et aux acheteurs éventuels de leurs charges. Ils s'inquiétaient surtout d'un changement qui risquait d'en diminuer la valeur. C'est dans cette crainte, et pour ne pas tout perdre, que Jean prit ses nouvelles fonctions en espérant des jours meilleurs.

La guerre civile et la guerre étrangère avaient elles aussi contribué à dévaluer sa charge. En 1650, les troupes de l'archiduc Léopold avaient envahi la Champagne. En août, elles étaient à Bazoches, à une quarantaine de kilomètres de Château-Thierry. Elles pillaient châteaux et églises et rançonnaient les habitants. En septembre, elles assiégeaient le couvent royal de Coincy. Les Français les repoussèrent à la fin de l'année, mais ils prirent leurs quartiers d'hiver dans la région, et c'étaient toujours des soldats. Dans cette insécurité permanente, une bonne exploitation des eaux et forêts était à peu près impossible. D'elle pourtant dépendaient, dans une large mesure, les revenus des maîtres. Ce n'étaient pas en effet les maigres émoluments de la charge d'un triennal – 375 livres, soit la moitié seulement de l'intérêt du capital engagé au taux légal de 5 % – qui la rendaient lucrative, mais les à-côtés en nature, les amendes et confiscations, les vacations et interventions rémunérées, tout ce qu'interrompait ou entravait la guerre.

La Fontaine fut reçu officiellement dans ses fonctions le 20 mars 1652. Il en avait été reconnu digne, la veille, à l'issue d'une information de vie et de mœurs. Trois personnes « estimables » vinrent déposer en sa faveur, certifiant qu'il était « homme d'honneur, capable de bien servir le roi ». C'étaient Louis Vetier, avocat en la cour, lié à La Fontaine depuis six mois ; François Martin, bourgeois de Paris, qui déclarait le connaître depuis quatre ans et avoir été à la messe en sa compagnie ; Antoine Furetière, enfin, qui se flattait d'avoir été son familier depuis seize ans. Il l'a, dit-il, « toujours reconnu homme d'honneur, de très bonne vie et mœurs », d'excellente fréquentation, de « religion catholique, apostolique et romaine ». Il « sait aussi qu'il est capable d'exercer ladite charge, bon et fidèle sujet du roi ».

Le témoin en rajoute, soucieux de bien vanter les mérites de son ami. Comment peut-il, lui le Parisien, savoir si La Fontaine est ou non capable d'exercer des fonctions forestières ? On ne lui en demandait pas tant. L'Ancien Régime n'était pas regardant sur les aptitudes professionnelles de ses serviteurs, du moment que leurs charges étaient payées. Le père du nouveau maître était là pour lui apprendre le métier sur le tas. Et puis il y avait toujours plusieurs personnes pour le même emploi. Comme son prédécesseur et beau-frère Philippe de Prast, Jean pouvait abandonner ses fonctions à ses collègues, notamment au maître ancien. Il pouvait même, comme lui, ne pas résider sur les lieux de son office.

Il fit contre mauvaise fortune bon cœur, ajoutant désormais systématiquement son nouveau titre à son nom dans les actes officiels. Comme les années précédentes, il garda son habitation principale à Château-Thierry et fit de fréquents voyages dans la capitale. En mars 1652, Furetière parle de lui comme s'il l'y rencontrait constamment. Pourtant, le 2 décembre 1651, Jean est parrain dans sa ville natale, à Saint-Crépin. Il y est en avril et en septembre 1652 pour passer plusieurs actes devant les notaires de sa ville. En avril, il emprunte 1 800 livres à Jacques Cousin, conjointement avec son frère Claude, qui demeurait d'Église, mais avait quitté l'Oratoire en 1650. Il était sans ressources, la rente prévue pour sa part d'héritage ne devant être versée qu'après la mort de son père. La somme lui était destinée, Jean lui apportant la caution sans laquelle il n'aurait pas pu emprunter. Le 15 septembre, un nouvel accord fut conclu entre les deux frères pour tenir compte de la nouvelle situation. Malheureusement, le document est perdu. On peut penser qu'il prévoyait que Jean, pourvu en janvier d'une charge valant 12 000 livres, avancerait quelque chose à Claude sur son héritage maternel, dont leur demi-sœur Anne de Jouy avait touché sa part dès 1644.

Signe de sa santé financière, dans le même temps qu'il cautionnait son frère, Jean cautionnait aussi ses amis. Le 26 mai 1652, à Paris, rue Taranne, chez Furetière, celui-ci et François Maucroix constituèrent solidairement en leur nom et en celui de Louis Maucroix et de La Fontaine, absents, 222 livres de rente à Catherine Talon, veuve Le Picart, moyennant 4 000 livres versées comptant. Étaient-elles destinées à une entreprise collective des quatre amis, ou trois d'entre eux n'étaient-ils intervenus que pour faciliter l'emprunt d'un quatrième ? Seuls les biens de Furetière étant explicitement énumérés, il en fut vraisemblablement le seul bénéficiaire : c'est juste à ce moment-là qu'il achète sa charge de procureur fiscal à Saint-Germain-des-Prés.

Absent de Paris, La Fontaine subissait à ce moment-là l'invasion de son pays par les mercenaires de Charles de Lorraine dont Condé, révolté contre le pouvoir royal et qui assiégeait Paris, avait demandé l'aide. Il venait la lui apporter, traversant la Champagne avec une armée de soudards, épargnant Reims, qui avait acheté sa clémence, mais non les villes environnantes. Il entre dans Château-Thierry, en proie au pillage. Refusant de livrer le trésor de Saint-Crépin, le marguillier est torturé à mort. L'église des Cordeliers est incendiée. Ce sont partout d'innombrables scènes d'horreur où la misère et la famine succèdent inéluctablement à la violence et aux deuils.

A Paris, ce seront, en juin, le combat du faubourg Saint-Antoine et l'entrée de Condé dans la capitale, puis les émeutes de l'hôtel de ville. Pour ménager la paix souhaitée par les bourgeois parisiens et les parlementaires repliés à Pontoise, Mazarin prit une seconde fois le chemin de l'exil.

Réfugié à Château-Thierry, il y écrivit le 23 août à Le Tellier, qui lui était resté fidèle, une lettre décrivant les ravages des Allemands en Champagne : « Ce matin, à mon réveil, j'ai eu la nouvelle que les Lorrains et les Wittembergs étaient campés à Condé-sur-Marne... Les Wittenbergs brûlent tous les lieux où ils passent. » Les malheurs de la guerre étrangère s'ajoutent à ceux de la guerre civile.

Brusquement, c'est la fin de la Fronde. Condé quitte Paris en octobre et le roi y rentre vainqueur, bientôt suivi par Mazarin. La Fontaine peut reprendre ses allées et venues entre Château-Thierry et la capitale. Il est là-bas en mars 1653, pour ratifier l'emprunt contracté en mai 1652 conjointement avec Furetière et les Maucroix. Il n'y loge pas chez Jannart ni chez sa demi-sœur, mais chez Pillart, un maître d'armes, rue de la Coutellerie. Le 1er août, il obtient une sentence du Châtelet contre son oncle, en vertu de laquelle Noël Charlot lui cède, le 5, une rente de 150 livres, représentant 2 400 livres de capital, sur une Marie Ragueneau, veuve Voisin. Comme elle est par ailleurs débitrice de Jannart, auquel Jean rétrocédera la rente avec les intérêts en 1658, il doit s'agir d'un artifice de procédure. La Fontaine aurait-il à ce moment-là spéculé dans le sillage de son oncle ?

Il continue de manquer d'argent, mais, cette fois, au lieu d'emprunter, il dilapide son patrimoine. De retour à Château-Thierry, le 27 août 1653, il vend sa ferme d'Oulchy-le-Château pour 7 000 livres, dont 4 000 payées comptant. Marque de déférence du notaire pour son statut social, ou signe qu'il prend goût aux honneurs qu'on lui donne, il se laisse pour la première fois qualifier d'écuyer. Aux dépenses près, on dirait que le marginal est en train de se ranger.

D'autant plus qu'en octobre, après six ans de mariage, un enfant naît enfin dans la maison de la rue des Cordeliers, assurant la continuité familiale. C'est un fils, Claude, baptisé le 30 à l'église Saint-Crépin, celle du baptême de son père. Sa marraine, Geneviève Herbelin, est mariée à un Jean Josse, avocat, de la même famille que la femme du parrain de Jean, qui s'appelait Claude Josse. François Maucroix, l'ami de toujours, est le parrain du nouveau-né. Selon Mathieu Marais, ce serait lui qui aurait élevé l'enfant, dont les parents se seraient désintéressés. Mais, pour l'heure,

Charles de La Fontaine, son grand-père, pouvait se réjouir à la vue d'une scène où le présent semblait recopier le passé. Avec sa charge, son fils et les conseils de Jannart, Jean, se disait-il, allait être parfaitement intégré à son milieu. Maintenant que la guerre était finie, il y poursuivrait l'ascension sociale qu'il lui avait préparée.

C'était compter avec une application dont son fils était incapable. La Fontaine avait beau avoir femme, enfant et considération, il restait, comme Maucroix malgré son canonicat, une sorte d'étudiant prolongé, tournant en dérision les événements les plus tragiques. Pendant la guerre, il avait vu les exactions des troupes, les viols et les réquisitions. Le curé de Bussière (Bussiares, près de Soissons) y avait perdu son cheval. Il aurait mieux aimé prêter sa fidèle servante... Sur un air à la mode (« les lampons »), La Fontaine en fit une chanson pour le chanoine de Reims, qui la conserva :

> *Le curé de Bussière*
> *Disait aux Allemands :*
> *« Prenez ma chambrière*
> *Rendez-moi ma jument.*
> *Tenez, la voilà : f...ez la tous, je vous en prie.*
> *Ma pauvre jument, ramenez-la dans l'écurie. »*

Vers de jeunesse jetés sur le papier après boire et pour être aussitôt jetés. Vers de circonstance écrits en riant jaune sur les misères du temps, à l'intention de quelque camarade de collège. Jeunesse prolongée : La Fontaine a déjà trente-six ans, et il refuse toujours l'esprit de sérieux. Circonstance qui se transformera en permanence : celle, dans l'œuvre future, des grasses plaisanteries et de la satire des gens d'Église. Le poète avait commencé à l'Oratoire par la satire. Il avait continué au moment de son mariage par des gauloiseries. Le voici, au temps de la Fronde, tenté par la caricature et l'énormité du propos.

Le 9 août 1652, Frédéric-Maurice de La Tour, duc de Bouillon, meurt à Pontoise. Depuis l'accord de 1651, c'était le duc de Château-Thierry. A ses obsèques, La Fontaine rencontra peut-être Turenne, qui était son frère. En tout cas, il le vit « rembarrer le Lorrain », c'est-à-dire empêcher les troupes du duc Charles de passer la Marne. Jean eut le plaisir de l'entendre lui « réciter en chemin » quantité de vers. C'était un homme cultivé qui savait son Marot par cœur. La Fontaine aussi. Les deux hommes avaient de quoi s'entendre. A l'écriture sur un bout de table de la chanson sur le curé de Bussière, s'oppose cette extraordinaire scène de plein air : le plus grand capitaine du siècle, au milieu de son armée, régalant La Fontaine avec « Frère Lubin et mainte autre écriture ».

Malgré le temps qui passe, le nouveau maître des eaux et forêts a gardé un esprit de potache mal élevé, sans respect des grandeurs établies. Il est resté aussi très collégien dans sa façon de voir et de vivre les événements à travers le prisme de sa culture. De Turenne, malgré la guerre, il retient le bon connaisseur de Marot plus que le grand soldat. Pour le moment, il ne s'embarrasse guère de son métier. Il profite du loisir que lui donne une charge triennale que son père a pris l'habitude d'exercer à la place du titulaire. Il n'a pas trop perdu de cette liberté qu'il aime par-dessus tout. A peine se demande-t-il s'il deviendra, avec le temps, un fonctionnaire actif ou si la poésie sera la plus forte. Il verra bien. Il sait seulement qu'il n'a encore rien écrit de valable à ses yeux, puisqu'il n'a toujours rien publié.

11.

L'échec de *L'Eunuque*

La carrière littéraire de La Fontaine commence tardivement. C'est en août 1654, à trente-trois ans déjà, qu'il se risque enfin à livrer quelque chose à l'impression, *L'Eunuque*, une comédie adaptée de Térence : « Ce n'est ici, dit-il dans un Avertissement, qu'une médiocre copie d'un excellent original. » Premiers mots d'un dialogue avec le lecteur poursuivi toute sa vie par un poète qui ne publiera rien ou presque sans lui expliquer ses intentions et solliciter ses réactions dans des Avis ou des Préfaces. Comme s'il n'était pas tout à fait sûr du bien-fondé de son entreprise. Comme s'il avait besoin d'être compris et rassuré. A moins qu'il n'ait superbement triché, conscient que ce pseudo-dialogue était un excellent moyen de se concilier les bonnes grâces d'un public que personne ne saura flatter mieux que lui en lui parlant, en le consultant, en le traitant d'égal à égal. Pour ses écrits, et bientôt dans ses écrits, ce rêveur fait preuve d'un sens aigu de la communication.

Il présente son *Eunuque* avec la modestie qui convient à un débutant. A la manière des peintres apprenant leur métier en reproduisant des tableaux de maître, il s'est exercé à écrire en « copiant » la pièce de Térence. Propos trompeurs. La Fontaine n'ignore pas la vogue des « belles infidèles ». Il a vu le succès de leurs auteurs, les Marolles et les d'Ablancourt, dont la gloire égalait ou éclipsait celle des créateurs. La traduction, depuis près d'un demi-siècle, n'était pas un art mineur, au contraire. Un écrivain pouvait y révéler ses dons d'expression, la clarté, la netteté, la

cadence de son style, tout ce qui faisait la valeur d'une
œuvre à une époque où l' « invention » du contenu avait
beaucoup moins d'importance que l' « élocution » ou façon
de le dire. Donner une « copie » de *L'Eunuque*, c'était en un
sens vouloir prendre place parmi les meilleurs techniciens
de l'écriture.

Mais les temps sont en train de changer. Le public
commence à moins apprécier les traductions. Cessant de les
traiter comme des œuvres originales, il en considère moins
la valeur littéraire que l'utilité. Elles lui permettent seulement d'accéder à des textes qu'il ne sait plus lire en langue
originale, ersatz condamnés au second rôle puisqu'il s'agit de
pis-aller. Il n'y aura bientôt plus de traducteurs fiers de leur
métier et réservant toutes leurs forces à cet unique exercice.
Marolles lui-même reconnaît maintenant les limites de
l'entreprise dans laquelle il a si longtemps triomphé :
« Après tout, ce n'est toujours qu'une version, et ceux qui
travaillent à ces sortes d'ouvrages, bien qu'il faille souvent
inventer des tours agréables et beaucoup de belles façons de
parler, ne peuvent prétendre néanmoins à la gloire de
l'invention. » L'heure est venue pour les écrivains de choisir
un mode de création où, sans être totale, leur liberté soit
moins bornée, de préférer l'imitation à la traduction.

« Copie » est un mot ambigu. En l'employant pour désigner son œuvre, La Fontaine s'est gardé de prendre explicitement parti. Mais en faisant sa « copie » en vers, il se rangeait sans le dire du côté des imitateurs, puisque toutes les
grandes traductions, jusque-là, avaient été en prose. A l'affût
des préférences du public et sensible à l'évolution de son
goût dès ce premier essai, le poète a suivi la pente qui, sur le
chemin de la traduction à l'imitation, poussait à préférer à la
prose, plus soumise à l'original, les adaptations versifiées où
les contraintes de la mise en forme écartent nécessairement
davantage du modèle.

Pour commencer son œuvre, La Fontaine a écrit une
pièce en cinq actes et en vers. Rien d'étonnant : il aimait
beaucoup le théâtre. Au seul mot de comédie, il oublie le
dossier que lui a confié son père, il y court avec ses camarades. Il a joué sa vie. Pour échapper à la pression de son
entourage et aux difficultés quotidiennes, il s'est réfugié
dans un personnage dont lui seul a connu le secret.

« Rêveur », il préférait « l'illusion comique » aux exigences de la réalité et même à ses devoirs d'époux et de père. Il s'est plu à se forger un monde où réel et imaginaire se mêlaient comme dans un songe. Il a fini par en transposer l'esprit dans ses *Contes* et dans ses *Fables*. Alors, dans une comparaison appelée à devenir célèbre, il s'est flatté d'y avoir créé « une ample comédie aux cent actes divers / Et dont la scène est l'Univers ».

Cette belle comparaison n'est pas innocente. Elle vise à valoriser la forme littéraire dans laquelle il est en train de triompher. Il sait que ses contemporains croient à une hiérarchie entre les genres. L'épopée en occupe le sommet, avec Homère et Virgile, les plus grands poètes de tous les temps. Puis vient la poésie lyrique avec Pindare, Anacréon et Horace. Le théâtre figure en troisième place, grâce surtout à la tragédie, genre d'Eschyle et de Sophocle. La comédie se glisse à ses côtés avec le Grec Ménandre et les Latins Plaute et Térence. Et ainsi de suite jusqu'aux genres mineurs, parmi lesquels la Fable n'est pas même citée. La dire semblable à la comédie, c'est aller contre l'opinion commune et prétendre l'élever aux plus hauts rangs. En 1654, La Fontaine n'en était pas là. Ou plutôt il en était là, autrement. Il tentait de conquérir de front la place qu'il revendiquera plus tard en biaisant.

En choisissant le théâtre, il avait opté pour un genre à la mode, alors le plus capable d'apporter d'un seul coup la gloire. Mais, de 1648 à 1651, sous l'effet de la Fronde, tragédie et tragi-comédie, largement en tête jusque-là, avaient connu un brusque déclin. La comédie prenait sa revanche. D'Ouville avait lancé les comédies à l'espagnole, bientôt suivi par Scarron, Thomas Corneille et Boisrobert. Le public, qui les avait favorablement accueillies, put en applaudir une trentaine de 1642 à 1656. Mais il aimait aussi les pièces à l'italienne, greffées sur la tradition des Anciens. Rotrou avait imité Plaute et ses *Ménechmes* dès 1630. En 1636, il avait adapté son *Amphitryon*, ses *Captifs* en 1638. « Il est, prétendait-il, impossible de s'égarer sur les pas de cet illustre père du comique. » Il en reprenait les types hauts en couleurs du soldat fanfaron, du pédant bavard, du vieillard amoureux, etc. Il y ajoutait des intrigues romanesques où ne manquaient ni les filles enlevées, ni les pirates, ni les « reconnaissances », si utiles pour les dénouements.

La Fontaine, qui avait le choix entre les deux espèces de
comédie, opta pour une troisième formule : revenir aux
Anciens dans leur forme originale, avant leur déformation
romanesque par les Italiens, et choisir parmi leurs auteurs
comiques celui qui passait pour le plus poli et le plus adapté
au goût des honnêtes gens de son temps : Térence, le rival
de Plaute, réputé trop gaillard et d'un style moins châtié.
Dans son « Avertissement au lecteur », le poète ne cache pas
sa préférence pour celui que Pintrel lui avait naguère
conseillé d'étudier, conjointement avec Horace, pour se former le goût. Dans *L'Eunuque*, explique-t-il, règnent « la
bienséance » et la mesure ignorées de Plaute. « Le parasite
n'y est point goulu par-delà la vraisemblance ; le soldat n'y
est point fanfaron jusqu'à la folie ; les expressions y sont
pures, les pensées délicates. » C'est « la nature » qui « y instruit tous les personnages ».

Cet éloge qui rejaillit sur la « copie » que La Fontaine
vient de tirer d'un si bon modèle n'est pas de pure circonstance. Après avoir vu *Les Fâcheux* de Molière en 1661, il
rejette pareillement les outrances de Plaute, qu'il qualifie de
« plat bouffon ». Il les met dans le même sac que les excès
d'un Jodelet, le valet des farces, qui « n'est plus à la mode »
dès lors qu'on ne doit plus « quitter la nature d'un pas ».
Puis, se souvenant de sa propre pièce, il demande à Maucroix, le destinataire de la lettre : « Te souvient-il bien
qu'autrefois / Nous avons conclu d'une voix / Qu'il fallait
ramener en France / Le bon goût et l'air de Térence ? » Pour
les amis de la Table ronde, cet auteur était unanimement
considéré comme le modèle à suivre. La pureté de l'expression s'y alliant à la délicatesse de l'invention, il était pour
eux le symbole d'un naturel obtenu à force de travail.

Comme Maucroix, que La Fontaine prend explicitement
à témoin, Pellisson, le chef de la petite troupe, partageait son
admiration pour Térence. En 1651, il l'écrivait à Doneville,
un de ses amis provinciaux, en mentionnant « *L'Eunuque* et
Les Adelphes, qui sont à mon gré les deux chefs-d'œuvre de
cet auteur ». Ce sont précisément les deux pièces que
La Fontaine imite, empruntant le dénouement de la
seconde pièce pour conclure l'intrigue remaniée de la première. En 1666, dans la Préface de son deuxième recueil de
Contes, il invoquera Térence qui avait, avant lui, réclamé le

droit de tailler à son gré dans le bien d'autrui et de fondre en une seule deux des pièces de Ménandre, son modèle grec. En publiant ses deux premiers contes, il avait parlé de lui, l'année précédente, comme d'un « modèle » à suivre en toutes circonstances.

Pour La Fontaine et ses amis, Térence est le chef-d'œuvre d'une Antiquité naïve, aimable et distinguée, toute différente de celle qu'admirait naguère la Pléiade, chez qui l'on préférait la rude vigueur de Plaute. « Chacun sait, rappelle La Fontaine pour expliquer le choix de *L'Eunuque*, que l'ancienne Rome faisait souvent ses délices de cet ouvrage, qu'il recevait les applaudissements des honnêtes gens et du peuple et qu'il passait pour une des plus belles productions de cette Vénus africaine dont tous les gens d'esprit sont amoureux. » Plaire au peuple ne suffit pas si on ne lui plaît pas par les moyens susceptibles de plaire aussi aux honnêtes gens et aux gens d'esprit. Dès *L'Eunuque*, La Fontaine s'adresse à la Cour et aux salons, aux « dames et aux cavaliers » qui forment alors un public délicat, raffiné et difficile, ayant ses valeurs propres et auquel il ne suffit pas non plus, comme aux doctes, que l'œuvre soit « copiée » des Anciens.

A cette époque, le poète occupe une position médiane entre les humanistes érudits, survivants d'une espèce en voie de disparition, et les galants qui prolifèrent dans les « ruelles ». En cas de conflit, s'il faut choisir, il se range parmi les tenants des Anciens, auxquels il appartient en effet par ses études et sa culture. Mais il est tout moderne par son désir de plaire aux gens d'esprit, si peu différents de ces « beaux esprits » que Molière va bientôt caricaturer pour mieux s'en moquer. Comme lui, ces mondains préfèrent Térence à Plaute pour son élégance de style et la simplicité de ses intrigues, qualités proches, croient-ils, de leur propre tendance aux expressions recherchées et à la célébration de bagatelles. Marginal par rapport aux mondains, mais aussi par rapport aux doctes, La Fontaine cherchera et trouvera sa voie en cultivant la galanterie sans tomber dans la mièvrerie. Se présenter pour la première fois au public avec une « copie » de Térence, c'était tenter fort habilement de concilier la tradition avec la mode.

C'était aussi une sorte de gageure, car Térence restait

pour beaucoup un auteur qu'on avait étudié dans les classes, et, partant, un auteur scolaire. Les traductions françaises en étaient rares, et, en 1647, le janséniste Le Maître de Sacy, sous le pseudonyme de Saint-Aubin, se flattait sans ambages d'avoir fait la sienne, dernière parue, « pour servir à bien entendre la langue latine et à bien traduire en français ». Destinée aux enfants, elle se proposait de mettre à leur por- tée, dans les deux langues, un modèle de pureté et de déli- catesse de style. Il la disait « très utile pour savoir la naïveté et les entretiens familiers de notre langue et pour apprendre à parler comme parlent les honnêtes gens ». A peine sou- lignait-il l'art de son auteur dans des narrations « longues et continuées », disposées avec une parfaite « économie ». L'essentiel réside à ses yeux dans ses qualités d'expression. Ses prédécesseurs avaient nourri les mêmes idées que lui : ils avaient publié en latin des « morceaux choisis » de Térence « à l'usage des enfants » qui en détachaient les formules et sentences les plus remarquables.

Cette mise en pièces avait résolu la question de l'immora- lité du comique latin. Saint-Aubin, qui la reconnaît, la résout autrement, comme l'indique son titre : comédies de Térence « traduites en français avec le latin à côté et rendues très honnêtes en y changeant fort peu de choses ». Il en a adapté le texte. C'était le prix à payer pour pouvoir le mettre en entier entre les mains des enfants. Le public des honnêtes gens l'approuvera et prendra lui-même plus de plaisir à ces pièces remaniées. Mais l'auteur n'a pas pu donner toutes les œuvres de Térence. Il n'en a choisi que trois, celles qui étaient les plus faciles à moraliser : *L'Andrienne, Les Adelphes, Le Phormion.* Pour les autres, et notamment pour *L'Eunuque,* il a reculé devant la difficulté...

Il y a donc beaucoup d'audace et même de provocation dans la « copie » par La Fontaine d'un original qu'il présente comme un miracle de « bienséance », alors que la pièce s'y passe chez une courtisane et qu'elle comporte un viol. Phé- drie, fils de famille, courtise Thaïs, entretenue par Thrason, un soldat fanfaron, qui lui fait cadeau d'une jeune fille dont le cadet de Phédrie tombe passionnément amoureux. Pour concurrencer ce présent, ce dernier donne un eunuque à la courtisane. Sur les conseils de Parménon, l'esclave chargé de surveiller les jeunes gens, le jeune frère prend la place de l'eunuque. Confiant dans son état, on le laisse seul avec la demoiselle. Il la prend de force. Dénoncé, il risque la mort, car la victime n'est pas une esclave, comme on le croyait, mais une citoyenne romaine autrefois enlevée à ses parents. Heureusement, le jeune homme a un père compréhensif. Il réparera sa faute en épousant celle qu'il aime. Et Phédrie continuera à fréquenter sa courtisane, protégée par sa famille. A la prière de Gnathon, un parasite qui ne veut pas cesser de banqueter aux dépens de Thrason, ce dernier pourra continuer à voir Thaïs, qui lui soutirera de l'argent au profit de son ami.

De *L'Eunuque*, les « morceaux choisis » des collèges retenaient surtout les fanfaronnades du soldat et les couplets de Gnathon sur le plaisir de manger en payant son hôte de flatteries. C'étaient de bons modèles de narration. On en retenait aussi les types traditionnels de la comédie : l'esclave débrouillard, le parasite glouton. Le public les aimait, et l'année même de la pièce de La Fontaine, Tristan avait donné un *Parasite* avec un Fripeseauces haut en couleurs dont le nouvel auteur a sans doute voulu exploiter le succès. Mais il y avait tout le reste, qu'il convenait de remanier et transposer de façon à le rendre acceptable pour un public soucieux de bienséance. Ce n'était pas une mince affaire.

La courtisane entretenue devient une pauvre veuve qu'il faut aider de charités, et le viol un baiser furtif sur la main d'une demoiselle qui accepte finalement d'épouser l'audacieux, tandis que Phédrie épouse Thaïs. S'il consent à ce que Thrason continue à la voir, ce n'est plus pour puiser dans sa bourse, comme le conseille Gnathon, mais seulement « pour en tirer du divertissement ». On s'étonne, malgré tous ces bouleversements, de retrouver chez La Fontaine des scènes qui ressemblent encore à celles de Térence... Il en a conservé les morceaux de bravoure, mais ils ne sont plus l'essentiel. Ils cèdent le pas à une aimable peinture de la toute-puissance de l'amour qui ne se trouve pas dans l'original. Avant de connaître Thaïs, Phédrie n'avait que des qualités : « Aujourd'hui qu'une femme à ses lois l'a rangé / Ce n'est qu'oisiveté, que crainte, que faiblesse. » Lieu commun de la littérature misogyne ? certainement. Mais le poète se plaît à le développer comme s'il en avait personnellement éprouvé la vérité, comme s'il le reprenait à son compte.

Il affirme en tête de sa pièce que l'impulsion est venue de lui : « C'est, dit-il, une faute que j'ai commencée, mais quelques-uns de mes amis me l'ont fait achever : sans eux, elle aurait été secrète. » Faux aveu, dû à une fausse modestie obligée, ou véritable confidence sur la continuation et la publication de l'ouvrage ? L'appartenance de La Fontaine à la « troupe » de la Table ronde, son amitié avec Maucroix, Furetière, Pellisson, rendent probable qu'il n'a pas publié *L'Eunuque* sans l'avoir soumis aux critiques. D'autres encouragements s'y ajoutèrent. Il y aurait eu, continue-t-il, « beaucoup plus de défauts » dans les vers et dans la « conduite » de sa pièce « sans les corrections de quelques personnes dont le mérite est universellement honoré » et dont il tait « les noms par respect ». On a pensé à de puissants protecteurs, tels Patru ou Conrart, secrétaire perpétuel de l'Académie française. Mais, justement, La Fontaine n'a nommé personne.

Au moment où il livre sa première œuvre au public, il s'avance seul, sans s'abriter derrière le patronage d'un dédicataire riche ou puissant. Entre son œuvre et le public, il n'y a rien que cet « Avertissement au lecteur » où il tente de lui expliquer son projet. Il s'y flatte de l'autorité des Anciens et des encouragements d'amis et de correcteurs qui demeurent anonymes. Il cherche à séduire le public en le mettant dans la confidence des secrets de la création littéraire. Il essaie de l'intimider en se montrant entouré de garants. Ce ne sont que de fausses confidences, puisqu'il ne mentionne pas de noms. Toute sa vie il saura donner l'impression de se confier toujours en ne disant jamais rien de totalement personnel.

Les frères Parfaict, source tardive (1746), ont prétendu que *L'Eunuque* aurait été accueilli par des sifflets. Puisque aucun des contemporains n'y a fait la moindre allusion, il est probable qu'en fait, la pièce n'a pas été jouée, ou qu'elle a été vite retirée de l'affiche. Dans les deux cas, La Fontaine avait perdu. Il avait longtemps attendu avant de donner quelque chose au public, et quand il osait enfin se lancer, il ne trouvait pas de salle, ou bien la salle restait vide. Il ne se découragea point, puisqu'il chercha un éditeur. Mais la publication d'une pièce, il le savait bien, n'avait rien à voir, pour sa promotion et celle de l'auteur, avec sa représentation sur un théâtre parisien. La gloire d'une rapide réussite dans un grand genre littéraire lui était refusée. Dur échec auquel il fallut bien se résigner, mais qui le marqua et le découragea.

Il songea à cesser d'écrire. Il renonça du moins à imprimer. Pendant dix ans, il ne publia rien qu'une ballade sur la paix des Pyrénées (1660) et l'élégie *Aux Nymphes de Vaux* (1662), et encore anonymement. L'immense succès des *Contes* et des *Fables* jette aujourd'hui dans l'ombre cet échec initial. Mais le poète ignorait son avenir. Tout ce qu'il savait, en cet été où il avait espéré réussir, c'était que sa pièce avait échoué. Il s'était donc trompé sur la valeur de son œuvre, et aussi dans son choix de privilégier le théâtre parmi tant d'autres formes littéraires qui le tentaient. Il s'était aussi trompé sur lui-même en se croyant un vrai poète, capable de pratiquer les grands genres.

12.
Le poète au travail

Jean de La Fontaine ne mit aucun empressement à exercer les fonctions de maître triennal des eaux et forêts dont il avait été revêtu en mars 1652. François Guvin en perçoit à sa place les émoluments pour 1653. L'année suivante, au moins jusqu'à sa publication à la mi-août, il s'occupe surtout de son *Eunuque*. Sous le coup de la déception, il se tourne enfin vers sa charge. Le 18 janvier 1655, il écrit et signe de sa main la première pièce conservée qui la concerne. C'est la seule de cette année-là, mais il y a en quarante-deux au total pour les onze ans qui suivent : quatre par an en moyenne. Ce ne sont que des épaves. Elles permettent d'entrevoir le poète au travail.

Il n'a pas un gros salaire : 300 livres pour Château-Thierry et 75 pour Châtillon. Il s'y ajoute du bois de chauffage, dont il revend vraisemblablement une partie. Dans la pièce de 1655, Charles de La Fontaine, maître particulier ancien, François Guvin, maître alternatif, Jean, maître triennal, Charles de La Haye au nom de Talon, avocat général au parlement de Paris, lieutenant de la maîtrise, Michel Petit, qui en est le contrôleur, François Taillefer, le greffier, donnent quittance à un certain Lombermont, qui leur a fourni deux cent cinquante cordes de bois (plus de mille mètres cubes) pour leur chauffage de 1651 et 1652. Également concernés, cinq des principaux fonctionnaires des eaux et forêts de la circonscription ont signé avec Jean.

Il y manque l'avocat du roi, chargé de représenter et de défendre les droits de la Couronne, relayé par un procureur à Château-Thierry et par un procureur à Châtillon, l'autre subdivision de la maîtrise. Il y manque également ceux qui doublaient les titulaires : contrôleur alternatif et triennal, greffier alternatif et triennal. Sous leurs ordres, dans chaque subdivision, un garde-marteau conservait dans un coffre l'outil dont on marquait les arbres, un marteau portant en relief les lettres à imprimer à leur racine et sur leur écorce. Sous leurs ordres également, des « sergents dangereux » percevaient les droits de « danger », c'est-à-dire les amendes et les droits sur les mutations et les coupes.

Comme son père et comme Guvin, Jean de La Fontaine appartient à une administration importante, dont les attributions sont d'abord judiciaires. Les fonctions forestières avaient été créées au XIIIe siècle pour faire respecter les droits du seigneur sur les lieux de chasse, le parcours des bestiaux et les coupes de bois. Ces fonctions étaient demeurées au maître particulier (l'un des maîtres particuliers depuis que l'on avait démultiplié la charge), qui informait des querelles, infractions, meurtres et assassinats commis à l'occasion des eaux et forêts. Pour en juger, il présidait une audience hebdomadaire où, malgré sa qualité de magistrat, il siégeait l'épée au côté. Les autres officiers l'assistaient en robe. Pour faire appel de ses jugements, on s'adressait à la table de marbre du parlement. Pendant vingt et un ans, Pierre Corneille a siégé comme avocat à celle de Rouen.

A ces attributions s'en étaient, au fil du temps, ajoutées d'autres, plus techniques. C'était aux fonctionnaires des eaux et forêts d'assurer l'entretien, la coupe et l'exploitation des bois. Le maître particulier, qui avait une clé du coffre où était enfermé le marteau, dirigeait martelage et balivage et présidait à l'assiette et à l'adjudication des coupes. Il surveillait les plantations et les défrichements effectués sur son territoire. Il lui revenait d'y effectuer tous les six mois une visite des forêts, bois et buissons et d'en dresser procès-verbal. Il consignait les ventes de futaie et de taillis, l'état, l'âge et la qualité des bois. Il devait faire de fréquentes tournées dans sa circonscription pour surveiller les gardes, les marchands de bois et les voituriers. Il cotait et paraphait les registres de la maîtrise et tenait le rôle des amendes, restitutions et confiscations.

Les eaux n'occupaient pas moins les maîtres que les

forêts. Ils devaient surveiller l'état des pêcheries, étangs, rivières, péages, passages, îles et alluvions, ainsi que tous les baux passés à leur sujet. Ils visitaient les fossés pour s'assurer du bon écoulement des eaux, obligeaient à détruire les barrages non autorisés, prescrivaient les désensablages nécessaires. Ils veillaient à la bonne production du poisson, si nécessaire en un temps où on devait manger maigre non seulement un jour par semaine, mais les veilles de fête, aux quatre-temps et tout le carême. Ils dirigeaient la surveillance de la pêche. On imagine volontiers le poète, « côtoyant une rivière » comme le Héron : « L'onde était transparente ainsi qu'aux plus beaux jours/ Ma commère la carpe y faisait mille tours/ Avec le brochet son compère... » Le héron était de son ressort : les seigneurs, qui aimaient le chasser au faucon, en avaient créé des élevages dans la région.

Le domaine est vaste : bois de Barbillon à une ou deux lieues de Château-Thierry, bois de Tréloup ensuite, bois de Raray à huit lieues, bois de la Haute-Charmoye près de la montagne de Reims, forêt de Wassy du côté d'Épernay, à onze lieues. Le maître des eaux et forêts y circule à cheval sans toujours pouvoir faire l'aller et retour dans la journée. Il est au contact de la nature, bois, étangs, ruisseaux, mais aussi prés et champs qu'il sillonne en tous sens. Il y rencontre bêtes et gens. Au « pauvre bûcheron tout couvert de ramée », il doit demander où il a pris son bois pour s'assurer qu'il ne l'a pas volé. S'il découvre un pêcheur, il doit venir au secours du « carpillon » qui demande grâce parce qu'il n'a pas encore la taille requise (au moins six pouces entre la tête et la queue). Il admire les chênes centenaires dont la cime touche le ciel et les racines plongent vers les enfers. Il sait distinguer les terriers de Jeannot lapin de ceux de maître Renard.

« Un jour, écrit un des biographes du poète, du haut d'une colline, par exemple près de Mont-Saint-Père, il contemple un coin de vallée : en face, Mézy, Condé, les bois de Monthurel, des nappes de verdure semées de bouquets d'arbres, et le bariolage des terres cultivées. A ses pieds, une ferme avec un jardin clos d'une haie vive : de l'oseille, des choux, des poireaux, les ramures des pois, les masses des groseillers, tout un fouillis de plantes et d'herbages. Dans la cour, un chien s'est allongé paresseusement, des poules picorent, des chats jouent dans une corbeille. Des pigeons s'envolent du toit et, après un long glissement, se posent ; maintenant, ils fuient à tire d'ailes, ayant vu un milan " planer, faire sa ronde ". Le jour est doux et gris ; le silence invite au sommeil... Les songes, voilà bien ce que le poète aime le mieux, même dans la campagne. Sa voluptueuse indolence se complaît aux caresses de l'air, aux murmures des êtres vivants, à la griserie que donne la lumière.... La vie de la nature un moment se confond avec sa propre vie. »

On peut rêver. Mais il ne faut pas exagérer l'influence exercée par la charge de La Fontaine sur ses rapports avec la nature. Il en avait fait l'expérience dès son enfance, en y accompagnant son père ou en s'y promenant avec ses camarades. Sans maîtrise triennale, ou tant qu'il l'a traitée en simple sinécure, il a eu bien plus de loisirs pour se promener dans les bois et à travers la campagne que lorsqu'il lui a fallu les parcourir rapidement pour son travail, ou demeurer dans un bureau occupé à des tâches administratives et judiciaires. On a dit, sans grandes preuves, que le maître ancien se rendait sur les lieux et que l'alternatif restait au siège pour s'occuper des dossiers. Mais le triennal ? Jean a-t-il surtout supléé le maître ancien ou a-t-il assumé une partie des deux tâches ? On ne sait. Le sûr est qu'après s'être un temps comporté en surnuméraire, il a fini par exercer sa charge, au moins de temps en temps. Sans l'empêcher d'aller dans la capitale aussi souvent qu'il le souhaitait, elle le retenait au pays.

Les signatures qu'il donne en ce temps-là, notamment les douze qui concernent sa maîtrise entre son entrée en fonction et la mort de son père au début de 1658, montrent qu'il reste un provincial, continuant d'avoir sa demeure à Château-Thierry. Le 29 novembre 1656 (huit documents sont de cette année-là), il touche 3 450 livres, conjointement avec Charles, Guvin et Taillefert, pour les droits de chauffage et les commissions sur les ventes qui leur reviennent pendant trois ans (1653-1655). Un sieur du Lin les a payées en déduction de ce qu'il doit pour l'adjudication d'une demi-futaie de la forêt de Wassy. C'est la suite du paiement de janvier 1655. En février et septembre 1657 et en février 1658, La Fontaine donne quittance de 100, 90 et 39 livres en déduction de ses gages de 1657, à valoir sur des adjudications. Malgré plusieurs décisions royales en sens contraire, il n'y a toujours pas de fonds pour les émoluments des titulaires d'offices. Ils doivent se payer au passage. En 1656, il n'y a plus de retard.

Que La Fontaine reçoive salaire n'implique pas absolument qu'il ait exercé ses fonctions ; il suffit d'être possesseur d'une charge pour en toucher le salaire. Mais, en mars et en décembre, on le voit contribuer à l'administration de la circonscription en accordant, conjointement avec le greffier, divers droits de coupe dans la forêt de Wassy à des gardes et sergents de cette forêt. Le 12 janvier de la même année, il reçoit 66 livres pour « partie de droits d'entrée et de sortie », portion d'un pourcentage qui lui revient sur les droits perçus à l'occasion des ventes de bois auxquelles il a présidé. Il a tout intérêt à participer aux diverses activités de sa maîtrise, car aux émoluments et au bois de chauffage, qui sont fixes, s'ajoutent des rémunérations dépendant de ses prestations. Il reçoit 700 livres, le 7 février, d'Antoine Le Giun pour ses vacations. Ce n'est pas une petite somme. Elle prouve qu'il a effectivement exercé au moins une part des fonctions de sa charge.

Cela ne veut pas dire qu'il y mettait beaucoup de zèle. Les circonstances ne s'y prêtaient pas. En décembre 1656, Louis XIV confirme, au profit du nouveau duc de Bouillon, Godefroy-Maurice, la donation de Château-Thierry faite à son père en 1651. Les titulaires d'offices étant à la nomination du nouveau duc, ceux qui sont en place seront congédiés dès qu'on leur en aura payé le prix. Cela demandera du temps, car, comme le roi, le duc n'a pas d'argent liquide. Pour rembourser les officiers des eaux et forêts, il est prévu de dégager une somme sur la vente des bois du duché. Mais on ignore pour le moment le montant de l'indemnité et la date où elle sera versée. On sait seulement que la maîtrise du lieu cessera d'être maîtrise royale pour devenir maîtrise ducale, avec tous les risques de dévaluation financière et morale qui découlent d'une telle situation.

La Fronde finie et les Lorrains disparus, la guerre n'était pas pour autant achevée, qui compliquait l'exploitation des eaux et forêts. Les Espagnols, qui occupaient Rocroi, envoyaient de là des cavaliers qui, par leurs raids, semaient la terreur en Champagne et jusqu'au bois de Vincennes. Profitant de l'insécurité, des aventuriers rançonnaient les riches voyageurs, tel Barbezière qui, en mai 1657, enleva près de Bagnolet le financier Girardin pour en tirer de l'argent. La Fontaine en fit une épître qu'il envoya à Mme de Coussy, abbesse des bénédictines de Sainte-Marie de Mouzon, dans les Ardennes, près du front.

Il n'osait, lui expliquait-il, s'exposer pour aller lui rendre une visite galante : « Très-Révérente Mère en Dieu,/ Qui révérente n'êtes guère,/ Et qui moins encore êtes mère,/ On vous adore en certain lieu,/ D'où l'on n'ose vous l'aller dire,/ Si l'on n'a patente du sire/ Qui fit arrêter Girardin.../ Les Rocroix, gens sans conscience,/ Me prendraient aussi bien que lui,/ Vous allant conter mon ennui. » Peu leur importeraient ses protestations pacifiques envers le roi d'Espagne et l'aveu du but de sa visiste – « Cupidon seul me fait marcher » : Montal, chef des troupes ennemies, le retiendrait prisonnier : « Pour cet homme en fer tout confit,/ Passeport d'amour ne suffit. » Le poète reste donc chez lui en attendant des jours meilleurs.

Dans ce leste poème, le plus ancien que nous ayons de lui après les couplets paillards et *L'Eunuque*, il s'affirme bon compagnon, amoureux d'une abbesse dont il déplore l'enfermement au couvent où Vénus, l'Amour et les Grâces se sont enfermées avec elle. Il la déshabille en pensée : « Pardonnez-moi si j'ai quelque soupçon/ Que cet habit dont vous êtes vêtue,/ En vous voilant, soit receleur d'appas./ N'en est-il point dont il puisse à ma vue/ Se confier ? Je ne le dirai pas. » La Fontaine, dès ce temps-là, bâtit sa poésie sur la transgression des tabous, tabou de l'Église et tabou de la chair. Tabou de la famille aussi, puisqu'il est marié et qu'il ne cache pas ses désirs adultères.

La poésie n'est pas la vie, dira-t-on; il ne faut pas prendre de tels jeux au pied de la lettre. Certes, mais Tallemant confirme la réalité de ces amours : « Une abbesse s'étant retirée dans la ville, il la logea, et sa femme un jour les surprit. Il ne fit que rengainer, lui faire la révérence et s'en aller. » Il ne se targuait pas de fidélité et ne se souciait pas non plus de celle de sa jeune épouse. « C'est une coquette, dit encore Tallemant, qui s'est assez mal gouvernée depuis quelque temps; il ne s'en tourmente point. On lui dit : " Mais un tel cajôle votre femme. Ma foi, répondit-il, qu'il fasse ce qu'il pourra, je ne m'en soucie point. Il s'en lassera comme j'ai fait. " Cette indifférence a fait enrager cette femme; elle

sèche de chagrin ; lui est amoureux où il peut. » Marginal,
La Fontaine ne se soucie ni d'être bon époux ni de porter
des cornes.

Louis Racine a rapporté, après d'Olivet, l'histoire de son
duel avec Antoine Poignant. C'était un capitaine de dragons,
ami d'enfance du poète. Un esprit malveillant lui demanda
un beau jour pourquoi il souffrait ses visites quotidiennes.
« C'est mon meilleur ami, répondit Jean. — Ce n'est pas ce
qu'on dit dans le public. On prétend qu'il ne va chez vous
que pour Mme de La Fontaine. — On a tort, car il n'en est
rien. — Vrai ou faux, le bruit court, et quand il s'agit de
l'honneur, il faut en obtenir réparation les armes à la main.
— Eh bien, je le ferai », dit La Fontaine. Le lendemain, dès
quatre heures du matin, il arrive chez Poignant, qu'il tire de
son lit. Il l'oblige à se lever et à sortir. L'autre le suit en lui
demandant quelle affaire pressée l'a rendu si matinal. Jean
répond qu'il le lui dira quand ils seront arrivés à destination.
Derrière le couvent des Chartreux — ce qui situe la scène à
La Ferté-Milon, d'où Poignant était originaire –, La Fontaine lui déclare qu'il faut se battre. Surpris, le capitaine lui
objecte que la partie n'est pas égale entre lui et un homme
qui ne sait pas manier l'épée. « Tant pis, dit le poète, le
public veut ce combat. » Sentant toute résistance inutile,
Poignant cède, tire son épée par complaisance, se rend facilement maître de celle de La Fontaine et lui demande de lui
expliquer enfin de quoi il s'agit. « C'est que l'on dit que tes
visites quotidiennes ne sont que pour ma femme... — Je ne
t'aurais pas cru de pareilles inquiétudes. Mais, dans ces
conditions, je n'irai plus chez toi. — Au contraire, réplique le
poète en serrant la main de son ami. Maintenant que j'ai
satisfait le public, je veux que tu viennes à la maison tous les
jours. Sinon, je me battrai encore contre toi... »

Vraie ou fausse dans le détail, l'anecdote suppose que l'on
jasait dans le pays sur la complaisance du maître des eaux et
forêts envers ceux qui rendaient trop souvent visite à sa
femme pendant qu'il allait courir ailleurs. Au bout de dix
ans de mariage, malgré la naissance de leur fils, le ménage
des La Fontaine n'allait pas fort. Le poète délaissait sa jeune
épouse de vingt-trois ans. Elle s'en vengeait avec un capitaine de vingt-huit. Il faisait mine de s'en fâcher pour satisfaire l'opinion. Mais il savait depuis longtemps que sa voie
n'était pas le bonheur conjugal.

13.
L'appel des sirènes

Le 14 février 1656, La Fontaine écrit la première des rares lettres privées que l'on ait gardées de lui. Elle s'adresse à l'oncle Jannart, auquel il recommande de lui répondre vite : « Il ne faut que demander le messager de Reims, sur le pont Notre-Dame, ou écrire par la poste de Champagne et adresser les lettres à *M. de La Fontaine, chez M. de Maucroix, chanoine à Reims.* » Le poète est chez son ami. Bref séjour, car le 7, il était encore à Château-Thierry où il donnait quittance pour ses vacations. Et le 19, il répond à Jannart qu'il a reçu deux de ses lettres, la première à Reims, l'autre de retour chez lui. N'importe. Ce séjour montre que Jean profitait du voisinage pour aller voir son ancien camarade de collège.

Maucroix se conduisait envers l'Église comme La Fontaine envers sa femme. Ni son canonicat ni le mariage d'Henriette de Joyeuse ne l'avaient guéri de son amour. « Notre avocat étant devenu chanoine de Reims, dit Tallemant, la belle, qui l'aimait toujours, le renflamma bien aisément. Le mari ne se doutait de rien, car le galant avait eu l'adresse de se mettre admirablement bien avec lui . » Elle lui contait « toutes les folies de ses autres amants ». Elle aurait bien voulu lui accorder les dernières faveurs, mais « les confesseurs l'intimidaient » en lui disant « que ce serait un sacrilège ». Les jours où elle allait à confesse, « elle ne le baisait qu'aux yeux ». Un autre jour, ils allèrent plus loin : elle se laissa « tâter » pendant qu'elle était au lit. « Elle lui avoua qu'après cela, elle ne pouvait plus répondre de rien », et « il n'y en avait plus que pour quatre jours quand la marquise de Mirepoix, qui était amoureuse d'elle, la vint enlever ».

Nouvelles aventures de la belle avec des galants parisiens. Son mari, qui finit par tout savoir, se retira dans ses terres en l'abandonnant sans le sou. Sa mère, qui était en Champagne, se fit porter chez les frères Maucroix pour y mourir. La fille, qui était malade, « en fit de même ». Elle confia au chanoine que rien n'avait pu lui faire oublier leur liaison, « qu'elle l'aimait encore, mais qu'elle le priait d'oublier toutes les folies qu'ils avaient faites ensemble ». Elle mourut à la fin de 1649, au grand désespoir de Maucroix, mais au grand soulagement de ses amis : « Il était en un tel état, dit Tallemant, que je ne savais ce qui en serait arrivé. Il a été plus de quatre ans à s'en consoler, et il n'y a eu qu'une nouvelle amour qui l'ait pu guérir. » Comme Tallemant, La Fontaine avait été dans la confidence de leur ami commun. Il s'était apitoyé avec lui sur son sort, et y avait trouvé une preuve de plus de la légèreté du sexe féminin. Il était heureux de voir son ami revivre à présent grâce à de nouvelles amours. Il lisait avec lui les poèmes où il avait déploré ses malheurs, mais il leur préférait ses vers paillards et ses épîtres badines. Lui-même se jurait de ne jamais se laisser prendre au piège des passions.

Pour l'heure, ses soucis étaient d'un autre ordre. Il venait de prendre une grave décision, celle de liquider dès que possible ses biens immobiliers. Il avait longtemps hésité. En septembre 1654, juste après l'échec de *L'Eunuque*, il avait au contraire choisi de s'implanter davantage dans le pays. A Paris où il s'était rendu pour conclure l'affaire, il avait acheté, le 7, une ferme dite de la Trinité au bailliage de Château-Thierry : un grand corps de logis à deux étages, couvert de tuiles, une maison contenant cuisine, chambres, étables et grange, quatre-vingt-neuf arpents de terres, prés et bois. Pour la première et la seule fois de sa vie, il avait augmenté son domaine au lieu de le diminuer. Il avait donc un peu d'argent. Pas assez, toutefois, pour payer la totalité de son acquisition. Sur les 5 600 livres qu'elle lui coûte, il en emprunte 2 700, le jour même de l'achat, à Jacques Jannart, neveu et pupille de l'oncle du même nom, « écolier étudiant à l'université de Paris ». Il lui en coûtera 150 livres par an d'intérêts.

Tout est changé dans la lettre qu'il envoie de Reims à Jannart. Il n'est plus question d'acquérir, mais de vendre. En octobre 1650, lors du partage du bien des Héricart, il avait mis toute son énergie à obtenir pour sa femme une des deux grosses fermes de l'héritage. Il veut maintenant s'en débarrasser à tout prix. « J'ai enfin vendu ma ferme de Dammard, écrit-il à son oncle, moyennant 19 114 livres. » Comme il le lui explique ensuite en détail, ce n'était pas si simple. Il a d'abord dû procéder à un échange. Il a cédé Dammard au cohéritier de Marie, son beau-frère Louis Petit, qui lui a remis à la place 114 livres en argent liquide, une promesse de 1 300 livres payables dans les trois mois, une constitution de rente de 7 000 livres, et surtout une autre ferme, à Châtillon, plus petite et plus commode à vendre, que l'on doit incessamment lui payer 10 600 livres. Voilà bien des soucis. D'autant plus qu'il agit au nom de sa femme, toujours mineure aux yeux de la loi, puisqu'elle n'a pas encore vingt-cinq ans. Il doit trouver quelqu'un de solvable pour cautionner l'opération.

Il demande à Jannart de le faire. Si celui-ci consent, pour sa garantie, il placera « entre ses mains » le prix de cette « vendition », dont 9 000 livres immédiatement portées à Paris par un marchand. « Vous ne sauriez, dit La Fontaine, mieux faire valoir votre argent. Premièrement, je me contenterai de l'intérêt sur et tant moins d'autant de la pension que vous savez. » Autrement dit, les intérêts que Jannart devra à La Fontaine pour ce dépôt viendront en déduction de ceux qu'il lui doit, lui, pour des emprunts précédemment contractés. Une bonne part de la vente de Dammard est absorbée par le poids de dettes antérieures. « Et puis, après la mort de mon père, continue Jean, je vous rembourserai infailliblement, et vous donnerai ensuite une partie considérable de ce qui me restera, aux conditions que je vous ai dites. » Phrase capitale et qui prouve que, dès février 1656, La Fontaine était décidé à se défaire au plus tôt de ses propriétés foncières. Phrase étonnante par la désinvolture avec laquelle il envisage comme une éventualité très prochaine la mort d'un père de soixante-deux ans. Phrase prémonitoire, puisque Charles de La Fontaine meurt deux ans plus tard, en avril 1658, et que Jean cède alors presque tout son patrimoine immoblier à Jannart, qui avait accepté les propositions de son neveu.

A cette époque et comme pendant toute sa vie, Jean se trouve à court d'argent. Dès le 27 août 1655, six mois avant la vente de Dammard, il avait vendu à Sergy une ferme de sa femme, sans doute une des petites fermes complétant son lot dans le partage de Guillaume Héricart. Le 3 janvier 1656, il emprunte 1 000 livres à un marchand du faubourg Saint-Martin de Château-Thierry. Après l'échange de Dammard, il souhaite disposer tout de suite de l'argent qui doit lui en venir à terme. Dès le 7 juillet, cinq mois après le contrat d'échange, il cède donc à Jannart, moyennant finance, la rente de 7 000 livres qui lui a été remise en complément du prix de la terre de Châtillon. Et, signe d'étourderie ou de maladroite malhonnêteté, il cède un peu plus tard la même rente à un autre de ses parents, Oger Pintrel. Il lui faudra, en avril 1659, régulariser la chose en abandonnant une autre créance à son oncle. En voyant tant d'argent disparaître sans laisser de traces, on se pose toujours la même question : où et comment La Fontaine le dépense-t-il ?

Il faut l'imaginer menant grande vie à Château-Thierry, avec sa femme dont il n'est pas encore séparé. Le 7 septembre 1654, quand il achète La Trinité, peut-être comme maison de campagne, il se dit habitant au faubourg Saint-Martin. Il a quitté la maison paternelle. Il a voulu plus de liberté pour tenir table ouverte et accueillir chez lui les notables du cru et les amis parisiens de passage. Sa femme, qui souscrit avec lui ventes et emprunts, est d'accord pour toutes ces dépenses. Elle reçoit elle aussi tout ce qui veut venir chez elle, galants du lieu et beaux esprits de passage. Elle imite les grandes dames parisiennes, et tient chez elle un salon littéraire auquel Racine donnera bientôt le nom flatteur d'« académie ». La Fontaine y a lu de ses vers, comme Pintrel et La Haye, poètes locaux, comme l'ami et voisin Maucroix. Ce n'est pas parce que Jean et sa femme courent les aventures chacun de son côté qu'ils ne s'entendent pas parfaitement pour se ruiner.

Le poète ne se satisfait naturellement pas de cette gloire de campagne. Il lui faut s'introduire dans les milieux intellectuels de la capitale. Il y a loué un pied-à-terre. Dans trois actes passés en mars 1653 et septembre 1654, il se dit domicilié rue de la Coutellerie, paroisse Saint-Jean en Grève. Il ne cherche pas à économiser en descendant, comme il le fera plus tard, chez Jannart ou chez sa demi-sœur, Anne de Jouy, toujours Parisienne, et qui vient de se remarier avec Henri de Villemontée.

A Paris, il retrouve ses amis, Furetière, le seul de la troupe qui ait publié avec succès, et surtout Pellisson, l'ancien président de la Table ronde. Introduit par Conrart chez Mlle de Scudéry, ce jeune homme s'est pendant longtemps contenté de soupirer pour elle et de participer aux joutes poétiques et mondaines de ses fameux samedis. Puis il est devenu son ami de cœur. C'est en se souvenant des progrès de leur amitié qu'elle a conçu la « Carte de Tendre », parue en août 1654 dans le premier tome de *Clélie*. Elle en a assuré le triomphe. En 1657, Pellisson commence à se lasser de ce rôle un peu vain et des poésies de circonstance. Sur proposition de Mme du Plessis-Bellière, cousine et amie dévouée du surintendant Foucquet, il accepte d'être son secrétaire et premier commis. Parmi beaucoup d'autres fonctions plus administratives, il prend ce qu'on appellerait aujourd'hui la direction des affaires culturelles du ministre, heureux de voir en lui « l'esprit des belles-lettres et des affaires ensemble ».

Les deux hommes se rencontrent en effet dans l'idée qu'un grand ministre doit être entouré d'artistes qui sauront célébrer sa gloire et – pourquoi le cacher ? – lui faire une bonne publicité. Plutôt que Mazarin, trop avare pour disposer d'un budget de ce genre, il faut imiter Richelieu qui savait payer le prix à ceux qui assuraient sa propagande. Mais il faut s'y employer plus subtilement. Foucquet attirera vers lui les écrivains, les poètes et les savants en les recevant dans ses châteaux, en les traitant avec toute la considération que donne le mérite, accessoirement en leur versant de l'argent dans l'espoir qu'ils célèbreront son bon accueil et ses qualités d'homme et de ministre. Il sera le Mécène du règne de Louis XIV. Ses anciens obligés, tels Corneille, Gombauld et Godeau, et les amis de Pellisson, comme Ménage, Mlle de Scudéry et ceux qui fréquentaient ses samedis, fourniront le premier noyau de cette cour artistique et littéraire.

La Fontaine s'y trouva tout naturellement appelé. Il était, par sa femme, le neveu du substitut de Foucquet. Comme celui-ci était trop occupé par ses autres fonctions pour exercer effectivement sa charge de procureur général, Jannart

l'exerçait à sa place. Selon Tallemant, c'est lui qui aurait
« donné entrée » à son neveu chez le surintendant. Mais il
était aussi, et depuis longtemps, l'ami de Pellisson avec
lequel il n'avait pas perdu contact : les registres de l'académie de Castres, fondée par lui et qu'il fréquentait à chacun
de ses retours au pays, portent mention, en août 1656, de la
lecture de vers composés par « M. de La Fontaine, gentilhomme champenois, sur les malheurs dont sa province souffrait par la présence des armées ». Au moment de réunir des
poètes autour de son patron, Pellisson n'a pas pu ne pas penser à La Fontaine. Si Jannart l'a présenté avant lui à Foucquet, c'est qu'il l'a devancé de peu, et donc que le poète a été
introduit à la cour du surintendant parmi les tout premiers,
dès le début de 1657.

En 1656, malgré son désir d'évasion trahi par son projet de
céder dès que possible ses biens immobiliers, le poète s'était
résigné à demeurer ordinairement à Château-Thierry et à
s'y occuper, bon gré mal gré, des devoirs de sa charge.
L'année suivante, il eut beaucoup de mal à résister à l'attrait
de la cour de Foucquet où l'appelaient l'amitié de Pellisson
et la compréhension de son oncle. Heureusement, une journée de cheval suffisait pour aller de chez lui à la résidence
parisienne du surintendant, à l'hôtel de Narbonne, ou à sa
maison de campagne à Saint-Mandé. Il s'y rendit à plusieurs
reprises et y fit d'assez longs séjours. Il sentait l'importance,
pour sa carrière future, d'être des premiers à célébrer le nouveau Mécène.

Il eut la chance d'y être remarqué par Mme de Sévigné.
En mai-juin 1657, il avait composé son épître à « la très révérente » abbesse de Mouzon que la guerre l'empêchait de
courtiser. Par le sujet, par le ton et par le rythme des vers,
c'était déjà une sorte de conte, parfaitement adapté à l'esprit
de la marquise, accueillante à toutes les gaillardises dès
qu'elles étaient, comme dit Bussy, habilement « envelop-
pées ». Quand elle entendit La Fontaine lire son épître chez
le surintendant, elle s'en amusa follement et proclama son
admiration. Il l'en remercia d'un dizain qui célébrait sa
gloire toute neuve :

> *Entre les dieux, et c'est chose notoire,*
> *En me louant Sévigné me plaça ;*

J'étais alors deux cents milles au-deçà,
Voire encore plus, du temple de Mémoire.

Excellente affaire pour le poète : la marquise l'a sorti de l'anonymat. Il exagère peut-être l'événement pour le plaisir de le mettre en vers. Surtout, il le recrée et l'officialise en le redisant à Foucquet lui-même, auquel il dédie son dizain. En louant sa laudatrice, il fait fort habilement sa propre publicité. Le voici désormais publiquement reconnu bon poète. Mme de Sévigné, qui plaisait beaucoup à Foucquet, était à la mode. En février 1657, on n'avait pas été surpris de la voir figurer dans la troisième partie de *Clélie*, sous le pseudonyme de Clarinte. On savait qu'elle avait la dent dure, mais bon goût. Un compliment de sa part était un excellent passeport pour la gloire immédiate. Ulcéré par l'échec de *L'Eunuque*, La Fontaine était ravi de trouver enfin, dans les compliments d'une femme d'esprit, de bonnes raisons de ne plus douter de sa vocation poétique.

Familièrement reçue chez Foucquet, Mlle de Scudéry était aussi une grande dispensatrice de gloire. Dans la quatrième partie de *Clélie*, parue le 1er août 1658, elle n'a pas omis de vanter La Fontaine, que l'ancien président de la Table ronde avait sans doute conduit naguère à ses samedis. Comme lui, Anacréon est un étranger (un provincial), grand ami d'Herminius-Pellisson. Parce qu'il aime la joie, il refuse la passion et ses orages. La gaieté est son élément, et il mourrait d'ennui si elle venait à lui manquer. Épicurien décidé à se montrer « sensible à tous les plaisirs sans exception », il juge particulièrement agréables les bons festins qui servent de prétextes à des réunions de « cinq ou six amis », heureux d'être ensemble « sans affaires » et « sans chagrins ». Ils « entremêlent la fête de chansons agréables, de musique, d'un peu de promenade et d'un peu de conversation », qui est « libre, enjouée et même plaisante ». Équilibre parfait, puisqu'on « peut dire que le corps et l'esprit sont contents ».

Ennemi du mensonge dans la vie, Anacréon défend les droits de l'art. « Quand je voudrai faire un conte agréable, explique-t-il à Herminius, vous me permettrez d'ajouter quelque chose à l'histoire, car, pour l'ordinaire, la vérité a toujours je ne sais quoi de sérieux qui ne divertit pas tant que le mensonge. » On ment « innocemment » dès lors que l'on

donne pour mensonges les « ingénieuses fables des poètes ».
C'est déjà l'esthétique des *Contes*. Et le projet des *Fables*
paraît déjà formé dans cette autre déclaration du personnage, qu'il faut ôter à la morale « ce qu'elle a de rude et de
sec, et lui donner je ne sais quoi de si agréable qu'elle diver-
tisse ceux à qui elle donne des leçons ». Reprise par l'auteur
de *Clélie* de propos qu'elle aurait entendus dès ce temps-là
dans la bouche de La Fontaine ? C'est possible. Et même s'il
s'agit seulement d'une simple rencontre, du résultat d'un
heureux hasard qui a poussé Mlle de Scudéry à prêter à son
Anacréon des idées qui étaient dans l'air, ces propos ne
manquent pas d'intérêt. Ils montrent que La Fontaine a
trouvé chez Foucquet un lieu d'échange et de réflexion dont
il fera un jour son miel.

14.

L'heure des choix

A trente-six ans passés, La Fontaine était bien embarrassé pour décider de son avenir. Il avait pensé s'imposer au public à force de culture et de travail. L'échec de *L'Eunuque* l'avait forcé à se demander si c'était la bonne voie. Le succès qu'avait rencontré chez Foucquet une brève épître de circonstance le troublait. Il l'avait écrite sans effort, dans le style maintes fois employé avec ses amis de la Table ronde, où l'on rimait rapidement un peu n'importe quoi. Au lieu d'imiter les grands Anciens, il s'était amusé à se raconter à la façon de Marot et de Voiture. Simple jeu pour lequel il se sentait beaucoup de facilité, mais qu'il croyait indigne d'apporter la vraie gloire. Devait-il continuer à le pratiquer? Devait-il au contraire continuer de travailler au poème héroïque qu'il avait en train, un *Adonis* en vers alexandrins?

Il avait rapporté du collège une très haute idée de la poésie et une ferme croyance dans la hiérarchie des genres. Au sommet trônait l'épopée à la façon d'Homère et de Virgile. Faute de souffle, il n'avait pas osé s'y risquer. Il l'avoue en tête de son poème :

> *Je n'ai pas entrepris de chanter dans ces vers*
> *Rome ni ses enfants vainqueurs de l'Univers,*
> *Ni les fameuses tours qu'Hector ne put défendre,*
> *Ni les combats des dieux aux rives du Scamandre.*
> *Ces sujets sont trop hauts, et je manque de voix.*

Il lui arrivera plus d'une fois d'expliquer à son lecteur qu'il a dû se contenter d'écrire un ton au-dessous de ce qu'il aurait voulu faire. Ce n'est pas forcément de la fausse modestie. Il appartient à une génération où tout poète rêvait d'être un Homère. Mais personne, même Chapelain, n'y avait réussi...

L'épopée avait été son premier rêve. Il l'a dit, bien des années après, en 1669, quand il s'est décidé à publier son poème : « Je m'étais toute ma vie exercé en ce genre de poésie que nous nommons héroïque; c'est assurément le plus beau de tous, le plus fleuri, le plus susceptible d'ornements et de ces figures nobles et hardies qui font une langue à part, une langue assez charmante pour mériter qu'on l'appelle la langue des dieux. » Pour La Fontaine comme pour tous les théoriciens de son temps, la poésie se définit comme une langue spécifique. « On donne toute liberté aux poètes, écrit le P. Lamy dans sa *Rhétorique*. Ils ne s'assujettissent point aux lois de l'usage commun, et ils se font un nouveau langage. » Mais cette liberté varie selon les genres littéraires.

Si le poète a le droit d'employer des manières de dire qui s'éloignent de l'usage ordinaire, c'est qu'il a le privilège de pouvoir raconter des merveilles. Seule l'originalité de son projet justifie la singularité de son expression. Il perd son droit à mesure qu'il descend la hiérarchie des genres. « Lorsque le sujet de ses vers n'a rien qui puisse causer ces fougues et ces transports, comme dans les comédies, dans les églogues et dans quelques autres espèces de vers dont la matière est basse, son style doit être simple et sans figures. C'est la qualité des choses qui sont grandes et rares qui excuse et autorise la manière de parler des poètes, car si ces choses sont communes, il ne leur est pas plus permis qu'à un historien de s'éloigner de l'usage commun. » Pour La Fontaine comme pour nous, la poésie est « une langue à part », mais, en homme de son temps, il estime qu'elle ne l'est pleinement que dans l'épopée.

C'est là seulement qu'elle jouit d'une spécificité définie d'une manière toute formelle, puisqu'elle vient des « ornements » et des « figures » que l'on ajoute au style ordinaire, et qui sont d'autant plus à leur place que le texte appartient à un genre plus élevé. Jean s'était préparé de longue date à ce travail du style qui transforme l'écrit en poésie par des ajouts. De la « lecture des Anciens et de quelques-uns de nos Modernes », il avait, dit-il, fait un « fonds » qui « s'est presque entièrement consumé dans l'embellissement » de son poème. Dès l'école, sous la conduite de ses maîtres, il avait pris, comme tous ses condisciples, l'habitude de relever des extraits des Anciens pour en noter les tournures autant et plus que pour en garder les idées. Quand il s'est reconnu poète, il a suivi la même méthode pour se constituer un réservoir de tours et d'expressions susceptibles d'être réemployés afin de créer ce « langage à part » qui convient au poème héroïque. Au moment où il pénètre chez Foucquet, il est en train de le « consumer » dans *Adonis*.

En entendant Mme de Sévigné le porter aux nues pour cette bagatelle d'épître à l'abbesse de Mouzon, il se réjouit de ses compliments, et il écrit immédiatement à Foucquet un dizain dans le même style. Mais il est en même temps troublé dans ses plus anciennes certitudes. Son succès près des dames et des mondains de la cour du surintendant est-il de bon aloi ? Doit-il, pour réussir, abandonner ce qu'il croit être la seule vraie poésie pour se tourner vers les petits vers de circonstance ? Faut-il ou non présenter au nouveau Mécène son poème d'*Adonis* ? Le voilà tiraillé entre deux manières d'écrire apparemment incompatibles.

La même incertitude le travaille sur la façon d'organiser sa vie. Maintenant que la gloire se dispense à la cour de Foucquet, il faudrait habiter Paris. Mais il aime trop sa liberté pour dépendre totalement d'autrui. Sa charge de maître des eaux et forêts lui vaut prestige et profit dans son pays. Jointe à sa qualité de fils de Charles et d'enfant du cru, elle a fait de lui un notable auquel on s'adresse volontiers pour lui demander d'intervenir auprès des puissants. La Fontaine est si bien intégré à son milieu qu'il pratique au besoin l'hypocrisie sociale. Un jour, il précise à Jannart qu'il n'a pu refuser à une parente de sa femme le mot de recommandation qu'elle lui présentera de sa part. A son oncle d'éconduire poliment la solliciteuse... En février 1656, au contraire, d'accord avec « tous les honnêtes gens de Château-Thierry », il intercède pour de bon en faveur de La Haye, prévôt du duc de Bouillon, contre le lieutenant du bailliage. En mars 1658, il recommande l'affaire de Mme de Pont-de-Bourg, qu'il ne connaît pas. Il sait seulement que

« quantité de personnes de mérite prennent part à ses intérêts » ; elles l'ont si instamment invité à écrire à son oncle
qu'il n'a pu se dispenser de le faire. La Fontaine joue, sans
trop se faire prier, son rôle de notable, intermédiaire entre la
province, où il est toujours solidement installé, et Paris où on
sait qu'il a de bonnes relations.

Il se montre bon fils, appliqué à ne pas « rompre la tête de
son père de ses affaires ». Au moment de la « vendition » de
Châtillon, il cherche à l'en faire profiter. Il demande à Jannart, qui lui sert de caution jusqu'à la majorité de sa femme,
de lui consentir un prêt de 4 500 livres sur la somme consi-
gnée entre ses mains. Cela libérerait Charles d'une vieille
créance de 13 500 livres envers les héritiers de René Pidoux.
Remontant à l'emprunt conclu en mai 1637 pour acheter la
charge de maître triennal des eaux et forêts créée par le roi,
elle lui était commune avec sa belle-fille, Anne de Jouy.
Lors du partage des biens de sa femme, en août 1644, la part
de Charles dans la dette avait été fixée à un peu moins d'un
tiers. Mais il demeurait garant de l'ensemble de l'emprunt.
La Fontaine tâchait de l'en délivrer. « J'écris à ma sœur,
dit-il à Jannart, qui a aussi dessein de rembourser sa part, de
vous entretenir là-dessus. »

L'affaire traîna. Deux ans plus tard, en janvier 1658, il
remercie son oncle de la somme qu'il a « bien voulu donner » – c'est-à-dire prêter – à Villemontée, le nouveau mari
d'Anne de Jouy : « Ce n'est pas la première fois que vous
m'avez témoigné la bonne volonté que vous avez pour moi,
et je vois bien, d'après les termes de votre lettre, que ce ne
sera pas la dernière. J'essaierai de mériter cette bonne
volonté par mes services. » Jean sait ce que sa famille doit
aux facilités financières que lui apporte le crédit de Jannart.
Il ne se contente pas de lui en dire sa reconnaissance ; il
l'assure de ses services. Bientôt, il défendra ses intérêts au
pays de Château-Thierry. Le poète-avocat était paresseux,
mais il n'était pas incompétent. Il pouvait au besoin se
rendre utile.

Il prend soin des affaires de sa belle-mère. En février
1656, il veille à ce qu'un de ses créanciers renonce au paiement de ses frais et obtient un rabais de 20 francs sur 120. Il
se comporte en gendre désintéressé : « Il n'a pas jugé qu'il
soit de la bienséance de lui parler de douze écus d'argent »

avancés pour elle sur de l'argent fourni par Jannart. A
celui-ci de le faire, s'il le juge bon. « Autrement, je les per-
drais, dit Jean. Ce n'est pas que je les redemande, mais c'est
seulement afin que la mémoire n'en soit pas abolie. » La
somme est mince, la perte ne serait pas grande. S'il rappelle
cette dette à son oncle, c'est qu'il est alors très au courant de
ses intérêts. Il accepte l'idée de perdre un peu d'argent pour
ne pas tracasser sa belle-mère, mais il veut que Jannart sache
qu'il le fait consciemment. C'est sans doute à ce moment de
sa vie que le marginal La Fontaine a été le plus près d'être
récupéré par sa famille et par son pays.

Sa femme le dissuade de s'établir dans la capitale. Elle lui
préfère sa province où elle brille parmi les beaux esprits
locaux. Dans une même lettre à Jannart, en mars 1658, Jean
évoque conjointement l' « académie » de Château-Thierry et
la volonté de Marie de ne pas faire « un long séjour » loin de
chez elle. Il ne souhaite pas la contrarier, car elle est de santé
fragile. A la fin de février, elle a eu « deux accès de fièvre
depuis deux jours ». Ce ne « sera rien », pense-t-il, mais,
quinze jours plus tard, il la dit « pas plus mal qu'elle n'était il
y a six mois ». Signe qu'elle n'est pas mieux non plus... La
Fontaine doit tenir compte de son état et de sa volonté de
demeurer au pays.

A la fin de février, les époux projetèrent cependant d'aller
ensemble à Paris pour le besoin de leurs affaires. Ils partiront « incontinent après Pâques », le 21 avril cette année-là.
A la mi-mars, Jean annonce à Jannart qu'il viendra seul
« devant la fin du carême », peut-être même « devant la fin
de la semaine » suivante. Il préparera le terrain, car sa
femme « sera bien aise de trouver les affaires toutes disposées ». Il s'entendra préalablement avec son oncle sur les
détails concrets : « Ce sera pour aviser avec vous aux moyens
de terminer notre affaire. » Elle concerne le ménage La
Fontaine, puisque Marie « presse » son mari d'en finir et que
son mauvais état de santé pousse à « assurer la chose au plus
tôt. J'y ai, souligne Jean, un intérêt trop grand pour la laisser
au hasard ».

Pour régler les affaires courantes, le poète n'avait nul
besoin d'avoir sa femme avec lui. Il concluait pour elle. Elle
ratifiait à Château-Thierry. C'était là, ou à La Ferté-Milon,
qu'ils avaient leurs principaux intérêts. Si la présence des

deux époux se révèle nécessaire dans la capitale, c'est qu'il s'agit d'un règlement plus difficile. Une affaire à « accommoder », dit La Fontaine ; cela suppose une partie adverse avec qui négocier des concessions réciproques. Elle touche au premier chef Mme de La Fontaine, mais son mari y est intéressé aussi, puisque, soucieuse de sa mauvaise santé, elle veut que tout soit en règle au plus tôt afin d'assurer la tranquillité de Jean.

Une « chose » à ne pas laisser « au hasard » : on aurait aimé que La Fontaine soit plus clair. Heureusement, les dates le sont à sa place. Baptisée le 26 avril 1633, Marie Héricart allait avoir vingt-cinq ans, l'âge de la majorité légale. Orpheline de père, elle avait sûrement eu un tuteur avec lequel il convenait de vérifier son compte de tutelle avant de l'arrêter définitivement. Cela ne pouvait se faire en dehors d'elle. Mineure, elle avait consenti à plusieurs opérations, conjointement avec son mari. L'heure était venue de les régulariser par de nouveaux consentements qui les rendraient irrévocables. C'était le cas de l'échange de la ferme de Dammard contre Châtillon et de la « vendition » effectuée avec la garantie de Jannart. On devait maintenant la transformer en une vente en bonne et due forme.

Il fallut retarder le voyage. Le 16 mars, La Fontaine écrit à son oncle que son père « est toujours malade » et qu'il « a été saigné encore une fois ». Il ne s'en inquiète pas, car « ce n'est pourtant pas chose fort dangereuse ». Il se trompait. Charles mourut à la mi-avril. A la requête de Maucroix, qui était l'un de ses créanciers, on apposa les scellés, le 19, sur les armoires et coffres de la maison de la rue des Cordeliers. On les ôta le lendemain, une fois l'inventaire fait. Il est dommage qu'on n'ait pas retrouvé ce document. Il aiderait à se faire une idée de l'état de la fortune de Jean au moment où il devient chef de famille.

Son père laissait un bel ensemble de biens immobiliers. C'étaient, outre la maison de la rue des Cordeliers et 24 arpents de terre à Clignon, deux belles fermes, l'une située à La Motte, près de Nesle, entourée de 132 arpents de terres et de prés, l'autre, dite de la Tuèterie, ancienne ferme de La Fontaine-Renard, à Chierry, au milieu de 134 arpents de terres. Ces biens correspondaient à environ 65 000 livres de capital. S'y ajoutaient une terre près de Coulommiers et cinq maisons de rapport à Château-Thierry et dans ses faubourgs, qui appartenaient à Charles en 1637 et dont on ne voit pas qu'il les ait vendues dans l'intervalle. S'y ajoutait aussi une bonne part des rentes qu'il avait au même moment, à peu près 30 000 livres. S'y ajoutait enfin la valeur de sa charge, évaluée bientôt à 12 000 livres. Au total, un actif de plus de 100 000 livres.

Selon Walckenaer, qui a eu en main des documents aujourd'hui inaccessibles, le passif s'élevait, principal et intérêts, à 36 644 livres, dont 11 977 dues à Jean lui-même, sans doute pour la part de sa mère. Le reste consistait en 3 000 livres de legs pieux, frais de funérailles et dons à divers domestiques, en 4 067 livres dues aux héritiers de René Pidoux (signe que, malgré les projets, la dette n'avait pas été remboursée sur l'argent consigné à Jannart), et en 17 600 livres dues à Maucroix pour des raisons que nous ignorons. Au total, toutes charges déduites, Charles laissait au moins 60 000 livres, somme considérable pour l'époque, compte tenu de son rang social.

En voyant cela, Claude, frère cadet de Jean, regretta la renonciation qu'il avait faite en 1649, et même la révision de 1652. Prétendant que les avantages consentis à l'aîné par son contrat de mariage étaient excessifs, il voulut un nouvel accord. Jean s'en rapporta aux amis de la famille. Ceux-ci s'empressèrent de le préparer, puisque, dès le 24 avril, quelques jours après l'inventaire, les frères le signèrent à Château-Thierry. Claude y renonçait une nouvelle fois à ses droits, moyennant le versement de 8 225 livres dont 6 400 reçues comptant et le reste à verser dans les quinze mois à venir. Jean acceptait d'être seul responsable des dettes de la succession. Après déduction de la part de son cadet, l'héritage paternel de La Fontaine s'élevait à plus de 50 000 livres.

Ce n'étaient pas ses seules ressources. Il disposait de sa charge (environ 10 000 livres), de la ferme de La Trinité acquise pour 5 600 livres et des 11 977 livres à reprendre sur les biens de son père. Cela faisait plus de 25 000 livres. Déduction faite de ses propres dettes (environ 10 000 livres), il lui restait encore 15 000 livres à ajouter à son héritage.

Tous comptes faits, il dispose donc encore, en avril 1658, d'une fortune tout à fait convenable (environ 65 000 livres) et parfaitement diversifiée puisqu'on y trouve des terres, des maisons, des rentes et des charges (les deux maîtrises des eaux et forêts, qui lui apportent profit et considération sociale). Et il dispose aussi des biens de sa femme (plus de 30 000 livres), dont il n'est pas encore séparé. A condition de demeurer paisiblement à Château-Thierry et de ne plus jeter l'argent par les fenêtres, il a de quoi vivre à son aise jusqu'à la fin de ses jours. Même à Paris, d'autres poètes, comme Ménage ou Boileau, estiment avoir assez avec beaucoup moins. Mais ils savent ménager leurs ressources, ce que La Fontaine ne sait pas.

Le voici à la croisée des chemins. Il doit choisir entre les vers galants et la poésie héroïque. Il doit choisir entre la vie de fonctionnaire provincial et celle de poète à la cour de Foucquet. Il doit choisir aussi entre l'économie et la dépense.

Il continuera de dépenser. Il continuera à mener une double vie. Il continuera à cultiver en même temps toutes les muses. Il voudrait tout avoir à la fois. Il aime trop la diversité et la profusion pour se réduire à un seul style. Chef de famille par la mort de son père et pleinement maître de ses décisions, il se laisse emporter au gré des circonstances. Il est trop paresseux pour choisir lui-même son destin.

15.

Adonis ou la dissonance

La Fontaine avait soumis sa première œuvre au verdict le plus immédiat et le plus populaire, celui du public de théâtre. Il soumet la seconde à un seul juge : Nicolas Foucquet. Les Muses commençaient, dit-il, à se consoler de la mort de Richelieu quand sa maladie leur a fait craindre de « perdre encore une fois leurs amours ». Les poètes se décourageaient, « et la gloire, avec tous ses charmes, allait devenir une chose indifférente à ceux d'entre nous qui en ont toujours été le plus amoureux ». Heureusement, leur protecteur est rétabli, et Jean témoigne sa joie en lui offrant son *Adonis*. On est en été 1658, après une fièvre qui a pris le surintendant le 18 juin et l'a tenu une dizaine de jours entre la vie et la mort.

Il accueillit aimablement le poème et en récompensa l'auteur d'une somptueuse copie par Jarry, le meilleur calligraphe du temps. C'était lui qui avait établi en 1642 le manuscrit de la fameuse « Guirlande » collectivement offerte à Julie, la fille de la marquise de Rambouillet. La Fontaine se sentit flatté de voir si magnifiquement présenté ce qu'il appelle modestement « les fruits de sa solitude ». Mais cette superbe édition à exemplaire unique ne l'introduisit pas dans le public. *Adonis* attendit 1669 pour connaître l'impression, dans un texte fortement remanié. Délicatesse du poète qui ne voulut pas divulguer ce qu'il avait dédié à un seul ? Ou plutôt sentiment que son œuvre n'avait pas assez plu dans l'entourage du ministre pour qu'il osât prendre le risque de courir à un nouvel échec ?

Surprenant *Adonis* où La Fontaine s'essayait à une nouvelle voie, celle du poème héroïque. Il s'est, dit-il, borné jusqu'alors à la poésie bucolique. Il veut maintenant aller plus haut :

> *Cependant aujourd'hui ma voix veut s'élever :*
> *Dans un plus noble champ, je me vais éprouver ;*
> *D'ornements précieux ma Muse s'est parée ;*
> *J'entreprends de chanter l'amant de Cythérée,*
> *Adonis, dont la vie eut des charmes si courts.*

Comme Homère et Virgile annonçant qu'ils vont chanter Ulysse ou Enée, La Fontaine commence en proclamant le nom et les titres de son héros. Il présente son projet comme une variante de la grande épopée.

Ce n'était pas un effet du hasard. Le sujet qu'il traitait – les amours d'Adonis et de Vénus tragiquement interrompues par la mort du jeune homme, tué par un sanglier lors d'une chasse –, avait fourni à l'Italien Marino la matière d'une longue épopée baroque, *L'Adone*, à laquelle Chapelain avait consacré en 1623 une importante préface qui avait assis son autorité de critique. Il y expliquait que l'auteur n'avait donné son poème « ni pour héroïque, ni pour tragique, ni pour comique, l'épique seul lui appartenant, mais avec quelque participation de tous les trois ». Il plaidait pour une sorte de genre mixte, créé selon lui par Marino. « Entre deux extrémités de grande bonté, comme est le poème héroïque, et de grande imperfection, comme est le roman confus », il y avait place, disait-il, pour « un milieu auquel le poète qui ne pourrait pas aspirer si haut et qui dédaignerait de s'abaisser si bas se pût réduire pour travailler avec louange et sans crainte de perdre le nom de poète ». Marino, à en croire Chapelain, avait donné l'exemple d'un genre nouveau, un « genre mixte » tenant tantôt « du grave et du relevé », tantôt « du simple et du ravalé ».

La Fontaine, dans son *Adonis*, n'en est pas encore là. Il écrit au contraire un poème aux antipodes de ces mélanges de style. On avait publié un grand nombre d'épopées guerrières depuis 1650. Elles avaient toutes échoué. Pour composer son poème héroïque, au mépris de la théorie de Chapelain, il ose reprendre la formule traditionnelle en l'abrégeant et en chantant un ton en dessous. Conformément au goût de son temps, il accorde une large place à l'amour. Les exploits des guerriers sont remplacés par ceux des chasseurs et de leurs chiens. Il emprunte aux *Métamorphoses* d'Ovide le schéma de l'aventure principale et les principaux épisodes de la chasse. Mais il n'en imite pas la forme. Son récit, qui mêle deux épisodes distincts dans l'original latin, est écrit autrement, dans le style orné qui convient à la seule épopée.

L'action de la première grande œuvre du maître des eaux et forêts après *L'Eunuque* se passe au fond des bois. Dans le courage des chiens, la témérité des chasseurs, la sauvage détermination du sanglier, on est tenté de retrouver des souvenirs personnels de scènes auxquelles il avait assisté dans les forêts de Château-Thierry. Même s'il n'a pas repris les fonctions de capitaine des chasses exercées par son père, il a dû plus d'une fois l'accompagner dans des battues. Parmi tant de références littéraires, il est bien difficile, pourtant, de retrouver la part de l'expérience vécue. Ce n'est pas seulement Ovide, mais Virgile et les Français Ronsard et Mellin de Saint-Gelais qui ont été mis à contribution dans un récit où la culture affleure à chaque vers. Dans sa préface, La Fontaine ne parle que des « lectures » qu'il a faites pour se préparer au poème héroïque. Sans sortir de son cabinet, l'aurait-il écrit autrement ?

Il en va de même pour la peinture de l'amour. Adonis aime :

> *Il sent couler un brasier dans ses veines...*
> *Il désire, il espère, il craint, il sent un mal*
> *A qui les plus grands biens n'ont rien qui soit égal.*

Parce qu'on sait que le poète aimait les femmes et l'amour, on est tenté de voir en ces beaux vers un rappel de ses sentiments. Comme dans ceux qui racontent l'amour partagé des amants assurés « au silence des bois » :

> *Jours devenus moments, moments filés de soie,*
> *Agréables soupirs, pleurs enfants de la joie,*
> *Vœux, serments et regards, transports, ravissements,*
> *Mélange dont se fait le bonheur des amants,*
> *Tout par ce couple heureux fut lors mis en usage.*

Mais La Fontaine, au moment d'entreprendre le récit des plaisirs de Vénus et d'Adonis, a pris soin d'invoquer ses devanciers, les priant de l'aider à en retrouver le souvenir « au temple de Mémoire ». Pour porter témoignage sur les hauts faits de l'amour, le poète épique n'a cure de ses sentiments. Comme pour peindre la chasse ou montrer la douleur de Vénus, il écrit en suivant de bons modèles.

Adonis est une œuvre savante, toute nourrie de culture latino-grecque. Elle l'est encore plus que *L'Eunuque*, puisqu'au lieu d'être une traduction d'un seul auteur, elle mêle, dans une libre imitation, plusieurs passages d'Ovide et des souvenirs tirés de divers Anciens. Elle suppose que l'auteur les connaisse bien, mais aussi que le public soit capable de les reconnaître pour goûter le plaisir subtil d'un art qui repose sur l'écart entre la nouvelle œuvre et ses répondants. Elle lui propose un texte épique, écrit avec les « ornements » du genre, dans un style fleuri, offrant avec ostentation l'heureux résultat d'un travail soigné. Elle lui soumet – non sans audace contre Chapelain, qui passe pour le maître du genre – un nouveau modèle d'épopée, plus court (environ six cents vers, la valeur d'un seul chant au lieu des douze traditionnels) et célébrant d'autres héros (l'amour et la beauté) et d'autres exploits (la chasse au lieu de la guerre). C'est une œuvre de docte cherchant à rénover la tradition classique.

Admirateur d'Homère et de Virgile, Pellisson était très capable d'en goûter les charmes subtils et les audaces tempérées. On comprend qu'il ait présenté le poème à Foucquet, bon élève des jésuites, solidement formé aux lettres classiques. Écrivains et poètes ne manquaient pas dans l'entourage du surintendant, que leur formation et leur goût personnel rendaient aptes à comprendre les beautés d'*Adonis*. C'est pour eux qu'on en fit une magnifique copie. Mais ce succès d'estime n'empêchait pas l'œuvre de La Fontaine d'apparaître comme une superbe dissonance dans le concert des petits vers galants qui occupaient et ravissaient quotidiennement la cour habituelle du ministre.

Le noyau initial de cette cour venait de chez Mme du Plessis-Bellière, son amie de longue date, qui habitait à Charenton une belle maison proche de celle du surintendant à Saint-Mandé. Elle se plaisait à y recevoir une foule de visiteurs où se mêlaient à des bourgeois épris de bel air toutes sortes de poètes et de rimailleurs. Henri de Bruc, abbé de Bellefontaine, et René, marquis de Montplaisir, ses deux frères, donnaient l'exemple d'une poésie facile. Le second passait pour faire « admirablement bien les vers amoureux », c'est-à-dire les petits vers de circonstance sur les femmes auxquelles il cherchait à plaire. Tout le monde célébrait la maîtresse des lieux, objet d'une quantité de sonnets publiés en 1658, l'année d'*Adonis*, dans la troisième partie des *Poésies choisies* par l'éditeur Charles Sercy, qui assura sa fortune en diffusant ces mièvreries dans le grand public.

Dès 1654, Foucquet avait apporté sa caution à cette poésie de pacotille en lançant une mode. Le perroquet de Mme du Plessis-Bellière était mort. Il célébra l'événement dans un sonnet en bouts-rimés :

> *Plutôt le procureur maudira la chicane,*
> *Le joueur de piquet voudra se voir capot,*
> *Le buveur altéré s'éloignera du pot*
> *Et tout le parlement jugera sans soutane,*
>
> *On verra Saint-Amant devenir diaphane,*
> *Le goutteux tout perclus hantera le tripot,*
> *Mme de Rohan quittera son Chabot*
> *Et d'ouïr le sermon sera chose profane,*
>
> *Un barbier pour raser ira sans coquemar,*
> *Le clocher de Saint-Paul sera sans Jacquemart,*
> *L'évêque grenoblois fera couper sa barbe,*
>
> *Que d'oublier jamais ton funeste débris,*
> *Aimable perroquet : j'en jure Sainte-Barbe!*
> *Ton portrait à jamais ornera mon lambris.*

Obligé de remplir des rimes préalablement imposées, l'auteur d'un tel exercice doit faire preuve d'ingéniosité. Comme il s'adresse à un public restreint d'amis dans un texte qui n'est pas, en principe, destiné à la publication, il peut se montrer allusif. La poésie y est prise comme un jeu où chacun doit manifester qu'il est de la maison et qu'il a de l'esprit.

Le sonnet de Foucquet, dit Pellisson, « réveilla tout ce qu'il y avait de gens en France qui savaient rimer, et l'on ne vit durant quelques mois que des sonnets sur les mêmes bouts-rimés ». On en trouve vingt-huit sur la mort du fameux perroquet dans le recueil Sercy! D'authentiques poètes, comme Le Moyne ou Boisrobert, y disputaient la palme à des poètes galants comme Benserade ou à des rimeurs comme Loret, voire à de simples amatrices comme Mme de Revel ou la présidente Tambonneau.

Pour mettre fin à ces débordements, il fallut que Sarasin, qui avait comme tout le monde pleuré l'oiseau, « fait par la mort capot dans son avril », s'avisât un beau jour que cette rimaillerie mettait en péril les bons vers. Il inventa un autre jeu pour le dire : un poème héroïco-comique intitulé *Dulot vaincu ou la défaite des bouts-rimés*. Il y représentait un mauvais poète conduisant au combat une nation de sonnets rangés sous quatorze chefs : les quatorze rimes des sonnets sur la mort du perroquet...

Cet animal ne fut pas le seul célébré dans de petits vers. Chacun connaissait la fauvette de Mlle de Scudéry, sa pigeonne et son caméléon. En 1664, trois ans après la chute du surintendant, Jean Ribou imprimait un *Panégyrique de la Poule de Sylvie, en suite du grand nombre de bouts-rimés qui furent faits sur la mort du perroquet de Mme du Plessis-Bellière.*

On s'était cependant vite tourné vers d'autres passe-temps poétiques. en 1656, on rima des énigmes, et le surintendant lui-même en fit une sur la lettre R. On pratiqua les madrigaux. Il en composa un « sur le portrait bien fait d'un homme qui avait manqué à sa parole ». Il terminait sur un jeu de mots :

> *En vain, ce portrait on accuse*
> *De tromper et passer pour un homme important :*
> *Car s'il est vrai qu'il n'est personne qu'il n'abuse,*
> *L'original en fait autant.*

Appelés par Pellisson à la cour de Foucquet, ses amis y avaient amené avec eux provision de douceurs tendres et galantes chères aux samedis de Mlle de Scudéry. On y rimait à tour de bras tout ce qui déplaisait si fort à Molière, ces

« vers, chansons, sonnets et sonnettes » que le Gorgibus des *Précieuses ridicules* enverra à tous les diables en novembre 1659. Entre ces jeux mondains et les ornements de l'*Adonis*, il n'y avait pas plus de points communs qu'entre les toutous des belles dames et les mâtins courant au farouche sanglier.

En août 1658, le parlement jugea irrégulière une élection du couvent des Grands Augustins, situé entre la rue Christine et le quai à leur nom, où le poète logeait chez Jannart. Non contents de refuser l'accès des lieux aux membres du parlement qui venaient les interroger, ils les accueillirent à coups de pierres. Pour les soumettre, on eut recours à la force publique. La Fontaine voulut voir la scène. « Un de ses amis, raconte Mathieu Marais, le rencontra sur le Pont-Neuf, qui courait ce jour-là du côté de la bagarre. Il lui demanda où il allait, et il répondit simplement : Je vais voir tuer des Augustins. Il en parlait comme d'un spectacle ordinaire. » Il trouvait du piquant à l'aventure. Onze religieux furent pris par les archers et emprisonnés le 23. On les relâcha au bout de vingt-sept jours.

La Fontaine attendit moins longtemps pour écrire un poème sur la résistance des moines, qui lui rappelait le combat du frère Jean de Rabelais. C'est son premier poème à forme fixe, non pas sonnet en bouts-rimés, mais ballade en vieux style. Pleine de mots archaïques, elle n'est certainement pas à classer parmi ses chefs-d'œuvre. Elle montre surtout son désir de plaire au surintendant. En se moquant des Augustins, il prenait parti pour le parlement dont Foucquet était procureur général. En écrivant une ballade plaisante sur un événement qui ne l'était pas, il montrait qu'il voulait bien changer de ton pour se mettre au diapason de sa cour. Puisqu'il fallait badiner, il badinerait. Autant le faire à la manière de Marot, le champion de l' « élégant badinage ».

Mais il n'était pas toujours à Paris pour y suivre l'actualité. Il continuait de passer l'essentiel de son temps à Château-Thierry.

16.
Du côté de Château-Thierry

En juin 1658, La Fontaine était encore à Paris. Il y avait sans doute emmené sa femme pour régler avec elle les affaires que la maladie, puis la mort de son père les avaient obligés à laisser en suspens. Il s'y occupa également de ses intérêts. Le 12, il céda une créance à son oncle contre paiement comptant de 3 600 livres : toujours le même besoin d'argent liquide qui disparaît sans laisser de traces! Jannart lui servait de banquier. Il y fallait de la bonne volonté. D'autant que son neveu avait obtenu cette créance en août 1653 par sentence du Châtelet prononcée contre lui... A moins qu'il ne se soit agi d'une affaire arrangée entre eux, dont Jean touchait maintenant la récompense. Sans doute La Fontaine a-t-il aussi profité de ce voyage pour proposer son *Adonis* au surintendant.

Il ne prolonge pas son séjour. En juillet, de retour à Château-Thierry, il intervient à deux reprises pour sauvegarder ses droits dans une mince affaire. Claude Verdet, hôtelier à la Charbonières, près de Leuvrigny, dans la Marne, avait trouvé acquéreur, pour 300 francs, d'une petite terre sur laquelle Jean avait une hypothèque. Il écrit le 17 à un certain Héraut, dit La Badelle, chirurgien, pour lui donner ses instructions. Il veut 200 livres pour lui : « Je consens que lesdites terres soient vendues. Le présent billet vous servira de procuration pour le consentir pour moi, mais je ne le consens qu'à la condition que je toucherai présentement lesdites 200 livres. » Ce n'est pas la légèreté de style des *Fables*!... Le 22, nouvelle lettre en termes identiques pour confirmer la précédente. La vente sera effectuée en septembre, conformément à ses volontés.

Après un séjour à Paris à la fin d'août, au moment de l'affaire des Augustins, il s'installe à Château-Thierry. Le 4 décembre, en sa maison de la rue des Cordeliers, deux notaires viennent mettre en forme le nouvel échange que sa femme et lui ont conclu avec Louis Héricart, leur frère et beau-frère. Beaucoup moins important que celui de février 1656 sur la ferme de Dammard, il porte sur « le quart qui leur appartient, comme héritiers de Guillaume Héricart, en la somme de 170 livres de rentes à prendre chaque année sur la communauté des habitants de La Ferté-Milon ». Il s'y joint de menus droits, par exemple « la part et portion » des La Fontaine « en quatre chapons » qu'on devrait leur donner chaque année. On leur cède en échange deux rentes à prendre sur des particuliers résidant à Châtillon et à Epernay. Ils les prennent, quoique de moindre valeur (24 livres seulement), parce que les arrérages à toucher sont plus importants (toujours le même besoin d'argent liquide), et surtout « attendu le cas et difficulté de percevoir » les rentes cédées. Jean aspire à la tranquillité. Six jours après, les notaires sont de nouveau chez lui : il constitue une rente à son parent Pintrel, qui lui verse 4 500 livres.

Presque aussitôt, le 21 décembre, il est de retour à Paris chez son oncle. Décision capitale : il y met à exécution le projet mentionné en janvier 1656 de lui céder « une partie considérable de ce qui lui restera à la mort de son père ». Il lui cède en effet toutes ses terres importantes : La Trinité, qu'il a personnellement acquise quatre ans plus tôt, la Tuèterie et La Motte dont il vient d'hériter. Il lui cède même la maison familiale de la rue des Cordeliers. Tout cela pour un paquet de constitutions de rentes : environ 70 000 livres. C'est une grosse somme, mais contre l'abandon de tout un patrimoine.

Jannart souhaite s'implanter dans la région de Château-Thierry. Il y devient, grâce à cet échange, un propriétaire foncier important. Inversement, La Fontaine est tout prêt à couper ses racines. En le rendant maître d'un héritage dont il peut disposer à sa guise, la mort de son père rompt l'équilibre qui s'instaurait peu à peu dans sa vie. Elle le détourne du rôle de notable où il commençait à s'installer et renforce son désir de tenter sa chance parmi les poètes protégés par Foucquet. Voulue de longue date, la cession à Jannart prouve son immense besoin de liberté. Il n'entend pas être accaparé par les soucis que donne la bonne gestion des terres. Il est tout disposé à rompre ses attaches avec son pays natal, comme le montre la cession de la maison familiale de Château-Thierry. Il voudrait s'installer à Paris.

Mais, dans son héritage, il a aussi trouvé la charge de maître ancien des eaux et forêts, aussi peu négociable, en cette période de transition, que celle de maître triennal qu'il possède depuis 1652. Il n'est plus, comme pendant les années précédentes, une sorte de surnuméraire. Il possède maintenant à lui seul les deux tiers de la maîtrise, et la principale responsabilité attachée au plus ancien titre. Il ne peut gâcher ces deux charges ni les laisser se dévaluer. Cette situation le cloue dans son pays natal. Il doit donc différer ses projets de départ. Il le sait si bien qu'il a été convenu, dans l'acte d'échange, qu'il gardera le droit d'habiter son ancienne maison pour un loyer de 300 livres.

La mort de son père ne lui a pas apporté la liberté qu'il en escomptait. On a retrouvé onze pièces concernant son activité dans ses maîtrises en 1658 et 1659. L'une d'elles le montre pour la première fois procédant à une adjudication; une autre, pour la première fois, dans ses attributions de juge prononçant une sentence. Lui qui aime tant jouir de la vie dans le repos, le voici obligé de se soucier de coupes de bois et de distribuer des amendes. Lui qui se veut libre de toute attache, est contraint d'assurer journellement la continuité des charges qu'il tient de son père. Lui qui espérait se fixer dans la capitale pour y donner carrière à sa veine poétique, est forcé de se contenter de brefs séjours près du surintendant dans le temps dérobé à ses fonctions.

Il a toujours besoin d'argent. Trois jours après son échange avec Jannart, le 23 décembre, il vend pour 16 200 livres à un greffier de la Chambre des comptes, qui les lui verse comptant, l'une des rentes qu'il vient de recevoir. En six mois, il a touché près de 25 000 livres en argent liquide en aliénant ses revenus par des emprunts ou en vendant une part de son fonds. Les documents relatifs à ces opérations ne précisent pas où allaient ces sommes importantes. Il en consacra sans doute une part à rembourser les dettes héritées de son père. Mais il en a sûrement dissipé une bonne partie.

« Ce qu'on vous a mandé de l'emprunt et du jeu est très faux, écrit-il à Jannart, le 1er février 1659, depuis Château-Thierry où il est retourné. Si vous l'avez cru, il me semble que vous ne pouviez moins que de m'en faire la réprimande : je la méritais bien par le respect que j'ai pour vous, et par l'affection que vous m'avez toujours témoignée. J'espère qu'une autre fois, vous vous mettrez plus fort en colère, et que, s'il m'arrive de perdre mon argent, vous n'en rirez point. » Une bonne langue avait avisé l'oncle de ses dissipations, sous couleur de défendre les intérêts de sa femme. Elle « ne sait nullement bon gré, prétend Jean, à ce faux donneur d'avis, qui est aussi mauvais politique qu'intéressé ». Reste qu'il ne rejette pas l'accusation comme invraisemblable. Il proteste seulement qu'il n'est pas (pas encore) retombé dans son vice. L'officieux ami est peut-être allé trop vite. Il ne se trompait pas sur le fond. Il savait, comme tout le monde, que le poète jouait, perdait et empruntait.

Comme l'ouverture de la succession de Charles avait montré que la fortune de Jean n'était pas infinie, une séparation de biens entre sa femme et lui s'imposait pour qu'il ne l'entraînât pas dans sa ruine. Au moment où courent de mauvais bruits sur ses emprunts et son jeu, c'est chose faite. La Fontaine y fait allusion dans la même lettre à Jannart : « Notre séparation peut avoir fait quelque bruit à La Ferté [La Ferté-Milon, le pays de Marie], mais elle n'en a pas fait beaucoup à Château-Thierry, et personne n'a cru que cela fût nécessaire. » Simple précaution financière, la séparation de biens ne veut rien dire, en ce temps-là, sur la bonne ou mauvaise entente des époux. A en croire La Fontaine, sa femme partage son mépris pour la mauvaise langue qui aurait voulu lui complaire en le dénonçant à Jannart. Le ménage n'est sans doute pas uni, mais il reste solidaire.

Jean vient de perdre sa belle-mère. Les questions d'intérêts entre ses deux enfants, Marie et Louis, étaient réglées depuis longtemps – dès octobre 1650 –, au moment de la succession de Guillaume Héricart. Il n'y a pas à revenir sur le partage. Mais la mère de Marie avait conservé l'usufruit de ses biens. Sa mort dut apporter aux La Fontaine quelques revenus supplémentaires. Son héritage, pourtant, n'était pas libre de toutes dettes. Le 3 mars 1659, Jannart verse à Paris, au nom de ses neveu et nièce absents, un peu plus de 3 000 livres pour rembourser le capital et les intérêts en retard (près de 10 ans) d'un emprunt remontant à 1644. Il a, le même jour, emprunté pour eux 2 400 livres à Claude Lefebvre. Singulière situation où le mari, séparé de biens, vient pourtant apporter sa caution dans un emprunt qui concerne uniquement son épouse. Elle lui avait inversement apporté plusieurs fois la sienne pour des opérations qui le concernaient seul. Il faudra bien un jour établir le bilan des avances réciproques. On attendra encore deux ans.

Au moment où on le croirait tout entier tourné vers la cour de Foucquet auquel il promettra bientôt (vers avril) une « pension poétique », La Fontaine est accablé d'affaires du côté de Château-Thierry. La cession de ses biens fonciers n'implique pas qu'il méprise l'argent. Il envisage d'être pourvu d'une commission lucrative sur laquelle il s'est expliqué à Jannart dans une lettre perdue. Il attend le retour à Château-Thierry d'un Nacquart dont dépend l'affaire. « Je lui ferai la proposition, explique-t-il le 1er février, sauf de m'en rapporter à vous touchant le choix. » Il n'a pas encore renoncé à faire carrière : « La commission dont je vous ai parlé, écrit-il, est une excellente affaire pour le profit, et je ne suis pas assez ambitieux pour ne courir qu'après les honneurs ; quand l'un et l'autre se rencontreront ensemble, je ne les rejetterai pas. » Intéressante confidence sur le caractère de Jean, qui ne veut pas se contenter de fumée, mais ne la mépriserait pas dans un emploi où elle s'ajouterait au « solide »...

Il répond à l'affection de son oncle en lui faisant pleine confiance pour son avenir et en se donnant beaucoup de mal pour compléter son implantation immobilière à Château-Thierry : « J'espère qu'aujourd'hui votre échange avec Mme de L'Hôtel-Dieu sera bien avancé. » Il pense en faire bientôt un autre : « M. de La Place me doit un surcens de trois setiers et mine de blé et deux setiers d'avoine ; le surcens est assis sur dix arpents de terre qui sont à la porte d'une de ses fermes. Il me veut donner en échange dix autres arpents, enfermés dans vos terres de la Tuèterie [celles que La Fontaine vient de céder à Jannart]. Je trouve la chose à propos, mais il faut qu'elle se fasse sous votre nom. » Jean doit céder d'abord son surcens à son oncle. « Il me semble que cela se peut faire par procuration et qu'il n'est pas besoin d'attendre un voyage à Paris. »

« Si vous n'avez trouvé à troquer vos terres de Clignon, continue-t-il, M. Oudan, de Reims, s'en accommodera avec vous et vous donnera de l'argent ou des terres dans la prairie. Si l'affaire d'Etampes se faisait, je vous conseillerais de choisir des terres. » La Fontaine ne se contente pas de servir Jannart ; il est à l'affût des affaires qui pourraient lui convenir. Mieux, il n'hésite pas à lui donner un conseil. Il traite avec lui poliment, mais d'égal à égal. Tout le montre : il est parfaitement capable de défendre ses intérêts aussi bien que ceux de son oncle. On a conservé, entièrement écrit de sa main, un accord minutieux qu'il a conclu, le 10 mars 1659, comme fondé de pouvoir de Jannart avec un vigneron, à propos d'un fossé à creuser pour entourer à Chierry des terres qui dépendaient de La Tuèterie. Le paradoxe est qu'il fait pour autrui ce qu'il ne voulait plus faire pour lui-même...

C'est sans doute qu'il attend beaucoup de Jannart, qui est riche et bien placé, pour le délivrer de Château-Thierry quand le moment sera venu. Les lettres qu'il lui adresse — ses seules lettres privées conservées — le montrent déférent mais affectueux, ouvert, confiant, en somme très à son aise avec celui qui est le seul personnage important de sa famille. Il n'hésite pas à le taquiner, à l'occasion, sur son goût pour les jolies femmes. En lui recommandant une affaire qui intéresse Mme de Pont-de-Bourg, il regrette de se montrer importun, « si c'est vous être importun que de vous solliciter pour une dame de qualité qui a une parfaitement belle fille. J'ai vu, ajoute-t-il, que vous vous laissiez toucher à ces choses, et ce temps n'est pas éloigné ». La Fontaine sait que son oncle est comme lui sensible à « l'éloquence de la beauté ». C'est déjà l'esprit de ses Contes...

On retrouve cet esprit dans une fantaisie théâtrale que le poète rédige à la fin de l'année, *Les Rieurs du Beau-Richard*. Pièce pour initiés. Il faut être du pays pour situer du premier coup la scène, qui « représente le carrefour du Beau-Richard, à Château-Thierry ». Sur la place de ce nom, au carrefour de la grand-rue, de la rue du Pont et de la rue du Marché, se trouvait alors une chapelle dont les marches servaient de lieu de rencontres aux badauds du pays, notamment aux Rieurs, groupés en

une société plus ou moins carnavalesque semblable à
celles des Conards de Rouen ou des Bons-Frères de
Reims. On y daubait sur ce qui arrivait dans les familles,
notamment sur les cocuages. On en rajoutait au besoin. Il
était devenu proverbial d'appeler «nouvelle du Beau-
Richard» une histoire trop belle pour être vraie.

La Fontaine s'amuse à y raconter une intrigue digne des
fabliaux. Un savetier achète du blé à un riche marchand.
Comme il n'a pas de quoi payer, il décide de profiter de la
beauté de sa femme, qui plaît bien à son créancier. Elle le
séduira en lui promettant ce qu'il faut pour qu'il déchire la
reconnaissance de dettes qu'il a dû signer. Puis elle toussera
pour prévenir son mari que l'affaire est réglée et qu'il lui
faut intervenir. Le savetier entre en effet « d'un air mena-
çant » et s'empare du papier que sa femme a commencé de
déchirer. « Le savetier et sa femme éclatent de rire et l'on
danse. »

La pièce fut effectivement jouée par des habitants du
pays, comédiens amateurs. Un La Haye, du même nom que
le prévôt du duc de Bouillon, tenait le rôle du savetier. Un
Bressay, appartenant à la famille qui avait donné la marraine
de Jean, celui de la savetière. Un Le Breton, celui du marchand de blé. Il s'y ajoutait un notaire, joué par M. de La
Barre, et aussi un meunier (M. Le Curron) et son âne (M. Le
Formier).

On y voit le savetier marchander, exigeant « mine dans
muid », c'est-à-dire 50 mesures au lieu de 48 en langage
du pays. On y voit le notaire instrumenter, interrogeant
les parties sur la nature du marché, la date des paiements
(la Saint-Jean ou la Saint-Nicolas). On y voit l'analphabé-
tisation du savetier, qui répond ne pas savoir signer. On y
voit surtout l'importance de l'argent et du sexe dans les
rapports sociaux, ainsi que celle de la ruse, arme des
faibles contre les puissants. Le marchand entre, sûr de
son fait :

> *Ce logis m'est hypothéqué;*
> *L'homme me doit, la femme est belle,*
> *Nous ferions bien quelque marché,*
> *Non avec lui, mais avec elle.*

Il a tôt fait de mettre la savetière au pied du mur :

> *Pour faire court en trois paroles :*
> *La courtoisie ou le sergent,*
> *Ou bien payez-moi trois pistoles.*

A quoi la femme répond finement :

> *Je suis pauvre, mais j'ai du cœur :*
> *Plutôt que mes meubles l'on crie,*
> *Comme j'ai soin de notre honneur*
> *Je ferai tout...*

On est si près du ton des Contes que La Fontaine, six ans plus tard, reprendra brièvement l'aventure quand il en publiera un premier recueil. Il y ajoute que, le mari s'étant vanté du bon tour, une bourgeoise trouva la savetière bien naïve : « Mieux eût valu tousser après l'affaire... »

Au moment où le poète est accablé de soucis financiers, il s'amuse à se moquer du langage et des pratiques des notaires dans une petite comédie pleine d'entrain et de gaieté à l'usage exclusif de ses compatriotes. Conservés par hasard, *Les Rieurs* sont l'unique spécimen de ce que La Fontaine a écrit pour ses amis de Château-Thierry. Il a très probablement composé d'autres textes du même genre. Ces divertissements provinciaux font partie de son apprentissage, au même titre que les poèmes galants qu'il écrivait dans le même temps pour la cour de Foucquet.

17.

Ruptures

Guillaume Colletet mourut le 10 février 1659. Il fallut se cotiser pour lui assurer des funérailles décentes. Il avait eu gloire et richesse sous Richelieu. Il avait perdu son argent, mais restait un poète en vue. En 1654, on l'avait chargé d'écrire les vers français pour le sacre du roi à Reims. En 1656, il donna un recueil de *Poésies diverses*. Il acceptait la réforme de Malherbe sans renier les audaces de Ronsard. Il se disait bon catholique, mais fréquentait volontiers, au cabaret de la Croix de Fer, des esprits libres où se mêlaient papistes, huguenots, libertins et ceux qu'il appelle « hypocrites ». La Fontaine l'a sans doute connu pendant ses études parisiennes. Peut-être l'a-t-il côtoyé dans la joyeuse troupe de la Table ronde. Il l'a en tout cas fréquenté dans les mois qui précédèrent sa mort.

Il allait chez lui, comme beaucoup d'autres, pour voir sa femme, la belle Claudine. Colletet avait en effet épousé, en 1651, la servante avec laquelle il vivait maritalement depuis une dizaine d'années. Elle avait trois ans de moins que Jean, trente-six de moins que son mari. Furetière la courtisait aussi. Elle montrait et publiait des vers qu'elle prétendait siens. La Fontaine loua son esprit dans un sonnet, un madrigal et un autre poème où il lui affirmait : « Vous saurez régner sur Parnasse :/ Qui règne sur les cœurs sait bien régner partout. » La mort de Colletet allait révéler la supercherie, malgré les vers de précaution où le défunt lui avait fait dire : « Pour ne plus rien aimer ni rien louer au monde,/ J'ensevelis mon cœur et ma plume avec vous. »

« La Fontaine, dit Mathieu Marais, voyant que la belle Claudine tenait trop exactement sa parole, lui qui avait aimé et loué éperdument cette femme du vivant de son mari, la quitta quand il vit qu'étant veuve, elle ne faisait plus de vers. C'est une quitterie originale... » Il fit plus. Il écrivit une épigramme pour se venger d'avoir été trompé :

> *Les oracles ont cessé :*
> *Colletet est trépassé.*
> *Dès qu'il eut la bouche close,*
> *Sa femme ne dit plus rien ;*
> *Elle enterra vers et prose*
> *Avec le pauvre chrétien.*

Le bon La Fontaine avait souvent la dent dure. Il porte en lui l'étoffe d'un satirique. Elle apparaîtra dans ses *Fables*.

Ses amis s'étonnèrent de son attaque contre Claudine. Il leur répondit, six ans après la mort de l'intéressée, dans une lettre publiée en 1671 en même temps que ses éloges et son blâme, conservés jusque-là manuscrits. Rien d'étonnant, dit-il, à ce qu'il ait fait partie des honnêtes gens qu'elle a dupés : bien d'autres le furent, plus difficiles à tromper que lui. « Savez-vous pas bien que, pour peu que j'aime, je ne vois dans les défauts des personnes non plus qu'une taupe qui aurait cent pieds de terre sur elle ? » Rien d'étonnant non plus s'il l'a excessivement célébrée : « Dès que j'ai un grain d'amour, je ne manque pas d'y mêler tout ce qu'il y a d'encens dans mon magasin : cela fait le meilleur effet du monde. Je dis des sottises en vers et en prose et serais fâché d'en avoir dit une qui ne fût pas solennelle. Enfin, je loue de toutes mes forces. » L'inconstance, heureusement, remet les choses à leur place.

En ce début de 1659, Jean continuait de pratiquer, parallèlement à la grande poésie d'*Adonis*, des petits vers de circonstance dont il explique joliment l'ambiguïté. Largement autobiographiques, ils viennent d'un sentiment sincère, d'un amour myope, sinon aveugle, qui le rend insensible aux défauts de la personne aimée. Largement littéraires aussi, ils puisent leur fond et leur forme dans son « magasin », c'est-à-dire au sens noble dans sa culture, mais aussi, plus prosaïquement, dans les recueils de lieux communs, de citations et de procédés rhétoriques qu'il s'est lentement constitués depuis le temps du collège. Ils expriment le vécu, mais en le remaniant selon une expérience de l'écriture que La Fontaine tire de ses devanciers autant que de sa propre pratique. Ils suggèrent plus qu'ils ne disent. Le dépit qui a déclenché l'épigramme n'est sûrement pas dû au seul silence de la belle veuve : le poète s'est vengé d'avoir été éconduit.

La mort de Guillaume Colletet allait provoquer d'autres ruptures, beaucoup plus importantes. Il était de l'Académie. Il fallait le remplacer. En mars, au scrutin de présentation, on élut Gilles Boileau, frère aîné du Boileau des *Satires* (qui n'avait encore rien écrit). C'était un jeune homme de vingt-huit ans qui s'était fait connaître par des traductions d'auteurs grecs et surtout par une rude satire, *La Ménagerie*, publiée en 1656 contre Gilles Ménage, l'un des protégés de Foucquet. Chapelain, qui n'aimait pas les financiers, avait proposé Boileau pour faire pièce au surintendant. Pellisson, qui était l'ami de Ménage, n'avait pas oublié une épigramme du candidat sur la surdité de Mlle de Scudéry. Il fit contre lui une campagne qui entraîna son exclusion, bientôt annulée par une cabale en sens inverse.

Cette affaire provoqua une cassure parmi des gens qui étaient jusque-là restés amis malgré leurs divergences. « Je ne crois pas que nous nous rejoignions de notre vie », s'indigne Chapelain à propos de Ménage. Conrart et lui se séparèrent à regret, mais irrémédiablement, de Mlle de Scudéry et de Pellisson. Furetière se rangea dans le camp de Gilles Boileau, où était déjà l'abbé d'Aubignac. Même si La Fontaine a profité de son éloignement de Paris et de son peu de notoriété pour ne pas prendre clairement parti (son nom n'est pas cité dans la querelle), ses fréquentations l'ont embrigadé de fait dans le camp où figuraient ses amis et ses appuis. En avril, juste après ces événements, il promit de célébrer le surintendant à dates régulières. C'était près de lui que régnait le climat intellectuel où il se plaisait le mieux.

Déclarées à propos de l'élection de Gilles Boileau, ces querelles de personnes n'étaient pas sans racines doctrinales. La publication des *Œuvres* de Voiture en 1650, deux ans après sa mort, avait introduit dans le champ littéraire un nouveau type d'œuvre, mal accepté de ceux qui concevaient la littérature comme une affaire de règles, de culture et de tradition, adopté au contaire avec enthousiasme par ceux qui y voyaient le fruit d'un heureux accord entre un homme d'esprit et un public d'honnêtes gens. Girac avait soutenu le premier parti en écrivant contre Voiture une dissertation latine adressée à Balzac, le champion de l'éloquence. Costar lui avait vertement répliqué en français, et, de 1653 à 1657, les deux hommes avaient continué à polémiquer publiquement. Chapelain et Conrart, qui représentaient l'autorité et la tradition, étaient violemment hostiles à Costar, soutenu par Ménage, qui appartenait à la coterie du surintendant.

Cette coterie se reconnaissait dans le poète de l'hôtel de Rambouillet, dont Pinchêne, son neveu et premier éditeur, venait de définir, en tête de la première édition de ses *Œuvres*, l'originalité, inséparable de sa réussite mondaine. Voiture, dit-il, « approchait fort près, au jugement de toutes les dames, des perfections qu'elles se sont proposées pour former celui que les Italiens décrivent sous le nom de parfait courtisan et que les Français appellent un galant homme ». Né roturier, il devait ce miracle à son aisance, à sa « noble hardiesse à se produire, tempérée d'une douceur et d'une civilité polie avec laquelle il savait se démêler judicieusement de la compagnie du grand monde ». Son succès lui était venu de son accord avec la société dans laquelle il vivait.

Il lui est également venu d'une « merveilleuse adresse d'esprit » qui l'a « bien fait accueillir des premiers seigneurs de la cour et des princes mêmes ». Il n'était jamais ennuyeux, même sur les sujets difficiles. « Quand il traitait de quelque point de science ou qu'il donnait son jugement de quelque opinion », on prenait plaisir à l'écouter, tant « il s'y prenait toujours de façon galante et enjouée, et qui ne sentait point le chagrin et la contention de l'école. Il entendait la belle raillerie et tournait agréablement en jeu les entretiens les plus sérieux ». Cette galanterie se retrouvait dans son œuvre, reflet des diverses circonstances de sa vie.

« Il n'a jamais fait profession de poésie que pour son divertissement et sans regarder sa gloire », dit Pinchêne. Voiture n'a pas écrit en fonction de modèles existants, ni en se pliant à des règles littéraires. Ses lettres et ses poésies cherchaient seulement à prolonger par l'écriture son art de se conduire dans le monde. Il y a déployé les mêmes qualités, soucieux de plaire à ceux auxquels il les adressait ou auxquels on les montrerait, indifférent au jugement des doctes et de la postérité. A tel point qu'à sa mort, ses proches, se conformant à sa volonté, n'en auraient rien donné au public si « plusieurs personnes de condition n'en avaient souhaité et même sollicité l'impression ». Il avait ainsi, sans le savoir ni le vouloir, inventé une nouvelle littérature.

Son disciple et rival, le poète Sarasin, écrivit et publia sa *Pompe funèbre*. C'était une longue lettre, en prose mêlée de vers, prétendument adressée à Ménage. Elle lui racontait plaisamment les funérailles solennelles dont le Parnasse avait honoré Voiture. C'était lui appliquer les principes de sa propre manière. Nul sujet, même la mort, d'ordinaire sérieusement célébrée dans de graves oraisons funèbres, ne doit être à l'abri de la galanterie, tournure d'esprit et mode d'expression qui remplacent le sérieux par l'insolite et le piquant. Voiture, commence Sarasin,

> *Voiture, ce pauvre mortel,*
> *Ne doit plus être appelé tel.*
> *Voiture est mort, ami Ménage,*
> *Voiture qui si galamment*
> *Avait fait je ne sais comment*
> *Les Muses à son badinage,*
> *Voiture est mort, c'est grand dommage.*

Nul accord entre le tragique de la nouvelle et le rythme sautillant des vers. L'auteur joue sur les effets de dissonance et sur la surprise du lecteur. La Fontaine retiendra la leçon.

« J'ai profité dans Voiture », écrira-t-il plus tard. Malheureusement, il ne dit pas quand. Peut-être l'avait-il connu à l'hôtel de Rambouillet. Il a dû le lire à sa première parution. Mais il était alors trop absorbé par la haute idée qu'il se faisait de la littérature pour s'attarder sur cette œuvre d'amuseur mondain. Comme tous les intellectuels du temps, il est probable qu'il s'intéressa aux polémiques qui suivirent la publication posthume de ses *Œuvres*, et s'amusa de *La Pompe funèbre*. Mais l'auteur de *L'Eunuque* et d'*Adonis* n'était pas de cette école-là. C'est seulement à la cour du surintendant qu'il a été conduit à entendre la leçon de Voiture et de son émule. A la fin de 1658, Sarasin lui est suffisamment familier pour qu'il le cite allusivement dans *Les Rieurs de Beau-Richard* : le notaire y mentionne le « bail d'amour de Socratine ». C'était sa façon de promettre une fidélité éternelle.

Comme Voiture, Sarasin avait répandu parmi ses amis des textes de circonstance et n'avait presque rien publié de son vivant. Ce fut Ménage qui les recueillit et les publia en 1656, deux ans après sa mort. Pellisson y joignit une importante préface, qui devint, par la force des choses, un programme littéraire quand Foucquet eut fait de lui, l'année suivante, son délégué aux affaires culturelles. A travers Sarasin, l'ami de La Fontaine vantait un climat intellectuel parfaitement adapté à la cour du surintendant, notamment « cette urbanité que les mots de civilité, de galanterie et de politesse n'expriment qu'imparfaitement ». *La Pompe funèbre* en était le modèle, « chef-d'œuvre d'esprit, de galanterie, de délicatesse et d'invention », fondé sur la surprise et la nouveauté, car « rien ne fait rire que ce qui surprend, rien ne divertit agréablement que ce qu'on n'attendait pas ».

La réussite de son ami dans cette « poésie galante et enjouée à laquelle il s'est principalement occupé », de préférence à « la plus sérieuse qu'il ne laissait pas d'aimer passionnément », conduit Pellisson à poser l'égalité de ces deux registres. « Et d'ailleurs, pour le dire en passant, si quelqu'un s'imagine que la grande poésie ne consiste qu'à dire de grandes choses, il se trompe. Elle doit souvent, je le confesse, se précipiter comme un torrent, mais elle doit souvent encore couler comme une paisible rivière, et plus de personnes peut-être sont capables de faire une description pompeuse ou une comparaison élevée que d'avoir ce style égal et naturel qui sait dire les petites choses ou les médiocres sans bassesses, sans contrainte et sans dureté. » En passant, sans avoir l'air d'y toucher, Pellisson invitait à une véritable révolution culturelle : reconnaître l'égalité poétique de tous les sujets.

La Fontaine, qui n'avait jusqu'alors cultivé les bagatelles que comme des passe-temps juste bons pour s'amuser entre amis ou dissiper l'ennui de Château-Thierry, écoutait ces propos d'une oreille attentive. Comme lui, plus que lui peut-être, Sarasin était un docte de formation, qui savait le latin, l'italien et l'espagnol. Balzac l'avait naguère défini comme

« un docteur excellent », qui débitait « beaucoup de choses d'une manière très agréable ». L'un des membres de la savante académie des frères Dupuy, qu'il fréquentait assidûment, lui avait un jour longuement écrit pour le prier de ne pas négliger ses travaux d'historien : « Vous vous amusez de temps à autre à rimer de petits vers de tendresse et de galanterie, je ne vous le défends point. Mais, de grâce, achevez enfin ce sujet tiré de nos antiques annales, que vous avez déjà fort avancé. Voilà le principal ; voilà ce qui vous fera le plus d'honneur. » Le point était précisément de savoir si les travaux d'érudition valaient mieux que la poésie, et si la poésie légère, qui plaisait aux gens du monde, valait moins que la grande, qui imitait l'Antiquité.

Sarasin, à ce que voyait La Fontaine, n'avait jamais vraiment choisi. S'il s'était peu à peu laissé entraîner vers la poésie enjouée, il n'avait cependant jamais renié ses productions plus austères. Tout en mettant l'accent sur le succès de ses œuvres galantes, Pellisson présentait les unes et les autres en les mettant sur le même plan. On pouvait assurer sa gloire par l'un ou par l'autre chemin. Peut-être par les deux à la fois. Plus attentif que personne au goût du public, Jean se demandait s'il ne devait pas, pour réussir, imiter comme Sarasin le « principal » apport de Voiture : un « style » et un « caractère de poésie qui, renonçant à la gravité sans s'abaisser jusqu'à la bouffonnerie, est plus propre que pas un autre à divertir les honnêtes gens ».

A l'instar de ses prédécesseurs aux Finances, Foucquet voulait étaler sa magnificence dans une demeure digne d'un ministre. Il acheta des terres nobles à Vaux pour y faire bâtir son château. Le Brun en fut le maître d'œuvre et le peintre, Le Vau l'architecte. Le Nôtre en dessina le parc et les jardins. La Fontaine voulut en être le poète et y « consuma, dit-il, près de trois années ». Il y avait été poussé par l'émulation. Gabriel Madelenet, fameux poète latin, excellent connaisseur en peinture et en sculpture, s'était expressément proposé à Foucquet, vers la fin de 1657, pour décrire dans la langue de Virgile les constructions et les jardins de Vaux. Sa Muse n'y mettait qu'une condition : le paiement immédiat de trois années de pension qu'on avait oublié de lui mandater. Le surintendant ayant fait la sourde oreille, le latiniste en resta là. D'autres se mirent à l'œuvre. En 1660, Félibien, spécialiste des beaux-arts, consacra aux merveilles de Vaux trois lettres, dont deux ont été conservées. Sous le nom transparent de Valterre, Mlle de Scudéry les a minutieusement décrites dans le dernier tome de *Clélie*, paru en mars de la même année. La Fontaine avait sans doute commencé avant eux, dès l'échec du projet en latin.

Il en avait été personnellement chargé, puisqu'on lui a, dit-il, fourni des mémoires pour l'aider dans une tâche qui dépassait souvent ses compétences. Il devait, par la magie des mots, perpétuer les merveilles que Le Brun, Le Vau et Le Nôtre étaient en train de réaliser dans une matière périssable. Troie n'existe plus que par Homère : « Au Parnasse seulement/ On emploie une matière/ Qui dure éternellement. » En reprenant ce thème, traditionnel dans la grande poésie depuis Horace, La Fontaine était loin des bagatelles de circonstance.

A la différence de ce qu'il a fait jusque-là, il accepte désormais de mêler les tons. Quand il publiera en 1671 des fragments de l'œuvre inachevée, il en soulignera lui-même la dualité : « C'est assez de ces deux échantillons [la visite au Sommeil qui fonde la mise en scène de l'ensemble du récit, et le débat où les quatre Arts contestent entre eux de leur supériorité] pour consulter le public sur ce qu'il y a de sérieux dans mon songe; il faut maintenant que je le consulte sur ce qu'il y a de galant. » Et il donne l' « Aventure d'un Saumon et d'un Esturgeon », fable plaisante sur leur présence conjointe dans un des « grands carrés d'eau » douce du château. Alors qu'on a publié depuis six autres passages de ce ton-là, on n'a rien retrouvé d'autre sur le mode sérieux. Signe que non seulement La Fontaine ne refuse plus la juxtaposition du galant et de l'héroïque, mais que, comme Sarasin avant lui, sous la pression du public, sans l'avoir consciemment voulu, il penche de plus en plus vers le mode d'expression inventé par Voiture.

18.
La tentation galante

Chaque volume de *Clélie* était un événement. Dans le huitième, paru en août 1658, Mlle de Scudéry fait le portrait de Mme du Plessis-Bellière sous le nom de Mélinthe. Elle y greffe un éloge de Foucquet, son ami, dont les « rares vertus sont aujourd'hui un des plus fermes appuis de sa patrie, homme incomparable de qui la vertu est au-dessus de l'envie et de qui la modération fait davantage éclater la vertu ». Elle y peint plusieurs des familiers du salon de Charenton et de la cour de Saint-Mandé. Elle y loue longuement Richelieu, protecteur des artistes et des écrivains, et Mazarin qui lui a succédé dans ce rôle. Calliope y prophétise le mécénat du surintendant, « un homme dans les principales charges de l'État qui, dit-elle, m'écoutera favorablement au bord de ses fontaines... Aussi sera-t-il révéré particulièrement de tous ceux qui auront de la vertu, et mes compagnes et moi inspirerons le désir de chanter sa gloire à tous les poètes de son temps, qui ne seront pas en petit nombre ».

A Hésiode, qui l'écoute en rêve, la muse prédit l'évolution de la poésie depuis l'Antiquité jusqu'au temps de *Clélie*. Elle en vante la fécondité : « Jamais on n'aura tant vu de grands et magnifiques poèmes héroïques, de belles comédies, de charmantes églogues, d'ingénieuses stances, de beaux sonnets, d'agréables épigrammes, d'aimables madrigaux et d'amoureuses élégies. » C'est placer les bagatelles des salons sur le même pied que les grands genres hérités de l'Antiquité, dont Mlle de Scudéry ne retient que l'élégie, pour faire l'éloge de Mme de La Suze. Sa préférence va évidemment aux petits genres, comme les « mille aimables chansons qui contiendront agréablement toute la morale de l'amour ».

« Ce sera principalement en ce siècle-là, insiste-t-elle, qu'on verra un caractère particulier de la poésie galante et enjouée où on mêlera ensemble de l'amour, des louanges et de la raillerie, mais ce sera sans doute de la plus délicate et de la plus ingénieuse, car il y a bien de la différence entre divertir et faire rire. » Pour l'auteur, l'avenir n'est pas dans l'imitation des grandes œuvres des Anciens, mais dans une poésie divertissante adaptée au climat des salons. « Elle aura, dit-elle, tantôt de la tendresse et de l'enjouement, elle souffrira même de petits traits de morale délicatement touchés, elle sera quelquefois pleine d'inventions agréables et d'ingénieuses feintes. On y mêlera l'esprit et l'amour tout ensemble. Elle aura un air du monde, qui la distinguera des autres poésies, et elle sera enfin la fleur de l'esprit de ceux qui y seront excellents. »

Ce qui est prophétie dans le roman était histoire pour ses lecteurs. « La France aura trois ou quatre poètes de cette espèce en un même siècle, qui seront admirables quoiqu'il doive y avoir encore assez de différence entre eux. » Mlle de Scudéry pensait bien sûr à Voiture et à Sarasin, dont Pellisson venait de souligner l'originalité. Elle pensait aussi à des familiers de Foucquet, comme Bouillon ou Maulévrier. Il savait, écrira le premier à la mort du second en juillet 1657, « toucher » celles « qui lui étaient rebelles » en leur parlant « d'un air doux et galant » :

> Il était le bon ouvrier
> Des courantes, des chansonnettes,
> Des billets doux et des fleurettes,
> Il ne se passait point de jour
> Qu'il ne fît naître quelque amour.

Mlle de Scudéry avait senti venir la nouvelle mode. Dès le dernier tome du *Cyrus*, en 1653, elle lui avait consacré toute une conversation. « Il n'y a point, disait-elle, d'agrément plus grand dans l'esprit que ce tour galant et naturel, qui sait mettre je ne sais quoi qui plaît aux choses les moins capables de plaire et qui mêle dans les entretiens les plus

communs un charme qui satisfait et qui divertit... » A
l'opposé d'une « certaine espèce de bel esprit qui a un
caractère contraint, qui sent les livres et l'étude », l'air
galant « consiste principalement à penser les choses d'une
manière délicate, aisée et naturelle, à pencher plutôt vers la
douceur et l'enjouement que vers le sérieux et le brusque,
et à parler enfin facilement et en termes propres de toutes
choses sans affectation ». Il tient de l'esprit de finesse du
« monde choisi », aux antipodes de la rigueur géométrique
des doctes et des pédants.

Après avoir décrit dans le *Cyrus* les charmes mondains de
l'air galant, Mlle de Scudéry allait plus loin dans *Clélie* en
soutenant, devant le large public qui lisait ses romans, que
l'avenir de la poésie était dans sa transposition littéraire. La
galanterie dont Voiture avait donné l'exemple dans la vie
était devenue, avec lui, le support d'une nouvelle façon
d'écrire dont la réussite, selon Pinchêne, était d'autant plus
remarquable qu'elle resterait exceptionnelle. Pellisson en
avait reconnnu le caractère novateur, mais en soutenant
qu'elle n'était pas inimitable, puisque Sarasin avait écrit à la
fois autrement et dans le même esprit. Franchissant une
nouvelle étape, Mlle de Scudéry ne se contentait pas, dans
Clélie, de rappeler l'existence d'une poésie galante, elle affirmait sa capacité à donner des chefs-d'œuvre. Comme Pellisson et plus largement que lui, elle montrait le chemin aux
poètes de la cour de Foucquet où l'esprit de ses samedis se
mêlait désormais à celui du salon de Mme du Plessis-
Bellière.

La Fontaine n'était pas insensible à ces appels. Il en tint
compte dans *Le Songe de Vaux*, qu'il commençait à écrire,
entremêlant les développements sérieux de passages galants.
Mais cette œuvre de longue haleine allait demander beaucoup de temps, et il était avide de gloire. A son âge, il ne
pouvait plus se permettre de l'attendre en travaillant en
silence. Puisque l'avenir, selon ceux qui l'avaient introduit
chez Foucquet, était à la poésie galante, puisqu'en tout cas
c'étaient la mode et le meilleur moyen d'obtenir des succès
immédiats, il ne devait pas hésiter à s'engager ostensiblement dans la voie qu'on lui montrait. Il n'avait jusque-là
écouté que son respect pour les Anciens et sa haute idée de
la poésie. Maintenant qu'il appartenait à un milieu où l'on se

faisait un mérite d'écrire des bagatelles au fil de la plume et sans avoir l'air d'y penser, il ne voyait pas pourquoi il ne concurrencerait pas les rimailleurs dans leur propre domaine. Il décida de les surpasser en écrivant comme eux des œuvres de circonstance où il célèbrerait les mille petits riens de la vie du maître des lieux et de son épouse. Il suivrait les exigences de l'esthétique mondaine en saisissant toutes choses par leur côté plaisant. Il frapperait un grand coup pour commencer : il traiterait galamment de sa désagréable situation de poète quémandeur.

Il connaissait, comme tout le monde, l'épigramme de Lignières contre les laudateurs intéressés des surintendants, inspirés seulement par les Midas, les Crésus ou les Mécène « dont ils ont des souliers, des habits et des bas ». Il décida de renverser plaisamment la situation. Il ferait comme si ce n'était pas lui le pensionné de Foucquet, mais, au contraire, lui qui le pensionnait. Il allait lui servir une rente poétique « pour le soin qu'il prenait de faire valoir ses vers ». Loin d'avoir à réclamer le paiement de son dû comme tant d'autres poètes, il subirait les réclamations de son patron, pressé de recevoir les vers promis aux échéances trimestrielles fixées par leur contrat, rédigé sous forme d'épître en décasyllabes, le mètre préféré de Voiture, celui de maints récits galants.

Il paiera le surintendant « en belle monnoie » d'ouvrages « ayant cours » (à la mode), répartis en « quatre termes égaux » comme les intérêts des constitutions de rente. « A la Saint-Jean, dit-il, je promets madrigaux / Courts et troussés, et de taille mignonne : / Longue lecture en été n'est pas bonne. » En octobre, il célébrera Foucquet d'une « pleine vendange » de « menus vers », car « menus vers sont en vogue à présent » Au Jour de l'An, « ballade est destinée ». C'est une forme de poème qui « fait rire ». Elle donnera au destinataire de la bonne humeur pour toute l'année. « Pâques, jour saint veut autre poésie. » La Fontaine enverra alors « quelque sonnet plein de dévotion ». Ce sera plus difficile.

En garantie de cette pension, il engage tout ce qu'il possède : « stances, rondeaux et vers de toute guise ». Que le surintendant les fasse saisir s'il manque à sa parole. Pour caution, il prend son « ami Pellisson », qui fera au besoin « un couplet de chanson » à sa place. Désireux de disposer de

tout son bien en faveur de son pensionné, il retranchera tout
autre paiement, y compris celui d'Iris :

> *Elle aura beau me conjurer d'écrire ;*
> *En lui payant pour ses menus plaisirs*
> *Par an trois cent soixante et cinq soupirs*
> *(C'est un par jour, la somme est assez grande),*
> *Je n'entends point après qu'elle demande*
> *Lettres ni vers, protestant de bon cœur*
> *Que tous seront gardés pour Monseigneur.*

Peu avant juin 1659, La Fontaine accomplit brillamment
sa reconversion dans la poésie galante, utilisant avec brio
une de ses techniques : la transposition d'un langage, celui
d'un poète au service d'un Mécène, dans un autre, celui des
titres de pension.

Il poursuit encore le jeu à la Saint-Jean. Son pensionné
étant trop occupé, sa femme peut-elle lui donner quittance à
sa place ? Il le pense, espérant qu'elle aura plaisir à « promener ses yeux » sur le papier où ses vers sont écrits : « En puissiez-vous dans cent ans autant faire ! » Badinage sur la durée
de son poème et sur celle de la beauté de la surintendante, le
même vers revient quatre fois en refrain. Au lieu des madrigaux promis pour le terme d'été, La Fontaine a écrit une
ballade. Sarasin, dans *La Pompe funèbre*, avait loué les genres
à forme fixe (ballade, triolet et rondeau) pratiqués et mis en
valeur par Voiture, malgré Malherbe. Les mondains les
aimaient parce que leurs règles contraignantes transfor-
maient la poésie en prouesses techniques, en exploits de
vocabulaire et de rimes, en jeu d'esprit où chacun pouvait
montrer son habileté.

Pellisson se chargea de rédiger l'acquit demandé, donnant
en vers double quittance, l'une en son nom, publique, l'autre
« sous seing privé » en celui de Mme Foucquet. Il les terminait toutes deux en répétant le refrain de la ballade de La
Fontaine. Dans la première, il parodiait à son tour le jargon
juridique :

> *Par devant moi, sur Parnasse notaire,*
> *Se présenta la reine des beautés*
> *Et des vertus le parfait exemplaire,*

Qui lut ces vers, puis, les ayant comptés,
Pesés, revus, approuvés et vantés,
Pour le passé voulut s'en satisfaire;
Se réservant le tribut ordinaire
Pour l'avenir, aux termes arrêtés,
Muses de Vaux, et vous leur secrétaire,
Voilà l'acquit, tel que vous souhaitez.
En puissiez-vous dans cent ans autant faire.

Si le principal commis de Foucquet prenait le temps
d'écrire ces bagatelles pour entrer dans le jeu lancé par La
Fontaine, comment celui-ci ne se serait-il pas exécuté de
bon gré, comme les autres poètes de la cour, chaque fois
qu'on lui demandait de badiner sur les sujets les plus divers ?

« On me donna pour sujet de la ballade du second terme,
écrit-il, l'imitation du rondeau de Voiture : Ma foi, c'est
fait. » Rondeau célèbre entre tous, dont l'auteur avait pris
pour sujet sa propre difficulté à l'écrire, comptant ses vers au
fur et à mesure de son progrès. La Fontaine reprit le procédé (« Trois fois dix vers et puis cinq d'ajoutés »). Il y insé-
rait un petit conte :

Sur ce refrain, de grâce, permettez
Que je vous conte en vers une sornette.
Colin, venant des Universités,
Promit un jour cent francs à Guillemette;
De quatre-vingts, il trompa la fillette,
Qui de dépit lui dit pour faire court :
« Vous y viendrez cuire dans notre four ! »
Colin répond, faisant le bon apôtre :
« Ne vous fâchez, la belle, car en amour,
Promettre est un et tenir est un autre. »

C'est la veine des *Rieurs du Beau-Richard*, le même
monde où hommes et femmes s'entretrompent gaiement sur
fond d'argent et de sexe.

A peu près au moment où Jean s'agrégeait au monde de
Foucquet en lui promettant une « pension poétique », Pellisson ayant été empêché d'assister à une collation en l'honneur de Mlle de Scudéry, Ménage s'amusa à écrire son épitaphe comme s'il était mort. La Fontaine exploita la même
veine. Il fit celle « d'un paresseux », la sienne :

Jean s'en alla comme il était venu,
Mangea le fonds avec le revenu,
Tint les trésors chose peu nécessaire.
Quant à son temps, bien le sut dispenser :
En fit deux parts, dont il soulait passer
L'une à dormir, et l'autre à ne rien faire.

Comment séparer le vrai et le faux dans cette épitaphe-fiction ? La Fontaine, au moment où il la compose, n'a pas encore mangé son bien. Il s'est seulement mis en mesure de le faire en cédant ses terres à Jannart. Il affirme son mépris de l'argent, inutile au bonheur du savetier, générateur de soucis pour le financier accablé d'affaires. Mépris facile quand on est le fils d'un riche notable et qu'on a jusqu'alors dépensé et emprunté sans compter. Le temps viendra où, ruiné, il devra conformer sa conduite à ses principes. Il n'en est pas encore là. Pour le moment, dans ce milieu où l'argent coule à flots, il est de bon ton de proclamer que l'argent ne fait pas le bonheur...

Comme la pauvreté, la paresse de La Fontaine reste une sorte de rêve. Il mène double, voire même triple vie. Celle du maître des eaux et forêts qui doit au moins expédier les affaires courantes. Celle du poète soucieux de s'affirmer par une grande œuvre, comédie imitée de Térence, puis épopée où se mêlent Virgile et Ovide. Celle d'un écrivain de salon qui ne veut pas laisser passer sa chance de devenir à la mode et se conforme au goût de Foucquet, dans le sillage de son ami Pellisson. S'il lui reste du temps pour dormir ou pour paresser, il en a sûrement beaucoup moins que d'autres, un Ménage, par exemple, que l'Église nourrit sans rien lui demander en échange. Ce prétendu paresseux est trop ambitieux pour se permettre le luxe de la paresse. A trente-sept ans, pense-t-il, il est grand temps de saisir sa chance. Il ignore qu'elle est encore loin, qu'il lui faudra attendre encore six ans...

19.
Parmi les provinciaux

En juin 1659, Mazarin part pour la frontière négocier le traité qui mettra fin à vingt-quatre années de guerre avec l'Espagne. A la fin de juillet, la Cour quitta Paris pour Bordeaux où elle demeura jusqu'au début d'octobre. Puis elle se rendit à Toulouse. Après avoir conclu la paix des Pyrénées le 7, Mazarin l'y rejoignit le 21 novembre. Le surintendant y vint de Paris. Mme Foucquet l'avait accompagné. Elle voulut rentrer avec lui quand la Cour s'en alla en Provence à la fin de décembre. Elle perdit en chemin l'enfant qu'elle attendait. La Fontaine composa une « Ode anacréontique à Mme la Surintendante sur ce qu'elle est accouchée avant terme, dans le carrosse, en revenant de Toulouse ». Son mari regagnait Paris. « En le voyant partir pour un si long voyage », elle n'a pas voulu le quitter. Victime de l'inconfort des « carrosses en relais » et « des chirurgiens un peu rudes », elle a perdu « le gage de ses chastes amours ».

Par la force des choses, La Fontaine oublie la grande poésie de ses débuts pour écrire des vers familiers sur le Mécène protecteur et ses proches. L'année suivante, pour le terme de juin, il consacre un bref épithalame au mariage de Gilles Foucquet, le plus jeune frère du surintendant. En juillet 1661, il envoie à la surintendante d'aimables stances « Sur la naissance de son dernier fils à Fontainebleau ». Dans l'intervalle, il écrit un poème sur les demoiselles Gripon, riches orphelines que Foucquet a fait venir de Normandie à Paris pour veiller à leur avenir. Tout cela serait bien ennuyeux si le poète ne transformait ces minces événements en des sortes de petits contes, mêlant les mots de tous les jours au vocabulaire poétique.

Dites-nous, demande-t-il par exemple à Mme Foucquet,

> *... si c'est d'un Amour, ou si c'est d'une Grâce,*
> *Que vous avez perdu l'étoffe et la façon,*
> *À quelque autre poupon laissant libre la place.*

Et, plaisantant la rapidité du mariage de Gilles :

> *J'appelle votre hymen un impromptu d'amour.*
> *Avec le temps, vous en ferez bien d'autres,*
> *Et nous en pourrions voir dans neuf mois, plus un jour,*
> *Un de votre façon qui vaudrait tous les nôtres.*

A travers cette mince poésie de circonstance, on sent courir une verve gaillarde qui ne demande qu'à s'épanouir.

Le traité de paix prévoyait le mariage du roi avec l'infante Marie-Thérèse. Foucquet demanda à La Fontaine de lui donner, « pour le troisième terme », celui de janvier 1660, un poème « Sur la Paix des Pyrénées et le mariage du roi ». Il était naturel que le protégé du surintendant consacrât une part de la « pension poétique » aux menus faits et gestes de sa famille. Il aurait été indécent qu'il oubliât de chanter les grands événements du règne de son maître. Foucquet le poussait vers la poésie officielle au moment où tous les poètes du royaume s'y précipitaient. Il remplit son devoir, mais oublia d'entonner les trompettes de la gloire. D'un si grand événement, il fit une ballade plaisante où l'on parlait de « Dame Bellone » qui avait « plié bagage » pour s'enfuir « avec Mars, son amant ». On y parlait même de battre sa femme... Le refrain célébrait Vénus, revenue avec sa famille : « Les Jeux, les Ris, les Grâces et l'Amour. »

Sans doute reprocha-t-on au poète la minceur de sa contribution à la joie publique. Il ajouta à sa ballade un onzain « Pour la reine », commençant sur le même refrain. Pour faire bonne mesure, il écrivit sur le même ton un sizain et un madrigal « Pour le roi », puis un madrigal « Au roi et à l'infante ». Se décidant enfin, dans une « Ode pour la paix », à prendre comme tout le monde le style sérieux, il se réfugia dans les conventions des bergeries, parlant de « soldats gloutons », de moutons, de bergers et de bergères... La conclusion était une invitation à la paresse, à l'amour et à la poésie : Fasse la paix « que nous passions les jours / Étendus sur l'herbe tendre, / Prêts à conter nos amours / A qui voudra les entendre ». La célébration d'un grand événement public tourne chez le poète à une invitation à goûter les plaisirs de la vie privée.

A la mi-août, son poème sur la paix et le mariage parut dans un recueil collectif de vers, l'équivalent de nos modernes revues. En 1653, Charles Sercy en avait relancé la mode en publiant un volume de *Poésies choisies*. En 1660, il en était au cinquième, sans parler des réimpressions. Corneille, Boisrobert, Marigny, cités les premiers dans le titre, en étaient les vedettes, suivis d'une dizaine d'autres parmi lesquels Maucroix figurait en bonne place avec dix-huit pièces, presque toutes signées. Le texte de La Fontaine restait anonyme. Signe de la minceur d'un poète qui n'avait rien publié depuis l'échec de *L'Eunuque* et qui restait parfaitement inconnu en dehors du cercle prestigieux, mais relativement étroit, de la cour du surintendant. Il n'en eut que plus de plaisir à voir que sa ballade avait retenu l'attention d'un grand éditeur.

La reine arriva à Paris le 26 du même mois. « L'entrée, dit La Fontaine, ne se passa point sans moi. » Il la prit pour sujet d'une « Relation en vers ». Elle l'acquitterait du « terme » dont il allait être « bientôt redevable », celui d'automne. Il se montre dans la foule des « regardants » qui faisait, selon lui, une des principales beautés de la fête. Puis il décrit, dans l'ordre, le défilé qui conduisait Marie-Thérèse dans sa capitale. Nobles et bourgeois y avaient rivalisé de richesse dans leurs habits, fournissant une « infanterie » de « dix mille hommes en broderie ». Puis venaient en costume d'apparat les membres du Conseil du roi avec, à leur tête, le chancelier Séguier « vêtu de brocart d'or », suivis de ceux des trois cours souveraines et des magistrats de la ville de Paris.

Le cardinal Mazarin, qui assistait au défilé avec la reine mère, au balcon de l'hôtel de Beauvais, avait étalé sa richesse en y envoyant soixante-quatorze mulets, quinze attelages, « puis sa maison, et puis ses pages » se panadant à cheval. « Bientôt après », ce furent « les seigneurs de la cour », richement parés sur leurs montures bien enharnachées, et « des légions de mousquetaires » précédant le roi à cheval, semblable à Jupiter, Apollon ou Mars, au choix du lecteur. Venait enfin la calèche de la reine, qui « semblait d'or massif », mais dont l'éclat se trouvait aussitôt surpassé par d'autres merveilles : « de fort beaux cheveux blonds, / Une vive blancheur, les plus beaux yeux du monde / Et d'autres appas sans seconds / D'une personne sans seconde. » Point besoin de la nommer : tout le monde a identifié celle « qui dort avec le roi ».

L'apprenti poète officiel s'acquitte sans conviction de la tâche impossible de restituer avec des mots les splendeurs d'un spectacle dont la magnificence montrait aux Parisiens éblouis la puissance et la grandeur de leur prince. Seul à son écritoire, il se revoit en train de partager l'émerveillement collectif. Il se met à distance de son propre récit. Il n'est plus dans la foule qui regarde, mais devant quelques auditeurs qu'il imagine en train de l'écouter. C'est à eux qu'il demande de choisir l'image mythologique qui leur convient le mieux pour dépeindre le roi, qu'il confie (ou feint de confier) ses sentiments devant tant de richesses ou ses difficultés à « sortir » honorablement de son entreprise, qu'il laisse le soin de comprendre grivoisement ou non ce que veut dire « dormir avec le roi ». Détourné de son but trop sérieux, le récit de commande et d'actualité devient une sorte de petit conte.

Un jeune poète de vingt et un ans s'essayait lui aussi, avec beaucoup plus de sérieux, à la poésie officielle. « En 1660, écrit Louis Racine, le mariage du roi ouvrit à tous les poètes une carrière dans laquelle ils signalèrent à l'envi leur zèle et leur talent. Mon père, très inconnu encore, entra comme les autres dans la carrière et composa l'ode intitulée *La Nymphe de la Seine*. » En septembre, il la soumit à Chapelain, qui lui proposa quelques corrections, effectuées avec enthousiasme. Selon Brossette, il l'aurait également soumise à Boileau, auquel La Fontaine l'aurait présenté. C'est possible. Par hostilité envers son frère Gilles, qui était dans l'autre camp, le futur contempteur des financiers était alors dans celui du surintendant. Il y a sûrement rencontré le futur fabuliste, qui, de son côté, connaissait bien Racine, puisqu'à en croire celui-ci, ils se voyaient « tous les jours ». La formule est hyperbolique, La Fontaine n'étant pas toujours à Paris.

A l'entrée de la reine, « j'eus ma place, écrit-il, aussi bien que beaucoup d'autres provinciaux ». Il ne se sent pas encore Parisien. Il fait toujours de longs séjours dans son pays natal. Les 5 janvier, 30 avril et 5 juillet, conjointement avec les autres officiers de la maîtrise des eaux et forêts, il y donne divers reçus. Il y signe le 12 octobre un document attestant qu'il « a tenu une heure de plaids », preuve qu'il exerce les fonctions de justicier attachées à sa charge. Chaque fois qu'il passe un contrat, il se dit domicilié à Château-Thierry, rue des Cordeliers. A Paris, c'est « présentement » (à titre provisoire) qu'il loge chez son oncle Jannart, « en l'enclos du Palais » où celui-ci habite maintenant.

Il se sent solidaire des gens de son pays. Il s'en fait au besoin l'interprète auprès de ceux qui ont le pouvoir ou l'argent. « Dans cet écrit notre pauvre cité / Par moi, Seigneur, humblement vous supplie », écrit-il au début d'une ballade à Foucquet, « Pour le pont de Château-Thierry ». La Marne déborde chaque hiver depuis dix ans, endommageant le pont et les chaussées. Pour les refaire, « l'argent surtout est chose nécessaire », répète quatre fois le refrain. La réparation coûterait dix mille écus. La Fontaine espère que Foucquet trouvera tout ou partie de cette somme dans la cassette du roi. Il voudrait bien que ses concitoyens profitent de sa faveur auprès du surintendant.

Cette faveur n'avait rien d'institutionnel. Le poète, qui n'avait pas de charge auprès de lui, n'avait vraisemblablement de logement ni à l'hôtel d'Emery, nouvelle demeure parisienne de Foucquet, ni à Saint-Mandé, son ancienne résidence, ni à Vaux qui était en voie d'achèvement. Il y venait en simple visiteur. Il y connut maintes grandes dames, groupées autour de la maîtresse de maison ou de sa fille aînée, la marquise de Béthune-Charost, amatrice de romans, de fleurettes galantes, de devises et de beaux objets. Parmi beaucoup d'autres dont on jasera bientôt quand on ouvrira les cassettes contenant les « poulets » (les billets doux) adressés au surintendant, on y voyait la belle Menneville et la galante marquise d'Uxelles, la Brancas qui n'était pas une vertu, Mme de Sévigné, particulièrement appréciée pour son esprit, première admiratrice du talent de La Fontaine.

De Bellefonds à Lauzun, Gesvres, Créqui ou d'Avaux,

tous les hommes à la mode fréquentaient les demeures de Foucquet. C'est chez lui que le poète s'est lié d'amitié avec Brienne, fils d'un ministre de Louis XIV, appelé à lui succéder un jour au ministère s'il n'avait eu la raison troublée. Chez lui également qu'il a découvert Saint-Evremond et Charles Perrault avec qui il entretiendra d'amicales relations. Chez lui encore qu'il a rencontré de riches financiers : La Bazinière, qui jouait quelquefois lui aussi au Mécène, Bernard, le plus important des auxiliaires du surintendant, d'Hervart, le fastueux banquier allemand dont le fils et la belle-fille le recueilleront plus tard, quand il sera dans la misère. A l'exception de quelques irréductibles regroupés autour de Chapelain, on trouvait autour de Foucquet tout ce qui comptait dans le grand monde et chez les gens de finance, chez les écrivains et chez les artistes, peintres, sculpteurs et musiciens. La Fontaine y fit des connaissances qui lui durèrent toute la vie.

Il a même dû y apercevoir la Cour. En juin 1659, Mazarin passe par Vaux en partant pour les Pyrénées négocier la paix. Louis XIV y vient à son tour, avec sa mère et son frère, en juillet de la même année. Il y revient à son retour, un an plus tard, peu avant l'entrée solennelle de la reine à Paris. L'élite de la noblesse s'y presse dans des habits d'or et d'argent tout brillants de l'éclat des pierreries. Vatel, « le grand Vatel, dont la bonne tête est capable de contenir tout le soin d'un État », dira Mme de Sévigné, organise des festins somptueux. Même s'il restait perdu dans la foule des invités anonymes dont la présence servait à embellir la fête destinée à de plus hauts personnages, comment La Fontaine n'aurait-il pas eu la tête tournée par la profusion de tant de richesses ? Chez Foucquet, le provincial de Château-Thierry découvrait à grande échelle le monde de l'argent et du plaisir.

Il y découvrait aussi le monde de l'art, et de l'art le plus moderne, créé pour le surintendant par les artistes dont il avait su s'entourer. Les fêtes, mais aussi la vie quotidienne se déroulaient dans de somptueux décors où tapisseries, sculptures, peintures racontaient les merveilles de la mythologie grecque, comme si les dieux antiques avaient été les seuls témoins dignes des évolutions des modernes divinités. Par la grâce des statues et des tableaux, les dieux de la

mythologie que Jean avait connus dans les livres, au temps
déjà lointain du collège, ou quand il avait repris ses livres
après l'Oratoire, prenaient une nouvelle vie, plus concrète et
comme contemporaine. Leurs aventures fournissaient la
plupart des sujets des tapisseries tissées dans la manufacture
que Foucquet venait d'établir dans un ancien couvent, à
Mainsy, tout près de Vaux, sous la direction de Le Brun.

A l'aide des mémoires qu'on lui avait fournis, avec aussi
des estampes de Sylvestre qui avaient tout représenté par
avance, le poète s'efforçait d'imaginer l'état des lieux une
fois les travaux achevés, les allées dessinées, les arbres pous-
sés. Puisqu'il devait « prévenir le temps », il se peignit allant
« trouver le Sommeil » pour le prier de lui montrer en rêve
toutes les merveilles à venir – celles qu'il raconte dans *Le
Songe de Vaux*. En trois ans, il n'en a décrit qu'une infime
partie. Il n'a rien dit de ce qu'était le château. Il n'en a pas
dessiné l'architecture. Il n'a guère parlé des statues qui le
décoraient. De tant de magnifiques salles, il n'a retenu
qu'un salon. Huit pièces de tapisserie de haute lisse y représentaient les amours de Mars et de Vénus, finalement surpris
par Vulcain, le mari, et capturés dans un filet sous la risée
des autres dieux. Plaisante et grivoise aventure dont La Fontaine fit un récit, placé plus tard parmi ses *Contes*.

Un plafond de Le Brun représentait les Muses. « Aux
quatre coins de la voûte étaient comme quatre chœurs de
musique, composés de deux Muses si bien peintes que je
crus voir ces déesses en propre personne. » On n'en saura
guère plus. Surpris par tant de ressemblance, le poète dialogue avec les déesses au lieu de les décrire :

Quel charme ont eu pour vous ces lambris que je vois ?
Vous aimiez, disait-on, le silence des bois ;
Qui vous a fait quitter cette humeur solitaire ?
D'où vient que les palais commencent à vous plaire ?
J'avais beau vous chercher sur les bords d'un ruisseau...

On dirait que La Fontaine applique aux Muses sa propre
tentation de quitter sa campagne champenoise pour les
riches plafonds de Vaux. En se déclarant « ravi de les voir si
fort en honneur et tellement considérées chez Oronte
[Foucquet] qu'on les avait logées dans une des plus belles

chambres de son palais », il glisse l'éloge du possesseur des lieux dans sa description à la manière des peintres qui plaçaient souvent le portrait du donateur dans un coin du tableau qu'il avait commandé.

Des jardins, dont il parle plusieurs fois en passant, il a retenu les cygnes, la cascade et surtout la fontaine de Neptune qui lui a inspiré un assez long fragment. Pour en orner les niches et « les rochers tout secs », le dieu, sur les conseils d'un triton, ouvre « cent cachots » d'un seul coup de trident :

> *On voit sortir en foule un amas de reptiles,*
> *Dragons, monstres marins, lézards et crocodiles,*
> *Hydres à sept gosiers, escadrons de serpents,*
> *La gent aux ailes d'or et les peuples rampants,*
> *Limas aux dos ornés, écrevisses cornues,*
> *Des formes d'animaux aux mortels inconnus.*

Il ne reste plus qu'à figer ce grouillement, bientôt réanimé par l'incessant mouvement des eaux... Dès le temps de Vaux, l'imagination du poète est toute pleine d'animaux qu'il se plaît à domestiquer.

20.

Au paradis de Vaux

A la fin de février 1660, La Fontaine envoya les ballades qu'il venait de composer pour Foucquet à Valentin Conrart, l'un des fondateurs de l'Académie française, son premier secrétaire perpétuel. Avec Chapelain, il avait été le plus ferme appui de Gilles Boileau, au moment de son élection, contre Ménage et Pellisson. En lui adressant ses poèmes, Jean ne manifestait pas seulement sa déférence envers un personnage littéraire important, il montrait qu'il n'était pas l'homme-lige d'une coterie. Ses attaches avec la cour de Foucquet ne l'empêchaient pas de garder son indépendance et de demeurer fidèle à l'homme qui l'avait, pense-t-on, accueilli à Paris quand il y était arrivé avec Maucroix.

Il avait confié ses poèmes, avec une lettre d'accompagnement, à Furetière, son ancien condisciple, lui aussi sectateur de Gilles Boileau. Celui-ci mit deux mois, jour pour jour, à les transmettre. Cette négligence fâcha La Fontaine. Elle avait « donné de l'inquiétude » à Conrart, persuadé, devant ce long silence, que son jeune ami l'avait oublié. Rassuré, l'académicien le remercie d'avoir si parfaitement réglé sa dette d'amitié : « Vous êtes, lui écrit-il, si bon payeur que je crois que M. Le Surintendant même ne croirait pas en trop dire s'il vous en disait autant que je vous en dis ici. Toute la différence qui se peut rencontrer entre lui et moi est qu'il vous paiera mieux ce qu'il vous devra que je ne saurais faire. » Façon discrète de rappeler à son correspondant qu'avec lui, l'amitié ne paie point. Du moins pas en argent.

Mais elle peut contribuer à la bonne renommée poétique.

Malgré le temps qui passe et les changements survenus au royaume des lettres, l'approbation de Conrart reste un bon passeport pour la gloire. A La Fontaine qui lui avait demandé d'être indulgent pour ses ballades, il répond qu'il n'est pas capable de « les estimer selon leur mérite », lui qui n'en a composé qu'une autrefois, bien indigne de l'approbation d'un La Fontaine ou d'un Maucroix. « C'est à vous autres, Messieurs, à prétendre de faire aller votre nom jusqu'à la postérité. » Il doit se contenter de les « regarder de loin » et de se réjouir de leurs progrès. Sans être dupe de tant de fausse modestie, La Fontaine pouvait être fier d'une réponse qui l'encourageait à écrire et l'assurait qu'il n'avait pas perdu l'amitié d'un académicien efficace et influent.

Tandis que se préparaient les cérémonies du mariage, le 9 juin à Saint-Jean-de-Luz, et le retour de la Cour à Paris, le poète voulut rendre ses devoirs au surintendant, surchargé de besogne par la nécessité de financer les dépenses entraînées par tant de voyages et de fêtes. Il se rendit à Saint-Mandé. C'était un assemblage de constructions disparates qui ne valait que par sa disposition intérieure et par l'étendue et la beauté des jardins. Par une porte cochère donnant sur la grand-rue, on pénétrait dans un premier corps de logis où se trouvaient salon, salle à manger, chambre de Mme Foucquet, cabinet privé de son mari. Des peintures de Le Brun le décoraient, mais aussi des devises latines de Gervaise et des devises françaises dues à la plume de La Fontaine.

En traversant la cour, on gagnait un second bâtiment où Foucquet recevait les solliciteurs. On demanda au poète d'attendre. Il aurait pu se rendre à la bibliothèque : avec les pièces voisines qui lui servaient d'annexe, elle contenait 27 000 volumes en toutes sortes de langues. Il préféra rester dans la grande galerie donnant sur le jardin, décorée de cinquante-neuf bustes de marbre. Il n'y prêta pas attention, mais à deux coffres à momies en pierre, apportés là d'Égypte où on les avait découverts en 1632.

Pendant qu'il fait antichambre, il imagine que ce sont « le cercueil, la tombe ou la bière des rois Céphrim et Kiopès » (Khéphren et Khéops). Il occupe son attente à s'entretenir « avec ces monuments antiques » et s'intéresse à leurs inscriptions. Il s'amuse de « l'image d'un assez galant personnage » qui « sert d'ornement » à ces tombeaux. Il ne peut s'empêcher d'en rire :

Messire Horus, me mis-je à dire,
Vous nous rendez tout ébahis :
Les enfants de votre pays
Ont, ce me semble, des bavettes
Que je trouve plaisamment faites.

La barbe d'Osiris, ajoutée selon l'usage à la figure représentée sur les coffres, le fait penser à un phallus...

Il était venu rendre à Foucquet le tribut « d'une profonde révérence ». Il lui « fallut prendre patience, attendre une heure et puis partir ». Le surintendant avait trop d'affaires pour le recevoir :

J'eus le cœur gros, sans vous mentir,
Un demi-jour, pas davantage...
Comme on ne doit tromper personne,
Et que votre âme est tendre et bonne,
Vous m'iriez plaindre un peu trop fort,
Si vous mandant mon déconfort,
Je ne contais au vrai l'histoire.

C'est le ton de Marot, mélange de soumission et de familiarité, de compassion sur soi, trop petit pour être reçu, et sur le destinataire, que sa grandeur empêche de jouir de la vie : « Bon Dieu! Que l'on est malheureux / Quand on est si grand personnage. » La Fontaine avouera plus tard que s'il a « profité dans Voiture », la « lecture » de Marot l'a aussi « fort aidé ». Les deux noms vont pour lui de pair.

Grâce à Voiture, Marot est devenu le garant d'une certaine liberté d'expression. Il autorise l'utilisation de formes fixes comme les ballades, condamnées par les poètes de la Pléiade et rejetées par Malherbe. Parce qu'elles viennent d'avant la réforme de la poésie française, elles sont maintenant ressenties comme archaïques. Elles sont devenues des moyens de dépaysement. Il en est de même du « vieux langage ». Voiture s'en est servi pour créer des effets d'écart par rapport à l'usage ordinaire. Il a engendré une mode, suivie un temps par les salons, durablement offerte en exemple au grand public avec la parution de ses œuvres. De ce qui était le style de Marot, il a fait le style marotique. Dès 1657, La Fontaine en a utilisé les mots et tournures dans l'épître à l'abbesse de Mouzon. Il en reprend l'esprit dans l'épître « chagrine » au surintendant, pareillement écrite en octosyllabes.

Le patronage de ce Marot revu et corrigé donne ses lettres de noblesse à la galanterie poétique. De ce qui n'était que la transposition en vers de l'air galant, il fait l'expression moderne d'une tradition. Le jeu mondain s'inscrit dans la littérature dès lors qu'il peut s'apparenter à ce que Boileau appellera un « élégant badinage ». Conduit chez Foucquet par Pellisson, La Fontaine aurait peut-être hésité à abandonner ses chers Anciens pour les bagatelles de la pension poétique, sans l'exemple de ceux qui, avant lui, avaient su transformer des écrits de circonstance en chefs-d'œuvre durables. Malgré ce qu'il avait d'abord cru, il y avait autre chose que la grande poésie. A défaut d'être le Virgile ou le Térence de son siècle, il pouvait en être le Marot.

Cette sorte de poésie impliquait la présence de l'auteur dans son œuvre. Point de galanterie ni de badinage sans dialogue avec le lecteur. Ni dans *Adonis* ni dans *L'Eunuque*, La Fontaine ne parlait de lui. La fiction de la pension poétique le conduit au contraire à se mettre en scène, à se montrer en train d'écrire, à peindre ses rapports avec autrui. Puisque Foucquet ne l'a pas reçu, il est en droit d'afficher son « juste sujet de courroux » contre lui. A quoi lui sert de lui avoir tenu parole, allant régulièrement au sommet du Parnasse pour y chercher l'inspiration nécessaire à la composition des vers promis ? Le poème renvoie au statut du poète près du surintendant et à un événement réellement vécu. Mais rien ne garantit la sincérité des sentiments dépeints, gommés en l'occurrence par la nécessité de ne pas déplaire.

La Fontaine n'a parlé de son zèle de poète que pour mieux le plaisanter. Sur le « sacré sommet, dit-il, n'épargnant aucune peine », il a dormi « tout d'une haleine huit ou dix heures » pour l'amour de son pensionné... La plaisanterie brouille aussitôt la confidence. Le badinage galant le conduit à donner de lui une idée dont il est difficile de mesurer la vérité. Jean est-il dans la vie ce dormeur complaisamment dépeint à Foucquet, ou l'est-il seulement poétiquement ? On ne peut décider absolument. Mais il faut bien que La Fontaine ait eu ses raisons, conscientes ou non, de choisir cette image de paresse et d'insouciance, préférablement à toute autre, et cette image a dû rejaillir à son tour sur ses façons de faire. Dans ce milieu où chacun connaissait tout le monde, il n'était pas possible à la personne d'être trop différente de son personnage. Même si le maître des eaux et forêts restait relativement actif à Château-Thierry, le poète de la cour de Foucquet devait se montrer oisif, rêveur et ami du repos. Commandé par le groupe auquel il se rattachait, le profil qu'il a cru bon de prendre pour écrire a certainement fini par influer sur son comportement.

La Fontaine à la cour de Foucquet se construit un personnage littéraire. Il le reconnaîtra dans sa présentation du *Songe de Vaux* en 1671 : « Le lecteur, si bon lui semble, peut croire que l'Aminte dont j'y parle représente une personne particulière; si bon lui semble, que c'est la beauté des femmes en général; s'il lui plaît même, que c'est celle de toutes sortes d'objet. Ces trois explications sont libres. » Les lecteurs sont souverains sur les objets de fiction qu'on leur soumet. La Fontaine l'a dit bien souvent. Mais au lieu de s'en tenir là, cette fois, il distingue entre eux et prend personnellement parti. « Ceux qui cherchent en tout du mystère » choisiront, dit-il, les deux dernières interprétations. « Quant à moi, je ne trouverai pas mauvais qu'on s'imagine que cette Aminte est telle ou telle personne : cela rend la chose plus passionnée et ne la rend pas moins héroïque. »

Curieuse déclaration, dans laquelle La Fontaine se substitue à ceux qui croient à la vérité de ce qu'on leur raconte pour leur apporter la caution de sa propre préférence. Préférence faussée, puisqu'il ne la leur garantit pas biographiquement, mais la fonde sur un bénéfice esthétique. Il ne dit pas qu'on peut savoir de lui que l'histoire est vraie, mais qu'en s'imaginant qu'elle l'est, on s'en trouve du même coup récompensé en sentant plus de force dans les sentiments exprimés. Peu importe qu'Aminte soit ou non telle personne réelle; seule compte la conviction qu'elle l'est, source d'une plus grande émotion.

Mais croire à la réalité d'Aminte suppose que l'on croie également à la réalité de son partenaire. Cessant d'être un pur artifice de présentation, l'Acante du *Songe de Vaux* est lui aussi perçu comme un être réel, identifié avec le signataire de l'ouvrage. Celui qui disait à Foucquet qu'il allait consciencieusement dormir sur le Parnasse pour y cueillir les vers de sa pension poétique se confond avec celui qui demande en rêve au sommeil de lui découvrir Vaux :

> *Tu sais que j'ai toujours honoré tes autels;*
> *Je t'offre plus d'encens que pas un des mortels :*
> *Doux sommeil, rends-toi donc à ma juste prière.*

La récurrence du même thème, dans deux textes appartenant à des cycles à la fois contemporains et distincts, semble garantir l'existence et la permanence d'une conduite.

Sans doute faut-il faire large part à la fiction poétique. Mais pourquoi le poète, parmi tant d'affabulations possibles, choisit-il de préférence celle du rêve ? Serait-ce qu'il aime mieux s'imaginer en train de vivre que de vivre vraiment ? S'il dépeint le plaisir qu'il a pris à contempler les beautés d'Aminte, il la décrit endormie. Il décrira pareillement Clymène. Toutes deux laissent ainsi voir des appas que la pudeur les oblige d'ordinaire à cacher. L'amoureux en repaît ses regards indiscrets. Celui d'Aminte n'ose prendre un baiser sur sa belle bouche. Celui de Clymène hésite et choisit de lui baiser le pied. Le premier est finalement éconduit par une dame qui, sans nier ses plaisirs, a trop peur d'un aussi « dangereux hôte » que l'amour. Le second, contre toute attente, obtient finalement les faveurs de celle qui lui avait jusque-là résisté. Quelle est la part de vérité dans ces fictions adaptées de souvenirs littéraires ? Aucune, sans doute, sauf le plaisir de La Fontaine à chanter les charmes féminins.

Charles Le Brun, le peintre dont il avait mission de décrire les œuvres dans le *Songe*, l'a représenté tel qu'il était au temps de Vaux, au moment d'atteindre la quarantaine. On y découvre le visage replet d'un homme bien en chair, encadré dans une vaste perruque bouclée noire qui lui cache les oreilles. Une large cravate blanche empêche de lui voir le cou. C'est le nez qui frappe tout d'abord, un long nez bourbonien qui le fait ressembler à Louis XIV, le nez de sa mère, comme il l'a noté lui-même à propos d'un cousin : « Les Pidoux ont du nez et abondamment. » Mais quand on s'y est habitué, on est frappé par le regard, quasi dissymétrique, de grands yeux bleus que souligne la courbe régulière de sourcils bien tracés. L'un semble contempler ironiquement le monde, l'autre le contempler sans le voir. Cela lui donne un air mystérieux d'homme surtout attentif à sa propre pensée. Sans avoir conservé tout le charme de la jeunesse, il garde un je ne sais quoi de troublant qui devait plaire aux femmes. On le sent sûr de lui, presque dominateur, conscient de sa chance d'occuper près de Foucquet une place à part.

Il aurait pu n'être qu'un poète parmi d'autres, confondu dans la foule des quémandeurs et des thuriféraires appointés. Il avait su se placer hors du lot. Maître des eaux et forêts, il allait et venait selon les circonstances ou son caprice, arguant des obligations de sa charge. Fils de famille, il avait en principe son indépendance financière. Il avait eu l'habileté de la symboliser par la fiction de la pension poétique qu'il versait au lieu de recevoir. Il avait eu aussi l'habileté de se faire confier la mission d'immortaliser dans ses vers les merveilles qu'on était en train de réaliser. Il le rappelle dans *Le Songe* : Oronte-Foucquet avait personnellement « voulu que sa main » entreprît de célébrer les merveilles de Vaux. Personne ne pouvait mépriser ou éconduire celui que le maître des lieux avait personnellement distingué pour cette importante mission. Nul doute que ces années n'aient été les plus heureuses de sa vie.

Il aura beau connaître de plus grands succès, il gardera toujours la nostalgie de ce paradis perdu. Il s'y sentait accordé à son entourage, accepté et admiré d'un milieu qui n'était pas originellement le sien, mais auquel il avait libre accès sans obligation de résidence. On n'y cultivait pas systématiquement l'esprit de sérieux. On y aimait les jeux, les plaisirs et la volupté. On pouvait même y paresser. C'était le seul point faible de ce bonheur. Le poète n'écrivait pas beaucoup. Au point qu'il dut un jour envoyer un « supplément » de pension à Foucquet qui « avait souhaité un plus grand nombre de petits ouvrages que celui qu'il avait reçu ». Oronte-Foucquet honore les Muses, qui le lui rendent bien en travaillant à sa gloire, explique Ariste-Pellisson à Acante-La Fontaine, lequel répond : « Hélas, pour moi, je n'ai rien fait encore. » C'était vrai. Cela fait maintenant six ans qu'il n'a rien publié, et il n'a rien écrit de vraiment publiable. Du « long » ouvrage commandé par Foucquet, il n'a rédigé que quelques fragments. La « pension » qu'il lui fait et les louanges au roi ne sont que bagatelles de circonstance. Le chantier de Vaux symbolise assez bien l'état de son œuvre. Tout y est en gestation, rien n'y est achevé. Mais l'architecte et le jardinier du château ont un plan. Ils savent ce que sera l'œuvre future. Le poète, lui, hésite entre plusieurs directions, sûr de son habileté à s'adapter aux sollicitations extérieures, incertain sur son exigence intérieure. Il n'a pas encore trouvé sa voie. Quoi qu'il écrive, il se met à conter. Il s'y plaît. Mais il n'a pas encore compris qu'il est fait pour conter.

21.
L'impasse

Maintenant que la paix est revenue, le pouvoir cherche à remettre de l'ordre dans les finances publiques. En février 1661, le roi renouvelle les anciens édits contre les usurpations de noblesse : elles permettent d'échapper indûment à l'impôt. En vérifiant systématiquement les titres des familles qui se prétendent nobles, on veut récupérer des contribuables. De grosses amendes sont prévues contre les fraudeurs afin de faire rentrer de l'argent dans les caisses de l'État, désespérément vides malgré les efforts de Foucquet. Précautionneux, La Fontaine fait rayer le titre d'écuyer dont le notaire de Château-Thierry l'a revêtu dans un contrat du 8 mars où il figure entre deux Jannart. Il y représente l'oncle de sa femme. Mais à Reims, les 17 et 18 mars, dans l'échange d'une terre sise à Breuil contre une vigne à Villedommange, puis dans la vente de cette vigne pour 750 livres, il se laisse encore qualifier d'écuyer. Même négligence, le 1er juillet, à Château-Thierry, dans la quittance donnée à l'acquéreur d'une ferme de Marie Héricart à Cergy.

La séparation de 1659 n'empêchait pas l'épouse, même majeure, d'avoir besoin de l'autorisation de son mari pour régler ses affaires. Dans les trois documents, Jean de La Fontaine et Marie ont par suite signé conjointement. Également désireux de faire le point de la situation, ils ont fait calculer le droit et l'avoir de chacun en vue d'une transaction passée le 18 juillet à Château-Thierry. On n'en a pas gardé le texte, mais on sait que, tout compensé, la dette de Jean envers sa femme s'élevait à 18 512 livres. Dès le 15 août

1661, à Paris, il la réduisit à 9 000 livres en lui versant 9 512 livres d'acompte. Le même jour, par acte séparé, elle ratifia le grand échange qu'il avait fait avec Jannart en décembre 1658. Les rapports financiers des deux époux étaient clairement et définitivement éclaircis.

Tout cela s'était fait sous l'autorité de Jannart, chez lequel ils logeaient tous deux, dans l'enclos du Palais de Justice. Même si les La Fontaine étaient quelquefois séparés, notamment quand le poète venait faire sa cour au surintendant, ils continuaient d'habiter légalement sous le même toit et de mener d'assez longues périodes de vie commune. La femme accompagnait parfois le mari dans ses voyages. Ils sont allés ensemble à Reims en mars, et sont venus ensemble chez Jannart au mois d'août. Ils demeuraient unis par la solidarité de leurs intérêts et par la protection de l'oncle de Marie. On jugeait en ce temps-là de tels liens suffisants, et ils suffisaient en effet dans bien des cas. En 1661, les La Fontaine formaient encore un ménage comme les autres.

Cela ne veut pas dire que Jean ait été un mari fidèle. Il a fait tout ce qu'il a pu pour qu'on croie le contraire, se gardant toutefois de confidences précises. Au point qu'on se trouve bien embarrassé pour dire qui a pu succéder à l'abbesse de Mouzon et à la lieutenante de Château-Thierry, ses premières amours illégitimes selon Tallemant. Toute beauté l'émeut et il aime les aventures passagères, fondées sur l'attirance physique plus que sur les sentiments. Il a souvent, malgré femme et enfant, mené la vie de garçon en compagnie de camarades plus jeunes que lui. En novembre 1661, Racine, son cadet de dix-huit ans, est à Uzès chez son oncle, le chanoine Sconin, dans l'espoir d'obtenir un bénéfice ecclésiastique qui lui assurerait les revenus réguliers dont il a grand besoin. Le voilà condamné à l'abstinence. Il l'écrit à son ami en lui rappelant leurs récentes fréquentations quotidiennes. « Je m'étudie, confie-t-il, à vivre un peu plus raisonnablement et à ne me laisser pas emporter à toutes sortes d'objets. » Il ne peut regarder les belles Nîmoises, car on lui a dit d'être aveugle. « Si je ne le puis être tout à fait, confie-t-il, il faut du moins que je sois muet, car, voyez-vous, il faut être régulier avec les réguliers comme j'ai été loup avec vous et avec les autres loups, vos compères. »

Ces loups, dont on ignore l'identité, ressemblent déjà à celui de la fable future : ils préfèrent la liberté et l'irrégularité au confort de la servitude. Mais la lettre de Racine montre clairement que, pour l'instant, cette liberté porte surtout sur la sexualité. Au moment où la littérature chante la souveraineté de la femme et l'esclavage du galant ou du tendre ami, La Fontaine et son groupe se comportent en prédateurs aux dents longues, à l'affût de toutes les conquêtes. Ils ne cultivent point individuellement des sentiments raffinés et compliqués, ils organisent collectivement la chasse aux beautés qui se laissent surprendre.

Leur but n'est pas l'amour, mais le plaisir. Ainsi feront les personnages des Contes. Astolphe n'est pas jaloux des conquêtes de Joconde, ni Joconde de celles d'Astolphe. Ils partagent les mêmes femmes et souvent le même lit, consignant leurs multiples conquêtes dans le même livre, témoin de la fragilité féminine, mais aussi de leur bon appétit et de leur solide puissance virile. Et si d'aventure la jeune fille qu'ils ont cru se réserver les trompe avec un garçon d'écurie, ils sont les premiers à en rire, et lui donnent de quoi se marier. On est à mille lieues de ce qui concourt à valoriser la chasteté des filles et à sacraliser le mariage, à mille lieues aussi des tourments de la passion comme des raffinements de la préciosité. La sexualité est décrite comme une grande force primitive qu'on satisfait sans honte et sans mystère avec des partenaires joyeuses et consentantes. Hommes et femmes oublient pareillement dans l'amour les tabous de la morale sociale et les interdits de la religion, balayés sans crainte et sans scrupule par le goût instinctif de la jouissance physique.

Même dans les textes apprêtés de la « pension poétique » perce souvent une veine gaillarde qui rappelle que la galanterie de la cour du surintendant n'était pas seulement verbale. Les femmes qui entouraient Foucquet n'étaient pas toutes des vertus. Boileau le rappellera bientôt dans un vers demeuré célèbre : « Jamais surintendant ne trouva de cruelles. » Près de lui, La Fontaine trouvait de quoi justifier par l'exemple son goût des amours faciles, peut-être aussi de quoi le satisfaire abondamment.

L'image du loup parmi les loups n'est cependant pas celle qu'il a choisi de privilégier dans ce qu'il écrit en ce temps-là.

Dans *Le Songe de Vaux*, le personnage d'Aminte lui sert à se représenter en amant éconduit. Acante évoque la belle « couchée sur des plants de violettes », le sein quasi découvert. Grande est pour lui la tentation de profiter de cet abandon pour cueillir un baiser sur la bouche de celle qu'il aime. Il y résiste de peur de la fâcher et de détruire lui-même son plaisir en la réveillant. Quand le chant d'un rossignol la tire du sommeil, il doit apaiser sa colère d'avoir été contemplée demi-nue. Il n'en n'obtient rien de plus. « Contentez-vous, si vous le pouvez, de mon amitié, lui dit Aminte, et de mon estime par conséquent, car jamais l'une ne va sans l'autre. » On est presque au pays du Tendre.

Acante a profité de la situation pour entretenir « sérieusement » Aminte de sa « passion » et lui demander si elle y restera toujours insensible. « Sachez, lui répond-elle, que l'Amour est un hôte trop dangereux pour me résoudre à le recevoir. » L'amour détruit la santé et la beauté. La belle s'aime trop pour prendre le risque d'aimer. Mais elle doit rester sur ses gardes. Si l'amour est un hôte dangereux, c'est aussi « un hôte agréable, malgré toutes les peines qu'il peut causer ». C'est pourquoi le fondement de la résistance d'Aminte est ailleurs, dans la crainte de l'opinion publique. « Il n'est pas toujours bienséant à notre sexe d'avoir de l'amour, dit-elle. Voilà le plus grand obstacle que vous ayez, et peut-être que j'aie aussi. — Ah, répond le poète, ne faites point passer une erreur pour une raison. — C'est une erreur, je vous l'avoue, repartit Aminte, mais elle a pris racine dans les esprits, et je n'entreprendrai pas la première de la réformer. »

Tandis que le vrai La Fontaine s'adonne aux plaisirs de l'amour facile, son double ressent finement les délicates émotions que cause la simple vue de la beauté. On l'éconduit aimablement et pour ainsi dire à regret. Aminte n'est pas insensible parce qu'elle ne trouve pas Acante aimable, mais parce qu'elle a peur : peur d'elle, peur d'une expérience inconnue, peur de ce qu'on dira d'elle. Ce rêve pourrait bien être une confidence détournée. Celle d'un La Fontaine amoureux d'une femme qui l'aime, mais qui n'ose pas se laisser emporter par l'amour. Prisonnière des préjugés du temps, elle se dérobe dans l'amitié. Dépité d'être privé des dangereux bonheurs de la passion, il se venge dans les facilités de la débauche.

Il entrevoyait sans déplaisir le temps où il allait enfin être délivré de ses maîtrises. Le duc de Bouillon progressait dans la prise en charge effective de son duché. Le 13 août 1661, un jugement avait fixé les indemnités qu'il devrait payer aux officiers royaux des eaux et forêts de son domaine pour reprendre possession de leurs charges et les attribuer à de nouveaux titulaires de son choix. Celle de La Fontaine, pour sa maîtrise ancienne, s'élevait à 14 000 livres, celle de sa maîtrise triennale à 12 667. Compte tenu de leur prix d'achat, ce n'était pas une mauvaise affaire. Mais ce n'étaient pas de l'argent comptant ni une liberté immédiate. Bouillon devait dégager peu à peu les fonds nécessaires sur les revenus de ses forêts. En attendant d'être remboursés, les fonctionnaires royaux devaient continuer d'exercer leurs fonctions comme précédemment.

La Fontaine gardera la sienne pendant sept ans encore. Dans l'espoir d'en être libéré plus tôt, il avait pourtant commencé à s'en éloigner. On n'a pas retrouvé de pièces signées de sa main entre septembre 1660 et octobre 1661, intervalle tout à fait inhabituel parmi les documents conservés, et d'autant plus remarquable qu'en mars et en juillet, il signait à Château-Thierry pour le besoin de ses affaires particulières. Dans l'acte du 8 mars, en même temps que le titre d'écuyer, il fit rayer par le notaire celui de « capitaine des chasses », signe qu'on le lui avait indûment attribué. Contrairement à l'opinion reçue, il n'avait pas hérité de cette charge en même temps que de la maîtrise ancienne de son père. Bouillon en avait changé le titulaire avant la mort de Charles. Dès novembre 1657, elle était exercée par Jean du Fay, seigneur de Saint-Ouen.

La Fontaine ne regrettait pas de n'avoir pas à assumer cette fonction, qui n'avait rien de réjouissant. En un temps où le droit de chasse était un apanage des nobles, il aurait dû sévir contre des paysans qui, n'ayant pas le droit de protéger eux-mêmes leurs cultures contre les bêtes, étaient quasiment obligés de contrevenir à la loi. Dans « Le Paysan et son Seigneur », il a parlé d'expérience en montrant les ravages que la chasse organisée par le second à la demande du premier a produits dans les terres qu'il fallait protéger d'un simple lièvre. Comme maître des eaux et forêts, le poète veillait au maintien des équilibres naturels, lointain ancêtre de nos modernes écologistes. Comme capitaine des chasses, il eût été le gardien d'un des droits féodaux les plus détestés. Évincé de cette fonction après son père, il essaya vainement de s'en faire indemniser.

La France était en train de changer. Mazarin était mort au début de mars 1661, et le jeune roi avait, à la surprise générale, décidé de se passer de principal ministre. Tous les jours de neuf à onze heures, il tenait un conseil secret. Lionne, Le Tellier et Foucquet en étaient les piliers. Loin d'être amoindrie, la situation du surintendant paraissait renforcée. Il était maintenant admis aux délibérations sur les Affaires étrangères, et, comme le plus ancien conseiller d'État, il avait une sorte de préséance sur ses collègues. Le roi avait besoin de lui, ou plutôt de son crédit, pour faire face à la situation financière déplorable laissée par Mazarin : tous les impôts étaient mangés d'avance jusqu'en mars 1663. Sur sa signature personnelle et sur celle de ses amis, Foucquet emprunta de grosses sommes pour faire face aux dépenses immédiates. Il avait des projets pour assainir les finances, qu'il semblait seul capable de mener à bien. Il pouvait se croire installé pour toujours dans son ministère, prêt à recueillir la succession politique de Mazarin le jour où fléchirait le zèle du roi pour le gouvernement personnel.

Comme tout le monde, La Fontaine pensait son protecteur solidement installé au pouvoir. En juillet, dans des stances à la surintendante « sur la naissance de son dernier fils à Fontainebleau », il fait un bref clin d'œil à la muse gaillarde : l'enfant sait déjà sans se tromper rire à « la plus belle ». Mais, surtout, il célèbre en lui le fils d'un ministre destiné à fonder une dynastie. Un jour, à ce qu'on dit, le nouveau-né sera « du conseil du Dauphin qui va naître ». Il aura la protection du roi : « C'est Jupiter qui règlera sa vie » et lui promet déjà « des biens dignes d'envie, de hauts emplois, des honneurs à foison ». Les poètes se disposent à le louer dans tout l'Univers : « Pour un tel nom, trop petite est l'Europe. » La louange des puissants engendre la démesure et l'hyperbole. Il ne s'agit que de Louis Foucquet, troisième fils d'un surintendant des Finances. Que dirait de plus La Fontaine s'il parlait du Dauphin lui-même ? Il est en train de changer de matière, sinon de manière. Il conserve le ton galant, mais l'applique à des sujets moins ténus. Il ne badine plus sur des riens. Il célèbre avec enjouement l'épopée familiale de son protecteur.

Pour le terme d'été, il hausse encore le ton d'un cran pour chanter celle de la famille royale. « Le zèle que vous avez pour cette maison, écrit-il à Foucquet en lui présentant deux poèmes, me fait espérer que ce terme-ci vous sera plus agréable que pas un autre, et que vous lui accorderez la protection qu'il vous demande. » Vers la fin de mars, on avait appris la grossesse de la reine, qui accouchera d'un Dauphin le 1er novembre. « Je serais coupable, dit le poète, si je me taisais tandis que chacun raisonne sur la qualité du présent qu'elle nous fera. » Le poète a beau vouloir garder un ton familier, comme pour le mariage, il n'arrive pas à évoquer l'avenir du héros à naître sans être largement emporté vers l'éloquence. Curieux mélange dont il saura plus tard tirer parti dans ses fables, mais qui, pour le moment, l'entraîne vers les banalités de la poésie officielle.

Il s'y laisse pleinement emporter dans l'« Ode pour Madame », qui chante le mariage du frère de Louis XIV avec Henriette d'Angleterre. Fille de Charles Ier, décapité par Cromwell, cette princesse avait suivi sa mère qui s'était réfugiée en France, son pays natal. Elle semblait n'avoir pas d'avenir, jusqu'au jour où son frère avait été rappelé sur le trône. Avant de mourir, Mazarin avait alors conclu entre elle et le frère du roi un mariage qui laissait espérer l'alliance anglaise. On l'avait célébré sans faste, en raison du deuil de la Cour, le dernier jour de mars. Quittant son registre habituel, La Fontaine lui a consacré un grand poème en stances malherbiennes. Après un long détour par la galanterie chère à la cour du surintendant, il retrouvait la poésie lyrique, celle qui avait, dit-on, suscité sa vocation. Il s'en est sans doute secrètement réjoui, pensant qu'il revenait enfin à la vraie poésie. Le résultat n'est pas enthousiasmant.

La Fontaine s'était trompé dans la pièce à Mme Foucquet sur la naissance de son dernier-né. En envoyant le terme d'été, il s'en excuse auprès de son mari, qui avait pris la peine de le lui faire remarquer : « J'ai corrigé les derniers vers que vous avez lus et qui ont eu l'honneur de vous plaire ; j'espère que vous les trouverez en meilleur état qu'ils n'étaient. Entre autres fautes, j'y avais mis un deux pour un trois, ce qui est la plus grande rêverie dont un nourrisson du

Parnasse se pût aviser. » Le poète avait cru Louis deuxième fils du surintendant, au lieu de troisième... Sa « bévue » ne vient que de son étourderie, car, dit-il, « je prends trop d'intérêt en tout ce qui regarde votre famille pour ne savoir pas de combien d'Amours et de Grâces elle est composée ». De deux mariages, Foucquet avait alors trois garçons et deux filles.

L'erreur de La Fontaine peut paraître minime. Elle montre que, comme beaucoup de ses contemporains, il ne s'intéressait guère au petit peuple des enfants. A peine se souvenait-il d'avoir lui-même un fils... Mais un poète à gages doit tout savoir de son patron. Si mince soit-elle, la bévue de La Fontaine est la preuve qu'il n'a pas l'âme d'un courtisan, tout entière tournée à prévenir les moindres désirs des puissants. Il fournit à l'heure dite les poèmes promis, et il chante Foucquet et sa famille puisqu'il le faut. Il est trop attaché à sa liberté et à sa « rêverie » pour le faire avec une parfaite attention.

En cet été 1661, La Fontaine est dans une impasse. Obligé de se consacrer au *Songe de Vaux*, puisqu'il a promis de le faire, contraint de célébrer les menus événements de la cour du surintendant au rythme des termes de la « pension poétique », poussé à la poésie officielle par sa situation de secrétaire du Parnasse auprès de Foucquet, il commence à se demander s'il n'a pas fait un marché de dupe, lui à qui toute charge pèse. A quoi bon se délivrer des maîtrises des eaux et forêts si c'est pour se trouver contraint d'écrire sur des sujets dont il n'a pas le libre choix ?

22.

La fête de Vaux

Foucquet avait déjà reçu à Vaux des hôtes de marque, Mazarin et la reine de Suède par exemple, et, le 11 juillet 1661, Monsieur, frère du roi, avec Madame et sa mère, la reine d'Angleterre. Le roi lui-même y était déjà venu, sur le chemin de la frontière espagnole, et tout récemment, en voisin, au cours d'une de ses promenades. La mode était de lui donner des fêtes. Monsieur, Condé, Saint-Aignan lui avaient offert « un régal ». C'était presque une obligation, pour celui qui aspirait à devenir son principal ministre, que de l'inviter à Vaux et de l'y accueillir magnifiquement. Il était entendu que le roi était partout chez lui. Foucquet ne manqua pas de le lui rappeler et de lui offrir son domaine. Bien situé entre Paris et Fontainebleau, Vaux conviendrait parfaitement à Monsieur. Le roi déciderait lui-même de son dédommagement. Foucquet ne regardait pas à l'argent quand il s'agissait de son maître. Pour lui complaire, il venait de vendre à Harlay sa charge de procureur général au parlement de Paris, et il avait donné à Louis XIV le million de livres qui lui en revenait.

Point question de compter pour sa réception à Vaux. Cette fête devait éclipser toutes les autres. On vida les garde-meubles de la résidence parisienne et de Saint-Mandé pour accumuler dans le nouveau château les beaux meubles et les tapisseries destinées à tendre les chambres. Pour le souper, on avait réuni le linge nécessaire pour dresser quatre-vingts tables et une trentaine de buffets, cinq cents douzaines d'assiettes d'argent, trente-six douzaines de plats, un service en or massif. Le Brun et Le Nôtre avaient été réquisitionnés pour décorer les lieux. Molière, Torelli et Beauchamp pour organiser les spectacles. La réception du roi devait être un événement. Elle le fut. La *Gazette* de Loret en répandit aussitôt le détail dans le grand public, avec toutes les louanges d'usage.

La Fontaine, qui assistait à la fête, en fut ébloui comme tout le monde. Il prit sa plume pour la célébrer. Cinq jours plus tard, il en avait déjà achevé le récit. Pour raconter l'entrée de la reine à Paris, il avait employé une lettre en vers libres, précédée d'une brève introduction en prose. Cette fois, il mêle la prose et les vers comme dans *Le Songe de Vaux*, dont cette nouvelle description est une sorte de prolongement : les enchantements qu'il a vus le 11 août dépassent ceux qu'il avait feint de voir en rêve pour décrire le domaine du surintendant. D'autant qu'aux réalités concrètes des repas et des promenades s'ajoutent les spectacles fugitifs des feux d'artifice et des représentations théâtrales. L'alternance de la prose et des vers convient parfaitement à cet enchevêtrement du réel et de l'imaginaire.

La lettre est adressée à Maucroix, le vieil ami de La Fontaine, qui se trouvait à Rome pour le compte de Foucquet. Depuis la mort de Mazarin, la Cour souhaitait améliorer ses relations avec le pape. Foucquet avait plaidé pour l'envoi d'un « particulier », plus libre de ses mouvements que ne l'aurait été un « envoyé ». Louis XIV avait accepté. Recommandé par Pellisson à la suggestion de La Fontaine, Maucroix parut avoir toutes les qualités de l'emploi. Foucquet le convoqua à Paris et lui donna ses directives, qui ne devaient rien avoir d'officiel. Pellisson lui prépara d'amples instructions écrites, mais, sur la recommandation de Le Tellier, ce fut finalement un sieur d'Aubeville qui fut officieusement chargé de sonder les intentions du pape.

Foucquet n'annula pourtant pas le voyage de Maucroix. A défaut de la mission politique initialement prévue, il garda celle de trouver à Rome des antiquités ou des objets de collection : « M. Maucroix s'informera aussi des curiosités et raretés du pays qu'on pourrait envoyer ici. » Certaines devraient intéresser le surintendant et sa femme, les autres servir à « faire de petits présents de temps en temps au roi et aux reines ». Son voyage ainsi justifié, rien n'empêchait le

protégé de Pellisson de surveiller d'Aubeville et de contribuer à la propagande personnelle de Foucquet dans l'entourage pontifical. Il pourrait par exemple, au reçu du récit de
La Fontaine, en répandre le contenu à Rome pour montrer
la magnificence et le crédit du ministre.

La lettre du 11 août n'est une lettre privée que dans ses
premières lignes où l'épistolier remet à une date ultérieure
d'expliquer pourquoi il n'a pas répondu plus tôt à son ami.
Pour cette fois, il ne parlera que du surintendant et de sa
gloire. « On dirait que la Renommée n'est faite que pour lui
seul, tant il lui donne d'affaires tout à la fois. Bien en prend
à cette déesse de ce qu'elle est née avec cent bouches ;
encore n'en a-t-elle pas la moitié de ce qu'il faudrait pour
célébrer dignement un si grand héros. » Manifestement
ébloui par la réussite du ministre, le poète se laisse emporter
par le système si habilement mis en place par son patron que
ses laudateurs n'ont même plus conscience de concourir à
une œuvre de propagande.

Il ne dit rien de ce qui donna à la venue du roi l'allure
d'une conquête militaire. Celui-ci partit de Fontainebleau
comme s'il partait en guerre, escorté par les gardes françaises, tambour battant. Cela avait fort ralenti le voyage. La
reine mère et ses dames en carrosse, Madame en litière, une
suite nombreuse accompagnait Louis XIV. Traversant la
cour d'honneur et le château sans s'y arrêter, les visiteurs
commencèrent par la promenade dans les jardins. Les arbres
étaient encore jeunes, mais on voyait nettement les dessins
des parterres. Il y avait deux cents jets d'eau le long de la
grande allée, plus de mille qui tombaient dans des coquilles
ou des bassins. « Toute la cour, dit La Fontaine, les regarda
avec grand plaisir. » On ne savait ce qu'admirer le plus, de la
Cascade, de la Gerbe, « grosse comme un corps d'homme »,
de la fontaine de la Couronne ou de celle des Animaux.

Le souper n'occupe que trois lignes : « La délicatesse et la
rareté des mets fut grande, mais la grâce avec laquelle le
Surintendant et Mme La Surintendante firent les honneurs
de leur maison le fut encore davantage. » La Fontaine est
pressé d'arriver au spectacle, donné dans un lieu enchan-
teur, « au bas de l'allée de sapins ». « Conçue, faite, apprise et
représentée en quinze jours », la pièce était d'une grande
nouveauté. On voulait, dit l'auteur, donner un ballet et une

comédie, mais « comme il n'y avait qu'un petit nombre choisi de danseurs excellents », on en sépara les entrées afin qu'ils puissent changer de costumes. On les « jeta dans les entractes de la comédie », et « pour ne point rompre la pièce par ces manières d'intermèdes, on s'avisa de les coudre au sujet du mieux que l'on put et de ne faire qu'une chose du ballet et de la comédie ». Sous la pression des circonstances, Molière venait d'inventer la comédie-ballet.

Pellisson en avait écrit le prologue, tout entier à la gloire de Louis XIV. Sortant d'un rocher qui se transformait en coquille, la Béjart, principale actrice de la troupe, ordonnait la métamorphose qui animait la scène. Nymphes, faunes et bacchantes sortaient des arbres et des termes pour danser la première entrée du ballet. La comédie suivait, « dont le sujet est un homme arrêté par toutes sortes de gens » alors qu'il veut « se rendre à une assignation amoureuse ». Entre *L'École des maris* et *L'École des femmes*, moins de deux ans après *Les Précieuses ridicules*, son premier succès à Paris, Molière avait improvisé *Les Fâcheux*. L'intrigue, très lâche, sert de prétexte à une succession de sketches qui mettent en scène des importuns. Mais on y peint les mœurs françaises du temps, non des pays lointains et des personnages imaginaires. Molière fait rire de ses contemporains dont il donne, dira-t-il, des « portraits qui ressemblent ». Il avait dû improviser. Il en a profité pour sortir des sentiers battus.

La Fontaine a beaucoup aimé le spectacle. Il y consacre près de la moitié de sa lettre. Il y loue le prologue, « plus beau », qu'il ne peut le dire, « car il est de la façon / De notre ami Pellisson », et trop louer ses amis serait inconvenant. Il y loue longuement Molière, preuve qu'il n'a pas avec lui les mêmes liens amicaux. Il en constate le succès : il « charme à présent toute la cour ». Il en constate l'originalité : l'auteur a une « manière » à lui. Il a su devancer ou provoquer un changement de goût :

> *Nous avons changé de méthode :*
> *Jodelet n'est plus à la mode,*
> *Et maintenant il ne faut pas*
> *Quitter la nature d'un pas.*

Jodelet, qui venait de mourir en septembre 1660, était le nom d'acteur d'un comédien qui avait triomphé en 1645 dans *Jodelet ou le maître valet*, imité par Scarron de la comédie espagnole. On en avait ensuite repris un peu partout le personnage, que Jodelet jouait en farceur, le visage enfariné. Pour profiter de sa notoriété, Molière l'avait engagé dans sa troupe. En lui confiant dans *Les Précieuses* le rôle d'un valet jouant au vicomte, il avait plus subtilement que Scarron inversé son rôle. Sa démesure y devenait un trait de mœurs.

Rompant avec la farce à l'espagnole comme avec la comédie romanesque, l'auteur des *Fâcheux* partait de l'observation de son temps. C'est ce que La Fontaine appelle « suivre la nature ». Il s'y était lui-même efforcé sans succès au temps de *L'Eunuque*. Il est « ravi » de voir son programme appliqué par un autre : « C'est mon homme », dit-il à Maucroix en lui rappelant qu'ils avaient tous deux, « autrefois », jugé nécessaire de substituer « l'air de Térence » à la bouffonnerie de Plaute. Curieuse conséquence de la fête de Vaux : le poète s'y souvient de son premier idéal, celui qu'il a délaissé pour les galanteries chères à la cour de Foucquet. Si Molière est son homme, c'est qu'il ne se sent pas totalement solidaire des petits jeux littéraires dont l'auteur comique ne cesse de se moquer au nom du naturel. C'est qu'il ne croit pas tout à fait à ce qu'il écrit pour la fameuse « pension poétique ». C'est que sa lettre à Maucroix elle-même doit lui paraître artificielle et vaine par rapport à la comédie et aux grands genres qu'il ne pratique plus.

Les Fâcheux terminés, la fête se poursuivit par un feu d'artifice sur l'eau, aussi beau que celui qui avait accueilli la reine à Paris. Le poète en décrit les jeux de lumières et le bruit, auquel succède celui des tambours, « car le roi voulant s'en retourner à Fontainebleau cette même nuit, les mousquetaires étaient commandés ». On retourne pourtant d'abord au château où une collation est préparée. « Pendant le chemin, lorsqu'on ne s'attendait plus à rien, on vit en un moment le ciel obscurci d'une épouvantable nuée de fusées et de serpentaux. Faut-il dire obscurci ou éclairé ? Cela partait de la lanterne du dôme. » On aurait dit que « tous les astres, grands et petits, étaient descendus en terre ». C'était le bouquet du feu d'artifice.

Curieuse fête et curieuse lettre. La difficulté de la situation fait celle du récit. La Fontaine célèbre la gloire de Foucquet, il l'a dit dès les premières lignes. Mais puisque le roi entend être partout le premier, cette gloire doit toujours rester subordonnée. Il faut donc rapporter toutes les beautés du lieu à leur illustre visiteur : « Je remarquai une chose à quoi peut-être on ne prit pas garde, dit le poète au moment de la promenade : c'est que les nymphes de Vaux eurent toujours les yeux sur le roi; sa bonne mine les ravit toutes. » Vient le temps de la comédie : « Tout combattit à Vaux pour le plaisir du roi : / La musique, les eaux, les lustres, les étoiles. » Pellisson lui consacre tout le prologue de la comédie, et c'est lui qui est censé déclencher la métamorphose sur laquelle il débute. « Étonné » par le feu d'artifice, Neptune aurait craint pour son trône si « le monarque de France » ne l'eût « rassuré par sa présence ». Même le bouquet final n'est pas rapporté à celui qui l'offre, mais à Madame, la belle-sœur de Louis XIV. Ostentatoire dans son principe, la magnificence de Foucquet doit se cacher pour devenir un attribut du roi.

L'opposition n'est pas moins grande entre les deux esthétiques qui animent la fête. L'eau, la lumière et le feu ressortissent au baroque, au mouvement, à la fugacité, à l'artifice. Le milieu naturel est transformé pour le plaisir des yeux et des oreilles en spectacles qui ne durent que le temps d'une visite. Seul le château serait un point d'ancrage solide dans le réel s'il ne semblait à son tour embrasé dans le feu d'artifice. Pour séduire son roi, Foucquet paraît anéantir pour lui tout ce qu'il possède. Mais ce n'est qu'un jeu pour décider à quitte ou double s'il deviendra le principal ministre, comme il l'espère, ou s'il sera bientôt disgracié, comme le lui annoncent certains de ses espions.

La Fontaine vante cette esthétique de la profusion et du jeu. C'est pour cela qu'il écrit sa lettre. « Les décorations furent magnifiques et cela ne se passa point sans machines. » On est aux antipodes du naturel. Et pourtant, paradoxalement, au sein même de l'illusion comique, il découvre la nature chez Molière, et il en fait longuement l'éloge. La pièce commence par un récit : Eraste y raconte les circonstances d'une représentation théâtrale. Un fâcheux s'installant sur la scène l'a empêché d'entendre les acteurs. Il a fini par s'esquiver. On dirait une petite fable montrant que les gênés sont plus mal à l'aise que les gêneurs. *Les Fâcheux* indiquent le chemin d'une poésie où on ne parle pas pour ne rien dire, où la peinture des mœurs est en soi une satire qui oblige l'auditeur à réfléchir. Aux antipodes de ce qu'il pratique depuis trois ou quatre ans, existe un art qui s'inscrit dans la réalité des mœurs du temps. Le monde artificiel de la cour de Foucquet en a détourné La Fontaine. Il devrait y revenir.

Un détail a retenu son attention. Il y revient pour achever sa lettre. Le bruit causé par le feu d'artifice final a effrayé deux chevaux des carrosses de la reine. Ils sont tombés « dans les fossés de Vaux », et puis, « de là, dans l'Achéron ». Ils tirent maintenant aux enfers « la barque de Charon »... Entre le réel et son expression, le poète ne peut s'empêcher d'intercaler sa culture. Ce défenseur du naturel de Molière est aussi un ancien bon élève qui se souvient de ses vieilles leçons. Il en tire des effets de dissonance. Il les aime au point d'oublier, au moment de conclure, la double gloire de Foucquet et de Louis XIV. Il termine sur une conclusion dérisoire : la mort accidentelle de deux chevaux.

Ce n'est pas par inadvertance. Sous couleur de s'en excuser, il en souligne lui-même le caractère saugrenu. « Je ne croyais pas que cette relation dût avoir une fin si tragique et si pitoyable. » Il feint de s'être laissé surprendre par son propre récit. Comme s'il n'en était pas le maître, comme s'il n'avait pas pu passer cette « catastrophe » sous silence! Il lui est décidément impossible de garder son sérieux jusqu'au bout quand il entreprend de célébrer les grandeurs du monde. Le secrétaire des Muses de Vaux garde le goût de l'insolence et de l'insolite. Il a beau être attaché à Foucquet et à sa cour, il continue de penser et de se comporter en original. Malgré la « pension poétique », il demeure un poète marginal.

23.

La chute

Dix-neuf jours après avoir longuement raconté à Maucroix les magnificences de la réception de Louis XIV à Vaux, La Fontaine lui envoie un billet de quelques lignes. Il est « bouleversé » par le « malheur qui vient d'arriver au Surintendant ». Le roi l'a fait arrêter. Il veut sa perte. Il a, dit-il, « entre les mains des pièces qui le feront pendre ». L'opération avait eu lieu moins de trois semaines après la fête, le 5 septembre 1661, à Nantes où Louis XIV et sa Cour s'étaient rendus pour les États de Bretagne. La reine mère et le chancelier attendaient la nouvelle à Fontainebleau. Elle y parvint le 7, à trois heures de l'après-midi, par le courrier qui apportait l'ordre royal de saisir les papiers du ministre et d'apposer les scellés sur toutes ses demeures.

On ne la connut à Paris que le lendemain matin. Un fidèle du surintendant y avait précédé de quelques heures l'envoyé officiel, trop tard pour qu'on pût en tirer parti pour détruire ou mettre à l'abri les documents compromettants. « La nouvelle qui est arrivée ce matin ici de la prison de M. le Surintendant a bien surpris du monde, écrit Berryer, un des commis de Colbert, et n'en a pas autant affligé que l'on eût pu croire. Chacun en parle d'étrange façon. » La fidélité de l'immense clientèle que Foucquet avait cru s'attacher se révélait fragile. La Fronde était finie. Nul ne songeait à s'opposer à la volonté du roi. Beaucoup ne pensaient qu'aux moyens de ne pas être enveloppés dans la disgrâce de leur parent, ami ou protecteur. Louis XIV, en effet, ne s'était pas contenté de frapper Foucquet. Il avait exilé sa femme, ses frères et sa meilleure amie, Mme du Plessis-Bellière. On avait arrêté et enfermé à Nantes son fidèle Pellisson.

Malgré les avertissements donnés à Foucquet par ses informateurs à gages, personne dans son entourage n'avait cru à sa chute. La police saisit sur le chemin de Nantes une lettre rassurante de Mlle de Scudéry : « Le Surintendant a fait des vers charmants ; on le dit mieux en cour que jamais. Ses ennemis font courir force méchants bruits sur les fortifications de Belle-Isle. Mme du Plessis-Bellière sera gouvernante du Dauphin. » Ce qui servira bientôt de base pour accuser le ministre de complot contre la sécurité de l'État est négligemment encadré entre deux preuves de sa faveur. Ses importantes fonctions ne l'empêchent pas de continuer à s'occuper de poésie. On n'ignorait cependant pas qu'il avait des ennemis et que ceux-ci s'activaient contre lui.

A l'accusation d'avoir conspiré contre l'État en fortifiant Belle-Isle pour s'y retirer en cas de danger, s'ajoutait celle d'avoir malhonnêtement géré les finances royales. Foucquet avait profité de sa charge pour s'enrichir dans une foule d'opérations illégales. C'était du moins ce que Colbert répétait au roi pour le perdre. Il avait machiné son arrestation. Au mépris des formes habituelles de la justice, il présida lui-même ou par ses affidés aux saisies et aux inventaires menés sans aucune garantie pour le prévenu. En inventoriant ses papiers, on trouva des lettres de femmes. On parla bientôt de « cassettes » ou de « registres » pleins d'infamies. A ses fautes contre l'État s'ajoutait l'immoralité.

Pour le juger avec les financiers, ses complices, Colbert obtint du roi, en octobre, le principe de la création d'une juridiction exceptionnelle, une chambre de justice dont la mission et la composition seraient à l'entière disposition du pouvoir. Il fallait échapper aux sympathies dont le prisonnier pouvait encore disposer au Parlement, où il avait longtemps été procureur général, et au grand soin de la forme dont se prévalait la vénérable institution. Un édit « portant création et établissement d'une chambre de justice pour la recherche des abus et malversations commis dans les finances depuis 1635 » parut le 15 novembre. On n'y avait réuni que des hommes que l'on pensait décidés d'avance à condamner le prisonnier. Le 3 décembre, elle tint sa séance d'ouverture. Jusqu'en mars suivant, elle n'informa que d'affaires de finances. Comme si elle n'avait pas été créée spécialement pour juger Foucquet.

A Paris, les ennemis de ce dernier triomphaient, particulièrement les gens de lettres qui ne s'étaient pas ralliés à lui au temps de sa gloire. A la marquise de Sévigné qui s'inquiétait des lettres qu'on avait trouvées chez Foucquet, Chapelain répondit le 3 octobre par une longue et sévère diatribe. Non content « de ruiner l'État et de rendre le roi odieux à ses peuples par les charges énormes dont ils étaient accablés », il avait détourné les fonds publics pour ses « dépenses impudentes » et des « acquisitions insolentes » dont il s'était servi pour « se fortifier » contre son maître et lui « débaucher ses sujets et ses domestiques ». Et, « pour surcroît de dérèglement et de crime », il s'était érigé « un trophée des faveurs, ou véritables ou apparentes, de tant de femmes de qualité » en tenant « un registre honteux de la communication qu'il avait avec elles, afin que le naufrage de sa fortune emportât avec lui leur réputation ». Aucun doute, pour Chapelain comme pour beaucoup de Français à ce moment-là : Foucquet n'a pas volé son emprisonnement et le châtiment qui l'attend.

C'est un « misérable » d'une « lâcheté scandaleuse », absolument indigne de la réputation que lui faisaient les écrivains et les poètes de sa cour. « Est-ce, je ne dis pas être honnête homme, comme ses flatteurs, les Scarron, les Pellisson, les Sapho [Mlle de Scudéry], et toute la canaille intéressée l'ont tant prôné, mais homme seulement, de ceux qui ont la moindre lumière et qui ne font pas profession de brutalité ? » La Fontaine, qui n'est pas nommé, a indubitablement appartenu à la troupe des flatteurs stipendiés du surintendant. Il y a même occupé une place privilégiée, puisqu'il lui versait la fameuse « pension poétique » et qu'il a très probablement reçu de l'argent en échange. Les violences de Chapelain contre ses amis montrent dans quel discrédit le chantre de Vaux risquait d'être entraîné avec eux. Elles montrent aussi le climat du moment et combien il était difficile de prendre la défense du prisonnier.

Chez Foucquet, Jean avait trouvé un milieu capable de comprendre un art fait d'allusions et de sous-entendus, avec de perpétuels décalages entre la forme et le fond. Art subtil et si lié aux circonstances que, comme Voiture, il n'avait pas ressenti le besoin d'en publier les produits. Ils étaient peu nombreux. Il s'acquittait chichement de la fameuse pension. Le grand projet du *Songe de Vaux* n'existait qu'à l'état de fragments. L'arrestation du surintendant l'obligea à prendre brusquement conscience qu'il n'avait rien fait d'important. Sans public et sans œuvre, il se trouvait, à quarante ans, obligé de repartir à zéro.

Heureuse obligation, car à y réfléchir, elle l'arrachait à la pente dangereuse de la facilité. Lui qui avait commencé en cherchant à rivaliser avec Térence, et qui s'était introduit chez Foucquet avec un poème héroïque, il n'écrivait plus que sur des riens ou pour flatter les grands. Par amitié pour Pellisson, il avait failli se perdre dans les chemins d'une poésie agréable, mais sans avenir. Certes, tout n'était pas négatif dans l'expérience qui se terminait. Il avait découvert le goût des gens du monde et la nécessité, pour retenir leur attention, de leur offrir des œuvres plaisantes, apparemment faciles. Pellisson avait insisté, dans son *Discours sur Sarasin,* sur l'importance de la facilité : « J'entends, expliquait-il, la facilité que les lecteurs trouvent dans les compositions déjà faites, qui a été souvent pour l'auteur une des plus difficiles choses du monde. »

On n'intéresse les gens de qualité qu'en se mettant à leur portée. Il faut les amuser comme des enfants en leur racontant des histoires. Mme de Sévigné s'est entichée de La Fontaine parce qu'il avait su transformer en récit plaisant sa lettre à l'abbesse de Mouzon. On a aimé ses relations de l'entrée de la reine ou de la fête de Vaux parce qu'elles sont faites légèrement, avec esprit, dans un style dont la facilité travaillée donne l'impression d'entendre sa voix. Quand un texte circulait en copie, c'était après avoir fait l'objet de lectures amicales ou privées à des personnes que le poète connaissait bien. Il composait pour elles, en fonction de leurs probables réactions. Il tenait compte de leurs critiques. L'écriture n'était pas pour lui l'élaboration solitaire d'un texte destiné à un vaste public anonyme. Jean préparait et anticipait les réactions de lecteurs-auditeurs avec qui il avait l'impression de dialoguer. Il va bientôt se révéler un merveilleux conteur. C'est chez Foucquet qu'il a pris l'habitude de « parler » au lieu d'écrire, comme un conteur face à son auditoire.

A en croire le Clitandre de Molière, « du simple bon sens naturel et du commerce de tout le beau monde, on se fait à la cour une manière d'esprit qui, sans comparaison, juge plus finement de toutes choses que tout le savoir enrouillé des pédants ». La Fontaine, qui avait étudié au collège et après sa sortie de l'Oratoire, aurait pu devenir un de ces pédants, ou du moins un de ceux qui ne connaissent rien en dehors de la grande littérature et de ses règles. A la cour du surintendant, il a fréquenté « le beau monde » et s'y est imprégné de cet esprit de finesse qui permet d'adapter intuitivement une œuvre au goût des honnêtes gens. Plus et mieux qu'ailleurs au même moment, il y a trouvé de quoi élargir son horizon culturel.

« Vous savez mon ignorance en matière d'architecture », écrira-t-il bientôt à sa femme pour s'excuser de ne pas lui décrire Richelieu. Il n'a parlé de Vaux que d'après les « mémoires » qu'on lui avait fournis pour la compenser. C'est possible, mais ces mémoires l'ont instruit malgré lui, et aussi la fréquentation des châteaux de Foucquet. On ne peut pas vivre comme si on n'avait point d'yeux. Juste avant Richelieu, il avait vu et aimé le château de Blois, dont il parle avec précision : « Il y a force petites galeries, petites fenêtres, petits balcons, petits ornements, sans régularité et sans ordre; cela fait quelque chose de grand qui plaît assez. » Incapable de dresser le plan d'Amboise, il tente pourtant de définir son originalité : « Ce que je remarquai encore de singulier, ce furent deux tours bâties en terre comme des puits... Je les trouvai bien bâties, et leur structure me plut autant que le reste du château me parut indigne de nous y arrêter. » La Fontaine a appris sur le terrain à regarder les monuments et à les juger selon le plaisir esthétique qu'ils lui donnaient.

On ne fréquente pas sans profit Le Brun, Mansart, Le Vau et beaucoup d'autres. Le poète a confirmé, sinon acquis près d'eux, son goût pour les belles constructions, les beaux jardins, les belles statues et les beaux tableaux. Il introduit dans *Le Songe de Vaux* une réflexion théorique sur les mérites respectifs de l'architecture, de la peinture, du jardinage et de la poésie. Il y mentionne « tout ce qu'ont fait dans Vaux les Le Brun, les Le Nôtre ». Il y rappelle comment, née de la nécessité, l'architecture, avec « ses cinq ordres divers », sait maintenant à son gré faire voir l'éclat et la majesté « ou les charmes divins de la simplicité ». Il y montre les beautés d'une nature domptée par la main de l'homme. Il y vante la puissance de représentation de la peinture, qui transforme les malheurs eux-mêmes en bonheur esthétique. Peu importe son inutilité pratique : « C'est assez de causer du plaisir seulement. » Chez le surintendant, en même temps qu'il s'est formé aux beaux-arts, La Fontaine s'est confirmé dans l'idée que leur but est notre plaisir.

Les réflexions du *Songe* restent abstraites. Pour vanter ses charmes, la peinture évoque, sans le nommer, des paysages qui ressemblent aux marines de Claude Lorrain. Elle mentionne des sujets historiques ou légendaires, des figures allégoriques, l'existence de portraits. Elle n'en donne pas d'exemples que ceux, traditionnels, de Zeuxis et Parrhasios, empruntés à Pline l'Ancien, ou celui, fictif, d'Énée pleurant à Carthage sur les malheurs de Troie. La Fontaine, à ce moment-là, ne s'est pas encore véritablement intéressé à la peinture. Il va le faire quand son ami Maucroix reçoit mission de se lier à Rome avec les peintres et artistes les plus célèbres, comme Poussin ou Bernin, et de se présenter à eux comme un amateur d'art. Par les lettres de son ami, le poète prend conscience de l'intérêt de la peinture italienne et, par un choc en retour, de l'importance de celle qu'il voit autour de lui.

Le récit de la fête donnée à Louis XIV fait à Maucroix un vibrant éloge de Le Brun, auteur à Vaux « d'inventions agréables et belles, / Rival des Raphaëls, successeur des Apelles, / Par qui notre climat ne doit rien au romain ». La Fontaine vit très concrètement l'émulation qui se développe entre la France et l'Italie à travers ses visites à Vaux et les lettres qu'il reçoit de Rome. Au retour de son ami, les conversations succéderont aux lettres. Il admirera bientôt à Richelieu une Vénus « dont, écrit-il à sa femme, M. de Maucroix dit que le Poussin lui a fort parlé ». Chez le surintendant Foucquet, La Fontaine a appris à regarder les merveilles de l'art.

On peut penser qu'il y a aussi découvert les beaux livres, et particulièrement les livres illustrés. La fable, on le sait, s'accompagne volontiers d'une image dont elle est comme l'explication. Elle doit beaucoup aux emblèmes d'Alciat,

dont le poète a dû admirer les gravures dans la riche bibliothèque de Foucquet. Outre les premières éditions des fables
ésopiques, elle contenait peut-être leur traduction, parue en
1651 et superbement illustrée par l'Anglais John Ogilby. Ce
précurseur de La Fontaine y avait non pas traduit, mais
librement imité les anciens fabulistes. A défaut d'en
comprendre le texte, le poète a pu le deviner à partir des
images et songer à écrire lui aussi, un jour, un livre luxueu-
sement édité.

L'arrestation de Foucquet brisa d'un coup des habitudes
chères à La Fontaine parce qu'elles conciliaient sa liberté et
sa vanité de poète privilégié. Il n'était plus le secrétaire des
Muses de Vaux. A cette chute personnelle s'ajoutait celle de
tout un milieu. C'étaient les Muses qui n'avaient plus d'asile.
Car avec le surintendant avait été frappé tout ce qu'il avait
rassemblé autour de lui pour en faire une cour raffinée et
cultivée. Privés de leur Mécène, écrivains et artistes ne perdaient pas seulement tout ou partie de leurs ressources, ils
perdaient l'incomparable avantage d'appartenir à un milieu
éminemment favorable à la vie culturelle. Ils étaient comme
des orphelins condamnés à la dispersion. A moins que
quelqu'un d'autre ne prît soin de les regrouper. Colbert,
peut-être, au nom du roi?

La Fontaine s'était enrichi intellectuellement à la cour de
Foucquet. C'était à lui de faire fructifier cet acquis. A lui
aussi de tirer avantage d'une rupture qui le libérait du
confort sclérosant des situations répétitives. A cet indépendant qui se laissait progressivement domestiquer, elle rendait
une totale liberté. Il avait failli devenir comme le chien; il se
retrouvait comme le loup. Il jura de ne plus se laisser asser-
vir, même dans des liens dorés. Cela n'ôtait rien à son chagrin. L'arrestation du surintendant avait détruit l'équilibre
sur lequel il vivait depuis trois ans. Il aimait plus que tout sa
tranquillité d'esprit. Elle la lui avait ôtée. Il eut du mal à la
retrouver. Une épidémie sévissait. Elle le trouva affaibli. Il
tomba malade comme tout le monde. Comme Racine, en
particulier, qui lui rappelle le 11 novembre qu'ils ont tous
deux été victimes d'une mauvaise fièvre. Le jeune poète
vient de partir pour Uzès. Encore un ami de moins et un peu
plus de solitude pour La Fontaine.

24.

Un provincial très parisien

L'arrestation de Foucquet ne laissait pas La Fontaine sans ressources. Matériellement et socialement, il n'était pas à plaindre. Tant que le duc de Bouillon ne lui en avait pas remboursé le prix, il gardait la jouissance et les revenus de ses deux maîtrises. Décidé à tirer avantage de cette situation, il se retira à Château-Thierry et reprit les fonctions dont il s'était un moment écarté. De septembre à décembre 1661, il donne plusieurs quittances, dont trois au moins concernent les eaux et forêts. L'une d'elles mentionne expressément ses vacations. Il touche 27 livres alors que ses trois collaborateurs en ont chacun 18. Non qu'il ait travaillé plus qu'eux; il était le plus ancien dans le grade le plus élevé. De février à septembre 1662, six documents signés de sa main témoignent de sa présence sur les lieux et de son activité forestière. Il continue d'être payé directement par les adjudicataires sur les ventes de bois. Le 11 juillet, il reçoit 400 livres pour ses gages de l'année échue à la Saint-Jean d'été, à la fin du mois précédent. Il les a touchés sans retard.

Il exerce personnellement ses activités judiciaires. Trois « entrepreneurs de chasse », Antoine Hagu, Pierre Huet et Nicolas Meunié, avaient osé tendre leurs filets à la vue du château, dans la plaine de Château-Thierry. En qualité de tuteur du duc de Bouillon, lésé par cette opération interdite, Guillaume de Lamoignon, premier président du parlement de Paris, présente requête aux maîtres particuliers des eaux et forêts du pays pour être autorisé à appeler les coupables, « à la première assignation de cause ». Ils sont passibles de

300 livres de dommages et intérêts, avec confiscation de leurs filets et « défense à eux de plus entreprendre de chasser dans ladite plaine ni ailleurs ». Faisant droit à la demande, La Fontaine ordonna aux coupables, le 22 février, de comparaître devant son tribunal, avec, en attendant, défense de chasser « à peine de 50 livres d'amende ». On ignore quelle fut la sentence.

Il n'oublie pas le sort du malheureux Foucquet. De Nantes, on avait conduit ce dernier à Angers, puis à Amboise. On l'en extrait le jour de Noël pour l'amener au château de Vincennes. Il y arrive le 31 décembre 1661. Il y est enfermé avec La Vallée, son domestique, et Pecquet, son médecin, tous trois rigoureusement tenus au secret. Il n'a ni papier ni encre ni livres, sauf quelques ouvrages de piété accordés à la fin de janvier. Nulle inculpation officielle. Nul grief officieusement formulé. En mars seulement, il peut à peu près déduire des interrogatoires menés sur place, du 6 au 23, les accusations portées contre lui. Mais il n'a toujours pas le droit d'écrire, de présenter requête, d'avoir un avocat.

Les prémices du procès font cependant parler de lui. On l'avait conspué sur les chemins. On commence à s'apitoyer sur son sort. Malgré le secret de l'instruction, on colporte dans le monde des nouvelles de l'interrogatoire qui tourne, dit-on, très mal pour lui. On le sait accusé de haute trahison pour un projet de résistance, datant de 1657, retrouvé à Saint-Mandé. Il y avait prévu, en cas de disgrâce, de se retirer à Belle-Isle, qu'il avait acheté et fortifié. Il n'avait pu nier l'existence du document, écrit de sa main. Colbert y voyait un crime de lèse-majesté qui méritait la mort et justifiait la procédure d'exception exercée contre son auteur.

Il importait d'agir auprès du roi pour essayer de détourner le coup. D'abord exilée à Limoges, puis à Saintes, la femme de Foucquet avait été autorisée, en mars, à rentrer à Paris. Elle alla le 24 se jeter aux pieds de Louis XIV, qui passa sans rien écouter ni rien dire. Dans la harangue qu'elle avait préparée, elle affirmait renoncer aux arguments de droit qui auraient fait appel à sa justice. Elle ne voulait s'adresser qu'à sa clémence, persuadée en cette occasion de « suivre les sentiments de son mari », qui avait toujours été d'une parfaite soumission. Elle ne demandait pas « une absolution glorieuse », mais une « abolition » qui lui rendrait l'honneur et l'autoriserait à vivre en exil.

L'*Élégie pour M.F. aux Nymphes de Vaux* reprend exactement le même thème. La Fontaine leur demande d'adoucir le cœur du prince : « Du titre de clément, rendez-le ambitieux. » Ne pas se venger est un plaisir de roi : « La plus belle victoire est de vaincre son cœur. » Oronte n'a pas su borner son ambition : « Jamais un favori ne borne sa carrière. » Il a trop aimé le pouvoir et le plaisir de dominer chaque jour une foule de courtisans. Il aurait mieux fait de vivre en simple particulier. A la place de la gloire, il aurait eu « Du repos, du loisir, de l'ombre, du silence,/ Un tranquille sommeil, d'innocents entretiens ». Il s'est trop fié à sa bonne fortune. Ces erreurs ne sont pas des crimes d'État. Elles méritent la clémence. C'est le mot de Mme Foucquet, repris de nouveau pour finir l'élégie :

> Oronte est à présent un objet de clémence;
> S'il a cru les conseils d'une aveugle puissance,
> Il est assez puni par son sort rigoureux;
> Et c'est être innocent que d'être malheureux.

L'*Élégie pour M.F.*, où tout le monde reconnut Foucquet sous le surnom d'Oronte, parut sous forme de pièce volante : trois pages en italique, sans nom d'auteur, sans lieu ni date d'édition. La Fontaine ne la signera qu'en 1671. Mais rares étaient alors les voix qui osaient s'élever en faveur de Foucquet. Même sous le voile de l'anonymat, toujours fragile, ce plaidoyer ne manquait pas de courage. Les anciens flatteurs du surintendant se taisaient, désireux de faire oublier qu'ils avaient été de ses amis. Dans le meilleur cas, ils se contentaient de le plaindre dans leurs lettres privées ou d'aider sa femme en silence. Le poète, au contraire, ajoutait, dans des circonstances difficiles, un nouveau terme à la fameuse « pension poétique »... Elle était d'une tout autre qualité. C'était sa première élégie. Pleine de souffle et d'éloquence, elle n'avait rien à voir avec les délicates platitudes mondaines auxquelles il avait sacrifié pendant trois ans. Ses allusions mythologiques et ses vers gnomiques la rattachaient à la grande tradition, celle de Malherbe et de la Pléiade. En se voyant imprimé, pour la première fois depuis *L'Eunuque*, La Fontaine dut éprouver une curieuse impression. Comme s'il était revenu en arrière, à la source de sa véritable inspiration.

Connue d'abord en copie manuscrite, multipliée ensuite par l'impression, l'*Élégie* venait à son heure, au moment où s'amorçait une campagne pour réhabiliter Foucquet dans l'opinion. A la fin du même mois paraissait un *Discours au roi par un de ses fidèles sujets sur le procès de M. Foucquet*. Il était de Pellisson, qui l'avait rédigé à la Bastille, trompant la surveillance de ses gardiens. « Sire, déclarait-il, Votre Majesté n'est sans doute guère importunée de ceux qui lui parlent aujourd'hui de M. Foucquet, naguère l'objet de l'admiration et de l'envie, maintenant à peine estimé digne de pitié. Tout tremble, tout révère la colère de Votre Majesté. » Il fallait rompre ce silence. A l'inverse de Mme Foucquet et de La Fontaine, il reprenait une à une les accusations pour en montrer l'injustice. Mais, pour conclure, il citait en exemples les pardons d'Henri IV que mentionnait aussi l'*Élégie*. Il exhortait le roi à suivre « les mouvements généreux de son cœur ». Pour « bien représenter en terre le pouvoir de Dieu », il devait aussi imiter sa clémence.

Poèmes ou plaidoyers n'eurent aucun des effets escomptés. Le pouvoir était décidé à sévir. Dans un *Avis* qui prétendait les réfuter, on reproche à leurs auteurs d'avoir voulu profiter du « malheur du surintendant » pour se mettre littérairement en valeur en étalant « la gentillesse de leur esprit... ». On les blâme de « composer des élégies fort inutiles pour le soulagement d'un malheureux qui languit » tandis qu'ils se divertissent « sur le Parnasse de leur propre réputation ». Une critique vise directement La Fontaine : « On vous demande pourquoi, dans votre élégie, vous supprimez le vrai nom de votre ami pour lui appliquer celui d'Oronte. » On l'offense en pensant que son nom « ne correspond pas à la majesté du vers ». On trompe le monde en essayant d'identifier cet homme de robe avec le vaillant guerrier d'un roman de La Calprenède.

En lisant ce pamphlet, La Fontaine se dit que la bataille allait être rude et que rien ne serait épargné à ceux qui tâcheraient d'intervenir en faveur du surintendant déchu. La mode était d'attaquer les financiers. Boileau, dans une première version de sa satire I, s'en prend à la richesse et aux malhonnêtetés des Oronte. En mars 1662, Furetière fait réimprimer, en le signant de son nom, son *Voyage de Mercure*, paru anonymement en 1653. Il y critique violemment, entourés de poètes mercenaires, les traitants dont le train de vie égale ou dépasse celui du roi. Sa récompense est immédiate : le 15 mai suivant, il entre à l'Académie française, apanage du clan colbertiste. En voyant la réussite de son ami de jeunesse et son propre échec littéraire, La Fontaine dut se demander s'il n'avait pas choisi le mauvais camp.

A Racine, que l'espoir d'un canonicat retenait toujours à Uzès, il continuait cependant d'apparaître comme un modèle enviable. La Fontaine lui a écrit, à la fin de juin, « force nouvelles de poésies et surtout de pièces de théâtre ». Rien ne pouvait mieux le consoler de son éloignement. « Je m'imagine même être au beau milieu du Parnasse, lui répond-il le 4 juillet, tant vous décrivez agréablement tout ce qui s'y passe de plus mémorable. » Quelle différence entre leurs sorts ! « J'aurai beau invoquer les Muses, elles sont trop loin pour m'entendre. Elles sont toujours occupées de vous autres, Messieurs de Paris. » De sa lointaine province du Languedoc, Racine envie La Fontaine d'être au centre de l'actualité littéraire. Il a en effet beaucoup de chance de pouvoir, par de rapides et fréquents voyages, concilier la province et Paris.

La Fontaine, dans sa lettre, « portait Racine à faire des vers ». Cela le flatte, mais comment serait-ce possible, si loin du pays de poésie ? « Je n'y ai pas fait assez de voyages pour en retenir le chemin, et ne m'en souvenant plus, qui pourrait m'y remettre en ce pays-ci ? » Il demande cependant à un de ses correspondants, l'abbé Le Vasseur, de faire copier son plus récent poème, *Les Bains de Vénus*, pour le donner à lire à La Fontaine. Il lui écrit parallèlement : « Je vous prie de me renvoyer cette bagatelle des *Bains de Vénus*. Ayez la bonté de me mander ce qu'il vous en semble ; jusque-là, je suspens mon jugement. Je n'ose rien croire bon ou mauvais que vous n'y ayez pensé auparavant. » Pour Racine, malgré la chute de Foucquet, La Fontaine reste un aîné influent et bien informé dont il importe de recueillir l'avis.

Il tient aussi à celui de son épouse. « Je fais la même prière, continue-t-il, à votre académie de Château-Thierry, surtout à Mlle de La Fontaine. Je ne lui demande aucune grâce pour mes ouvrages ; qu'elle les traite rigoureusement, mais qu'elle me fasse au moins celle d'agréer mes respects et mes soumissions. » Racine savait donc qu'il pouvait consulter la femme de son correspondant sur ses vers sans lui paraître ridicule et sans le fâcher. Cela suppose que Jean ne méprisait pas le goût de Marie. En ce temps-là, les deux époux vivaient encore ensemble, gardaient de bons rapports et continuaient à participer tous deux à la vie intellectuelle de leur pays, au sein des réunions de l'académie locale.

La Fontaine n'a toujours pas choisi. Il continue de s'intéresser à la fois à la saison théâtrale de Paris et aux lectures littéraires de l'académie de Château-Thierry. A l'en croire, ses préférences sont depuis toujours pour les muses champêtres. Il aime mieux leurs « antres cois », leurs « chants simples et doux », que « la pompe des villes ». Il se peindra bientôt « dormant, rêvant, allant par la campagne ». Il en est peut-être persuadé, mais pendant ses études parisiennes, puis à l'occasion de ses visites à Saint-Mandé ou à Vaux, il s'est habitué à vivre là où rayonne la culture, là où on peut aller au théâtre, ce théâtre qu'il aime depuis toujours et auquel il a vainement consacré sa première œuvre. La ville aussi a ses attraits. La Fontaine est, en ce temps-là, le plus parisien des provinciaux.

La faveur et la pension de Foucquet l'avaient détourné du soin de ses affaires. Il n'avait toujours pas réglé les dettes envers sa demi-sœur trouvées dans la succession paternelle. Il s'en occupe à la fin de juillet 1663, avec l'aide de Jannart. « Je vous envoie, lui écrit-il de Château-Thierry, copie de la dernière quittance que je retrouve dans mes papiers et qui est du vivant de mon père. » L'original, de 1657, est de la main d'Anne de Jouy, signé de son mari. Comme il ignore si on lui a « donné depuis d'autre argent », il propose à son oncle de lui demander « un mémoire de ce qu'elle prétend être dû de reste ». Elle l'enverra, et Jean retournera à Jannart « le calcul de sa sœur, bien différent du sien ».

Il examine minutieusement pourquoi, dans une lettre du 19 août. C'est qu'elle ne mentionne pas, dans son mémoire, les 400 livres d'une quittance du 2 septembre 1656, peut-être parce qu'elle ne les a pas reçues comme capital, mais en intérêts. Il faudra vérifier les termes de la quittance, restée entre les mains de Jannart. Autre cause de la différence : Jean n'a pas calculé les intérêts au fur et à mesure, mais globalement « jusqu'à présent ». Il n'a pas tenu compte des intérêts d'intérêts. Sa sœur pourrait donc avoir raison sur ce point, encore qu'elle ait fait « une erreur de 240 livres ou environ ». Il a pris soin de la marquer en marge de son mémoire. Cela « vaut bien la peine » de tout recalculer minutieusement. Lui-même ne peut le faire, car il ne dispose pas « en ce pays-ci » d'une table d'intérêts composés. Il demande à son oncle d'y faire procéder.

Le 19 août, il lui écrit de Reims où on lui a transmis ses lettres. Il ne rentrera pas chez lui avant trois ou quatre jours. « Je ne puis aller à Paris de plus d'un mois, dit-il, et ne m'y crois nullement nécessaire. » Ses fonctions, sa maison, la présence de son ami Maucroix à Reims continuent de l'enraciner dans son pays. Il est heureux que son oncle puisse régler ses affaires parisiennes à sa place. « Ma sœur me mande qu'elle a fort affaire d'argent ; c'est à vous de prendre votre commodité. » Le manque d'argent est le grand point commun au poète et à sa demi-sœur. Jannart est leur banquier, qui paiera au nom de Jean quand il aura des fonds. L'affaire traînera. C'est seulement en mars 1663 qu'Anne de Jouy donnera quittance à son frère de 4 875 livres à valoir sur ce qu'il lui doit encore.

Pour le moment, malgré l'arrestation de Foucquet et son remplacement préalable par Harlay, Jacques Jannart conserve ses fonctions de substitut du procureur général au parlement de Paris. Il y garde aussi son crédit. La Fontaine lui demande de ne pas s'en servir dans l'affaire d'un certain Mornival, dont la fille s'est mariée sans le consentement de son père. Il a obtenu un arrêt contre elle, et elle veut obtenir des défenses contre cet arrêt. « Comme vous ne savez pas qui a le droit et qui a le tort, le plus court est de ne vous en point mêler, et je vous en prie. » Le poète n'a aucune envie de voler au secours de l'amour contre la tyrannie paternelle. Il agit en notable, veillant à ce qu'on n'entrave pas l'action judiciaire d'un autre notable. Les lettres qui suivent la chute de Foucquet ressemblent à s'y méprendre, par leur ton et leur contenu, à celles qu'il écrivait au même Jannart en 1658-1659, dans le temps qui suivit la mort de son père, quand il disait fièrement et à demi faussement, dans sa première épître admirée chez Foucquet « Je suis un homme de Champagne. »

25.

Une imprudente fidélité?

Le 23 août 1663, La Fontaine quittait Paris pour Limoges en compagnie de son oncle. Les ennemis du surintendant, diront ses *Défenses*, « ont fait expédier des ordres souverains » contre Jannart, « en vertu desquels il a été arraché de la fonction de sa charge et exilé à plus de cent lieues et relégué dans un pays rude », où il s'est retrouvé « sans habitude et sans consolation ». Son crime était d'avoir conseillé de « conserver la preuve des abus commis à Vaux », notamment la présence illégale, lors de l'inventaire du château, de Colbert et de ses affidés, qui avaient emporté avec eux, sous couvert de secret d'État, toutes les pièces qu'ils avaient voulu.

Ce conseil n'était pas la seule raison de l'exil de Jannart. Au retour de Mme Foucquet à Paris, en mars de l'année précédente, il avait demandé et obtenu, « par une générosité qui devrait être estimée de mes ennemis mêmes », dira Foucquet, d'être avocat de sa femme, jusque-là « dénuée de conseil ». Il avait très probablement rédigé sa requête au roi du mois de mars, de même qu'en juillet, une supplique collective de la mère, de la femme et de la fille aînée de l'accusé. Elle dénonçait la création, pour le juger, d'une juridiction d'exception comprenant plusieurs magistrats qui lui étaient notoirement hostiles. En août, enfin, Mme Foucquet, protestant contre l'arrêt du Conseil qui venait d'affirmer la compétence de la chambre, osait dénoncer nommément le ministre : « Ce qui va étonner Paris, la France, l'Europe, c'est que Colbert ait eu la hardiesse d'assister au conseil, lui, adversaire déclaré du surintendant qu'il a voué à la mort. » Une telle phrase, que Jannart avait forcément approuvée, sinon écrite, le désignait à la vindicte de celui qu'elle prétendait dénoncer.

En septembre, les amis de Foucquet obtinrent une notable satisfaction. Grâce à la voix prépondérante du président Lamoignon, la Cour mit fin au secret dans lequel on le tenait, lui accordant un conseil, la communication des pièces du procès et la faculté d'écrire librement. Il prit deux avocats, qu'il souhaita assistés de trois experts, deux en matière financière, un en matière de procédure : Jannart. On lui refusa les experts, mais, à partir d'octobre, il put communiquer avec eux par le moyen de ses avocats. Mécontent de cette évolution, le roi convoqua Lamoignon et l'invita à laisser la place au chancelier Séguier, qui n'avait pas les mêmes scrupules. On décida qu'après le 29 décembre, Foucquet n'aurait plus le droit de présenter ses objections. Comme on avait omis de lui signifier l'acte d'accusation, il était bien en peine d'en faire.

Avec l'aide de ses avocats, il put tout juste apprendre l'état de son affaire. Il se mit aussitôt au travail, rédigeant fin novembre des *Remarques* sur les illégalités commises lors des inventaires, puis, en décembre, des *Mémoires* sur la façon dont on s'était comporté envers lui depuis son arrestation. C'étaient les premières pièces de ses fameuses *Défenses*. Imprimées clandestinement à Montreuil-sous-Bois par les soins de Mme Foucquet, elles allaient désormais copieusement circuler sous le manteau. Jannart, qui avait largement participé à leur rédaction, veillait à leur diffusion. En cette fin de 1662 commençait la bataille décisive entre partisans et adversaires de Foucquet.

La Fontaine y prit part en écrivant à ce moment-là une *Ode au roi*, belle pièce d'éloquence, toute malherbienne de ton et de facture. Il y implore de nouveau la clémence du souverain, cette Clémence, « fille des dieux », dont César a goûté la douceur en pardonnant aux vaincus de Pharsale. On pourrait plaider non coupable, rappeler les mérites d'Oronte, sa passion pour le service du roi. On se contentera de demander en grâce de lui laisser la vie : « Accorde-nous les faibles restes / De ses jours tristes et funestes. » Un grand roi doit savoir se montrer aussi débonnaire à l'intérieur de son royaume que redoutable à l'extérieur : « Les étrangers te doivent craindre ; / Tes sujets te veulent aimer. » Comme dans l'*Élégie aux Nymphes de Vaux*, La Fontaine en appelait au cœur du roi. On pourrait justifier l'accusé. Il s'y refuse. « Mais si tu crois qu'il est coupable, / Il ne veut point être innocent. »

Affirmation contestable. Foucquet et ses amis, dont Jannart, ont au contraire déjà rédigé deux libelles pour l'innocenter. En janvier, ils en diffusent un troisième, ses *Défenses sur tous les points de mon procès que j'aurais à proposer si j'étais devant mon juge naturel*. Puisqu'au mépris du droit on ne lui a point signifié l'acte d'accusation, il en a établi un lui-même, à partir de ses interrogatoires, pour en réfuter tous les chefs un à un.

On pourrait croire qu'en faisant appel à la seule clémence, le poète a fait fausse route, mal informé des sentiments de son ancien patron. Il n'en est rien. L'accusé avait adopté une double ligne de conduite. Puisqu'on allait le juger, il préparait soigneusement sa défense, récusant le tribunal et plaidant non coupable en dénonçant Colbert, qui avait monté toute l'affaire. C'était celui-ci qui, en détournant illégalement une partie de ses papiers, avait trompé le roi, auquel le prisonnier gardait sa confiance et son affection. Au tout début de février, le jour de la Chandeleur, juste après la diffusion de la troisième *Défense*, Mme Foucquet présenta de son côté une supplique au roi. Elle l'y conjurait, au nom de la Vierge Marie, par les grâces qu'il en avait reçues et qu'il en attendait, « de lui accorder la vie de son mari ». Il faut donc distinguer les rôles : les uns se placent sur le plan du droit pour prouver l'innocence de Foucquet contre Colbert ; les autres s'adressent à Louis XIV pour le toucher en invoquant sa clémence ou sa piété. L'*Ode au roi* n'est pas due à l'initiative personnelle d'un poète naïf qui vient spontanément affirmer sa fidélité. Par sa date et par son thème, elle s'inscrit dans un plan d'ensemble.

Comme les autres libelles, elle est moins destinée à son destinataire désigné qu'à l'opinion. C'est le poète lui-même qui le dit dans une lettre à Foucquet du 30 janvier 1663, où il discute son avis : « Quant à ce que vous trouvez de trop poétique pour pouvoir plaire à notre monarque, je le puis changer en cas que l'on lui présente mon ode ; ce que je n'ai jamais prétendu. » Foucquet dispose auprès de Louis XIV d'autres solliciteurs plus puissants que les Muses. La Fontaine n'a écrit que pour ses confrères en poésie. « J'ai donc composé cette ode à la considération du Parnasse. Vous savez assez quel intérêt il prend à tout ce qui vous touche. » Et c'est pour intéresser ce public qu'il a utilisé les « traits » qui ont choqué Foucquet, mais qui « font valoir les ouvrages de cette nature » auprès des poètes. L'*Ode au roi* avait donc une mission très précise : battre le rappel des pensionnés du surintendant et les inciter à peser, eux aussi, sur l'opinion en faveur du malheureux prisonnier.

La Fontaine dialogue avec lui aussi familièrement que s'il était encore au temps de la « pension poétique ». Foucquet lui avait conseillé de supprimer le passage où il invitait le roi à réserver son courroux pour Rome. Il ignore en effet qu'en août 1662, l'ambassadeur de France, le duc de Créqui, a été maltraité par les gardes corses du pape. Ses gardiens font trop bien leur travail... Il prétend que le poète n'aurait pas dû utiliser l'exemple de la clémence de César. « Étant chez les Anciens », il risque de ne pas être « assez connu ». Erreur, répond La Fontaine : « Cela pourrait arriver sans le jour que les écrivains lui ont donné. Ils ne manquent jamais de l'alléguer en pareille occasion. » Puisqu'il avait déjà utilisé celui d'Henri IV dans son *Élégie*, il ne pouvait trouver, pour son ode, un meilleur modèle que le « plus grand personnage de l'Antiquité ».

Curieuse lettre et curieuse situation. Foucquet, dans sa prison, a pris soin de lire et de commenter minutieusement le texte du poète comme il le faisait naguère au milieu de ses charges ministérielles. La Fontaine lui répond point par point, défendant une conception de la poésie plus élevée, moins mondaine, admettant les « traits » et les références à l'Antiquité. Les réticences du surintendant montrent à quel point, pour lui complaire, il avait dû couper les ailes de son inspiration et écrire dans un style simple, sans références culturelles originales, pour un public qui aimait les œuvres faciles. Maintenant qu'il est libre, il revient à Malherbe, dont les traits le justifient. Il « en est plein, même aux endroits où il parle au roi ». Le poète cherche un équilibre entre les exigences de ses maîtres et l'attente de son public mondain.

Foucquet lui avait reproché de « demander trop basse-

ment une chose qu'on doit mépriser ». Noble pensée, digne
d'une grande âme, répond-il. « Mais peut-être n'avez-vous
pas considéré que c'est moi qui parle, moi qui demande une
grâce qui nous est plus chère qu'à vous. » Il a donc parfaitement le droit de se servir des termes les plus humbles et les
plus pathétiques. S'il en venait à l'introduire lui-même « sur
la scène », il lui prêterait alors « des paroles convenables à la
grandeur de son âme ». La Fontaine, qui aime tant le
théâtre, songe-t-il à écrire une pièce sur la chute du surintendant ? Ou bien envisage-t-il seulement la possibilité d'un
poème où il le ferait parler ? Comment le savoir ? Ce n'est
pas lui, mais Mme de Villedieu qui donnera plus tard, en
avril 1665, une pièce appelée *Le Favori*, dont le sujet rappellera la chute de Foucquet. Malgré ses projets, La Fontaine
n'écrira plus rien pour le prisonnier. Peut-être parce qu'il
sera lui-même bientôt en exil.

La chambre de justice continuait de travailler au procès. A
la fin de mai, on l'installa à l'Arsenal, et le prisonnier à la
Bastille. Fruit de l'exemple de La Fontaine ? Un long
poème latin parut en faveur de Foucquet, puis une belle élégie, attribuée faussement à Pellisson. Les *Défenses* commençaient à influencer l'opinion. On dénonçait l'injustice de la
procédure. Naguère ennemis du surintendant et souvent
poursuivis par lui, les jansénistes soutenaient la cause de
cette nouvelle victime d'un pouvoir arbitraire. Pour confirmer le public dans ses dispositions favorables, au moment où
le tribunal déposait ses chefs d'accusation définitifs, réduits
à neuf, on publia, au début de juillet, un nouveau volume
dans lequel le prisonnier prétendait « faire voir à tout le
royaume que, de ces neuf, il y en a plus de la moitié qui sont
faux et supposés, et que les autres ne prouvent rien ».

Il n'avait évidemment pas travaillé seul. Jannart, une fois
de plus, l'avait secondé sous couleur de secourir sa femme.
Le pouvoir décida de l'écarter. Il n'invoqua pas les libelles
parus en faveur de l'accusé, mais des raisons plus avouables,
fournies par l'instruction du procès. Homme de confiance
de Foucquet, Jannart figurait en bonne place dans le fameux
« plan de défense » trouvé à Saint-Mandé. Il tombait sous le
coup de l'accusation de lèse-majesté. En outre, à deux
reprises au moins, il avait servi de prête-nom à son ancien
patron pour des opérations d'une régularité douteuse :

l'acquisition d'une terre, puis de « cinq maisons et un jeu de paume sis dans la rue des vieux Augustins ». Il était donc complice de péculat. On aurait pu l'inculper. On se montra clément en se contentant de l'exiler.

La Fontaine était du voyage. « Nous partîmes de Paris le 23 courant, écrit-il en août, après que M. Jannart eut reçu les condoléances de quantité de personnes de condition et de ses amis. » Point de condoléances pour le poète, qui partait librement et pouvait revenir dans la capitale dès qu'il le voudrait. Il partait pour accompagner son oncle et alléger sa peine en attendant qu'il eût fait de nouvelles connaissances et pris de nouvelles habitudes. « La fantaisie de voyager m'était entrée quelque temps auparavant dans l'esprit, dit-il, comme si j'eusse eu des pressentiments de l'ordre du roi. » Phrase ambiguë, puisqu'elle ne précise point si ces ordres concernaient seulement Jannart, ou s'ils le visaient aussi. La Fontaine n'a rien voulu dire qui permette de trancher absolument. Le plaisir des demi-confidences est un trait de son caractère. Il aime intriguer son lecteur.

L'examen de la situation décide en faveur d'un exil volontaire. Il n'y a en effet rien de comparable, pour le pouvoir, entre un magistrat chevronné comme Jannart, pourvu d'une des plus importantes charges de justice, et un avocat qui n'exerce pas, comme La Fontaine. C'est Jannart qui connaît les dossiers du surintendant, avec lequel il a travaillé si longtemps, non le chantre de Vaux. C'est Jannart qui a fait procéder à Saint-Mandé au constat d'irrégularités dans les inventaires, non l'auteur affolé du billet à Maucroix. C'est Jannart, seul cité dans les volumes des *Défenses* de Foucquet, qui était un obstacle pour les ennemis du surintendant, non le paresseux La Fontaine.

Même aux yeux d'un pouvoir absolu, son *Élégie* et son *Ode* ne constituent pas des délits. Tout sujet a le droit d'invoquer et de célébrer la clémence du souverain. Le poète n'a rien fait d'autre. Il ne s'est pas, comme les *Défenses*, placé sur le terrain dangereux de la justice, mais sur celui de la miséricorde. Ainsi faisait Mme Foucquet, et on ne l'a pas exilée avant la fin du procès. Pour faire de La Fontaine un adversaire que Colbert ou le roi aurait décidé d'abattre, il faudrait supposer qu'il ait contribué, aux côtés de son oncle, à la rédaction des *Défenses*, à leur impression et à leur diffusion.

C'est d'autant moins probable qu'il passait le plus clair de son temps à Château-Thierry, près de sa femme et de ses amis provinciaux. Tout bien considéré, c'est sans doute sa décision d'accompagner son oncle qui l'a le plus compromis. Son départ a pu être interprété comme un acte d'opposition ou comme l'aveu d'une complicité. On ne lui en a pas voulu, puisqu'on l'a laissé revenir sans tarder.

Preuve décisive que La Fontaine n'était pas compris dans l'ordre d'exil de Jannart : il est en effet rentré seul, et vite. Dès le 12 novembre 1663, il est de retour à Château-Thierry, puisqu'il y signe, pour approbation, une demande de bois formulée par René Lemblet, son maître-sergent et garde-marteau de la forêt de Wassy. Il a repris ses fonctions forestières. Cela ne veut pas dire qu'on ne l'avait pas à l'œil. On connaissait sa fidélité envers le surintendant déchu. On savait qu'il ne la dissimulait pas. On connaissait également sa parenté avec Jannart. On devinait son hostilité à Colbert. Tout cela méritait un peu de surveillance, peut-être même de discrets conseils de prudence. Mais on ne craignait rien d'un homme qui n'était ni un juriste ni un pamphlétaire. Pourquoi redouter un écrivain de quarante-deux ans qui n'avait pas encore trouvé sa voie ?

26.

Le voyage en Limousin

La Fontaine chemine vers Limoges. C'est la seule fois, pendant toute sa vie, qu'on peut le suivre quasi quotidiennement à travers les six lettres qu'il a datées au long du chemin. Le samedi 25 août, il écrit de Clamart, chez une parente de son oncle. Il a quitté Paris avec lui le jeudi 23. Signe du caractère forcé du départ, le lieutenant criminel y préside, ouvrant généreusement sa bourse aux voyageurs pour subvenir à leurs besoins. Voisins et amis viennent leur dire leurs condoléances. C'est une procession « de gens abattus et tombés des nues ». Les larmes coulent. Jean ne pleure pas. Voilà de quoi lui établir une « grande réputation de constance », vertu suprême des stoïciens.

Le départ est précipité : les visiteurs, sinon, n'auraient pas été si surpris, et le lieutenant criminel ne se serait pas soucié de fournir de l'argent à Jannart. On a voulu qu'il parte de Paris sur-le-champ. La preuve en est qu'il reste deux jours à Clamart, jusqu'au dimanche 26, jour du passage à Bourg-la-Reine de la diligence de Poitiers. On n'a même pas attendu qu'il la prenne à son point de départ. Mme Jannart avait jusque-là accompagné son mari. « Il fallut à la fin que l'oncle et la tante se séparassent; les derniers adieux furent fort tendres, et l'eussent été beaucoup davantage si le cocher nous eût donné le loisir de les achever. » Il avait trois heures de retard et voulait rattraper le temps perdu. Dans la voiture se trouvait un « valet de pied » – nous dirions un garde – destiné à accompagner les voyageurs jusqu'à destination. Il s'appelait M. de Châteauneuf et se montrait le moins pesant possible.

On s'arrête pour déjeuner à Châtres, aujourd'hui Arpajon, ville qui appartient, note La Fontaine, à un haut fonctionnaire de son administration, un grand maître des eaux et forêts. On fait étape à Etampes, à 50 kilomètres de Paris. Le lendemain, on traverse la Beauce et on arrive à Orléans après un monotone voyage de 80 kilomètres. Les jours sont longs, et le poète a le temps d'aller admirer le coucher du soleil sur la Loire en compagnie de Châteauneuf. On soupe, on dort. On longe le versant sud du fleuve jusqu'à Amboise. L'auteur y date sa seconde lettre, du 30 août, mais ne racontera cette suite du voyage que dans une troisième, du 3 septembre, à Richelieu. Le 28 août, en partant d'Orléans, il a vu la Sologne, « moins fertile que le Vendômois ». On a déjeuné à Cléry (27 kilomètres). Puis on est allés à Saint-Dié, « qui est le gîte ordinaire », à 16 kilomètres seulement. Comme c'était un « chemin agréable et bordé de haies », La Fontaine a fait « une partie de la traite à pied ».

On part très tôt le lendemain matin. « Il n'était quasi que huit heures quand nous nous trouvâmes vis-à-vis de Blois, rien que la Loire entre deux. » On la franchit pour gagner la ville. La Fontaine et le garde y font un très bon petit déjeuner avant d'aller voir le célèbre château. Ils n'ont pas le temps d'en visiter l'intérieur. On déjeune largement et on s'en va. « Beau temps, beau pays, beau chemin », la route suit la levée qui borde la Loire à travers d'agréables coteaux boisés. On arrive le mardi 29 août « d'assez bonne heure » à Amboise, 28 kilomètres plus loin. Le poète y poste le lendemain matin sa seconde lettre, qui raconte le voyage jusqu'à Orléans.

C'est seulement dans sa quatrième lettre, du 5 septembre, à Châtellerault, qu'il annonce son arrivée à Amboise. Il y fait « un fort mauvais temps », et il passe « le reste du jour à voir le château ». Il y pense au « pauvre M. Foucquet » qui y avait été enfermé près de deux mois aussitôt après son arrestation. Il n'a pas pu y jouir du superbe panorama que découvre La Fontaine sur « la côte la plus riante et la mieux diversifiée » qu'il ait encore vue. « On avait bouché toutes les fenêtres de sa chambre et on n'y avait laissé qu'un trou par le haut. » Il demanda à voir les lieux : « triste plaisir ! »

Comme le soldat qui l'y conduisit n'en avait pas la clé, il demeura « longtemps à considérer la porte » et se fit conter « la manière dont le prisonnier était gardé ». Seule la nuit l'arracha à ce spectacle et à ses pensées. « Il fallut enfin retourner à l'hôtellerie », y dîner et y coucher.

Le lendemain 30 août, on quitte la Loire pour descendre vers Châtellerault. La Fontaine ne dit rien de l'hôtellerie où il loge après avoir passé l'Indre, sauf qu'elle est mal fréquentée. Une troupe de bohémiens y débarque en même temps que la diligence. Rien non plus de l'étape suivante, à un « Montels » qui doit être en fait Monbazon. Il dit avoir traversé quatre rivières, l'Indre, le Cher, la Creuse et la Vienne, qu'il cite dans cet ordre en prétendant avoir d'abord rencontré l'Indre. Il se trompe. Il a nécessairement traversé en premier le Cher. Il se perd un peu dans cette partie de son voyage. D'après les éléments de datation qu'il donne, pour aller de Blois à Port-de-Pilles, la voiture aurait mis quatre jours. C'est beaucoup pour faire si peu de kilomètres. Elle continuait vers Poitiers. Son oncle et lui la quittent, toujours flanqués du garde, pour se diriger vers Limoges.

Le cardinal de Richelieu avait donné son nom à une ville qu'il avait fait construire géométriquement. Vide d'habitants, c'était un modèle d'urbanisme. Elle attirait beaucoup de touristes. « Les Allemands, dit La Fontaine, se détournent de plusieurs journées pour la voir. » Comme elle n'est qu'à cinq lieues (20 kilomètres) de Port-de-Pilles, La Fontaine souhaite faire le détour. « M. de Châteauneuf, qui connaissait le pays, s'offrit de m'accompagner. Je le pris au mot. » Le garde laissa donc Jannart seul, qui emprunta la diligence pour aller « coucher à Châtellerault, où nous nous promîmes de nous rendre le lendemain de grand matin ». La Fontaine et son compagnon louent des chevaux et un guide, qu'ils prennent alternativement en croupe pour être sûrs de ne pas se perdre en chemin.

Ils commencent par la visite du château, qu'ils quittent à la nuit tombée. Ils vont à la ville pour dîner et coucher. On est le samedi 1er septembre. Le voyageur a entièrement consacré sa première lettre de Limoges, du 12, à une longue description du château. De la ville, presque rien : il n'a pas eu le temps de la visiter, ayant dû partir tôt le matin. Si tôt (« devant que l'Aurore fût éveillée ») qu'il a trouvé les portes encore closes.

On réveille le sénéchal, qui avait ordonné de les maintenir fermées de peur qu'on ne vienne forcer la prison pour en sortir des assassins. Châteauneuf fait ouvrir les portes. On arrive finalement de bonne heure à Châtellerault.

La sixième lettre, datée du 19 à Limoges, racontera la suite et fin du voyage. Contrairement aux prévisions, La Fontaine n'a pas repris immédiatement la route avec la diligence. Il a trouvé Jannart « en maison d'ami ». Pour le retenir chez lui, l'hôte promet de fournir des chevaux à tout le monde. « Nous accordâmes à cet ami un jour seulement. Ce n'est pas qu'il ne dépendît de nous de lui en accorder davantage, M. de Châteauneuf étant honnête homme... Mais nous jugeâmes qu'il valait mieux obéir ponctuellement aux ordres du roi. » L'hôte régale les voyageurs avec d'excellentes carpes de la Vienne (« elles sont petites quand elles n'ont qu'une demi-aune ») et des « melons que le maître du logis méprisait », mais qui semblèrent excellents au poète.

Le lendemain, on prolongea le séjour jusqu'au déjeuner. On resta même si longtemps à table qu'on gagna seulement Chauvigny, à 16 kilomètres, « misérable gîte où commencent les mauvais chemins et l'odeur des aulx, deux propriétés qui distinguent le Limousin des autres provinces du monde ». La Fontaine est de mauvaise humeur. On fit 54 kilomètres le jour suivant, jusqu'à Bellac, dernier arrêt avant Limoges, 40 kilomètres plus loin. Châteauneuf, « qui avait entrepris de nous guider ce jour-là, s'informa tant des chemins que cela ne servît pas peu à lui faire prendre les plus longs et les plus mauvais ». On s'égara copieusement. Heureusement, l'étape était courte. Sa mission accomplie, le garde rejoignit Paris dès le lendemain par « la voie du messager à cheval ».

Les voyageurs sont arrivés au lieu de leur retraite le 7. « Cela mérite une lettre entière. » Elle ne nous est pas parvenue. A moins que La Fontaine ne l'ait jamais écrite. « En attendant », il achève celle du 19. Il est « assez bien » à Limoges, et son oncle « encore mieux, vu les témoignages d'estime et de bienveillance que chacun lui rend », notamment l'évêque, un oncle du mari de Mme de La Fayette. « C'est un prélat qui a toutes les belles qualités que vous sauriez imaginer; splendide surtout, et qui tient la meilleure table du Limousin. Il vit en grand seigneur et l'est en effet. »

Malgré la mauvaise réputation qu'on leur a faite, « les gens de Limoges » sont « aussi fins et aussi polis que le peuple de France ». Cela ne veut pas dire que La Fontaine soit à son aise avec eux : « Leurs coutumes, façons de vivre, occupations, compliments surtout ne me plaisent point. » On n'exile pas par hasard les gens dans ce pays-là, mais pour qu'ils s'y sentent dépaysés.

Le poète a mis quatorze jours pour franchir les quatre cents kilomètres séparant Paris de Limoges. Les six lettres de son voyage s'échelonnent sur plus de trois semaines, du 25 août au 19 septembre, toutes décalées, sauf la première, par rapport aux lieux et dates de ce qu'elles rapportent. La Fontaine ne raconte son installation à Limoges que douze jours après y être arrivé. Il y est déjà depuis cinq jours quand il en date une lettre qui ne parle que de Richelieu. Son correspondant doit être patient... Sa femme a dû se dire qu'il ne se pressait guère de lui donner de ses nouvelles! En fait, ces décalages sont un signe. Ces lettres ne sont pas de vraies lettres, griffonnées en toute hâte à l'étape et envoyées aussitôt sans corrections ni retouches au rythme des courriers pour Château-Thierry, via Paris. Elles en sont une imitation.

La Fontaine, pour faire vrai, n'oublie pas de se montrer en train d'écrire. Il a daté sa troisième lettre de Richelieu, parce qu'il l'y a achevée. « Voyez l'obligation que vous m'avez, dit-il à sa correspondante; il ne s'en faut pas d'un quart d'heure qu'il ne soit minuit, et nous devons nous lever demain avant le soleil. » Dans la sixième lettre, il lui raconte son départ matinal, « las » pour « s'être amusé à lui écrire au lieu de dormir ». Il cherche à donner l'impression de dépendre des aléas de son voyage. Avec leurs dates et lieux d'expédition, les lettres ont l'air d'avoir réellement été envoyées par La Fontaine à sa femme au long du chemin. Elles sont en fait une reconstruction littéraire, soigneusement adaptée au goût d'un très large public. Car, au fil des étapes, dans la bousculade et le manque de confort, on n'écrit pas des lettres si longues, si bien composées, si subtilement découpées, si agréablement mêlées de vers.

Au temps de La Fontaine, la « lettre de voyage » est un genre qu'ont déjà brillamment pratiqué Voiture et Mlle de Scudéry dans des textes semi-littéraires et semi-publics, composés à peu près sur-le-champ et envoyés à travers un

destinataire particulier au groupe d'amis auquel appartenaient leurs auteurs. Pour lui raconter son voyage de Paris à
Uzès deux ans plus tôt, en novembre 1661, Racine avait
pareillement envoyé à La Fontaine une lettre en prose
mêlée de vers. Juste avant son départ pour Limoges, Chapelle et Bachaumont venaient de publier le chef-d'œuvre
de ces récits épistolaires : une suite de lettres où la
précision des détails n'excluait pas, au contraire, le ton
enjoué de la galanterie. Dans le *Voyage en Limousin*, c'est
avec eux que le poète entreprit de rivaliser, mêlant lui aussi
la prose et les vers, le sérieux et le plaisant, la vraie et la
fausse confidence, l'impression personnelle et le développement convenu.

On s'est étonné de l'algarade qui figure en tête de la première lettre. On a cru y voir une page à part, plus intime,
non destinée à la publication. Elle donne au contraire la clé
de l'ouvrage, jouant le même rôle que ces préfaces et avertissements que le poète place si volontiers en tête de ses
œuvres. « Vous ne jouez, ni ne travaillez, ni ne vous souciez
du ménage, écrit-il à sa femme ; et hors le temps que vos
bonnes amies vous donnent par charité, il n'y a que les
romans qui vous divertissent ». Mme de La Fontaine, qui
s'ennuie parce qu'elle ne s'intéresse à rien, s'échappe dans le
rêve en lisant des romans. « C'est un fonds bientôt épuisé.
Vous avez lu tant de fois les vieux que vous les savez ; il s'en
fait peu de nouveaux et, parmi ce peu, tous ne sont pas bons.
Ainsi vous demeurez souvent à sec. » Il faut lui trouver
d'autres livres. « Considérez, je vous prie, continue La Fontaine, l'utilité que ce vous serait si, en badinant, je vous avais
accoutumé à l'histoire, soit des lieux, soit des personnes.
Vous auriez de quoi vous désennuyer toute votre vie. » Rien
de plus familier aux lecteurs du XVIIe siècle que l'opposition
du roman et de l'histoire. L'un, qui s'adresse à l'imagination,
raconte le vraisemblable ; l'autre, qui parle à la raison, doit
dire la vérité. Le poète propose à sa femme de continuer à se
désennuyer en lisant, mais en changeant de registre, pro-
gressant de l'imaginaire vers le réel. Sortant de l'enfance et
prenant goût « à des divertissements plus solides », Psyché
passera bientôt de la « fable » à « l'histoire ». Mme de La
Fontaine devrait faire pareil.

L'histoire est un mot général pour désigner tout récit du

vrai. Ce peut être la grande histoire, celle des peuples et des nations. Ce peuvent être des faits divers comme Rosset en avait recueilli au début du siècle dans ses *Histoires tragiques*, continuellement publiées et augmentées depuis. Ce peuvent être des relations qui décrivent ce dont on a été témoin, comme l'épître de La Fontaine sur l'entrée de la reine à Paris, ou sa lettre à Maucroix sur la fête de Vaux. Ce peuvent être aussi des récits de voyage, puisque l'auteur n'y invente pas ce qu'il raconte, mais décrit les gens et les lieux qu'il a vus. A la limite, tout ce qui n'est pas fiction est histoire.

Le vrai, objet de l'histoire, n'est pas toujours agréable. C'est le rôle du conteur de trouver les façons de dire qui le rendront intéressant, voire plaisant. Le poète l'explique à sa femme : son voyage mérite qu'elle le lise. « Il s'y rencontrera pourtant des matières peu convenables à votre goût : c'est à moi de les assaisonner, si je puis, en telle sorte qu'elles vous plaisent. » Comme le vraisemblable, le vrai peut être médiatisé par l'art et raconté avec le même agrément que le faux. Le départ a créé une situation et une matière épistolaires; à l'auteur de les utiliser de manière à intéresser la lectrice, et, à travers elle, les lecteurs.

Il est maître de leur découpage. « Et, sur ce, dit-il à la fin de la seconde lettre en parodiant le ton des vieux romans, le chroniqueur fait fin au présent chapitre. » Quand le garde prend ses dispositions pour rentrer à Paris, La Fontaine inscrit pareillement cet événement dans la littérature en renvoyant à Virgile : c'est son « fidèle Achate » qui s'en va. Il ajoute : « Je fus fâché qu'il nous quittât si tôt; car, en vérité, il est honnête homme et sait débiter ce qui se passe à la Cour de fort bonne grâce; puis il me semble qu'il ne fait pas mal son personnage dans la narration. » De Châteauneuf, dont la présence est le signe effectif de l'exil, l'auteur fait un personnage du récit.

Il en va de même de Mme de La Fontaine, la destinataire des lettres. Elle est à la fois elle-même et un personnage de l'œuvre épistolaire. Elle appartient à « l'histoire », et les goûts que lui prête son mari sont probablement les siens. Mais elle est en même temps le prête-nom de ceux et celles qui se désennuient comme elle en lisant des romans. L'auteur peut, grâce à elle, expliquer le sens de son œuvre à tous ceux qu'elle représente. Il a choisi de leur donner à lire un récit qui leur prouvera que la réalité, quand elle est contée avec art, vaut beaucoup mieux que la fiction. Il faut donc croire, en le lisant, ce qu'il dit de son voyage, de ses étapes, de ses impressions et de ses sentiments. C'est lui qu'il met en scène, non un narrateur inventé. Il n'a pas le droit de mentir. Mais il a le droit de se mettre en scène, et les autres avec lui. Il fait œuvre autobiographique, puisqu'il n'invente ni son personnage ni ses aventures. Il n'en confie pourtant que ce qu'il veut, ce qui s'accorde avec le but de sa nouvelle œuvre.

Car c'est bien d'une nouvelle œuvre qu'il s'agit, même si La Fontaine, appelé ailleurs par d'autres intérêts, ne l'a finalement pas achevée et publiée. Toujours très attentif aux goûts du public, il a senti l'évolution que Chapelain décrit trois mois après son voyage de Limoges, juste au moment, peut-être, où il mettait ses lettres au point : « Notre nation a changé de goût pour les lectures et, au lieu des romans qui sont tombés dans La Calprenède, les voyages sont venus en crédit et tiennent le haut bout dans la Cour et dans la Ville, ce qui est sans doute un divertissement bien plus sage et bien plus utile que celui de ces romans qui ont enchanté tous les fainéants et les fainéantes » d'ici, avant d'aller séduire nos voisins. L'idée que La Fontaine a mise en tête des lettres à sa femme était dans l'air. A son âge, il avait grand besoin d'un succès littéraire. Il était (il sera toujours) à l'affût de la mode. C'est pour la suivre qu'il a remanié – et sans doute large-ment augmenté – les lettres qu'il avait écrites en cours de route.

27.

Un mari
surpassant tous les maris

Comme Châteauneuf, La Fontaine joue assez bien son personnage. A l'instar du reporter qui rend compte d'une expédition ou d'une guerre, il traite un sujet convenu dans des développements attendus, mais à sa manière, révélatrice de ce qu'il est. Il décrit le jardin de Clamart, minutieusement, comme presque tous les lieux d'étape. Un parterre y est entouré de deux terrasses bordées de chênes et de châtaigniers. « Je me trompe bien si cela n'est pas beau », conclut-il. Sa minutie n'est pas de l'objectivité. Elle prépare et justifie un jugement. Du jardin, dont il parle comme d'une personne (il « mérite d'avoir sa place dans cette histoire »), il passe plus généralement à son goût : « Il a beaucoup d'endroits fort champêtres, et c'est ce que j'aime sur toutes choses. » A plusieurs reprises apparaît cette même préférence pour les paysages calmes et bien composés.

Si le pont d'Orléans le déçoit, sa largeur n'étant pas proportionnée à la majesté de la Loire, il n'en admire pas moins l'horizon que l'on y découvre, « très beau de tous les côtés, et borné comme il doit l'être ». A Blois, il chante en vers le cours du fleuve, l'âme « tout émue » d'avoir vu tant de « coteaux riants », de « belles maisons, beaux parcs et bien plantés, / Prés verdoyants dont ce pays abonde, / Vignes et bois, tant de diversités / Qu'on croit d'abord être en un autre monde ». A Amboise, sur le point de quitter la Loire, il la célèbre une dernière fois : « Ce qu'il y a de beau, c'est la vue : elle est grande, majestueuse, d'une étendue immense; l'œil ne trouve rien qui l'arrête; point d'objet qui ne l'occupe le plus agréablement du monde. » Le poète préfère de beaucoup ce paysage vaste, riant et diversifié aux « morceaux de rochers entés les uns sur les autres » qui l'attendent entre Châtellerault et Bellac.

Son goût marqué pour les panoramas se retrouve dans sa façon de regarder les villes. C'est à Blois qu'il se plaît le plus : « Les toits des maisons y sont disposés, en beaucoup d'endroits, de telle manière qu'ils ressemblent aux degrés d'un amphithéâtre. Cela me parut très beau, et je crois que difficilement on pourrait trouver un aspect plus riant et plus agréable. » Il y admire la dissymétrie majestueuse du château, celle surtout de la partie construite par François Ier : « Il y a force petites galeries, petites fenêtres, petits balcons, petits ornements sans régularité et sans ordre ; cela fait quelque chose de grand qui plaît assez. » D'Amboise, il ne retient que les tours, « bâties en terre comme des puits », dont la structure lui plaît « autant que le reste du château » lui paraît « indigne » de l'arrêter. Il admire et condamne selon son humeur, sans se soucier d'harmoniser ses jugements et de les rapporter à des critères précis. Richelieu le retient surtout, « admirable objet » auquel il consacre la fin de sa quatrième lettre et toute la cinquième, fort longue, près du tiers de l'ensemble.

La Fontaine ne voyage pas seul. « Point de moines, mais en récompense trois femmes, un marchand qui ne disait mot et un notaire qui chantait toujours. » Avec le garde et le cocher, cela fait cinq personnes. A la montée de Tréfou, ils descendent tous pour « soulager les chevaux ». Jean leur parle, chemin faisant, « des commodités de la guerre ». Elle occupe les voleurs, « ce qui est, dit-il, un grand bien pour tout le monde et particulièrement pour moi, qui crains naturellement de les rencontrer ». Il n'a rien d'un voyageur sauvage et taciturne. Il brille aux yeux de ses compagnons en défendant un paradoxe. Des trois femmes, il ne retient qu'une Poitevine « qui se qualifiait de comtesse ». Elle revenait « de plaider en séparation contre son mari ». Il la met en confiance et lui fait raconter son histoire. Il est discret. Il la rapportera dans une autre lettre, quand elle aura quitté le carrosse. Il déteste les sujets sérieux. Quand la comtesse, qui est protestante, et le garde, qui est catholique, s'embarquent dans une controverse religieuse, il s'endort presque tout de suite.

Il parle plusieurs fois de son « inclination à dormir ». À Clamart, dans l'attente du départ, tandis que son oncle s'active « à des expéditions, à des procès, à d'autres affaires », il passe son temps à ne rien faire : « Je me promenai, écrit-il, je dormis, je passai le temps avec les dames qui nous vinrent voir. » Terminant une lettre à minuit moins le quart, il souligne l'insolite de son attitude : « J'emploie les heures qui me sont les plus chères à vous faire des relations, moi qui suis enfant du sommeil et de la paresse. » Il dort même dans de mauvaises conditions. « Tout méchant qu'était notre gîte, écrit-il à Bellac, je ne laissai pas d'y avoir une nuit fort douce. » Le sommeil est sa drogue. Plus que les douceurs du repos, il y trouve l'accès à une autre sorte de vie. Ses nuits sont habituellement peuplées de rêves. Il signale comme une exception que son « sommeil ne fut pas bigarré de songes comme il a coutume de l'être ».

La paresse ne lui est pas naturelle. Elle lui vient de son besoin de rêver. Quand la vie lui donne de quoi voir, il l'oublie. Il ne dort que dans l'ennuyeuse Beauce. Singulièrement actif pendant le reste du voyage, il regarde les paysages et occupe le temps libre des haltes et des étapes à visiter les sites et les monuments. « C'est un plaisir que de voyager, dit-il, on rencontre toujours quelque chose de remarquable. » Ce prétendu paresseux est un esprit curieux, ouvert à tout ce qui se présente. Bien plus, il est impétueux. En arrivant au château de Richelieu, il trouve l'avenue bien longue : elle « peut avoir une demi-lieue, mais à compter selon l'impatience où j'étais, nous trouvâmes qu'elle avait une bonne lieue tout au moins ». Bloqué dans la ville le lendemain, il réagit avec son « impatience ordinaire ». Son goût du songe ne lui vient donc pas d'un tempérament lymphatique. Il est une autre forme de son impatience. Un moyen de se précipiter vers d'autres mondes.

La Fontaine est un bon vivant, qui aime manger et bien manger. Il note les « tables assez mal servies » d'Orléans et la mauvaise chère de Bellac. « Ce sont, dit-il, gens capables de faire un très méchant mets d'un très bon morceau. Quoique nous y eussions choisi la meilleure hôtellerie, nous y bûmes du vin à teindre les nappes. » Jean n'est pas un buveur d'eau. À Blois, après la visite de la ville, il fait un excellent déjeuner en compagnie de Châteauneuf. À Châtellerault, il se régale des bons repas servis chez l'ami de son oncle. « Vous ne sauriez croire combien est excellent le beurre que nous mangeons, écrit-il dès Clamart. Je me suis souhaité vingt fois de pareilles vaches, un pareil herbage, des eaux pareilles et ce qui s'ensuit, hormis la batteuse [la fermière qui transforme le lait en beurre en le battant], qui est un peu vieille. » La satisfaction d'avoir mangé du bon beurre se transforme en rêve pastoral. Mais ce qui prend ailleurs la forme de bergeries désincarnées part ici des réalités les plus concrètes : les vaches, l'herbe, l'eau, une paysanne au travail. Ce rêveur a les pieds sur terre.

Il est sensible à l'environnement. Les bohémiens rencontrés en traversant l'Indre lui coupent l'appétit. « Je frémis d'horreur à ce spectacle, dit-il, et j'ai été plus de deux jours sans pouvoir manger. » Ils descendent dans la même hôtellerie. Comme ses compagnons, La Fontaine craint la contagion. « Le scrupule nous prit à tous de coucher en mêmes lits qu'eux et de boire en mêmes verres. » Si le voyage est dans l'ensemble réussi, c'est que, le reste du temps, il est avec des compagnons convenables, gens comme lui aisés et de bonne condition sociale.

C'est un esthète, qui a besoin de beauté. La comtesse est « assez jeune et de taille raisonnable ». Elle a de l'esprit. Elle vient de se séparer de son mari. « Toutes qualités de bon augure, dit le poète, et j'y eusse trouvé matière à cajolerie si la beauté s'y fût rencontrée, mais, sans elle, rien ne me touche. C'est à mon avis le principal, et je vous défie de trouver un grain de sel à une personne à qui elle manque. » A Bellac, au contraire, « la fille du logis, jeune personne assez jolie », est la seule chose qui lui plaise. « Je la cajolai sur sa coiffure : c'était une espèce de cale à oreilles, des plus mignonnes et bordée d'un galon d'or large de trois doigts. » On est en pays de langue d'oc. « Passé Chavigny, l'on ne parle quasi plus français ; cependant, cette personne m'entendit sans beaucoup de peine : les fleurettes s'entendent par tout pays, et ont cela de commode qu'elles portent avec elle leur truchement. »

Partout et toujours, La Fontaine se peindra incapable de résister à l'attrait d'un beau visage. L'aventure ne va pas plus loin. Même en songe. « Si Morphée m'eût amené la fille de l'hôte, je pense bien que je ne l'aurais pas renvoyée ; il ne le fit point, et je m'en passai. » Le rêve qui n'a pas eu lieu transpose peut-être littérairement de plus sordides réalités. Si la jeune fille avait été prostituée par son père, Jean n'aurait peut-être pas refusé la proposition... A l'en croire, il regarde les filles, mais fait son voyage chastement. S'il n'en a pas été ainsi, irait-il l'écrire à sa femme ?

« On nous a dit, entre autres merveilles, lui annonce-t-il dès Clamart, que beaucoup de Limousines de la première bourgeoisie portent des chaperons de drap rose-sèche sur des cales de velours noirs. Si je trouve quelqu'un de ces chaperons qui couvre une jolie tête, je pourrai m'y amuser en passant, et par curiosité seulement. » S'y amuser en passant... Rien de plus naturel pour un homme dont le « métier » est d'être « esclave » des belles! La suite manque. On ne sait rien du séjour à Limoges; de toute façon, dans des lettres destinées à être divulguées, voire publiées, le poète ne saurait en dire plus sans manquer gravement aux bienséances. Dans ces confidences mêmes, il en a déjà outrepassé les limites.

Plaisanterie, dira-t-on, et du personnage mis en scène dans les lettres, non du vrai La Fontaine. Mais la « relation » de voyage relève de l'histoire, domaine de la vérité, non de la fiction. Le voyageur et l'auteur du récit s'y confondent en un être unique. Et comment expliquer, sinon, que parmi tous les personnages possibles, celui qui se prétend le moins fidèle des hommes ait choisi celui de mari ? Superbe inconscience ? Provocation délibérée ? Goût plutôt, qu'on retrouvera bientôt dans les Contes, pour les audaces qui privilégient les sujets apparemment impossibles. Mari volage ? Certes, mais mari qui ne refuse pas (pas encore) l'existence du lien conjugal et le rapport singulier qu'il maintient entre lui et la destinataire désignée de ses lettres. Pour le moment, faute de le rompre, il s'amuse à jouer avec lui.

« Je vous écrirai ce qui nous arrivera en chemin et ce qui me semblera digne d'être observé. » Tout se passe comme si cette correspondance littéraire était bien la conséquence de la situation épistolaire fondamentale : la séparation de deux personnes désireuses de compenser la douleur de l'absence. « Je remets la description du château à une autre fois, dit-il à propos de Richelieu, afin d'avoir plus souvent occasion de vous demander de vos nouvelles, et pour ménager un amusement qui vous doit faire passer notre exil avec moins d'ennui. » La description lui demande de la peine ; il la prendra, « tout mari » qu'il est. Il écrit en toutes circonstances, prenant au besoin sur son sommeil : « Qu'on me parle après cela des maris qui se sont sacrifiés pour leurs femmes ! Je prétends les surpasser tous. » A côté du volage ému par toutes les beautés se tient le voyageur attentif à distraire sa femme.

Signe de son attachement à sa famille, La Fontaine évoque son petit garçon, qui va sur ses dix ans : « Cependant, faites bien mes recommandations à notre marmot, et dites-lui que peut-être j'amènerai de ce pays-là quelque beau petit chaperon pour le faire jouer et pour lui tenir compagnie. » Notre marmot : l'enfant fait partie d'une communauté familiale dont le poète ne s'est ni désolidarisé ni désintéressé. Après l'allusion aux éventuelles passades limousines, la promesse de ramener une jeune servante du pays n'est cependant pas innocente. La Fontaine joue avec le feu...

Il prête à sa femme des dispositions semblables aux siennes. Comme lui, elle a dû avoir des « esclaves » estimables. Après avoir vu des statues, et particulièrement celle d'une dame nue, il ajoute curieusement : « Avouez le vrai, cette dame sortant du bain n'est pas celle que vous verriez le moins volontiers. Je ne saurais vous dire comment elle est faite, ne l'ayant considérée que fort peu de temps. » Insinuerait-il que sa femme est particulièrement sensible aux charmes féminins ? Ou faut-il simplement comprendre qu'elle aime esthétiquement les belles statues de femmes ? Et pourquoi ce détail (ou cette plaisanterie) ambigu dans des lettres destinées à un large public ?

Pourquoi, plus généralement, cette mise en scène de sa femme, parallèle à la sienne ? Cette sorte d'exhibitionnisme d'un lien conjugal que sa légèreté bafoue ? Peut-être, tout simplement, parce qu'elle lui a paru le meilleur partenaire, celle à qui il raconterait son voyage sur le meilleur ton. Il se sent incapable de lui décrire Richelieu en spécialiste. Il se contentera de lui en dire les particularités qui l'ont frappé. « De l'humeur dont je vous connais, commente-t-il, une galanterie sur ces matières vous plaira plus que tant d'observations savantes et curieuses. » Écrire à une femme, écrire à *sa* femme oblige à fuir jusqu'à l'ombre de l'ennui et à traiter les sujets les plus tristes (l'exil, par exemple) sur le mode badin et agréable. Mais la destinataire n'est qu'un relais : « Ceux qui chercheront de ces observations savantes dans les lettres que je vous écris se tromperont fort. » Au-delà de sa femme, le poète voit d'autres lecteurs possibles qu'il souhaite intéresser en l'intéressant.

En fin de compte, comme Châteauneuf et comme La Fontaine lui-même, la femme de La Fontaine est à la fois un personnage réel et un personnage fictif. Personnage vrai, puisqu'il faut bien qu'elle se reconnaisse en ce qu'on lui dit. Personnage fictif, puisqu'elle figure le public à venir. Il en va de même du lien conjugal. S'il lie encore légalement, religieusement et même affectivement le poète à sa femme, il sert aussi de support au lien épistolaire qui justifie un récit littéraire. *Le Songe de Vaux* jouait sur les rapports du rêve et de la réalité. *La Relation d'un voyage de Paris en Limousin* joue sur les rapports du vécu et du raconté, du vrai et de l'imaginaire, de la personne et du personnage qui se ressemblent sans se confondre.

Au moment où commence le classicisme (en 1661, dit-on), La Fontaine ne craint pas de tirer son œuvre de sa vie, de parler de soi à la première personne et de mettre en scène son ménage. Tout lui est bon pour faire de la littérature. Mais il n'ira pas jusqu'au bout. Il n'a pas publié son *Voyage*.

28.
Double jeu

Au moment de l'arrestation de Foucquet, Colbert n'était qu'intendant des Finances. S'il assistait parfois aux différents conseils, c'était seulement comme technicien. Mais l'ancien homme de confiance de Mazarin avait su capter celle du roi. Il ruina le surintendant dans l'esprit du monarque en dénonçant ses irrégularités. Il prépara le plan de son arrestation. Il tira autant qu'il le put les ficelles de son procès. En septembre 1661, il obtient la création d'un Conseil royal des Finances dont il est la cheville ouvrière. Il a pris la place du surintendant au Conseil d'en-haut, avec rang de ministre d'État. Sans en avoir les titres, il est effectivement son remplaçant. Avec l'accord du roi, il joint à ses fonctions financières la haute main sur les affaires culturelles. Comme Richelieu, il croyait à l'importance des intellectuels dans la formation de l'opinion publique.

L'arrestation de Foucquet avait consterné les gens de lettres dont il était le Mécène. Colbert jugea que le meilleur moyen de ne pas les transformer en opposants était de les subventionner au nom du roi. Il créa donc très vite un mécénat officiel. « Les Muses et toutes les sciences couraient risque de tomber dans la nécessité de n'avoir à louer que la corruption. » Heureusement, dit-il, « le roi les a retirées de cette disgrâce, leur a donné sa protection fort active et, par le moyen des pensions, il y a lieu d'espérer que les lettres seront plus florissantes sous son règne qu'elles n'ont jamais été ».

En novembre 1662, au moment où Foucquet, jusque-là

rigoureusement tenu au secret, revenait sur le devant de la scène avec la diffusion de ses premières *Défenses*, Colbert prit contact avec Chapelain, l'auteur et le critique le plus en vue à l'époque. Il lui demanda son avis sur les diverses façons de glorifier le roi. « Pour le vers, lui répondit-on, vous ne pouvez rien imaginer qui allât plus droit à votre but. De toutes les choses durables, c'est sans aucun doute celle qui se défend le plus contre l'injure du temps. » Il ne s'agit donc pas d'encourager gratuitement la poésie, mais de susciter et de récompenser des poèmes concourant à la renommée de Louis XIV.

Les premières gratifications furent connues au début de juin 1663. Corneille et Molière figuraient sur la liste. Le contraire aurait fait scandale. Racine, qui venait de rentrer à Paris, reçut 600 livres pour une *Ode sur la convalescence du roi*. Il avait eu la bonne idée de la soumettre à Chapelain et de lui demander de la corriger. Il avait fait de même trois ans plus tôt pour son *Ode sur l'entrée de la reine à Paris*. Il n'avait jamais fréquenté Foucquet, que Chapelain détestait au moins autant que Colbert. La Fontaine, au contraire, n'avait écrit que des bagatelles, des poèmes commandés par le surintendant, ou des odes demandant sa grâce. On ne lui donna rien la première année, rien non plus les années suivantes. Quand le système disparut en 1690 après une longue décadence, il n'avait toujours pas été gratifié. Le jeune Boileau, qui n'avait encore rien écrit, composa une violente satire contre les premières pensions qui faisaient beaucoup de mécontents. Elle fit de lui une sorte de personnage. En 1674, lui-même entra sur la liste. Il y demeura en bonne place jusqu'à la fin.

On a longtemps parlé, en la situant à cette époque, de la « société des quatres amis » : Boileau, Racine, Molière et La Fontaine. Ils se réunissaient familièrement dans les cabarets parisiens, notamment à La Pomme de Pin, disait la légende – car on a prouvé que c'en est une. Elle remonte loin, au début du XVIIIᵉ siècle. « Lorsque Molière, retenu par les plaisirs de la cour, eut fixé son théâtre à Paris et que Racine se fut annoncé par ses premiers essais, écrit Saint-Marc, il se fit entre eux, Chapelle, Despréaux [c'est le nom habituel de notre Boileau] et La Fontaine, une société fondée sur l'estime qu'ils faisaient tous réciproquement de leur esprit et

de leurs talents. Pour qu'ils pussent même se voir plus librement et sans crainte des importuns, Despréaux loua pendant
quelque temps un petit appartement au faubourg Saint-
Germain, dans la rue du Vieux-Colombier. C'est là qu'ils se
rassemblaient tous, cinq ou six fois la semaine, pour souper
et se communiquer leurs ouvrages. » Ainsi serait né le classicisme.

Saint-Marc, en 1755, a largement brodé autour de ce
qu'avaient dit avant lui Brossette (1716) et Titon du Tillet
(1727), sources tardives. Brossette, annotant les œuvres de
Boileau d'après les confidences de ce poète, décrit la réunion d'un certain nombre d'écrivains et de gentilshommes,
non à La Pomme de Pin, mais à La Croix-Blanche : « Dans
la place du cimetière Saint-Jean, à Paris, il y avait alors un
traiteur fameux chez qui s'assemblaient tous les jours ce
qu'il y avait de jeunes seigneurs des plus spirituels de la
Cour, avec MM. Despréaux, Racine, La Fontaine, Chapelle,
Furetière et quelques autres personnes d'élite, et cette
troupe choisie avait une chambre [une salle] particulière du
logis qui leur était affectée. En ce temps-là, les cafés
n'étaient pas encore établis. Dans ce célèbre réduit, ils
inventaient mille ingénieuses folies. Là fut composée [en
1664] la parodie de quelques scènes du *Cid* » (Le Chapelain
décoiffé, qui ridiculisait le conseiller culturel de Colbert se
plaignant tragiquement d'avoir perdu sa perruque...).

Après avoir prétendu que *Les Plaideurs* de Racine (1668)
avaient aussi été écrits là « en très peu de jours », Brossette
revient à Chapelain : « Il y avait sur la table de cette chambre
un exemplaire de *La Pucelle* qu'on y laissait toujours, et
quand quelqu'un d'entre eux avait commis une faute, soit
contre la pureté du langage, soit contre la justesse du raisonnement ou quelque autre semblable, il était jugé à la plu-
ralité des voix, et la peine ordinaire qu'on lui imposait était
de lire un certain nombre de vers de ce poème. Quand la
faute était considérable, on condamnait le délinquant à en
lire jusqu'à vingt, et il fallait qu'elle fût énorme pour être
condamné à lire la page entière, tant la lecture de ce poème
leur paraissait ennuyeuse et assommante. »

Il y a sûrement eu des réunions d'intellectuels hostiles à la
politique de Colbert et à Chapelain, qui y présidait. Elles ne
se tenaient pas autour de Boileau-Despréaux, à peine connu,

mais de Chapelle, qui en a mentionné plusieurs membres dans ses poésies. On y trouvait Des Barreaux, Broussin, Ranché, Molière, esprits non conformistes, amis de la bonne chère et de la pensée libre. C'étaient les « débauchés de la Croix-Blanche ». Selon Tallemant, contemporain des faits, c'est Chapelle qui aurait écrit la satire contre Chapelain. On soupçonnait « Racine de l'avoir revue avec Furetière ». On prononçait aussi les noms de Gilles Boileau et de Despréaux. Chapelain « ne croyait pas que Boileau de l'Académie eût rien fait contre lui ». Gilles s'empressa de se dédouaner en accusant son frère.

Furetière, protégé de Séguier, avait été récompensé de son hostilité à Foucquet par son entrée à l'Académie française. Mais il était trop indépendant d'esprit pour écrire des œuvres de commande. Il n'avait pas eu de pension. Il se peut donc qu'il ait participé avec Chapelle et Boileau à des réunions littéraires où on se moquait du dispensateur des deniers royaux. Après avoir été un temps du côté du pouvoir par hostilité aux financiers, il se retrouvait dans l'opposition avec ceux que le pouvoir n'avait pu récupérer. L'arrestation de Foucquet et la politique de Colbert avaient modifié les camps.

Louis Racine, qui prétend parler d'après les souvenirs de son père, affirme, à propos de Boileau-Despréaux et d'un de ses frères, que « Molière était alors de leur société, dont étaient encore La Fontaine et Chapelle, et tous faisaient de continuelles réprimandes à Chapelle sur sa passion pour le vin ». On a dit aussi, sans grandes preuves, que c'est La Fontaine qui aurait présenté Boileau à Racine. Puisqu'il s'est tenu, à La Croix-Blanche ou ailleurs, des réunions où se manifestait de l'hostilité au pouvoir et au mécénat d'État, La Fontaine a dû y participer quelquefois. Il aimait l'anticonformisme.

Il y a sûrement rencontré Chapelle, dont il venait d'imiter le *Voyage*, et son vieil ami Furetière. Peut-être y a-t-il retrouvé Racine, redevenu loup parmi les loups à son retour d'Uzès; Molière, qu'il admirait; Boileau, dont on ignore où et quand il l'a connu. Mais ces poètes n'étaient que des éléments parmi beaucoup d'autres d'une « société » assez large et très mêlée. La Fontaine continuait d'habiter à Château-Thierry. Il était beaucoup trop provincial pour assister régulièrement à des réunions parisiennes. Point de « quatre amis », donc, mais un groupe fluctuant d'écrivains et de grands seigneurs qui s'amusaient parfois à fronder ensemble le pouvoir et les institutions officielles. Ce qui n'empêchait pas certains de les flatter en cachette, comme Racine ou Gilles Boileau, et La Fontaine lui-même.

En avril 1662, Godefroy-Maurice de Bouillon, duc de Château-Thierry et, à ce titre, suzerain et patron du poète, avait épousé à vingt-trois ans la dernière des sept nièces de Mazarin, Marie-Anne Mancini, qui en avait treize. Pour Jean, c'étaient de possibles protecteurs, voire des mécènes de remplacement. Les Mancini étaient tous spirituels et non-conformistes. Dès six ans, aux dires du gazetier Loret, Marie-Anne était « d'un esprit infini ». Brienne lui attribue « beaucoup d'esprit, mais peu de jugement ». Elle devait son mariage à Colbert, pressé de montrer sa reconnaissance posthume envers le cardinal qui, en le prenant à son service, avait donné la chiquenaude initiale à sa carrière. Comme son épouse, le nouveau marié, grand chambellan de France, neveu de Turenne, était un homme intelligent et ouvert. On pouvait lui demander aide et protection tout en conservant sa liberté.

Au retour de Limoges, l'occasion se présenta au poète d'avoir recours à lui. Comme son père, il s'était plusieurs fois laissé donner le titre d'écuyer dans des actes notariés. Cette usurpation de noblesse – car c'en était une – avait été relevée par La Vallée-Cornay, un traitant, qui avait confié ce type d'infraction à Thomas Bousseau, procureur au parlement de Paris, dont le rôle était d'obtenir de fortes amendes contre les contrevenants. Elles compensaient le manque à gagner des impôts non payés par les prétendus nobles. Il mena rondement l'affaire alors que La Fontaine était « en Champagne » chez son ami Maucroix, prenant de vitesse celui auquel il avait confié ses intérêts. Conclusion : une forte amende, probablement 2 000 livres.

Le poète fait appel au duc de Bouillon pour qu'il intervienne en sa faveur. Jamais il n'a cherché, dit-il, à se faire passer pour noble, lui « le moins fier » et « le moins vain des hommes », qui s'est toujours moqué de ceux qui se targuent indûment de noblesse. Il n'a jamais fraudé le fisc, puisqu'il a « toujours été compris aux tailles » et qu'il n'a pris le titre incriminé ni dans les partages « ou contrat d'épousailles », ni dans les jugements rendus dans l'exercice de sa charge, ni dans aucun acte susceptible de « nuire au roi ». On ne l'a trouvé que dans « deux contrats si chétifs que rien plus ». Pièces si peu importantes qu'il les a signées sans les lire. « J'aurais signé ma mort de même sorte. » Personne ne lit tout ce qu'il signe.

Le voici donc, lui, le poète aux « mœurs faciles », injustement condamné à une peine qui le réduit à l'hôpital avec toute sa famille : sa femme, son frère, « son fils, y compris sa nourrice ». La Fontaine amplifie plaisamment son malheur. Sa femme, séparée de biens, a ses propres ressources, la pension qu'il verse annuellement à son frère n'est pas le seul revenu dont celui-ci dispose, et son fils, qui a au moins dix ans, n'a plus besoin de nourrice... A l'imitation de Marot, pour mieux atteindre son protecteur, il essaie de l'amuser de ses ennuis. Rire de commande, dont il souligne lui-même le caractère littéraire : « Prince, je ris, mais ce n'est qu'en mes vers. »

En fait, dans la réalité de la vie, « l'ennui » lui vient « de mille endroits divers » : du parlement, de la cour des aides, de la chambre de justice où se juge Foucquet, de Nantes, de la Bastille, et de Limoges – ce qui date le texte. Il lui « viendra des Indes, à la fin ». Le procès pour usurpation de noblesse s'ajoute à la peine qu'il éprouve de voir le surintendant arrêté et inculpé, Pellisson embastillé, son oncle suspendu et exilé. La Fontaine rappelle ses attaches au camp de Foucquet, car il ne veut ni ne peut renier son passé.

Mais il se tourne ensuite ostensiblement vers Colbert. Son affaire n'étant pas assez « importante à l'État » pour être portée devant le roi, il faut agir, dit-il, « près de celui qui dispose de tout, / Qui, par ses soins peut seul venir à bout / De réformer, de rétablir la France, / Chasser le luxe, amener l'abondance, / Rendre le prince et ses sujets contents ». Le poète vilipende les financiers de l'administration précédente. Il reprend le langage du nouveau ministre, qui soutenait que leur luxe avait ruiné le pays et qu'on devait réformer le système pour donner à tout le monde une juste part de l'abondance commune. Il parle comme l'ennemi de Foucquet, qui avait su persuader Louis XIV de la nécessité d'arrêter celui-ci pour repartir sur de nouvelles bases. Afin d'obtenir remise de son amende, La Fontaine n'hésite pas à flatter Colbert, puis à demander aux Bouillon de le lui concilier. Je gage, dit-il, « Que ce ministre, aimé de notre roi, / Si vous parlez, inclinera pour moi ».

Au sujet apparent de l'épître s'ajoute donc, de la part de La Fontaine, une double démarche, beaucoup plus essentielle pour son avenir. Il se met au service des Bouillon, dont l'éloge occupe longuement l'introduction. Il propose, par leur intercession, de se rallier au nouveau pouvoir, qu'il flatte parallèlement en conclusion. Désireux de retrouver la paix et le repos qui lui sont chers, il cherche à se concilier de nouveaux protecteurs et l'appui du nouveau favori de Louis XIV. Tentative fructueuse auprès des Bouillon, près desquels il sera toujours le bienvenu. Tentative sans lendemain auprès de Colbert, qui jamais « n'inclinera » pour lui. Tentative qu'il dut faire avec mauvaise conscience et dont il espéra sans doute qu'elle resterait dans l'oubli : il n'a pas publié son épître. On ne sait même pas s'il réussit à faire diminuer son amende.

Cet appel à l'ennemi de Foucquet, au retour de Limoges, est aussi facile à comprendre que difficile à justifier. Nécessité fait loi. Mais le poète n'était pas encore dans la misère. Il aurait pu chercher d'autres moyens pour obtenir une remise de peine. Il avait fait son droit. Il savait mieux que personne qu'on pouvait reprendre un procès et le faire traîner en longueur. Pourquoi donc tant de hâte ? A-t-il vraiment senti, à travers cette affaire d'usurpation de noblesse, qu'il avait besoin de protection ? A-t-il, comme beaucoup l'ont fait autour de lui, pensé qu'il n'y avait pas d'autre solution que se rallier à celui qui offrait, au nom du roi, d'être le nouveau Mécène des artistes qu'avait protégés Foucquet ? Comme Molière, comme Racine, il s'efforce d'avoir un pied dans les deux camps, contempteur de Colbert à La Croix-Blanche, flatteur du ministre dans des vers qu'il écrit pour qu'ils lui soient montrés.

29.

Premier succès

La meilleure parade contre l'accusation d'usurpation de noblesse était d'obtenir au plus tôt une charge qui anoblissait. C'est chose faite le 14 juillet 1664. Ce jour-là, La Fontaine prête serment entre les mains de sa nouvelle maîtresse, Marguerite de Lorraine, veuve du frère de Louis XIII, Gaston d'Orléans. Il devient l'un de ses gentilshommes servants. Son anoblissement est le principal avantage de cette nouvelle charge, peut-être obtenue grâce aux Bouillon. Les émoluments en sont maigres : 200 livres par an, contre 600 au joueur de flûte. C'est qu'ils sont neuf à se partager la même fonction et les 1 800 livres qui y sont attachées. Ils se relaient sous les ordres du sieur Le Roy. Pendant que Sanguin, le maître d'hôtel à 4 000 livres d'appointements, sert l'épée aux côtés et la serviette sur l'épaule, ils n'ont rien d'autre à faire qu'à porter les plats ou à exécuter de menues commissions.

Le poète est nourri quand il est de service, mais il n'est pas logé. Devant les notaires de Paris, pendant sept ans encore, il se dira « demeurant ordinairement à Château-Thierry, étant de présent logé sur le quai des Orfèvres en la maison du sieur Jannart ». Il continue donc d'habiter tantôt chez l'oncle de sa femme, tantôt, le plus souvent, avec elle dans la maison héritée de son père. Selon la nature des actes, il se pare de son nouveau titre de « gentilhomme servant de Madame la duchesse douairière d'Orléans » (auquel il adjoint quelquefois celui d'« ancien conseiller du roi »), ou se dit seulement « maître particulier des eaux et forêts ancien et alternatif ». C'est ce titre qu'il prend logiquement dans plusieurs documents signés de lui à Château-Thierry en raison de ses attributions forestières. Preuve qu'il exerce toujours ses anciennes charges, au moins par périodes.

Le cadre de ses nouvelles fonctions est fastueux : notre palais du Luxembourg, l'une des plus belles demeures de la capitale, l'ancien château de Marie de Médicis, passé à Gaston d'Orléans après avoir appartenu à la nièce de Richelieu. Tout y était admirable : sa masse imposante, l'harmonie de ses lignes, la splendeur de sa décoration – boiseries de cèdre sculptées en guirlandes, parquets de marqueterie incrustés d'argent, tapisseries aux sujets mythologiques, meubles précieux, peintures italiennes, objets d'art. La Fontaine y retrouvait le luxe qu'il avait goûté avec grand plaisir à Vaux. La duchesse s'y était installée après la mort de son mari. Née d'un premier mariage et principale héritière de son père, Mlle de Montpensier cherchait à l'en chasser. Un partage intervint en septembre 1665, peu après l'entrée en fonction du poète. A la demoiselle échut la moitié Est, à sa belle-mère l'autre moitié, vers la rue de Vaugirard. La première éleva une barricade entre les deux parts, la seconde coupa une allée de vieux arbres pour gâter la vue de sa rivale.

L'atmosphère n'était pas très gaie chez la douairière, confite en dévotion, chagrine de la mort toute récente (en janvier) d'une de ses filles, la duchesse de Savoie, inquiète de la mésentente qui régnait entre son aînée et son mari le duc de Toscane, mécontente des difficultés qu'elle recontrait à marier sa cadette, bossue et contrefaite, Mlle d'Alençon, dont les seize ans manquaient de charme. Il y avait de quoi rendre mélancolique un poète amoureux de la beauté et de la gaieté. Mais il gardait assez de liberté pour s'en guérir aisément. On a supposé qu'en l'accueillant parmi ses domestiques, la veuve de Gaston, frondeur impénitent, avait accordé une sorte d'asile à l'ancien protégé de Foucquet, menacé par la vindicte de Colbert. C'est peu probable, puisque La Fontaine venait de faire sa soumission. Maintenant que son ancien protecteur organisait lui-même sa défense en vue d'un procès désormais imminent, il avait d'autres soucis en tête que de cabaler inutilement. Il publiera plus tard l'*Ode* et l'*Élégie* composées pour Foucquet et diverses pièces du temps de Vaux. Il n'écrira plus rien pour lui.

Il avait ramené de son voyage en Limousin la certitude que sa vocation était de raconter. Il revit en ce sens les lettres envoyées à sa femme. Il y égaya l'énumération des étapes et les descriptions des monuments visités par des récits plaisants, comme la légende des bossus de Blois et d'Orléans. Il écrivit *Joconde*, qui décida largement de son œuvre future en le rendant brusquement célèbre. Ce conte de plus de cinq cents vers suscita des paris et un important compte rendu, en janvier 1665, dans le *Journal des savants* qui commençait de paraître. Il suscita aussi une longue dissertation consacrée aux problèmes du récit et des rapports entre traduction et imitation. L'heure de la gloire était enfin arrivée. Ce n'était pas tout à fait l'effet du hasard : le poète avait attaqué sur le terrain le plus favorable.

En mai 1663 étaient parues les *Œuvres posthumes* d'un ancien secrétaire de cabinet de Gaston d'Orléans, mort l'année précédente. La Fontaine avait bien connu à La Croix-Blanche ou à La Pomme de Pin ce bel esprit qui s'appelait Bouillon sans avoir de parenté avec les ducs de même nom. Il n'avait rien publié de son vivant. Il laissa de quoi remplir un petit volume contenant *L'Histoire de Joconde, Le Mari commode, L'Oiseau de passage, La Mort de Daphnis, L'Amour déguisé, des Portraits, Mascarades et Airs de cour et plusieurs autres pièces galantes.* C'étaient des œuvres de circonstance, écrites par jeu et pour briller auprès des dames, comme il s'en faisait tant dans les salons. Celle qui ouvre le livre raconte comment, malgré leur insigne beauté, Astolphe, roi de Lombardie, et Joconde, son ami, se trouvent cocufiés par leurs femmes. Ils s'en vengent en partant à la conquête du genre féminin. Écœurés de leurs trop nombreux et trop faciles succès, ils finissent par rentrer chez eux, décidés à se contenter de leurs épouses. Ils y trouvent le bonheur qu'ils ont vainement cherché dans la diversité.

Bouillon avait pris l'histoire dans une longue digression du *Roland Furieux*. Pendant un chant entier (XXVIII), l'Arioste y oubliait les aventures de son héros principal pour conter en détail comment un hôtelier des bords de la Saône avait, à l'étape, distrait le Maure Sacripant des chagrins que lui causait l'infidélité féminine, en lui rapportant les mésaventures des deux jeunes gens. L'auteur notait lui-même le peu de rapport de ce chant avec le reste de son œuvre, en

invitant son lecteur à le sauter s'il n'aimait pas entendre
médire des femmes. Courtisans et gens du monde savaient
par cœur ce morceau de bravoure, en italien ou dans les ver-
sions que Nicolas Rapin et Étienne Durand en avaient données avant Bouillon. Quand La Fontaine reprend à son tour
cette histoire, son but n'est évidemment pas de la faire
connaître au public, mais de montrer qu'il est capable de la
raconter autrement et mieux que lui. A une traduction
fidèle, il a l'audace d'opposer une libre imitation.

Aussitôt, deux camps se formèrent. On paria pour ou
contre les deux auteurs. « Beaucoup de gens ont pris parti
dans cette contestation, écrit *Le Journal des savants,* et elle
s'est tellement échauffée qu'il s'en est fait des gageures
considérables en faveur de l'un ou de l'autre. » Dommage
que le journal n'ait pas précisé davantage. Selon Brienne,
qui prétend avoir été un des juges avec Langlade et Molière,
ce serait Saint-Gilles, son intendant, qui aurait gagné cent
livres contre un Boileau, greffier au parlement de Paris, en
pariant pour Bouillon contre La Fontaine. Mais Perrault
aurait empêché l'affaire d'aller jusqu'au bout, et « les cent
pistoles consignées » auraient été rendues. On n'en garda
que « trois pour le déjeuner du pari ». Selon Brossette,
confident tardif de Boileau-Despréaux, le pari aurait opposé
Saint-Gilles et l'abbé Le Vayer. « Molière était leur ami
commun. Ils le prirent pour juge, mais il refusa de dire son
sentiment pour ne pas faire perdre la gageure à Saint-Gilles,
qui avait parié pour la *Joconde* du sieur Bouillon. » La
femme de Brienne était « folle des vers de Bouillon », Saint-
Gilles s'en était engoué pour lui faire plaisir. D'où la
gageure.

« Il est à craindre, ironise *Le Journal des savants,* qu'il
n'arrive à ces deux pièces la même chose qui est arrivée à ces
deux sonnets qui divisèrent le Parnasse en deux fractions si
célèbres, sous les noms de Jobelins et des Uraniens. Car
étant examinés de plus près, ils perdirent beaucoup de leur
prix et de leur estime. » Malgré les réserves du journaliste, il
était glorieux pour La Fontaine de voir les débats suscités
par les deux *Joconde* rapprochés de la célèbre controverse
qui avait opposé, quelques années plus tôt, les partisans de
Voiture et de Benserade sur les fameux sonnets d'*Uranie* et
de *Job.*

Mais l'affaire allait cette fois plus loin. Il ne s'agissait pas seulement de préférences personnelles à propos de textes mineurs, mais d'un débat de fond sur un problème capital à une époque où tout auteur devait fournir ses garants et inscrire son œuvre dans la continuité d'une culture. La Fontaine s'est beaucoup écarté de son modèle, et « on ne peut pas dire que ce soit une traduction, puisque l'auteur n'a pas seulement usé de la liberté qu'ont prise les traducteurs de s'éloigner quelquefois du tour et des manières qui se trouvent dans les livres qu'ils traduisent, mais qu'il a même changé beaucoup des principales circonstances des événements qu'il rapporte ». Il a fait le contraire de Bouillon, qui « s'était entièrement attaché à son texte et n'avait pas abandonné d'un pas l'Arioste ». Le débat dépasse les deux *Joconde* et leurs auteurs. Vaut-il mieux traduire le modèle fidèlement ou le transposer librement dans une imitation ? Tel est le véritable objet de la gageure. Les uns prétendent qu'avec La Fontaine « le conte est devenu meilleur par le changement qu'on y a fait »; les autres soutiennent inversement qu'il est « tellement défiguré » qu'il n'est plus reconnaissable.

Un Boileau « décida le différend par une dissertation en forme de lettre qu'il adressa à l'abbé Le Vayer ». On discute encore si elle est de Boileau-Despréaux ou de son frère Gilles, l'académicien, celui qui s'était cruellement moqué de Ménage, dont Bouillon était l'ami. Peu importe. Elle donnait largement l'avantage à La Fontaine et posait, à propos des *Joconde*, des questions essentielles sur l'originalité de l'œuvre d'art, sur la liberté du conteur, sur les rapports du réel et de l'imaginaire. Écrite à l'occasion d'un pari de circonstance pour justifier le choix de l'arbitre, la dissertation de Boileau gardait toute son actualité quand elle parut anonymement cinq ans plus tard. La Fontaine, au faîte de sa gloire, la joignit à la réimpression de ses *Contes,* parue la même année. Elle avait en effet le mérite de rejoindre parfaitement ses préoccupations sur l'imitation et sur la nature du récit.

Il avait décidé une fois pour toutes qu'il écrirait en vers. Il en a donné les raisons dans un texte, paru tardivement, où il explique pourquoi il a traduit deux fois, en prose et en vers, une même épitaphe latine. Pour rendre son ouvrage « plus utile par la comparaison des deux genres », il s'est, dit-il, « éprouvé en l'un et en l'autre. J'ai voulu voir par ma propre expérience si, en ces rencontres, les vers s'éloignent beaucoup de la fidélité des traductions et si la prose s'éloigne beaucoup des grâces ». Refusant les idées préconçues des doctrines, La Fontaine prétend (attitude alors singulière) partir de ses propres essais. Ils le confirment dans son opinion : « Mon sentiment a toujours été que, quand les vers sont bien composés, ils disent en une égale étendue plus que la prose ne saurait dire. » Phrase essentielle, qui explique pourquoi *Contes* et *Fables* sont en vers.

Quand *Joconde* parut à fin de 1664, dans une mince plaquette qui contenait aussi *Le Cocu battu et content,* La Fontaine y joignit un Avertissement. Il aimait, il aimera toujours s'adresser au lecteur pour lui dire ses intentions. Il lui explique cette fois que la suite de son œuvre dépendra de l'accueil fait à ses deux contes, en quelque sorte expérimentaux. Il avait décidé de conter en vers. Cela ne suffisait pas. Il fallait encore décider quelle sorte de vers convenait le mieux à ses récits. *Joconde* et *Le Cocu*, explique-t-on, « quoique d'un style bien différent, sont toutefois d'une même main. L'auteur a voulu éprouver lequel caractère est le plus propre pour rimer des contes ». Il hésitait entre les vers irréguliers, conçus comme une sorte de degré zéro de la poésie, et des décasyllabes rehaussés par l'emploi du « vieux langage ». L'auteur « a cru, dit-on, que les vers irréguliers ayant un air qui tient beaucoup de la prose, cette manière pouvait sembler la plus naturelle et par conséquent la meilleure ». Il s'en était déjà servi pour raconter l'entrée de la reine à Paris ou la fête de Vaux. Il venait d'en insérer dans la prose du *Voyage en Limousin.* Sans tenir compte du rythme de l'Arioste, qui avait écrit son épopée en stances régulières, il les a repris dans *Joconde.* Le mélange de vers de longueurs différentes y variait le rythme comme varie l'inflexion de la voix d'un conteur. C'était la première solution.

Le Cocu en essayait une seconde. « Le vieux langage, pour les choses de cette nature, a des grâces que celui de notre siècle n'a pas. Les *Cent Nouvelles nouvelles,* les vieilles traductions de Boccace et des Amadis, Rabelais, nos anciens poètes nous en fournissent des preuves infaillibles. » La Fontaine voudrait imiter la manière des anciens conteurs français et italiens. Mais ceux qu'il cite et les premiers traducteurs du *Décaméron* écrivaient dans le langage de leur époque, sans chercher l'archaïsme. En usant de mots désuets et de tournures périmées dans la nouvelle qui lui sert d'exemple, il ne retrouve pas le ton de Boccace, qui lui a fourni le sujet de son conte, mais celui de Voiture. C'est lui, comme Pellisson l'avait rappelé au temps de Vaux, qui avait remis à la mode des mots, des expressions et des tournures archaïques pour créer des effets de surprise ou de dépaysement en s'écartant du langage habituel.

Sur ce point également, l'auteur des *Contes* n'était pas tout à fait novice. Dès l'Épître à l'abbesse de Mouzon, qui l'avait fait remarquer de Mme de Sévigné en 1657, il s'était exprimé, comme Voiture, dans un style qui pastichait celui de Marot. Il venait de l'utiliser encore dans l'épître au duc de Bouillon sur son usurpation de noblesse. Il y avait eu partiellement recours dans *Les Rieurs du Beaurichard*. Il l'avait plusieurs fois employé, mêlé à des vers libres ou à des stances, dans des poèmes écrits au temps de Foucquet, dans ses *Arrêts d'amour* imités de Martial d'Auvergne, par exemple, ou sa ballade sur les livres d'amour. Il aimait jouer des décalages entre ce qui était d'usage courant et ce qu'il tenait de sa culture.

Il avait « tenté ces deux voies, disait-il, sans être encore certain laquelle est la bonne ». Au public de choisir au vu des résultats de sa double expérience. « C'est au lecteur à le déterminer là-dessus. » La plaquette de décembre 1664 est un essai. La suite dépendra de l'accueil qu'on lui fera. L'auteur « ne prétend pas en demeurer là, et il a jeté les yeux sur d'autres nouvelles pour les rimer. Mais, auparavant, il faut qu'il soit assuré du succès de celles-ci, et du goût de la plupart des personnes qui les liront ». Personne ne se montrait, à l'époque, aussi soumis que La Fontaine au jugement de ses lecteurs.

Imités de deux auteurs italiens, ses deux contes ne devaient rien à l'Antiquité. Il lui fait place à la fin de l'Avertissement en citant *L'Andrienne* de Térence, qui demeure son modèle. Il veut marquer la continuité de son œuvre depuis *L'Eunuque*. Un poète, avait dit l'auteur latin, ne doit pas écrire seulement pour se faire plaisir ou « pour satisfaire un petit nombre de gens choisis », mais pour plaire à l'ensemble du peuple. C'était sans doute le projet initial de La Fontaine quand il avait tenté de réussir par le théâtre. C'était maintenant son but avec les *Contes*. Il fermait la longue parenthèse pendant laquelle, à la cour de Foucquet, il ne s'était adressé qu'à une élite.

30.
Enfin à la mode

La parution des deux premiers *Contes* de La Fontaine avait été retardée. Entre le 14 janvier, où Barbin prend un privilège « pour la *Joconde* (sic) et *La Matrone d'Éphèse* », et la parution de ces deux œuvres et du *Cocu*, le 10 décembre, onze mois se sont écoulés. C'est beaucoup pour une plaquette aussi mince (36 folios). Le titre en est surprenant : *Nouvelles en vers tirée* (sic) *de l'Arioste et de Boccace*. Placé en premier, *Le Cocu battu et content* a été, d'après la reliure, ajouté au dernier moment à un volume qui comprenait d'abord, conformément au privilège, seulement *Joconde* et *La Matrone d'Éphèse*. Prévu dès janvier, ce dernier conte ne correspond pas au titre : il ne vient ni de l'Arioste ni de Boccace, mais de Pétrone. Il n'est pas de La Fontaine, comme les deux autres, mais de Saint-Evremond ou de La Valterie... Entre le privilège et la publication, on dirait que le projet a changé. C'est normal au bout de onze mois. On s'est cependant décidé à la dernière minute et dans une précipitation dont témoignent les incohérences du titre.

Nouvelle surprise le 10 janvier 1665. Juste un mois après la première plaquette, Barbin donne un nouveau recueil de *Contes et Nouvelles en vers de M. de La Fontaine*. L'Avertissement de décembre avait laissé entendre qu'il y aurait une suite, et même que le poète avait déjà commencé à choisir d'autres nouvelles pour les « rimer ». Rien ne laissait présager qu'elle allait venir si rapidement. C'est encore une édition bâclée. *Joconde* et *Le Cocu* occupent près de la moitié du volume (92 pages). Seuls deux des nouveaux contes corres-

pondent à ce qu'on avait annoncé : l'un assez long, imité de
Boccace (*Richard Minutolo*), l'autre plus court (*Le Mari
confesseur*), tiré des *Cent Nouvelles nouvelles*. L'histoire
d' « un paysan qui avait offensé son seigneur » et le récit
d' « une chose arrivée à Château-Thierry », qui reprend le
sujet de la farce des *Rieurs du Beaurichard*, n'appartiennent
pas à la même veine littéraire. Quatre textes, très brefs, ne
méritent guère le nom de contes : ce sont des épigrammes
rimées. On y a joint en fin de volume, pour faire bon poids,
trois intéressants rogatons du temps de Vaux.

Après l'un d'eux, qui raconte les amours de Mars et de
Vénus d'après une des tapisseries du château, La Fontaine
note que son « ouvrage est resté imparfait pour de secrètes
raisons ». On devine qu'il s'agit de l'arrestation de Foucquet.
Puis il continue : « Comme le dessein de ce recueil a été fait
à plusieurs reprises, je me suis souvenu d'une ballade qui
pourra encore trouver sa place parmi ces contes, puisqu'elle
en contient un en quelque façon. Je l'abandonne donc, ainsi
que le reste, au jugement du public. Si l'on trouve qu'elle
soit hors de son lieu, et qu'il y ait du manquement à cela, je
prie le lecteur de l'excuser avec les autres fautes que j'aurai
faites. » Cette fois encore, le poète souligne le caractère
expérimental de son œuvre. Il en avoue aussi le caractère
improvisé : on a changé de projet plusieurs fois.

On imagine le scénario. Vers la fin de 1663, après son
retour à Paris, La Fontaine écrit *Joconde* pour faire pièce à
la traduction de Bouillon, qu'il trouve plate et inexpressive.
Barbin, à l'affût d'un succès de librairie, a vent de la compétition qui se prépare. Prévoyant la possibilité d'un succès de
librairie, il prend un privilège en janvier. Comme il veut
publier le texte de La Fontaine sans attendre, il prévoit d'y
joindre *La Matrone*, autre histoire bien connue, afin d'arron-
dir le volume. La Fontaine s'y oppose. Il voudrait l'occuper
tout entier. Il promet de donner d'autres contes. Barbin
attend. Mois après mois, La Fontaine repousse l'échéance,
plongé dans la recherche d'autres histoires à imiter et dans
la rédaction de celles qu'il a déjà choisies. Excédé, le libraire
lui annonce à la fin de l'année qu'il ne peut plus attendre.
On parle beaucoup des *Joconde*. On a pris les paris. Il faut
profiter de l'actualité. Barbin revient à son projet initial. Il
veut publier seuls *Joconde* et *La Matrone*. La Fontaine

obtient qu'il y joigne *Le Cocu* pour en tester la mise en forme différente.

Bien préparée par les paris et commentaires qui en ont précédé la publication, la plaquette disparate obtient un grand succès. Barbin presse La Fontaine de lui fournir le contenu d'un volume entier. Puisqu'il a créé une mode, il est urgent d'en profiter. Le poète y consent. Il l'avoue sans mauvaise honte dès les premiers mots de la Préface du nouveau recueil : « J'étais résolu de ne consentir à l'impression de ces contes qu'après que j'y pourrais joindre ceux de Boccace qui sont le plus à mon goût. » C'était un projet de longue haleine, celui qui avait retardé si longtemps la parution de *Joconde*. Le succès en a décidé autrement : « Mais quelques personnes m'ont conseillé de donner dès à présent ce qui me reste de ces bagatelles afin de ne pas laisser refroidir la curiosité de les voir qui est encore dans son premier feu. Je me suis rendu à cet avis sans beaucoup de peine, et j'ai cru pouvoir profiter de l'occasion. »

Le monde est changeant. « Nous avons vu les rondeaux, les métamorphoses, les bouts-rimés régner tour à tour : maintenant, ces galanteries sont hors de mode, et personne ne s'en soucie. » Un auteur prudent « garde en son cabinet » tout ce qui n'est pas valorisé par les engouements du moment. Si La Fontaine s'est empressé de publier de nouveaux contes, c'est qu'il lui a semblé « qu'on était en train d'y prendre du plaisir ». Il s'est adapté à l'attente du public : « Je m'accommoderai, s'il m'est possible, au goût de mon siècle, dit-il, instruit par ma propre expérience qu'il n'y a rien de plus nécessaire. » Il avait essayé d'aller à contre-courant en écrivant une comédie imitée de Térence et un poème héroïque à la façon du Tasse. Il sait maintenant qu'on ne change pas son temps et qu'il vaut mieux, pour réussir dans le monde, lui donner des récits brefs et divertissants.

Les *Contes* sont une œuvre d'occasion, due à l'exploitation par un libraire habile du débat suscité par les deux *Joconde*, puis de la mode qui en est résultée. La Fontaine était fait pour conter. Les circonstances l'ont conduit à le faire. Le reste de l'œuvre suivra, contes et fables fondés les uns et les autres sur l'art du récit. A quarante-quatre ans, il avait enfin découvert sa vocation. Il ne le savait pas, car il se croira toute

sa vie destiné à de « plus hauts projets ». Il a saisi la mode et
le succès, mais reste persuadé que ses *Contes* ne sont que des
bagatelles, qu'il met sur le même plan que les petits poèmes
qui amusent un temps les salons. On ne doit pas les
confondre avec les chefs-d'œuvre insensibles aux fluctua-
tions du temps : « Il n'appartient qu'aux ouvrages vraiment
solides et d'une souveraine beauté d'être bien reçus de tous
les esprits et dans tous les siècles, sans avoir d'autre passeport
que le seul mérite dont ils sont pleins. » En même temps
qu'il proclame son ralliement à la mode, La Fontaine suggère son regret d'y avoir sacrifié au lieu d'écrire, comme il
l'avait naguère rêvé, un de ces ouvrages universels qu'il
admirait chez les Anciens.

Fausse modestie ? Peur secrète ? Les deux, sans doute. Le
poète est à l'aise dans le conte. Il sent qu'il est sur sa voie. Il
ne sait si c'est la bonne. Elle est si loin de ce qu'on lui a
appris ! Il éprouve le besoin de se justifier, et, paradoxalement, ajoute à l'aveu qu'il n'écrit que des bagatelles une
réponse aux objections possibles digne du livre le plus
sérieux. Sa préface est aussi soignée que le contenu de son
livre est improvisé. Non content de renvoyer à Boccace et à
l'Arioste, les maîtres du genre qu'il pratique, il cite Horace,
Cicéron et Virgile, trois maîtres de la culture classique. Leur
intervention, en tête d'une douzaine d'histoires légères, est
aussi surprenante que l'était celle de Térence à la fin de
l' *Avertissement* qui précédait *Joconde* et *Le Cocu*.

Le poète se disculpe du reproche d'avoir écrit un livre
licencieux et de ne pas avoir assez « épargné le beau sexe ». Il
discute longuement le premier point. A une époque où l'on
pose en principe que l'œuvre littéraire doit toujours mêler
l'utile, c'est-à-dire la morale, à l'agréable, il raconte des histoires de femmes galantes et de maris trompés directement
contraires aux principes reconnus par la religion et la
société. On avait attaqué le libertinage de Molière dans
L'École des femmes deux ans plus tôt. A la Cour, le parti
dévot était en éveil. C'était risquer de lui déplaire que de
publier une série de contes dont le contenu offensait les
bonnes mœurs.

La Fontaine plaide non coupable. « La nature du conte,
explique-t-il, le voulait ainsi. » On doit « se conformer aux
choses dont on écrit ». Il aurait pu « supprimer quelques cir-

constances ou tout au moins les déguiser ». Ce n'était pas bien difficile. Mais « cela aurait affaibli le conte et lui aurait ôté de sa grâce ». Étant posé que la licence fait partie du conte, point question de l'édulcorer. Ce serait une faute de goût : « Qui voudrait réduire Boccace à la même pudeur que Virgile ne ferait assurément rien qui vaille, et pécherait contre les lois de la bienséance en prenant tâche de les observer. » En jouant sur les mots, par un singulier renversement des valeurs de son temps, La Fontaine affirme tranquillement que la cohérence interne de l'œuvre (c'est le sens esthétique du terme bienséance) passe avant sa conformité à la morale (sens éthique du même terme). C'est poser en principe que l'œuvre d'art appartient à un monde à part et n'est justiciable que d'elle-même.

On retrouve la même audace dans l'emploi de l'argument d'autorité. Le poète n'est pas le premier à écrire des contes. Beaucoup d'autres l'ont fait avant lui, « et avec succès ». On ne me saurait donc, dit-il, « condamner que l'on ne condamne aussi l'Arioste devant moi, et les Anciens devant l'Arioste ». Singulier argument qui s'appuie sur l'existence et le succès de contes licencieux à travers les siècles, sans poser la question de leur légitimité. Pourquoi ne les condamnerait-on pas chez l'Arioste ? Quant aux Anciens, leur morale a été bannie par le christianisme. Leur autorité littéraire ne saurait garantir la légitimité du contenu des œuvres écrites à leur imitation. Le péché n'autorise pas le péché. La Fontaine semble l'ignorer.

« Je ne pèche pas contre la morale, soutient-il. S'il y a quelque chose dans nos écrits qui puisse faire impression sur les âmes, ce n'est nullement la gaieté de ces contes; elle passe légèrement. Je craindrais plutôt une douce mélancolie, où les romans les plus chastes et les plus modestes sont capables de nous plonger, qui est une grande préparation pour l'amour. » Cela ne veut pas dire que La Fontaine condamne les romans. Cette « douce mélancolie » a ses charmes : il « se plaît aux livres d'amour », dit-il dans la ballade finale. Tant pis pour le risque moral... Dans les *Contes*, la question ne se pose pas. La façon dont sont rapportées les histoires, leur « gaieté », empêche de les prendre au sérieux. Les facéties sont en dehors de la morale.

Le même type d'argument justifie le poète envers les

femmes. S'il parlait sérieusement, on pourrait dire qu'il leur fait du tort. « Mais qui ne voit que ceci est jeu, et par conséquent ne peut porter coup ? » Son livre n'aura pas d'incidence sur la réalité : les mariages n'en seront pas moins fréquents ni les maris moins sur leur gardes. Contre l'opinion de son siècle, La Fontaine affirme l'autonomie de l'œuvre d'art. Sans incidence sur la vie, elle est une sorte d'exutoire qui permet de jouer à ce qu'on n'a pas le droit de faire. Puisque les contes sont des bagatelles, ils doivent garder leur caractère ludique. En se détournant de la littérature sérieuse vers les « contes à rire », l'auteur conquiert sa liberté.

Il lui reste à repousser une troisième objection, d'ordre littéraire : on trouve dans ses contes « des absurdités et pas la moindre teinture de vraisemblance ». Il répond qu'il a des « garants », ceux qui ont raconté avant lui les mêmes histoires. Surtout, « ce n'est ni le vrai ni le vraisemblable qui font la beauté de ces choses-ci, c'est seulement la manière de les conter ». Jusque-là, La Fontaine avait été, comme tout le monde, prisonnier de l'opposition reçue entre le vrai, domaine de l'histoire, et le vraisemblable, domaine des œuvres d'imagination. Avec les *Contes*, il a brusquement découvert que la littérature ne fonctionne pas selon cette trop facile dualité. L'important est de raconter d'une manière qui fait que le lecteur-auditeur adhère à ce qu'on lui rapporte.

Aux catégories du vrai et du vraisemblable, La Fontaine substitue une sorte de pacte entre l'auteur et le lecteur. Joconde et son ami ont rempli en un clin d'œil le livre où ils consignent leurs conquêtes féminines. Le conteur s'interrompt au milieu du récit pour tenir compte des protestations de l'assistance : « J'entends déjà maint esprit fort / M'objecter que la vraisemblance / N'est pas en ceci tout à fait. » Il faut du temps pour séduire. Je n'en sais rien, répond l'auteur. Son « métier n'est pas de cajoler personne ». Il redit ce qu'a dit l'Arioste, qui assurément ne ment pas : « Si l'on voulait à chaque pas / Arrêter un conteur d'histoire, / Il n'aurait jamais fait. Suffit qu'en pareil cas / Je promets à ces gens quelque jour de les croire. » La vérité du conte est dans l'accord tacite qui relie l'auditeur et le récitant, dans le bonheur de la relation qui s'établit entre eux, l'un endormant l'esprit critique par sa manière, l'autre se laissant faire pour ne pas gâcher son plaisir.

Il était déjà arrivé à La Fontaine de se mettre en scène, mais il n'avait encore jamais pareillement fondé son récit sur sa relation au lecteur. Il ne s'était pas délibérément caché sous un pur personnage de fiction pour jouer son public. Il a trouvé dans cette fausse présence ce qui va faire sa réussite et son originalité en son temps comme du nôtre. En ce début d'année 1665, il avait de quoi être satisfait. Les lecteurs, la foule des lecteurs, avaient enfin aimé ce qu'il faisait. Et il avait en même temps la satisfaction de voir la *Dissertation sur Joconde* lui apporter doctement les justifications théoriques qui anoblissaient son entreprise. Cela lui faisait tout drôle de voir, pendant plus de vingt pages, son nom cité en toutes lettres à côté de celui de l'Arioste, l'un de ses modèles, à côté aussi de ses anciens patrons, Horace et Térence. Non, vraiment, s'il avait rédigé lui-même son panégyrique, il n'aurait sûrement pas fait mieux.

Les parutions de ses *Contes* entourent celles du verdict (10 jours avant, 20 après) rendu contre Foucquet par la Chambre de l'Arsenal. Malgré les efforts de Colbert et les ultimes pressions exercées sur les juges, l'ancien surintendant sauva sa tête. La cour ne le condamna qu'à l'exil. Chose inouïe, le roi usa de son droit de justice souveraine pour alourdir cette peine. Il la commua en prison perpétuelle. Aucun texte n'indique ce que furent les sentiments de La Fontaine à ce moment-là. On les devine à voir l'émotion des amis restés fidèles au prisonnier, Mme de Sévigné par exemple. Comme eux, il dut être satisfait de le voir réfuter brillamment les accusations portées contre lui. Comme eux, il dut être frappé par l'arbitraire du déni de justice final. Comment un grand roi comme Louis XIV pouvait-il montrer tant de rancune envers un homme abattu ? On conduisit immédiatement le prisonnier de l'autre côté de la frontière, à Pignerol, citadelle française en Italie. Toute une part de la vie du poète s'éloignait définitivement de lui.

Elle avait, à vrai dire, déjà cessé de lui être essentielle. On ne s'expliquerait pas, sinon, qu'il ait précisément consacré l'année 1664, si capitale pour son ancien protecteur, à des préoccupations purement littéraires. C'est pendant la période finale du procès qu'il met au point en toute hâte deux

éditions de l'œuvre qui marque son entrée dans la gloire et
le succès. L'appel à la clémence du roi, la fidélité sentimentale au surintendant n'excluaient pas, chez cet homme
d'âge mûr, de justes préoccupations de carrière. Bon gré,
mal gré, il avait, l'année précédente, fait sa soumission à
Colbert. Il s'est maintenant plongé dans ce qui occupera
principalement le reste de sa vie, la littérature et les conditions de la création littéraire. Il est un homme de lettres, très
attaché à son succès, très attentif aux conditions de sa réussite. C'est là qu'il cherche sa liberté, non dans une opposition au pouvoir, qu'il sait stérile et sans lendemain.

31.

Entre Boccace
et saint Augustin

Ni la charge de gentilhomme-servant de la douairière
d'Orléans, ni la parution et le succès de ses *Contes* n'ôtèrent
définitivement La Fontaine à Château-Thierry. En septembre et octobre 1664, il y accorde plusieurs attributions de
bois de chauffage pour ses subordonnés. Il continue de toucher ses gages de maître des eaux et forêts. On a conservé,
signé de sa main le 26 juin 1665, un reçu de 93 livres 15 sols
pour un quartier de ses gages « sur tant en moins de ce qui
lui est dû ». Charles Carlier, marchand demeurant à Château-Thierry, les lui avait payées au nom de l'adjudicataire
des taillis de Barbillon, un certain César L'Esquillette. En
septembre, ayant reçu de Lemblet, son garde-marteau, une
nouvelle demande de bois de chauffage, il la transmet pour
information à Philiponnat, procureur du roi à la maîtrise.
Une semaine plus tard, au vu de son avis favorable soigneusement motivé, il s'en remet à sa décision : « Soit fait et
requis par le procureur du roi. » L'administration suit son
cours, avec ses rites, ses rythmes et son langage.

On s'acheminait pourtant vers la réalisation de l'accord de
1651 sur le transfert aux Bouillon du duché de Château-
Thierry. Une commission procédait à « l'évaluation des
domaines délaissés par Sa Majesté au profit du duc de Bouillon ». En 1665, on y trouve trois représentants du roi, ceux
du duc, dont son homme d'affaires Jean Bafoy, Jean de La
Banne, procureur en la Chambre des Comptes, et Paul
Lebreton, qui en est le greffier. Le 18 mai, quand il s'agit
d'évaluer les forêts, s'y ajoutent les principaux officiers de la

maîtrise, Nicolas Guvin, maître particulier alternatif, Louis Carrier, procureur du roi, Henri Buron, maître sergent et garde-marteau, Claude Lebel, arpenteur-juré, prêté par la maîtrise de Crépy. On se rend à la forêt de Barbillon, à un kilomètre de la ville, où on rejoint Claude Prévost et Jacques Matthiot, bourgeois de Paris, estimateurs pour le roi, René Lemblet, marchand à Igny-le-Jard (le même qui faisait fonction de garde-marteau dans la forêt de Wassy et réclamait assidûment son bois de chauffage) et Nicolas Huet, marchand à Château-Thierry, estimateurs pour le duc de Bouillon. On procède à la visite de la forêt, chacun soutenant les intérêts de sa partie. On la termine le lendemain 19.

Le 20 (c'est un mercredi), apparaît Jean de La Fontaine. On visite les bois de Gland et de Mont-Saint-Père, la Cense-à-Dieu, le Buisson-Roussel, Chartrenne, la Prairie-du-Roi, Vattyé, Le Charmel. On passe de l'actuel canton de Château-Thierry à celui de Fère-en-Tardenois. Le chemin parcouru le montre, tout le monde est à cheval. Le jeudi, on établit l'estimation des biens visités jusque-là dans un document que La Fontaine ne signe pas. On visite le bois du Buisson-Triboust et les forêts de Courpoil, Coincy, Le Charme et Brécy. Le vendredi, on visite les bois du Châtelet, de Romont et La Genoye. On procède à l'estimation de ce qu'on a vu. La Fontaine, qui a été présent à toute l'opération, signe cette fois le procès-verbal de visite. La journée n'étant pas finie, on continue à travers Le Plessis-Paleton, Jaulgonne, Chantrenne, le bois Jouard, la forêt de Trélou. On couche à l'auberge de Dormans.

Le samedi 23 on se retrouve à la Queue-Lyonne. On y signe l'estimation des biens visités. On continue la visite de la forêt de Trélou. Nouvelle signature. Le dimanche, on se repose. Le lundi, on se remet au travail « en présence de Messire Jean de La Fontaine, maître particulier ancien et triennal ». On termine la visite des bois de Château-Thierry. C'est maintenant le tour de ceux de Châtillon. La Fontaine n'y participe pas : le 27 mai, il délègue ses pouvoirs à Louis Maugue, son lieutenant. On visite les bois de l'autre maîtrise du duché. Réunion générale le 30 juin au château de la ville pour examiner le rapport définitif. Devant les difficultés que suscitent les estimations, on décide de surseoir à toute décision définitive et de suspendre les travaux. Ils ne reprendront... qu'en novembre 1669 pour s'achever en décembre 1674, huit ans plus tard... Le poète n'était toujours pas délivré de ses fonctions forestières.

A Paris, il exerçait à son tour sa charge de gentilhomme-servant. Point de « pension poétique ». Il n'a pas chanté sa nouvelle patronne dans ses vers comme il avait célébré Foucquet. Des neuf années où il fut en fonction chez elle, on n'a gardé que trois petits poèmes : deux sonnets et une épître de 52 vers. Le plus ancien est l'épître, dédiée à Mignon, chien laissé en souvenir à sa mère par la duchesse de Toscane. Il a de la chance. Il est cajolé par la fille de la maison et ses jeunes demoiselles de compagnie. Elles le mettent, l'hiver, « dans leurs manchons aux peaux douillettes ». Il a même droit à « maint dévot sourire » de Mme de Crissé, l'austère dame de compagnie de la douairière, procédurière au point qu'on a cru y reconnaître l'original de la comtesse de Pimbêche des *Plaideurs* de Racine.

Point question d'amour dans un tel climat. De ce côté-ci du palais, « l'amour craint le Suisse » : on l'empêche de franchir la porte. Et dans l'autre partie, chez Mlle de Montpensier, l'ennemie des Précieuses, on ne cesse d'en dire du mal. Il faut donc s'en passer. « Cela vous est facile à dire, / Vous qui courez partout, beau Sire », rétorque Mignon à La Fontaine. Il n'est point, lui, prisonnier au Luxembourg. Il va et vient à son gré. Il peut chercher de bonnes fortunes en ville. « Parle bas, petit chien, dit le poète. Si l'Evêque de Bethléem / Nous entendait, Dieu sait la vie ! » Il ne faudrait pas que ces fredaines parviennent aux oreilles de François de Batailler, un ancien capucin, évêque *in partibus* de Bethléem, l'aumônier de la princesse, qui la rend toute confite en dévotion. Pour acheter le silence de Mignon, La Fontaine lui promet de le satisfaire en secret. Il lui procurera au printemps « une petite camusette, / Friponne drue et joliette ». Ces amours animales font moins penser à la licence des *Contes* qu'aux mièvres célébrations d'animaux familiers qui étaient à la mode dans l'entourage de Sapho ou à la cour de Vaux. On est loin du chien et du loup de la fable.

Le sonnet à Mlle d'Alençon est encore moins réussi. Écrit en septembre 1665, au moment où la mort de Philippe IV d'Espagne ébranlait l'équilibre européen, le poète y demande à la cousine germaine de Louis XIV de se sacrifier pour la paix par un mariage politique :

Faites parler l'amour, et ne permettez pas
Qu'on décide sans lui du sort de tant d'États;
Souffrez que votre hymen interpose ses charmes...

On renonça à ce projet. La jeune fille demeura au Luxembourg jusqu'à son mariage avec l'héritier des Guise, en mai 1667.

Preuve de l'excellent accueil des *Contes* dans le public, il en paraît deux éditions pirates, toutes deux imprimées en Hollande. Elles reprennent le texte de l'édition Barbin. L'une y joint *La Matrone d'Éphèse* parasite du recueil de décembre 1664; l'autre vient de chez le fameux imprimeur Daniel Elzévir. La Fontaine est pressé par son éditeur de profiter de son succès en donnant au plus tôt une nouvelle série de *Contes*. Il s'y applique. Le 30 octobre, Barbin peut prendre un privilège pour une *Deuxième Partie des Contes et Nouvelles en vers*. Comme il prévoit une demande à laquelle il ne pourrait faire face seul, il le partage aussitôt avec un autre grand éditeur, Louis Billaine.

De la mise en chantier de *Joconde* à la parution d'un premier, puis d'un second recueil de *Contes*, on imagine le poète entièrement occupé à cette entreprise. Il n'en est rien. Surprenant La Fontaine! Il s'occupait dans le même temps à traduire des vers latins en vers français. A l'imitation créatrice, il ne refusait pas de joindre l'humble travail du traducteur minutieux. Fait étonnant, cet effort ne portait pas sur ses auteurs favoris, Térence ou Ovide, mais sur des vers d'auteurs différents, disséminés dans une œuvre latine de longue haleine : 139 vers de Virgile, Horace, Lucain, Perse, Ennius, Cicéron traduisant l'*Odyssée*, Terentianus Maurus, Valerius Soranus... Au moment où le poète se plongeait dans Boccace et les autres conteurs français et italiens pour y puiser de nouveaux contes, en pleine culture moderne, il renouait aussi avec sa culture classique pour retrouver le ton et le climat de ces auteurs disparates. Plus curieux encore, cet exercice le conduisait à cent lieues des *Contes* : ces vers se trouvent disséminés dans une traduction française... de *La Cité de Dieu* de saint Augustin!

Les cinq premiers livres de la première partie de cet ouvrage édifiant parurent avec les vers de La Fontaine le 30 juin 1665. Son auteur, l'académicien François Giry, n'était pas un amateur, mais un traducteur patenté : il avait passé sa vie à traduire et il avait soixante-dix ans. Il mourut dans l'année. Son fils publiera en février 1667 la fin de la première partie du même ouvrage, cinq autres livres dont il avait laissé la traduction toute prête. On y trouve vingt-trois nouveaux vers de La Fontaine. Dans la préface à son livre, le traducteur de *La Cité de Dieu* faisait un rapide, mais vif éloge de son collaborateur : « Comme il y a beaucoup de vers latins que j'ai été bien aise de faire voir en notre langue, M. de La Fontaine, qui a joint à beaucoup de vertu, et à un grand mérite, un fort beau génie pour la poésie française, a bien voulu les traduire pour honorer mon travail. »

Ces compliments avaient surtout pour but, dans un louable souci d'honnêteté, de rendre à La Fontaine ce qui lui appartenait. Le privilège de *La Cité de Dieu* étant du 31 décembre 1664, Giry n'avait probablement pas eu le temps de connaître les deux premiers *Contes*, publiés quelques jours plus tôt. Mais à la parution du livre, en juin 1665, ce certificat de vertu publiquement décerné en tête d'une traduction de saint Augustin à un poète qui venait de publier tout un recueil de contes licencieux ne manquait pas de piquant. Quant à son génie pour les vers, si personne n'en doute aujourd'hui, peu de gens le connaissaient alors, sauf les anciens amis de Foucquet et les actuels lecteurs des *Contes*. Il ne serait pas venu à l'esprit des seconds de parler de sa vertu... Il faut donc que ce soient les premiers qui l'aient conduit du côté de Port-Royal.

Les relations du brillant ministre avec les austères défenseurs de Jansénius n'avaient jamais été bonnes. Élève des jésuites, il leur était resté fidèle. Il avait confié à l'un d'eux sa superbe bibliothèque. Malgré quelques amitiés personnelles avec des membres de la famille Arnauld, comme procureur général, il avait fait une rude guerre au parti qu'elle soutenait. Devenu ministre, il avait appliqué sans scrupules la politique antijanséniste du pouvoir. Port-Royal avait applaudi à sa chute. Tout changea avec sa prison. Prudents, les jésuites ne se hasardèrent pas à défendre une cause perdue. Au contraire, ceux qui avaient été, sous Foucquet et quelquefois par lui, les victimes de l'arbitraire royal, prirent bientôt fait et cause pour ce nouvel exemple d'injustice. Les presses jansénistes tourneront pour le surintendant déchu pendant son procès. C'est peut-être en raison de ce ralliement de Port-Royal à son ancien patron que La Fontaine a connu Giry.

A moins qu'il n'y ait été conduit tout simplement par son passé. A l'Oratoire, il avait été l'ami et le disciple du père Desmares, suspect de jansénisme et, pour cela, écarté un temps de la chaire. Les aventures galantes et les vers licencieux n'empêchaient pas le poète d'avoir des principes religieux qui le plaçaient dans le camp des rigoristes. Les jésuites vivaient bien et se montraient indulgents pour le péché d'autrui. La Fontaine écrivait des contes licencieux et avait de la sympathie pour les jansénistes, qui la lui rendaient. Ce n'était pas une question de foi ni de choix, mais de sensibilité et d'habitude mentale.

Entre 1664 et 1666, La Fontaine, le La Fontaine des *Contes*, mais aussi des vers traduits pour Giry, s'intéresse aux querelles religieuses et prend parti contre les jésuites. Il écrit pour le dire une « Ballade sur Escobar », principale victime de Pascal dont il reprend les arguments contre la casuistique. Le début semble d'un épicurien : Rome a bien fait de condamner l'évêque d'Ypres dont les « sectateurs nous défendent en somme / Tous les plaisirs que l'on goûte ici-bas ». Le poète paraît adopter la morale permissive qui autorise « la volupté », contre ceux qui la bannissent. Il n'en est rien, car la suite du poème se moque des tours de passe-passe de ceux qui cherchent à minimiser les fautes graves pour en ôter le péché. Par quatre fois revient le même refrain ironique opposant au « chemin pierreux » qui, selon la tradition, mène au Ciel, celui des hypocrites novateurs : « Escobar sait un chemin de velours... »

La Fontaine cite expressément des exemples puisés dans les *Provinciales* : droit de tuer pour une pomme, restriction mentale autorisant le faux serment, possibilité d'amours adultères. Il en cite plusieurs autres dans des *Stances* sur le même sujet : onze stances de quatre vers où il oppose à nouveau l'hypocrite douceur d'Escobar à l'honnête sévérité d'Arnauld. Plus besoin de restituer l'argent volé, ni de se priver des plaisirs de la chair, ni de fuir l'occasion prochaine de péché, ni même de jeûner aux périodes prescrites. Il suffit d'appliquer les recettes d'Escobar. Conclusion :

Fi des auteurs qu'on crut au temps jadis!
Qu'ont-ils d'égal aux maximes du nôtre?
Ils promettaient au plus un paradis.
En voici deux, pour ce monde et pour l'autre.

On pourrait croire à des textes de circonstance, à une alliance tactique et provisoire de l'ami de Foucquet avec d'autres persécutés. Il n'en est rien. La poésie à sujet religieux n'est pas chez La Fontaine un accident. Il la cultivera presque toute sa vie.

Singulier personnage que ce poète dont la muse libertine se transforme parfois en muse chrétienne, voire en muse janséniste. On crierait volontiers à l'hypocrisie, mais c'est justement elle qu'il dénonce dans la casuistique d'Escobar, au moment où Molière lutte pour faire représenter son *Tartuffe*. Suprême rouerie d'un débauché? Plutôt dualité de l'âme humaine, impossibilité de choisir la vertu quand le vice a si beau visage, mais refus également de se tromper soi-même et volonté d'appeler le péché par son nom. A moins que le poète ne voie pas plus de mal dans ses fautes que dans ses *Contes* dont la gaieté purifie tout. La casuistique, avec tous ses calculs, a quelque chose de géométrique et de froid qui déplaît à une âme simple. Pour La Fontaine, ce qui gomme le péché, c'est le plaisir qu'on prend à le faire, la gaieté qu'on met à l'écrire.

32.

« Une carrière
toute nouvelle »

Avec ses ajouts successifs, le recueil de janvier 1665 comportait treize récits. Superstitieux, La Fontaine en donne le même nombre dans la *Seconde partie des Contes et Nouvelles en vers*. Elle paraît le 21 janvier 1666, un an et onze jours après la première, dans un volume nettement plus épais : 160 pages au lieu de 92. Cette fois, les textes étaient tous de vrais contes. Conformément au programme que le poète n'avait pas eu le temps de suivre l'année précédente, ils venaient majoritairement de Boccace, accessoirement de Marguerite de Navarre, de Rabelais, des *Cent Nouvelles nouvelles*. En tête de chacun d'eux, La Fontaine indiquait presque toujours sa source, inscrivant son œuvre dans une tradition littéraire qui l'anoblissait et désamorçait le reproche de licence, inévitable à propos d'aventures d'hommes et de femmes quasi uniquement occupés à assouvir leur immense appétit sexuel.

En citant ses modèles, l'auteur reconnaissait qu'il poursuivait une carrière d'imitateur, non de novateur. Son originalité n'était pas dans l'invention, mais dans l'expression et la disposition de la matière. Il y avait largement de quoi exercer sa liberté. Il « taille dans le bien d'autrui ainsi que dans le sien propre », dit la Préface. Même dans les histoires les plus connues, il n'hésite pas à changer « les incidents et les circonstances, quelquefois le principal événement et la suite ». L'imitation change le connu en inconnu. « Enfin, ce n'est plus la même chose; c'est proprement une nouvelle nouvelle, et celui qui l'a inventée aurait bien de la peine à reconnaître son propre ouvrage. » Le poète avait le droit de le faire. Térence a procédé ainsi avec Ménandre ; Sophocle ou Euripide avec ceux qui les ont précédés. Pourquoi n'aurait-il pas suivi ces grands exemples ? « Ce privilège cessera-t-il à propos des contes faits à plaisir ? » Devrait-il se montrer plus scrupuleux « pour le mensonge » que les Anciens « pour la vérité » ? La Fontaine, par ces interrogations au lecteur, cherche à renouer dans son second recueil le dialogue amorcé dans les Avertissements précédents.

Il insiste à nouveau sur le caractère ludique de ses histoires. Elles ont leur logique propre, différente de celle de la vie quotidienne. Ce sont des « récits où une chose, la plupart du temps, est la suite et la dépendance d'une autre, où le moindre fonde quelquefois le plus important, en sorte que si le fil vient à se rompre, il est impossible au lecteur de le renouer ». A la différence de presque tous les théoriciens de son temps, qui voient dans l'œuvre littéraire la peinture de la réalité ou l'expression de la vérité, La Fontaine défend, d'une façon très moderne, l'idée d'un texte dont la construction, toute de fantaisie, ne dépend que des règles de son bon fonctionnement. La preuve de l'excellence d'un conte, c'est que le lecteur accepte de s'y laisser prendre.

La Fontaine reprend aussi la distinction entre les bagatelles et la grande poésie. « Il faut laisser les narrations étudiées pour les grands sujets et ne pas faire un poème épique des aventures de Renaud d'Ast » (le héros d'un de ses Contes, que saint Julien récompense de sa dévotion par les faveurs d'« une veuve galante »). Les « mauvaises rimes », les enjambements, les absences d'élision entre deux voyelles et, en général, toutes « ces sortes de négligences » qui seraient impardonnables « dans un autre genre de poésie », sont quasi « inséparables » de celui qu'il pratique. « Le trop grand soin de les éviter jetterait un faiseur de contes en de longs détours, en des récits aussi froids que beaux, en des contraintes fort inutiles, et lui ferait négliger le plaisir du cœur pour travailler à la satisfaction de l'oreille. » Pour La Fontaine, il n'y a pas d'art poétique unique, applicable à tout le monde et dans tous les cas. Conteur à succès, il revendique le droit à une technique adaptée à la nature marginale de son œuvre.

En plein classicisme, il conteste la souveraineté des règles.
« Le secret de plaire ne consiste pas toujours en l'ajustement,
ni même en la régularité : il faut du piquant et de l'agréable
si l'on veut toucher. Combien voyons-nous de ces beautés
régulières qui ne touchent point et dont personne n'est
amoureux ? » Le conteur ne s'adresse pas à la raison de son
lecteur, mais à son intuition, à son imagination (ce qu'il
appelle le cœur). La forme ne doit pas s'étaler, mais se faire
la discrète servante du récit. Car le point principal est
« d'attacher le lecteur, de le réjouir, d'attirer malgré lui son
attention, de lui plaire enfin ». A mille lieues du précepte –
sans cesse rappelé par ses contemporains – de la nécessité
d'instruire et plaire (de plaire pour instruire), La Fontaine
oublie le but moral de l'œuvre d'art pour ne songer qu'au
plaisir de donner du plaisir. Sous prétexte de justifier quelques licences poétiques, il expose une théorie du conte qui
repose sur des vues tout à fait originales des rapports de la
forme et du fond, de l'utile et de l'agréable, de l'auteur et de
son lecteur.

Prudent, le poète masque ses audaces essentielles en justi-
fiant ses négligences de détail. Il s'abrite derrière Quintilien.
Il cite Térence, qui reste son maître. Il nomme les poètes
d'avant la Pléiade, Marot et Melin de Saint-Gelais, rejetés
par Ronsard et du Bellay, et plus récemment par Malherbe.
Il avance le nom de Voiture, qu'il appelle son « garant ».
Pour comprendre l'entreprise de l'auteur, « il ne faut que
lire ceux de ses ouvrages où il fait revivre le caractère de
Marot ». La Fontaine ne revendique pas la gloire d'avoir
inventé un nouveau style. Il s'inscrit à la suite des poètes
dont Pellisson avait vanté les mérites dans sa préface aux
Œuvres de Sarasin. Mais, à la différence du conseiller culturel de Foucquet, il ne pose pas l'égalité de la poésie enjouée
et de la poésie sérieuse. Sur l'infériorité de la première, il
fonde son droit à une plus grande liberté.

Curieux mélange de modestie et d'orgueil! Il confesse
humblement que le conte est un genre mineur, mais revendique hautement d'en avoir été l'initiateur. Il ne prétend pas
avoir « mérité de grands applaudissements du public pour
avoir rimé quelques contes ». Son entreprise n'est pas très
glorieuse. Mais elle a le mérite d'être neuve. « Il s'est véritablement engagé dans une carrière toute nouvelle, dit la

Préface, et l'a fournie le mieux qu'il a pu, prenant tantôt un chemin, tantôt l'autre, et marchant toujours plus assurément quand il a suivi la manière de nos vieux poètes. » En remontant aux poètes d'avant la Pléiade pour demander sa garantie à une tradition littéraire différente, l'auteur affirme son non-conformisme. L'imitation des vieux poètes accentue l'originalité de l'expérience.

La Fontaine confirme par là le caractère expérimental de son livre, marqué dès la plaquette de décembre 1664. Il poursuit simultanément une pratique de l'écriture du conte et une réflexion théorique sur la façon de conter en vers. Nourrie de son excellente connaissance des Anciens, dont les noms et les citations viennent sans peine sous sa plume, cette réflexion se fait sans préjugés, à partir de ce qu'il éprouve en écrivant et en se mettant à la place de son lecteur. A quarante-quatre ans, il a découvert une carrière inexplorée. Il en a reconnu les richesses. Il en a tiré deux petits volumes dont il sait mieux que personne la singularité. Ils lui ont apporté le succès populaire qu'il avait vainement espéré d'œuvres plus sérieuses. Sa voie semble toute tracée.

Surprise : il annonce solennellement qu'il n'écrira plus de contes. « Voici les derniers ouvrages de cette nature qui partiront des mains de l'auteur, commence la Préface; et, par conséquent, la dernière occasion de justifier ses hardiesses et les licences qu'il s'est données. » On croit que La Fontaine va parler de ses licences morales et expliquer pourquoi, cédant à ses scrupules, il a décidé de ne plus écrire d'autres Contes. On se trompe. Il ne parle que de ses licences poétiques. Non sans malice, il a employé à dessein un mot ambigu. S'il aime à s'expliquer devant son public, il aime encore plus se moquer des gens, surtout de ceux qui parlent morale à propos de « contes à rire ».

La Fontaine ne tiendra pas sa promesse, et l'on peut, avec le recul du temps, imaginer que cette déclaration initiale avait un but publicitaire. Le nouveau livre devenait d'autant plus précieux qu'il était présenté comme le dernier du genre. Plus vraisemblablement, le poète n'était qu'imparfaitement satisfait d'un succès obtenu dans un genre dont il reconnaissait lui-même le caractère mineur. Il restait profondément persuadé qu'on n'obtient pas la vraie gloire avec des bagatelles, si originales et si réussies qu'elles soient. Il fallait tenter d'autres voies, plus conformes à l'idée qu'on se faisait alors d'une poésie destinée à l'immortalité. A ces amusements, il fallait maintenant substituer des œuvres qui en tireraient les leçons sur le mode sérieux, des œuvres dignes de la postérité.

Chapelain, auquel La Fontaine avait adressé son livre, lui envoya, quelques jours après sa parution, une belle lettre de félicitations qui éclaire parfaitement cette situation. On en a surtout retenu le caractère louangeur. Il n'y a personne, écrit-il au poète, qui puisse rivaliser avec lui dans le genre qu'il a pratiqué. « Vous y avez, Monsieur, damé le pion à Boccace à qui vous donneriez jalousie s'il vivait, et qui se tiendrait honoré de vous avoir pour compagnon en ce style. Je n'ai trouvé chez aucun écrivain de nouvelles tant de naïveté, tant de pureté, tant de gaieté, tant de bons choix de matières ni tant de jugement à ménager les expressions ou antiques ou populaires, qui sont les seules couleurs vives et naturelles de cette sorte de composition. » Venant d'un des critiques les plus autorisés et du conseiller de Colbert pour la distribution des pensions royales, de tels compliments avaient de quoi nourrir la vanité de La Fontaine.

Ils lui montraient qu'en haut lieu, tout le monde n'était pas choqué de la licence de ses *Contes*. Le bras droit du ministre en matière littéraire n'y voyait lui aussi qu'un jeu d'esprit magnifiquement pratiqué. Homme de culture, il n'était pas choqué par le récit de prouesses sexuelles qu'il avait lues cent fois dans les sources de La Fontaine. Son âge le mettait à l'abri des fausses pudeurs; sa formation le rattachait à une époque où on n'avait pas peur des histoires osées. Il avait donc aimé les *Contes* et l'écrivait à l'auteur. Vu ses rapports avec le ministre, sa lettre pouvait passer pour une sorte d'autorisation de continuer dans la même voie, sans crainte des esprits étroits criant à la licence.

D'autant plus que Chapelain regrettait la décision de La Fontaine : « Votre préface, lui dit-il, s'y sent bien de votre érudition et de l'usage que vous avez du monde, et rien ne m'y a déplu que ce que vous semblez y protester, au commencement, que les historiettes enjouées dont ce volume est formé seront les dernières qu'on verra de vous. » On ne doit jamais renoncer à un travail dans lequel on réussit parfaitement. Boccace lui-même, qui s'était repenti d'avoir écrit le *Décaméron* et avait achevé sa vie en écrivant de pieux traités pour faire pénitence, a eu tort d'avoir cru « que les gros volumes latins sérieux qu'il a faits lui apporteraient plus d'honneur que celui de ses Nouvelles ». Le critique a bien deviné que La Fontaine craignait que ses Contes ne fissent pas le poids pour fonder une gloire véritable.

Entrant dans son jeu, il lui conseille une solution de compromis : « Ce n'est pas, Monsieur, que je vous condamnasse à ne faire jamais que cela, mais si j'étais en votre place, je mêlerais le doux à l'utile et me délasserais quelquefois de mes études graves entre les bras de ces muses gaillardes qui vous traitent si favorablement. » Signe de l'ambiguïté de la situation, Chapelain reconnaît la parfaite réussite du poète dans le genre du conte léger. Il lui montre même, par l'exemple de Boccace, qu'on peut accéder ainsi à une gloire littéraire durable. Mais, malgré cela, il raisonne ensuite selon un autre système de pensée, le plus répandu, qui réduit de telles bagatelles à des amusements passagers, à des moments de repos après les vrais travaux, les travaux sérieux. Il n'est donc pas besoin d'invoquer l'animosité de Colbert contre un ancien protégé de Foucquet pour expliquer que l'auteur des *Contes* n'ait pas été gratifié. Il était évident pour tout le monde, et pour La Fontaine lui-même, que son œuvre ne concourait en rien à la gloire de Louis XIV.

En d'autres sortes de bagatelles, écrites au temps de Foucquet, il avait pris l'habitude de parler de soi et de l'entourage du ministre. Inscrite dans le temps, la « pension poétique » renvoyait aux réalités biographiques. Dans les lettres du *Voyage en Limousin*, il avait continué d'écrire à la première personne. Il ne s'y peint pas tout entier, il ment peut-être, mais c'est de lui qu'il parle, et la loi du genre veut qu'on le croie. Les récits successifs s'organisent autour d'une expérience vécue ou prétendue comme telle. Tout change avec les *Contes*, présentés comme des œuvres de fiction par un auteur qui revendique le droit au mensonge comme fondement de cette sorte d'art. Logiquement, La Fontaine devrait alors disparaître de son œuvre. Mais le conte suppose un conteur : cela lui permet de s'y maintenir.

Le conteur, en principe, est un personnage de fiction, un

personnage qui s'ajoute à ceux de l'histoire. Celui qui présente et commente les aventures de Joconde n'a pas plus de réalité que Joconde lui-même. A sa femme qui dit que son départ la fera mourir, le héros a dû répondre quelque chose, mais le conteur ne sait quoi :

> *L'histoire ne dit point ni de quelle manière*
> *Joconde put partir, ni ce qu'il répondit,*
> *Ni ce qu'il fit, ni ce qu'il dit;*
> *Je m'en tais donc aussi de crainte de pis faire.*
> *Disons que la douleur l'empêcha de parler;*
> *C'est un très bon moyen de se tirer d'affaire.*

Pour l'auteur, cette parenthèse est un moyen de se mettre à distance de son récit, et nous avec lui. Elle en souligne le caractère arbitraire. L'Arioste aurait pu donner les raisons du silence de Joconde, et La Fontaine aurait pu lui aussi les inventer. Il ne l'a pas fait. En le disant, le conteur montre avec quelle liberté l'auteur décide souverainement de ce que dit ou ne dit pas son personnage. Mais au moment même qu'il en souligne le caractère fictif, et donc celui du conte dont ce personnage fait partie, il y introduit un élément de réalité. Ce conteur fictif qui exprime la liberté du créateur ressemble comme un frère à l'auteur en train d'écrire. Il est dans la même situation que lui. Joconde est une fiction, mais cette fiction dit vrai. Il est vrai que La Fontaine a écrit d'après un autre. Il est vrai qu'il a remarqué que cet autre ne lui fournissait pas telles paroles. Il est vrai qu'il en a trouvé une raison considérée comme plausible. Le personnage fictif du conteur se révèle un double de l'auteur.

C'est pourquoi il lui arrive de redire, au cœur des fictions, les propres idées de La Fontaine. Il interrompt Joconde pour parler du pacte qui le lie à son lecteur. Il commence *La Fiancée du roi de Garbe*, dernier conte du second recueil, en reprenant la distinction entre vérité et fiction : « On abuse du vrai comme on fait de la feinte. » On a tort. Car sur les « événements de qui la vérité importe à la postérité », on n'a pas le droit de mentir. Il faut respecter l'Histoire. On est au contraire totalement libre dans les « récits qui passent pour chansons ». On est là sur le terrain de la « feinte », où chacun peut librement tailler et broder. « Chacun y met du sien sans scrupule et sans crainte. » C'est ce que disait la Préface du second recueil : « Jamais ce qu'on appelle un bon conte ne passe d'une main à l'autre sans recevoir quelque nouvel embellissement. »

Toutes les théories sur la narration, et ce qu'on sait aujourd'hui sur la nécessité de ne pas confondre le La Fontaine de l'état civil et le conteur d'histoires, sont, par suite, impuissantes à lutter contre une identification voulue et savamment agencée. Ce brouillage des identités fait partie de son personnage. Il aurait beau avoir été chaste et mari fidèle, il pourrait même avoir mené une vie pieuse et austère, cela ne servirait de rien. En écrivant les *Contes*, il a mis en scène un être de fiction qui impose de leur auteur une image qui, pour nous, a aussi sa vérité. Il nous fait regarder par le trou de la serrure des aventures licencieuses. Peu importe que la serrure soit magique et qu'elle montre des scènes imaginaires. Le conteur fait de nous des voyeurs, et de La Fontaine un maître en voyeurisme.

33.

Trois Contes

Les *Contes* de La Fontaine ont dû lui rapporter de l'argent. La hâte de l'éditeur à publier un second volume, juste un an après le premier, suppose un succès qu'il a pu monnayer. On n'en sait pourtant pas de traces. Il traîne toujours de vieilles dettes. Le 19 février 1665, moins d'un mois après la parution du premier recueil, solidairement avec son frère Claude, il se reconnaît responsable d'un emprunt de son père à un Pidoux, qui remontait à la création de la charge de maître triennal des eaux et forêts, en 1637. On ne le voit jamais rembourser ce qu'il doit.

Le 23 février 1666, les experts chargés, en application du jugement d'août 1661, d'évaluer les indemnités à verser aux titulaires d'offices du duché de Château-Thierry, remettaient leur rapport. Ils rappelaient que la maîtrise ancienne avait été évaluée 14 000 livres, et 12 667 la maîtrise triennale. Mais ils ajoutaient que ces prix seraient réduits de 9 600 livres, près du tiers, « à cause des jouissances abusives ». On avait opéré trop de coupes de bois de chauffage pour les fonctionnaires de la maîtrise. Comme chef de service ordonnateur des attributions injustifiées, La Fontaine en était financièrement responsable. Conséquence : on ne lui devait plus que 17 367 livres, payables quand le duc de Bouillon aurait des fonds. Petite consolation : il était confirmé que cette dette portait intérêt depuis le 1er octobre précédent.

Pour le moment, il continuait d'exercer ses fonctions comme si de rien n'était. Le 5 mai 1666, il rend à Château-

Thierry une sentence contre un adjudicataire de bois, à Raray, qui n'a pas respecté fidèlement les clauses de son marché. Le 7 août, sans doute en conséquence du rapport du 23 février, il reçoit une lettre de Colbert l'invitant à plus de vigilance : « Monsieur, le Roi ayant été informé que les officiers du duché de Château-Thierry ont pris des chauffages sur un pied excessif, même hors des années de leurs exercices, et commis une infinité de malversations dans lesdites forêts, Sa Majesté m'a commandé de vous écrire ces lignes de sa part pour vous dire que son intention est que vous en fassiez une exacte recherche, et qu'en même temps vous examiniez leurs titres afin que si ces jouissances sont mal fondées, vous en fassiez l'imputation sur le remboursement qu'ils doivent recevoir de leurs offices. » On peut être un poète à succès et recevoir d'un ministre des lettres de service désagréables.

A y regarder de près, cette lettre n'est pas si désagréable pour La Fontaine qu'elle en a l'air. Elle n'a rien de personnel. Colbert, qui allait publier en 1669 une ordonnance sur la réformation des forêts, commençait à mettre de l'ordre dans le domaine royal dont Château-Thierry faisait encore provisoirement partie. Non loin de là, d'autres maîtres des eaux et forêts furent dans le même temps sévèrement sanctionnés, parfois même destitués sans indemnités. Rien de tel contre La Fontaine, qui n'est pas mis personnellement en cause. A tout prendre, il ne devait pas être mécontent de voir appliquées à ses subordonnés les mêmes règles et les mêmes retenues qu'on lui avait appliquées à lui-même.

De concert avec ses collaborateurs, il décida pourtant de contre-attaquer un rappel à l'ordre qui, pour être juste dans son principe, n'en était pas moins inopportun en ces circonstances. Si on forçait sur le bois de chauffage, c'était qu'on ne touchait plus d'émoluments. Le 1er septembre suivant, La Fontaine se chargea de l'écrire au nom de tous à Bafoy, l'homme d'affaires du duc de Bouillon : « Il y a tantôt deux ans que nous ne touchons rien de nos charges. Je m'adresse à vous plutôt qu'à un autre, sachant que vous êtes pour la justice, et vous supplie, en mon particulier et au nom de tous les officiers, de considérer qu'il n'y en a pas un de nous qui puisse attendre la jouissance de son revenu sans une extrême incommodité. » Singulière situation de ces

fonctionnaires en voie de perdre leurs charges : on leur fait
attendre indéfiniment le remboursement du capital qu'ils
ont engagé pour les acheter, on oublie de leur payer leurs
gages, et on les rappelle à l'ordre pour « jouissances abusives »! Il y avait sûrement de quoi en décourager de plus
zélés que La Fontaine. Il cessa pratiquement toute fonction :
on n'a plus de pièces signées de sa main relatives aux eaux et
forêts après mai 1666.

Il continuait de servir par quartier au Luxembourg et
d'habiter chez Jannart. Le 15 mai 1667, le duc de Guise,
dernier espoir de la famille, épousa Mlle d'Alençon, dernière fille de Madame. Il avait dix-sept ans et elle vingt et
un. Ils logèrent à l'hôtel de Guise dont on avait « rac-
commodé les appartements », dit Mlle de Montpensier, voisine et demi-sœur de la mariée. Le jeune duc était sous la
coupe de sa sœur aînée, Mlle de Guise, au point que « le
mari et la femme n'osaient se parler sans sa permission ».
Mme de Poussay, dame d'honneur de la nouvelle duchesse,
avait une fille qu'on avait tirée du couvent dans la pensée
que sa beauté séduirait le roi. Il résista, mais elle pouvait
tourner la tête à d'autres, car elle avait de l'esprit. Elle « causait avec M. de Guise. On prit prétexte de dire que l'on craignait qu'il n'en devînt amoureux. On la chassa et elle
retourna à Luxembourg auprès de Madame ».

C'est là, juste avant ou juste après le mariage, que La Fontaine la découvrit et l'admira. Il composa pour elle le meilleur des trois poèmes inspirés par l'entourage de la douairière d'Orléans, un sonnet « pour Mlle de Poussay ». Il avait
brisé tous ses fers et croyait pouvoir vivre « content et sans
amour » dans « l'innocente beauté des jardins et du jour ».
Amarante a rompu ce fragile équilibre en sortant du cloître.
« Que de grâces, bons dieux! tout rit dans Luxembourg. »
Tout le monde aime la jeune fille. C'est le bonheur. Elle
risque de rendre à nouveau le poète amoureux. Tant pis!

> *Il est beau de mourir des coups d'une merveille*
> *Dont un regard ferait la fortune d'un roi.*

De ce poème de circonstance, il ne faut surtout pas
conclure que La Fontaine avait effectivement renoncé à
l'amour et que Mlle de Poussay a rompu ses résolutions. Le

poète a été heureux du climat agréable créé dans un palais plutôt morose par l'apparition d'une femme jeune et spirituelle. Il le dit par le détour d'une banale célébration du pouvoir de ses charmes.

La seconde partie des *Contes* n'avait pas eu moins de succès que la première. Conformément au privilège, Louis Billaine en donna en 1667 une édition corrigée par l'auteur et beaucoup plus soignée que celle de Barbin. La même année parut, en principe à Cologne, aux fameuses éditions à la Sphère qui étaient souvent des contrefaçons imprimées en France, un *Recueil contenant plusieurs discours libres et moraux et quelques nouvelles en vers non encore imprimées*. On y trouvait trois contes de La Fontaine inédits : *L'Ermite, Le Muet, Les Cordeliers de Catalogne*. Les deux premiers étaient imités de Boccace, le troisième des *Cent Nouvelles nouvelles*. Ils avaient en commun de mettre en scène des gens d'Église, ce que n'avaient encore pas fait les Contes publiés jusque-là.

Ces trois contes n'étaient probablement pas des nouveautés publiées sitôt après avoir été écrites. Ils figurent en effet dans un manuscrit, provenant des collections de Conrart, le secrétaire de l'Académie, qui contient huit contes du premier recueil – quasi tous les vrais contes de ce recueil – et les trois contes du volume de Cologne. Ils étaient peut-être destinés eux aussi au volume de janvier 1664. L'auteur les en aurait écartés par prudence au dernier moment. Comme ils forment une série à part dans le manuscrit, il a également pu les écrire seulement après la parution de ses premiers contes. En ce cas, c'est parmi les seconds qu'il n'aurait osé les faire imprimer.

Le Muet était une banale histoire de nonnes profitant des plaisirs solides que leur procure un jeune jardinier qui a fait le muet et l'idiot pour s'introduire dans leur couvent. En prélude, La Fontaine s'en prenait aux parents qui mettaient leurs filles en religion sans se soucier si elles avaient ou non la vocation. Le voile, expliquait-il, n'est pas « le rempart le plus sûr contre l'amour ». Mieux vaut un bon mari... Les filles restées dans le monde ont « toujours plus de peur » que les religieuses des éventuelles atteintes à leur honneur. « La raison est qu'elles en ont affaire. » Au couvent, au contraire, l'oisiveté engendre la tentation, et l'interdiction le désir.

C'est mal raisonner que de dire : ma fille est nonne, donc c'est une sainte. « Boccace en fait certain conte pour rire, / Que j'ai rimé comme vous allez voir. » Ces idées n'avaient rien de subversif. Elles s'accordaient même avec la politique de Colbert qui voulait diminuer le nombre des couvents. Malgré cela, malgré aussi la référence à Boccace et le rappel qu'il s'agit d'une pure fantaisie, La Fontaine a craint la censure.

Il l'a craint à plus juste titre pour les deux autres contes, qui montrent des femmes abusées par des moines. Les frères de Catalogne les persuadent qu'elles doivent « trois fois le mois » s'acquitter en secret avec eux d'une dîme conjugale. Les dames le font volontiers, jusqu'au jour où l'une d'elles a la naïveté de raconter l'affaire à son mari. Les hommes se vengent en brûlant leurs rivaux dans une grange où ils les ont enfermés. L'auteur, dit la Préface du second Recueil, « a cru qu'en ces sortes de contes, chacun devait être content à la fin : cela plaît toujours au lecteur, à moins qu'on ne lui ait rendu les personnes trop odieuses ». Les frères de Catalogne devaient lui être particulièrement odieux, puisqu'il n'a eu recours à une fin tragique que pour eux.

L'Ermite raconte comment frère Luce abuse une pauvre fille et sa mère en les persuadant que la demoiselle doit concevoir de lui un futur pape. La supercherie éclate au dénouement : « La signora mit au monde une fille... » Dix vers d'introduction mettaient en garde quiconque a « femme, fille ou femme jolie » contre le froc. C'était un développement traditionnel. Il commençait par deux vers beaucoup moins anodins : « Dame Vénus et Dame Hypocrisie / Font quelquefois ensemble de bons coups. » Les contes ne racontent pas seulement la paillardise des moines, péché mineur. Ils dénoncent la façon dont ceux-ci tirent parti de leur appartenance à l'Église ou de leur prétendue sainteté pour séduire leurs victimes. Ils s'attaquent moins aux faiblesses que leur cause Dame Vénus qu'au recours à Dame Hypocrisie pour les exercer en cachette.

En mai 1664, Molière avait osé s'en prendre aux faux dévots et à leur « vice privilégié ». Il avait profité d'une grande fête de plusieurs jours à Versailles, dont Louis XIV lui avait confié l'organisation, pour y glisser un *Tartuffe*. Riposte immédiate : dès le 17, la *Gazette* félicite le roi d'avoir, sur le conseil de personnes éclairées, défendu « de représenter une pièce de théâtre intitulée *L'Hypocrite* ». L'auteur devra attendre août 1667 pour jouer une version remaniée de sa pièce, un *Panulphe,* aussitôt interdit lui aussi. Molière n'obtiendra permission de jouer *Tartuffe* qu'en février 1669, quand, lassé des dévots dont il supportait mal les contraintes, Louis XIV le laissera attaquer ceux qui se servaient de la dévotion pour affermir leur pouvoir.

Les trois contes de La Fontaine venaient d'un fonds ancien d'historiettes daubant sur les clercs. C'étaient à l'origine des « contes à rire », inventés et colportés par les clercs eux-mêmes. Remaniés par La Fontaine dans une France où le parti dévot de la Contre-Réforme essayait d'imposer son ordre moral, ils risquaient d'être pris pour des récits subversifs, ruinant l'autorité de l'Église et la sainteté de la religion. Le poète en eut-il conscience en les écrivant, et voulut-il sciemment concourir à l'œuvre de dénonciation de l'hypocrisie entreprise par Molière ? C'est possible. En ce cas, quand il vit les résistances victorieusement opposées au *Tartuffe,* il n'osa pas aller jusqu'au bout de son geste. Il ne les publia pas.

Peut-être les avait-il écrits, à son habitude, sans esprit de contestation, comme de simples imitations de modèles anciens. Il découvrit en cours de route leur actuelle virulence. Il avait prétendu, dans l'Avertissement de 1665, que son livre était « jeu » et qu'il ne « pouvait porter coup ». Il s'aperçut que ce n'était pas toujours vrai. Ce qui pouvait l'être pour les rapports conjugaux ne l'était sûrement plus dès qu'il s'agissait des gens d'Église. Le rire n'était pas aussi innocent que l'auteur l'avait prétendu. Le récit d'aventures imaginaires et fantasmatiques pouvait rappeler l'actualité la plus brûlante. Prudent, La Fontaine n'imprima pas les textes litigieux, mais il les récita ou en laissa prendre copie. Ils circulèrent sous le manteau. L'inévitable se produisit. Un imprimeur s'en empara. Publiés de façon subreptice en 1667, l'année du *Panulphe,* ils recevaient des circonstances une signification encore plus forte que s'ils avaient banalement été glissés parmi les autres.

Le 6 juin 1667, Barbin prenait un privilège pour un recueil de *Fables choisies* et une « troisième partie des *Contes* en vieux vers ». Cédant aux pressions de son éditeur, La

Fontaine avait déjà renoncé à sa décision de ne plus écrire de contes. Il continuera toute sa vie à en composer. Les *Fables* apparaissent timidement, à l'occasion d'un privilège conjoint, à la remorque des *Contes,* comme une sorte de métamorphose à l'intérieur d'un même genre. Sans doute avait-on pensé d'abord, pour mieux en souligner la continuité, à publier contes et fables en un même volume. Mais l'auteur ne se pressa pas d'envoyer son manuscrit à l'éditeur. Sa nouvelle œuvre parut seulement dix mois plus tard. Elle ne comportait que des fables. Elle marquait un tournant décisif dans la carrière de La Fontaine.

Le hasard en avait jusque-là décidé. En écrivant *Joconde,* il n'avait pas imaginé que ce conte ferait tant de bruit, ni qu'il le conduirait à en écrire tant d'autres. Pour profiter de l'occasion, il en avait donné un recueil, composé à la hâte de pièces et de morceaux. Un an plus tard, il y avait ajouté un second, plus homogène et mieux composé. Il était le premier surpris de la solide réputation de conteur qu'il s'était maintenant établie. Il savait depuis longtemps qu'il racontait bien, mais il ne se résigna jamais à y voir sa seule ni même sa principale vocation. Il avait mis du temps à y reconnaître la voie de son succès. Il ne consentit à la suivre qu'à condition de l'élargir et de l'anoblir. Il persuada son éditeur de dissocier fables et contes et de changer de méthode. La parution des *Contes* avait été fortuite et hâtive ; celle des *Fables* serait volontaire et soigneusement préparée. La nouvelle œuvre parut le 31 mars 1668. C'était un beau volume in-4° de 286 pages, illustré par François Chauveau. A bientôt quarante-sept ans, Jean de La Fontaine donnait enfin un vrai livre, patiemment écrit et savamment composé.

Le succès ultérieur des *Fables* a suscité bien des légendes. Selon Mathieu Marais, qui reprend des confidences de Boileau à Brossette, l'éditeur aurait d'abord refusé de les imprimer. « Je l'en pressai, dit Boileau, et ce fut à ma considération qu'il donna quelque argent à La Fontaine. Il y a gagné des sommes infinies. » Boileau se trompe. Comme d'habitude, Barbin, titulaire du privilège, s'était associé avec Thierry, signe qu'ils espéraient tous deux un bon débit de la nouvelle œuvre. Son auteur n'était plus un inconnu. La bonne vente de ses *Contes* garantissait un succès d'estime pour les *Fables*. Sans cela, ils n'auraient jamais publié un livre au titre aussi rébarbatif.

34.
Le pari des *Fables*

Le succès des *Fables* fut aussi éclatant qu'immédiat. L'édition originale en un volume est suivie aussitôt de deux autres en deux volumes d'un plus joli format, puis, en 1669, de trois nouvelles éditions. A lui seul, ce premier recueil connaîtra près de quarante réimpressions du vivant de l'auteur, chiffre extraordinaire à l'époque. Cet accueil des contemporains et la gloire actuelle du poète masquent l'audace et la difficulté de son entreprise. En décembre 1664, il avait publié des *Nouvelles en vers tirées de l'Arioste et de Boccace*. Il publiait cette fois des *Fables choisies mises en vers*, tirées d'Ésope et de Phèdre. La continuité entre les deux œuvres est affichée dans leur titre. Sans le succès des *Contes*, où il avait testé son art du récit, le poète n'aurait sûrement pas osé consacrer ses soins et son énergie à ces autres sortes de récits, plus modestes, qu'étaient les *Fables*. Boccace et Marguerite de Navarre avaient donné aux premiers leurs lettres de noblesse et leur notoriété dans le grand public. Le poète avait profité d'une mode pour les lancer. Pour répandre les secondes, il ne pouvait compter que sur l'élan donné par ses recueils précédents.

A la différence des contes, liés à une tradition populaire mise en forme par de bons écrivains à l'intention des gens du monde, les fables sentaient irrémédiablement l'école. Elles venaient en effet d'une Antiquité réservée aux savants, aux pédants et aux enfants. En 1505, Alde Manuce avait publié à Venise le texte grec et la traduction latine des fables d'Ésope, le créateur du genre. Il y avait joint plusieurs textes qui en vantaient l'excellence. Les apologues, disaient-ils, méritent d'être imprimés aussi savamment que les autres œuvres des Anciens. Ils sont un moment obligé de toute éducation littéraire. Ces plaidoyers sur la noblesse et la nécessité des fables n'avaient rien de séduisant pour le grand public.

Abstémius tenta de les sortir des mains des savants en publiant cent fables en vers latins qu'il avait composées sur les canevas ésopiques en s'adressant, disait-il, à la fois aux doctes et aux personnes de qualité. Au sérieux du fond, il prétendait avoir mêlé une forme souriante, une gaieté de bon aloi destinée à détendre les honnêtes gens. Leur plaisir était le meilleur moyen de les faire accéder à la sagesse. Ni dans l'original ni dans leur traduction française parue en 1572, les fables d'Abstémius ne tenaient les promesses de l'auteur. Elles demeuraient scolaires et moralisantes. Mais elles avaient lancé des idées qui resteront dans l'air.

La Fontaine les recueillit en Champagne, où deux érudits ont joué un rôle essentiel pour l'avenir des fables en publiant celles de Phèdre, le disciple latin d'Ésope, dont on ne connaissait jusque-là que le nom. En 1596, Pierre Pithou en imprime à Troyes, sa ville natale, les premiers textes retrouvés. Un de ses amis, Nicolas Rigault, en découvre à son tour à Reims un manuscrit qu'il édite en 1617 en le dédiant au président de Thou. Il lui rappelle la dignité littéraire de l'apologue au temps des empereurs juliens. Le public a tort, lui dit-il, de faire le dégoûté quand il entend parler de fables. Il croit que ce sont des contes pour enfants indignes de la gravité des adultes. Il ignore que, sous le voile de cette fiction familière, Phèdre a fait la satire des puissants et révélé d'essentielles leçons sur la nature humaine.

Entre les découvertes de Pierre Pithou et celles de Nicolas Rigault, Isaac Nevelet, calviniste exilé en Suisse, mais proche parent des Pithou, avait publié à Francfort en 1610 un recueil (*Mythologia Aesopica*) qui réunissait au recueil d'Abstémius et aux fables de Phèdre nouvellement retrouvées un ensemble inédit de fables humanistes tirées d'un manuscrit anonyme. On y trouvait, sous une forme maniable, toutes les fables ésopiques alors connues. Cette commodité et l'origine champenoise du livre rendent probable que La Fontaine a composé ses fables avec un Nevelet sous les yeux. On venait de le réimprimer en 1660. En cherchant dans les bibliothèques amies de nouveaux sujets de récits, le poète a dû tomber sur ce recueil et se demander s'il n'y avait pas là une autre veine à exploiter, plus sérieuse que les contes et plus apte à lui procurer, au-delà des succès immédiats, une véritable gloire littéraire.

Cette idée n'allait pas de soi. Malgré les belles éditions et les savantes préfaces, les fables demeuraient un genre essentiellement pédagogique, destiné aux collèges et à leurs habitants. Les doctes en faisaient la théorie, les enfants les pratiquaient pour leur éducation morale et littéraire. Les autres ne s'en souciaient pas. En 1647, Louis-Isaac Le Maître de Sacy avait tenté une première traduction de Phèdre en français. En tête de son ouvrage, il défend à son tour la dignité de l'apologue. Vingt et un ans seulement avant La Fontaine, il s'escrime à montrer « que cette sorte de fables doivent si peu passer pour une chose basse et puérile qu'on a cru autrefois qu'Ésope avait été inspiré par Dieu pour composer les siennes, et même que Socrate, le plus sage des hommes, au jugement des païens, et le père de tous les philosophes, était l'auteur de celles qu'on lui attribue ».

La Fontaine répétera quasi textuellement l'argument dans sa Préface : « C'est quelque chose de si divin que plusieurs personnages de l'Antiquité ont attribué la plus grande partie de ces fables à Socrate, choisissant pour leur servir de père celui des mortels qui avait le plus de communication avec les dieux. » Il adapte également ce que Le Maître avait dit, après ses prédécesseurs, sur la valeur « hiéroglyphique » des apologues : « Notre Seigneur lui-même ne donne presque point de préceptes aux juifs que sous le voile des paraboles. » Et La Fontaine : « S'il m'est permis de mêler ce que nous avons de plus sacré parmi les erreurs du paganisme, nous voyons que la Vérité a parlé aux hommes par paraboles; et la parabole est-elle autre chose que l'apologue, c'est-à-dire un exemple fabuleux et qui s'insinue avec d'autant plus de facilité et d'effet qu'il est plus commun et plus familier ? » Le poète a fait le pari de valoriser un genre décrié, qui sentait trop l'école ou l'érudition pour être bien reçu des gens du monde.

Difficile gageure, puisque personne n'avait jusqu'alors réussi à en changer l'image de marque négative. Nulle préface, il le savait bien, ne pourrait jamais en venir à bout. Seul le succès de son recueil pouvait modifier les avis. En reprenant les arguments proposés depuis plus d'un siècle en faveur de l'apologue, il cherchait moins à convaincre ses lecteurs qu'à donner par avance du prix à une réussite escomptée. Passer des contes aux fables, c'était continuer la même œuvre de narrateur, mais en l'appliquant à une autre matière que la tradition l'autorisait à présenter comme plus noble, puisqu'elle venait des Anciens. Comme les poètes de la Pléiade avaient transposé les grands genres des Latins et des Grecs en français, comme certains, tels Balzac et Voiture, y avaient transposé le genre mineur de la lettre, il introduirait la fable ésopique dans le patrimoine national.

Il n'était pas tout à fait le premier. Avant celle de Le Maître de Sacy, les traductions de Baudouin avaient eu un certain succès, sans parler de la traduction scolaire de Meslier. La Fontaine n'ignore pas ces précédents : « Après Phèdre, Aviénus a traité le même sujet, dit-il. Enfin, les modernes les ont suivis. Nous en avons des exemples non seulement chez les étrangers, mais chez nous. » Il les balaie : « Il est vrai que lorsque nos gens y ont travaillé, la langue était si différente de ce qu'elle est qu'on ne les doit considérer que comme des étrangers. Cela ne m'a point détourné de mon entreprise. » Sacy pourtant n'était pas si ancien... « Au contraire, je me suis flatté que si je ne courais cette carrière avec succès, on me donnerait au moins la gloire de l'avoir ouverte. » En tête des *Contes*, l'auteur s'était pareillement flatté du caractère expérimental d'un livre où il s'engageait « dans une carrière toute nouvelle ». *L'Eunuque* et *Adonis* aussi étaient des expériences. La Fontaine vit chacune de ses œuvres comme une nouvelle aventure.

Celle des *Fables* consiste à accorder au goût du jour une tradition reçue des Anciens. Leur auteur étale longuement et complaisamment sa fidélité aux seconds, fier d'afficher qu'il écrit cette fois avec de bons garants. Mais il rappelle aussi avec force, quoique en peu de mots, son désir de se conformer à l'attente de ses contemporains : « J'ai considéré, écrit-il, que ces fables étant sues de tout le monde, je ne ferais rien si je ne les rendais nouvelles par quelques traits qui en relevassent le goût. C'est ce qu'on demande aujourd'hui. On veut de la nouveauté et de la gaieté. » Avec les *Fables*, La Fontaine retrouve une difficulté qu'il avait déjà rencontrée, à un moindre degré, dans ses *Contes* : satisfaire le besoin de nouveauté de son public en lui racontant des histoires qu'il connaît d'avance. La « gaieté » est le moyen privilégié d'en venir à bout. Le poète transpose dans ses *Fables* ce qu'il a appris des mondains fréquentés chez Foucquet.

Dans les textes ésopiques, il a trouvé un nouveau point d'application, sérieux cette fois, et autorisé par la tradition, à cet art de parler agréablement de mille et un sujets qu'il avait employé à Vaux pour dire des bagatelles sur des riens, puis pour rapporter dans ses *Contes* toutes sortes de grivoiseries dans le langage des honnêtes gens. Plus qu'à l'urbanité vantée par la tradition humaniste de la fable, sa « gaieté » renvoie à la galanterie des salons. « Je n'appelle pas gaieté, explique-t-il, ce qui excite le rire, mais un certain charme, un air agréable qu'on peut donner à toute sortes de sujets, même les plus sérieux. » C'est exactement ce que disait Mlle de Scudéry des gens capables d'intéresser l'auditoire aux questions les plus graves, parce qu'ils savent les traiter de manière plaisante. Pinchêne ne définissait pas autrement l'art, tout mondain, de Voiture.

Cette gaieté n'allait pas de soi. Selon les théoriciens, le propre de la fable était la brièveté. La Fontaine s'en était dispensé. « On ne trouvera pas ici, reconnaît-il, l'élégance ni l'extrême brèveté (*sic*) qui rendent Phèdre recommandable : ce sont qualités au-dessus de ma portée. » Il les avait compensées en appliquant à ses récits les préceptes de Quintilien, recommandant d'égayer les narrations. Retranché derrière l'autorité d'un ancien universellement considéré comme l'un des maîtres de la rhétorique, il espérait esquiver le débat sur la légitimité de ses « traits » et de sa « gaieté ». Il n'y échappa pas complètement. Aux vingt vers de « La Mort et le Bûcheron » de ses *Fables choisies*, Boileau, partisan de la brièveté, opposera bientôt les neuf vers du « Bûcheron et la Mort ».

Boileau avait quinze ans de moins que La Fontaine. Il n'était encore que le jeune auteur de quelques satires à scandale contre des financiers, des pensionnés, des gens en place. Son avis ne tirait guère à conséquence pour le fabuliste. Il n'en était pas de même d'Olivier Patru, homme d'autorité, son aîné et peut-être son ancien protecteur. En 1659, dans ses Lettres à Olinde, il avait introduit quelques fables en français, les premières destinées à un public mondain. Elles étaient brèves, comme le voulait Boileau, et, qui plus est, en prose. Elles étaient encore inédites, mais La Fontaine les connaissait. Sans le nommer, il rappelle son avis sur ces fables au début de sa Préface : « Ce n'est pas, écrit-il, qu'un des maîtres de notre éloquence n'ait désapprouvé le dessein de les mettre en vers. Il a cru que leur principal ornement est de n'en avoir aucun, que d'ailleurs la contrainte de la poésie, jointe à la sévérité de notre langue, m'embarrasseraient en beaucoup d'endroits et banniraient de la plupart de ces récits, la brèveté qu'on peut fort bien appeler l'âme du conte, puisque sans elle il faut nécessairement qu'il languisse. » C'était aller directement contre la conviction du fabuliste, désormais bien ancrée, que le vers valait mieux que la prose pour les récits. Au moment où il semble se ranger pour se mettre à l'école des Anciens, il fait donc un double pari contre l'autorité de Patru et des doctes.

Il consacre un long développement à établir que les « Muses lacédémoniennes ne sont pas tellement ennemies des Muses françaises qu'on ne puisse souvent les faire marcher de compagnie »; autrement dit, que le récit en vers n'est pas nécessairement plus long que le récit en prose, et que lui-même a donc bien le droit d'écrire en vers. Il s'abrite derrière les précédents. Dès l'origine des fables, Socrate a versifié celles d'Ésope. Phèdre et Aviénus, ses émules, ont écrit en vers latins. Arguments de façade. La vraie raison du poète est dans la réussite de ses Contes. Il y a éprouvé qu'il savait jouer du vers libre et du vieux langage. Dans les Fables, il emploie surtout le premier. Il permet des changements de rythmes qui concourent à la rapidité du récit, plus essentielle, selon lui, que sa brièveté.

Toute la seconde partie de la Préface est consacrée à la valeur morale des Fables. Autre gageure, quand on est l'auteur de contes licencieux. Écrivant à un moment où il ignore l'accueil que le public fera à son nouveau livre, le poète a tout intérêt à s'inscrire dans une tradition qui, à défaut de lui assurer le succès, garantira la dignité de son entreprise. « L'apologue, écrit-il, est composé de deux parties, dont on peut appeler l'une le corps, l'autre l'âme. Le corps est la fable, l'âme la moralité. » La fable a une structure double. Elle associe indissolublement au récit son commentaire moralisateur. Aucun fabuliste ne s'est dispensé du second, constate La Fontaine. Phèdre a seulement pris la liberté de transporter parfois « la moralité de la fin au commencement ».

Cette règle aurait dû apparaître d'autant plus contraignante au poète que ses prédécesseurs immédiats s'y étaient conformés. Patru développait longuement les leçons de son bref récit. Pour lui, ce n'était pas dans l'histoire, reçue du passé et connue de tout le monde, que pouvaient se manifester l'art et l'esprit d'invention de l'auteur, mais dans les diverses conclusions qu'on avait l'habileté d'en tirer pour le présent. La Fontaine consacre au contraire tous ses soins au « corps » de la fable, réduisant souvent la morale à la portion congrue. Prétendant s'appuyer sur l'exemple de Phèdre, il glisse avec désinvolture d'une idée à une autre. Il ne s'est pas contenté de déplacer la morale ; il lui est arrivé de l'omettre. « Ce n'a été, dit-il, que dans les endroits où elle n'a pu entrer avec grâce, et où il est aisé au lecteur de la suppléer. » Il se retranche derrière Horace : on ne doit point « s'opiniâtrer contre l'incapacité de son esprit ». C'est ce qu'il a fait « à l'égard de quelques moralités » qu'il désespérait de réussir.

Par un total renversement des valeurs, La Fontaine place la réussite esthétique de la fable avant la nécessité de l'instruction, avançant pour seule excuse qu'il s'est conformé au goût de son temps. « On ne considère en France que ce qui plaît : c'est la grande règle, et pour ainsi dire la seule. Je n'ai donc pas cru que ce fût un crime de passer par-dessus les anciennes coutumes lorsque je ne pouvais les mettre en usage sans leur faire tort. » Ce discours ne surprend pas dans la bouche de l'auteur des *Contes*, dont le seul but était le plaisir du lecteur. C'est pourtant un curieux paradoxe que de le placer en tête d'un recueil de fables, à propos d'un genre où les deux faces de l'art classique (instruire et plaire) étaient structurellement liées depuis toujours. Si la morale peut parfois être omise, elle a cessé d'être consubstantielle au récit. L'auteur a osé modifier l'équilibre traditionnel de la fable.

Dans ces conditions, il est inutile de le croire quand il insiste lourdement sur son utilité morale pour les enfants,

« car on ne saurait s'accoutumer de trop bonne heure à la
sagesse et à la vertu ». S'il rappelle Platon et son vœu de voir
les enfants sucer les fables d'Ésope avec le lait, c'est pour
amadouer les doctes. En faisant mine de s'inscrire volontairement dans la tradition pédagogique du genre, il se pré-
cautionne habilement contre l'échec éventuel de son véritable projet : séduire le monde. A la racine de son entreprise,
il y a le désir d'arracher la fable à la tradition qui la confine
dans l'allégorie et la morale, pour la transplanter dans le
grand public des dames et des cavaliers, celui qui l'appréciait
à Vaux, celui qui vient de faire le succès de ses *Contes*. C'est
auprès de lui que, fidèle à son habitude, il a expérimenté sa
nouvelle œuvre en faisant circuler quelques fables en
manuscrit, comme il avait laissé circuler *Joconde* avant de le
publier en avant-première avec *Le Cocu*. « L'indulgence que
l'on a eue pour quelques-unes de mes fables me donne lieu
d'espérer la même grâce pour ce recueil. » La Fontaine sait
soigner sa publicité.

La double dédicace au Dauphin (en prose à la tête du
recueil, en vers juste avant la première fable) ne doit pas égarer le lecteur. C'est une habileté de l'auteur, qui fait une
nécessaire concession à son temps. Échappant par ce biais au
système qui pressait les poètes de concourir à la gloire du
roi, il prétend collaborer modestement à l'instruction de son
fils. Il profite de la tradition pédagogique du genre pour
offrir un tribut obligé, et, pourquoi pas, rémunérateur. Il
connaissait Périgny, précepteur du Dauphin. Il a peut-être
obtenu de lui la permission d'une dédicace, qui, de toute
façon, allait de soi en tête d'un livre de Fables. Il avait
annoncé qu'il n'écrirait plus de contes. Il publiait enfin un
livre sérieux. Pour qui ne s'attardait pas à la parenté du nouveau livre avec les précédents et prenait pour argent
comptant tout ce qu'il disait de la morale, La Fontaine
paraissait se ranger. C'était mal le connaître. C'était surtout
ne pas savoir le lire.

35.

Les masques du fabuliste

Les *Fables* s'ouvrant sur une double dédicace au Dauphin, on en a conclu que le roi avait sûrement récompensé leur auteur. On a parlé de 10 000 livres, somme énorme qui lui aurait été versée dans une bourse d'or. On en a fait toute une aventure, agrémentée d'une de ses fameuses distractions. La Fontaine s'en va à Versailles dans un carrosse de louage. Après l'avoir reçu avec bonté, Louis XIV le confie à Bontemps, son premier valet de chambre, qui lui fait visiter les appartements et les jardins, annonçant à tous les seigneurs rencontrés : « Messieurs, voici M. de La Fontaine. » La promenade est suivie d'un grand dîner offert par le roi. « Enivré de tant de faveurs et hors de lui-même », le poète remonte en rêvant dans son fiacre, revient à Paris, descend à la porte des Tuileries, paie son cocher et regagne à pied la rue d'Enfer où il demeurait. Son hôte lui demande comment les choses se sont passées, s'il a reçu une gratification. « Je rapporte une bourse pleine d'or. » Il la cherche pour la montrer. Il l'a oubliée dans le carrosse. Heureusement, il se rappelle que des deux chevaux, l'un était blanc et l'autre noir. Cela permet de retrouver la voiture et le cocher, rue Fromenteau. Pendant toutes ces recherches, La Fontaine reste sans rien dire. « Par le plus grand bonheur du monde, la bourse se trouva derrière le coussin où personne ne s'était avisé de chercher. »

La profusion des détails ne doit pas faire illusion. Ils ont été rapportés tardivement (1735) par un auteur plus soucieux d'anecdotes que de vérité. On ne sait pas quand La

Fontaine a été présenté au roi. On ignore si la dédicace au Dauphin a été récompensée. Il est sûr que ses *Fables* ne lui ont pas valu de figurer parmi les pensionnés.

L'auteur a pourtant tout fait pour donner de lui et de sa nouvelle œuvre une image favorable. Au plaidoyer explicatif initial de sa Préface en prose, il ajoute systématiquement des remarques critiques disséminées au fil des fables. Chacun des six livres commence par des confidences sur ses recettes et ses choix littéraires. A l'orée du recueil, la seconde dédicace au Dauphin parodie un début de poème épique : « Je chante les héros dont Esope est le père. » En tête du livre II, la fable « Contre ceux qui ont le goût difficile » affirme qu'à l'épopée, le poète a préféré l'apologue :

> *Quand j'aurais en naissant reçu de Calliope*
> *Les dons qu'à ses amants cette Muse a promis,*
> *Je les consacrerais aux mensonges d'Ésope.*

Sous leur air modeste, ces déclarations contribuent à la valorisation de la fable, habilement rapprochée du plus prestigieux des genres littéraires.

En tête du livre VI, dans le prologue du « Pâtre et le Lion », La Fontaine revient sur les principaux points abordés au début des précédents livres : le rôle des animaux, la nécessité de lier la morale et l'histoire, la place de la gaieté, le refus des ornements, l'importance de la brièveté. Il s'y exprime à la première personne. Entre ces morceaux de fable et les textes en prose qui énonçaient les mêmes idées, il n'y a pas de solution de continuité. C'est partout le même personnage qui intervient pour expliquer ce qu'il fait comme s'il réfléchissait devant son lecteur, le laissant juge d'une œuvre constamment présentée comme expérimentale. Sa fonction est sans doute plus pédagogique que biographique. N'empêche : La Fontaine a tout fait pour qu'on le confonde avec lui. Vu le rôle qu'il a joué dans la mutation de la fable, on ne peut s'empêcher de croire qu'il est effectivement ce théoricien de la littérature dont il assume si volontiers l'image.

Au fil des pages, il met en scène un personnage qui partage ses problèmes de créateur-imitateur, présentateur ironique et souriant d'une épopée en miniature. Son retour

régulier introduit dans la discontinuité des fables la continuité de la présence d'un tiers, critique, témoin ou narrateur, médiateur entre le contenu des fables et leur lecteur.
On sait bien, à la réflexion, que ce personnage n'est pas vraiment La Fontaine; pourtant, on ne peut s'empêcher de le
confondre spontanément avec lui. On a raison, puisqu'il l'a
voulu. Dans les *Contes,* il avait pris le rôle du conteur. Au
mépris de la tradition ésopique, il le garde dans ses *Fables,*
personnage principal parmi un défilé de comparses.

Cette omniprésence a un sens. Elle marque le caractère
envahissant d'un être qui ne peut écrire sans se montrer en
train d'écrire, ni conter une histoire sans l'interrompre pour
surprendre son lecteur en lui disant soudain : « Me voilà ! »
Si le fabuliste se cache dans son œuvre, c'est pour garder la
possibilité d'y figurer malgré les lois du genre. Il se plaît à ce
jeu de cache-cache avec les règles et avec son lecteur. Il faut
noter comme des traits de son caractère cette volonté de se
montrer sous le visage d'un être fictif, ce goût du déguisement, ce plaisir de faire mine de parler de soi, ce mélange de
vraies préoccupations littéraires et d'artifices de présentation, cet emploi d'histoires « mensongères » reçues du passé
pour parler véritablement de lui, de nous et du présent.

Dans « L'Homme et son image », le fabuliste inverse le
mythe de Narcisse : son héros fuit les miroirs, parce qu'il
refuse de voir sa laideur. L'eau d'un canal finit par l'y obliger. Notre âme, explique le fabuliste, c'est l'homme amoureux de lui-même. Les miroirs, « ce sont les sottises
d'autrui ». Le canal, « le livre des *Maximes* ». La Rochefoucauld venait d'en donner la deuxième édition. La Fontaine
se sentait en accord avec elles sur la nécessité de démasquer
l'amour-propre et les fausses vertus. Il connaissait leur
auteur, qui avait fait partie de l'entourage de Foucquet. Il lui
dédia sa fable. Il tendait lui aussi des miroirs à ses lecteurs en
leur montrant leurs vices à travers des histoires d'animaux.
C'était ce qu'avaient fait les anciens fabulistes.

Les idées de son temps renforçaient La Fontaine dans sa
conviction que les hommes sont à l'image des bêtes. La
Rochefoucauld a développé avec beaucoup de précision la
traditionnelle métaphore animale : « Il y a autant de diverses
espèces d'hommes qu'il y a de diverses espèces d'animaux, et
les hommes sont, à l'égard des autres hommes, ce que les

différentes espèces d'animaux sont entre elles et à l'égard les unes des autres. » Selon leurs différents défauts, le duc les compare successivement aux tigres, aux lions, aux ours, aux loups, aux renards, aux chiens, chats, vipères, oiseaux de passage et fourmis. « Toutes ces qualités, conclut-il, se trouvent en l'homme, et il exerce, à l'égard des autres hommes, tout ce que les animaux dont on vient de parler exercent sur eux. » Chercher la clé du caractère d'un homme chez un animal semblait alors si naturel qu'on parlait proverbialement de la « bête de ressemblance » de quelqu'un pour désigner celle dont il avait en quelque sorte la nature.

« Les propriétés des animaux, dit la Préface des *Fables,* et leurs divers caractères y sont exprimés; par conséquent, les nôtres aussi, puisque nous sommes l'abrégé de ce qu'il y a de bon et de mauvais dans les créatures irraisonnables. » En 1656, un savant médecin, Cureau de La Chambre, avait dédié à Foucquet un *Art de connaître les hommes* dans lequel il examinait comment déchiffrer ce que ceux-ci révèlent involontairement de leurs intentions et passions, de leurs vices et vertus, de leurs talents et faiblesses, par les « signes » de leur visage, de leurs mains, de leurs attitudes, de leurs gestes. Un bon moyen de le savoir était d'en chercher le sens chez les animaux.

En même temps qu'ils jouent leurs propres rôles dans l'épopée en miniature des *Fables,* les animaux y miment donc ceux des hommes. Le Lion est le roi, le Renard se fait courtisan, le Loup vit en marginal. Ils ont les qualités et les défauts de la nature humaine. Reçue de la tradition culturelle (La Fontaine renvoie au mythe de Prométhée), cette idée apparaît, au moment où il écrit ses fables, comme une sorte de vérité scientifique.

Si l'homme ne veut point regarder son image, c'est à l'art de la lui révéler par surprise. Le personnage de la fable dédiée à La Rochefoucauld refusait les miroirs. Il se laisse prendre aux *Maximes.* « Mais quoi? le canal est si beau / Qu'il ne le quitte qu'avec peine. » La beauté littéraire retient le lecteur et l'oblige à se voir. « Le conte fait passer le précepte avec lui », dit La Fontaine. Puisqu'une « morale nue apporte de l'ennui », il faut y apporter l'agrément de la fiction. Dans ce genre de récit, dit ailleurs le poète, « il faut instruire et plaire, / Et conter pour conter me semble peu d'affaires ». Surprenant renversement de la part d'un auteur qui a proclamé dans ses *Contes* (et qui continuera d'y proclamer) que seul importe le plaisir ! C'est qu'il faut suivre les lois du genre. La morale est dans la nature de la fable comme le libertinage dans celle du conte.

En prologue à la fable « Le Bûcheron et Mercure », au début du livre V, La Fontaine considère son « ouvrage ». Il y a montré que l'envie et la « sotte vanité » sont les « pivots » sur lesquels « roule aujourd'hui notre vie ». Il y a opposé « Le vice à la vertu, la sottise au bon sens, / Les agneaux aux loups ravissants, / La mouche à la fourmi ». Le vice est illustré par la conduite de ceux qui, comme le Loup, prétendent tout se permettre au nom du droit du plus fort ; la vertu, par le refus de l'oisiveté stérile de la Mouche. Dans un monde où les forts oppriment volontiers les faibles, le fabuliste prend nettement parti pour les seconds. Il est du côté des agneaux contre les loups. Il est aussi du côté des travailleurs contre les oisifs, avec la Fourmi qui refuse de perdre son temps en discussion stériles : « Ni mon grenier ni mon armoire / Ne se remplit à babiller. »

Il se prononce pour l'intelligence contre la sottise. Il ne suffit pas de condamner le vice et d'encourager la vertu, il faut apprendre à les discerner. Dans la lutte pour la vie, les faibles doivent unir leurs forces, et ceux qui sont moins instruits écouter les conseils de ceux qui le sont davantage. On peut se servir de son esprit pour tromper les autres, mais on n'arrive à ses fins que lorsque l'autre est idiot. Les thèmes moraux ne sont donc pas seulement les supports des « moralités ». Ils sont des prises de parti sur les hommes et sur le monde. La façon personnelle – et pour ainsi dire engagée – dont l'auteur traite les thèmes les plus traditionnels révèle à chaque instant la présence d'un observateur attentif, minutieux et ironique, dénonçant l'injustice, la dureté et l'hypocrisie d'un monde sans foi ni loi.

On a cru pouvoir aller plus loin. Les *Fables* ressortiraient à la littérature politique, militante même. Le premier recueil serait un plaidoyer en faveur de Foucquet, un pamphlet contre Colbert, une protestation contre l'arbitraire et l'absolutisme du roi. Tout viendrait d'un noyau originel de dix textes conservés ensemble dans un des manuscrits de Conrart. Il contient neuf des fables publiées dans les livres I et II, plus « Le Renard et l'Écureuil », non publié par le poète. L'Écureuil, ce serait Foucquet – puisqu'un foucquet était un écureuil dans l'ancienne langue –, et le Renard, Colbert. Le Renard se moque de l'Écureuil, autrefois « approché du faîte », aujourd'hui en péril dans un orage dont lui ne craint rien, puisqu'il vit sous terre. Mais « l'ire du ciel à l'Écureuil pardonne », et un chasseur tue le Renard. Ce dénouement, heureux pour l'accusé, suppose que la fable ait été écrite avant la fin de son procès, en décembre 1664.

En vérité, sauf le nom de l'animal, rien ne fait penser à Foucquet dans l'histoire racontée; rien non plus à Colbert, d'ordinaire assimilé à une couleuvre. Et il faut beaucoup d'imagination pour faire coïncider de vieilles histoires ésopiques avec le contexte politique français des années qui entourent le procès du surintendant. S'il fournissait vraiment l'explication des *Fables,* pourquoi l'avoir si bien cachée qu'il ait fallu des siècles pour la découvrir ? Pourquoi avoir supprimé du recueil définitif la fable qui donnerait la clé de la clé ? Invoquer la nécessité de la prudence n'explique rien dès lors que cette prudence aboutit à empêcher les contemporains eux-mêmes de comprendre le vrai sens de l'œuvre. Aucun d'eux n'y a vu un pamphlet contre le pouvoir, pas même une œuvre d'actualité.

La Fontaine avait commencé son recueil par une dédicace où il comparait son œuvre à une épopée. En tête du livre V, il l'assimile à « une ample comédie à cent actes divers, / Et dont la scène est l'Univers ». Si l'oppression des faibles par les forts, contrebalancée par la lutte de l'intelligence contre la sottise, est le ressort d'une machine sociale menée par la vanité et l'envie, il faut, pour la dépeindre, toute une mise en scène capable de révéler les réalités cachées sous l'apparence. D'où la métaphore du théâtre, lieu où l'illusion s'affirme comme telle et pourtant se fait oublier, image du monde que l'on finit par prendre pour le monde lui-même. Le poète n'a pas oublié l'échec de *L'Eunuque.* Il s'est détourné de la comédie. Il a suivi sa vocation de conteur et l'a pliée au genre mineur de la fable. Son regret perce dans l'insistance avec laquelle il rapproche son œuvre des vrais grands genres : l'épopée et le théâtre.

36.

Enfin libre

Le succès de La Fontaine poussa d'autres auteurs à donner aussi des fables en vers. Il avait mis le genre à la mode. En 1670, Barbin publie successivement les œuvres d'un obscur abbé de Saint-Ussans contenant « plusieurs fables d'Esope mises en vers », les *Fables ou Histoires allégoriques* de Mme de Villedieu, les *Fables morales et nouvelles* d'Antoine Furetière. Dans une longue préface, l'ancien condisciple du poète rappelait l'intérêt moral du genre et s'étonnait qu'on eût attendu si longtemps pour pratiquer en français « cette manière d'écrire si excellente ». Il louait La Fontaine pour « la nouvelle et excellente traduction qu'il en a faite, dont le style naïf et marotique est tout à fait inimitable et ajoute de grandes beautés aux originaux ». Mais il donne, lui, des fables *nouvelles*, des fables dont il a inventé les histoires. Il insiste sur la simplicité de son style et la présence constante d'une morale explicite. C'est prendre parti contre les « traits » dont sont ornées les fables de Jean et la façon cavalière dont il traite la morale. Furetière a évidemment cru faire beaucoup mieux que son ami. Son échec l'ulcérera contre lui.

Boileau aussi entreprit de lui donner des leçons. Avant la parution des *Fables choisies*, il lui avait reproché de ne pas avoir repris, dans « La Mort et le Malheureux », le « beau trait » d'une fable d'Esope. Il l'avait même refaite à sa manière. La Fontaine la refit lui aussi, mais « La Mort et le Bûcheron » parut « languissante » à Boileau, qui était comme Furetière pour la rapidité contre la « gaieté ». Il écrivit en alexandrins la sévère fable de « L'Huître », qu'il publia en 1670 à la fin de son « Épître au roi ». La Fontaine lui répliqua par « L'Huître et les Plaideurs ». Entre les deux poètes, le désaccord était total sur la nature de la fable. Dans l'auteur des *Fables choisies*, Boileau ne voyait qu'un copiste. « Il ne regardait pas La Fontaine comme original, dit Louis Racine, parce qu'il n'était créateur ni de ses sujets ni de son style. » C'est pourquoi il n'a pas parlé de lui dans son *Art poétique*.

Leurs relations semblent avoir été fluctuantes. Quand Boileau avait attaqué Foucquet et ses poètes, vers 1660, il n'avait rien dit du chantre de Vaux. A la fin de 1663, à propos de la satire dédiée à Molière, Brossette et Le Verrier montrent La Fontaine plein d'admiration pour un auteur qui avait su trouver une rime à Malherbe. Ils n'avaient peut-être pas senti l'ironie du compliment !... Un peu plus tard, au temps du *Chapelain décoiffé*, le futur fabuliste aurait parfois fréquenté le cabaret du cimetière Saint-Jean dans lequel Boileau venait d'être introduit. Vers la fin de 1664, celui-ci écrivit seul ou en collaboration avec son frère la *Dissertation sur Joconde* qui accordait la palme à La Fontaine. C'est vrai-semblablement alors que leurs liens furent les plus étroits.

Selon Louis Racine et Le Verrier, au début de 1666, à l'époque de la publication des *Contes*, Boileau composa son *Repas ridicule* après avoir été « prié par La Fontaine d'aller passer quelque temps à Château-Thierry avec Racine ». Le lieutenant-général du lieu prit le satirique en amitié. Il l'invita à dîner sans y convier La Fontaine ni Racine, et « ce fut à ce repas-là » que le maître de maison « dit toutes les naïvetés provinciales » que l'auteur a reprises dans sa satire. « Il changea pour cela tout son dialogue qu'il avait fait d'une autre manière. » Vraie ou fausse, l'anecdote repose sur le souvenir d'un temps où Boileau et La Fontaine entrete-naient d'assez étroites relations dans le sillage de Racine, dont tous deux étaient très amis. Elles ne durèrent pas. Le succès des *Fables*, dans un style que le satirique n'approuvait pas, distendit les liens qui avaient un temps uni les deux hommes. Ils n'avaient pas le même tempérament. Ils n'étaient pas de la même école. Mais il n'y eut jamais non plus de vraie guerre entre eux.

Huit mois après la publication des *Fables choisies*, La Fon-

taine est enfin totalement débarrassé de ses charges forestières. Le 4 décembre 1668, en qualité de « ci-devant conseiller du roi, maître particulier ancien et triennal des eaux et
forêts du duché de Château-Thierry et prévôté de Châtillon-
sur-Marne, et capitaine des chasses dudit duché », il donne
quittance au duc de Bouillon, d'Albret et de Château-
Thierry, pour les 20 314 livres reçues de lui, 17 665 en remboursement de ses maîtrises et 2 649 comme intérêts échus
depuis le 1ᵉʳ octobre 1665. Moyennant quoi il rend « à sa dite
Altesse les lettres de provision des offices, quittance de
finance, jugement de liquidation du prix d'icelui et autres
pièces produites devant Messieurs les commissaires suivant
l'inventaire ». Dix ans après avoir hérité de la charge de son
père, et après avoir été dix-huit ans maître triennal, le poète
quittait définitivement les eaux et forêts.

On ne le paya pas sur-le-champ ni en argent comptant. Il
avait déjà touché 7 270 livres. Le reste lui était attribué sur le
bois de Barbillon, « à prendre sur le prix des premières
ventes qui se feront des bois dudit duché dans un an ». La
veille, les sieurs Bertault et Duclos avaient reçu ordre du duc
de payer la somme correspondante à La Fontaine sur le prix
du bois en question. Mais il y eut des complications. Un
nouvel acte, passé le 14 juin 1669, porta à 20 314 livres le
montant du remboursement. L'épilogue n'eut lieu que le
21 janvier 1671 : l'ancien maître des eaux et forêts reconnaît
ce jour-là avoir reçu « en louis d'or et d'argent et autres mon-
naies » le reste de son dû, 3 076 livres payées par Jean Colin,
marchand de bois de Paris, en déduction de ce qu'il devait
au duc pour l'adjudication d'une coupe dans la forêt de
Wassy. Entre la prise de possession de Château-Thierry par
les Bouillon et le remboursement total à La Fontaine du
prix de ses charges royales, quinze années s'étaient écoulées.

Le poète était libre. Il dut se sentir soulagé. Comme le
jour où il avait cédé à Jannart presque tous ses biens immobiliers. Comme ce jour-là aussi, il savait qu'il aurait à payer
le prix de sa liberté. Il n'avait plus de maîtrises, mais il perdait les revenus qui y étaient attachés et tout ce qu'elles
comportaient de considération et de dignité sociales. Pour le
moment, il conservait encore un certain crédit. Il apporte à
plusieurs reprises sa caution à son frère. Il s'engage, le
14 septembre 1667, à payer 2 000 livres à la place de Claude,

« ecclésiastique logeant à Nogent l'Artaud », au cas où celui-ci ferait défaut. Le 8 novembre, transport est fait à un certain Cousin d'une rente de 1 800 livres constituée par les deux frères en avril 1652. Elle reste « à prendre sur Jean de La Fontaine, avocat, et Claude de La Fontaine, prêtre ». Le 23 décembre, le poète garantit une rente constituée par son père, dont le propriétaire est devenu le sieur Dubois, « conseiller du roi et son professeur d'éloquence grecque ». Elle était liée aux accords passés en 1637 lors du premier mariage d'Anne de Jouy. Comme Jean engage tous ses biens pour la garantir, on a joint en annexe l'acte du 11 août 1644 « disant les biens du ménage Charles de La Fontaine et Françoise Pidoux ». Ces biens patrimoniaux lui sont une meilleure caution que sa renommée de poète.

Le 15 septembre 1668, à Château-Thierry, il vend 1 398 livres deux à trois arpents de vignes lui appartenant au terroir de Gland. Il ne les dilapide pas; elles viennent en déduction des 2 300 livres qu'il paie, le 4 août 1669, pour rembourser une dette constituée en 1652 par sa femme et lui. Le 11 novembre 1668, il verse pareillement 4 200 livres – plus de la moitié des 7 270 livres qu'il venait de recevoir en acompte pour sa charge –, afin de racheter une rente autrefois constituée à Charles Ligny. La Fontaine serait-il en train de se ranger ? Non, sans doute, car on ne voit pas ce qu'il a fait du reste : derniers remboursements de sa charge, menus revenus lui restant de l'héritage paternel, et surtout droits d'auteur qui devaient constituer désormais un apport non négligeable.

En 1668, année où sont parues les premières fables, Barbin et Thierry ont obtenu, le 2 mai, un privilège pour l'impression d'une *Psyché*. Selon Guéret, un contemporain, cette œuvre aurait valu 1 500 livres à son auteur. Le 7 janvier suivant, Barbin prend un nouveau privilège pour la « seconde partie des *Contes* », en fait pour la réédition de leur seconde partie, augmentée des trois contes d'abord subrepticement parus en Hollande. Tout ce que le poète a dû toucher alors disparaît dans le même creuset sans laisser de traces.

Dans les pièces concernant le remboursement de sa charge, y compris celle du 21 juin 1671, comme dans les quittances qu'on lui donne, La Fontaine est dit « demeurant ordinairement à Château-Thierry, étant de présent en cette ville de Paris, logé sur le quai des Orfèvres, en la maison de M. Jannart ». La mention de cette résidence provinciale n'est pas une simple clause de style. Le poète est souvent dans son pays natal. Le 6 novembre 1665, il intervient à Château-Thierry comme procureur de Jannart dans une affaire qui l'oppose à un paysan. Le 5 mai 1666, à Châtillon-sur-Marne, il s'entend au sujet d'une hypothèque oubliée grevant une des terres qu'il avait vendues. Le 8 novembre 1667, à Château-Thierry, il intervient de nouveau pour Jannart. Le 8 juin 1668, au même endroit et au même titre, il loue une petite terre à un paysan pour une durée de dix-huit ans. La publication des premiers *Contes* et des premières *Fables* s'inscrit à un moment où continuent d'alterner les voyages à Paris et les séjours en province.

Maintenus jusqu'alors vaille que vaille, ses liens conjugaux se sont-ils disloqués à ce moment-là ? Survenu le 3 mai 1667, un fait divers pourrait indiquer que la femme du poète a maintenant sa maison à part. Un garde du duc de Bouillon a été tué « d'un coup de mousqueton ou autre arme à feu », rapporte le procès-verbal. On l'a trouvé « gisant dans un petit fossé proche et dans la grande rue des Chesneaux, contre la maison de Messire François Charpentier, notaire, et celle de la damoiselle de La Fontaine, vulgairement appelée la cour de Montmartel ». Marie Héricart ne loge donc plus dans la maison familiale de la rue des Cordeliers. Elle doit même loger seule ; autrement, le greffier aurait parlé de la maison du sieur La Fontaine. A moins qu'il ne s'agisse d'une autre demoiselle de La Fontaine, ou d'une maison qu'elle possédait sans l'habiter. A Paris, le poète réside chez Jannart. A Château-Thierry, il s'occupe de ses affaires. Jannart est l'oncle de sa femme, non le sien. Cela suppose que les liens ne sont pas rompus entre les deux familles. Il est vrai que les intérêts sont quelquefois les plus forts...

Le 31 janvier 1669 paraît chez Claude Barbin un volume contenant *Adonis* et *Les Amours de Psyché et de Cupidon*. C'est le quatrième livre de La Fontaine en cinq ans, le troisième qui paraît une fin de janvier. Il est dédié à la duchesse de Bouillon, suzeraine de Château-Thierry, résidant à Paris. En se disant « heureux que Sa Majesté » lui ait « donné » en la personne de son mari « un maître qu'on ne saurait trop aimer », La Fontaine rappelle explicitement l'échange des duchés effectué par le roi. A l'activité et à la gloire militaires du duc, il oppose sa chance de « jouir d'une oisiveté que seules les Muses interrompent ». Il est en effet délivré de ses maîtrises des eaux et forêts. Il y a moins de deux ans qu'il en a rendu les provisions au duc.

Sa dédicace est un geste de reconnaissance : « Il y a long-temps, dit-il, que Monseigneur le duc de Bouillon me comble de grâces d'autant plus grandes que je les mérite moins. » Ou encore : « C'est un bonheur extraordinaire pour moi qu'un prince qui a tant de passion pour la guerre, telle-ment ennemi du repos et de la mollesse, me voie d'un œil aussi favorable et me donne autant de marques de bienveil-lance que si j'avais exposé ma vie pour son service. » Pour mériter de tels compliments, le duc a dû effectivement inter-venir, à la suite de l'Épître qu'il lui avait écrite, en faveur du poète accusé d'usurpation de noblesse. Sans doute a-t-il aussi facilité la cessation de ses fonctions et le règlement de ses indemnités. A moins que, comme souvent, le remerciement ne soit une anticipation de faveurs seulement promises ou espérées.

Oisiveté, repos, mollesse : La Fontaine, dans cette dédi-cace, reprend des mots qui lui sont chers. Il continue de pré-senter à son public l'image qu'il veut qu'on ait de lui. A la fin du bref Avertissement d'*Adonis*, il parle plus intime-ment : « Je joins, dit-il, aux amours du fils celles de la mère [celles de Vénus à celles de Cupidon]. Nous sommes en un siècle où on écoute assez favorablement tout ce qui regarde cette famille. Pour moi, qui lui dois les plus doux moments que j'aie passés jusqu'ici, j'ai cru ne pouvoir mieux faire que de raconter ses aventures de la façon la plus agréable qu'il m'est possible. » En éditant enfin, après l'avoir fortement remanié, le texte qu'il avait composé pour Foucquet une dizaine d'années plus tôt, La Fontaine, qui a maintenant quarante-sept ans et demi, maintient le primat des plaisirs de l'amour dans sa vie. Rien ne le forçait à cette confidence. Elle n'est pas nécessaire à la présentation du texte qui la suit. Elle vient là gratuitement, en dehors de la logique littéraire de l'œuvre. Comme si le poète ne pouvait écrire sans parler de lui.

Cette confidence sur les bonheurs de l'amour contraste

fortement avec la plainte du poète à Aminte dans la dédicace d'*Adonis* qui la suit de peu. Je serais « trop heureux, dit-il, si j'osais conter à l'Univers/ Les tourments infinis que pour vous j'ai soufferts ». Comme l'Aminte qui apparaissait dans *Le Songe de Vaux*, celle d'*Adonis* est une belle insensible. On dirait que La Fontaine est heureux en amour quand il écrit en prose, et malheureux quand il s'exprime en vers...

En mars 1668, dans l'épilogue de ses *Fables*, il quittait ses lecteurs sur un aveu : « Amour, ce tyran de ma vie. » La suite change la perspective : « Amour, ce tyran de ma vie, / Veut que je change de sujets. » La parenthèse autobiographique tourne court. Le poète n'a parlé d'amour que pour annoncer un nouveau livre. « Retournons, dit-il, à Psyché. » Revenant à l'autobiographie, La Fontaine prétend avoir cédé à Damon, qui l'a poussé à peindre les malheurs et les félicités de ce personnage. Puisse « ce travail », conclut-il, être « la dernière peine que lui causera son mari » (c'est-à-dire l'Amour). On ne sait plus si la peine est dans le sentiment ou dans le travail du poète pour le décrire...

Les « plus doux moments » de la vie de La Fontaine semblent surtout faits de tourments. Serait-il de ceux pour qui un amour, même malheureux, est le plus grand des bonheurs ? Ou bien prend-il la pose parce que l'amour heureux n'intéresse pas le lecteur ? Il ne cesse de parler de soi, mais il mêle constamment la vie et la littérature, le réel et l'imaginaire, Damon et Aminte, personnages fictifs, mais peut-être aussi pseudonymes d'êtres vivants, et son propre personnage, lui aussi à mi-chemin de la fiction et de la vérité. Dans l'Avertissement d'*Adonis* ou dans l'Épilogue des *Fables*, textes ambigus placés avant ou après l'œuvre de fiction pour la présenter ou la conclure, mais qui lui sont trop liés pour qu'on puisse les considérer comme de pures, simples et vraies confidences de La Fontaine sur sa vie. Décidément, il aime toujours autant parler de soi, et toujours autant se masquer.

37.

Les quatre amis

C'est un auteur en pleine gloire qui écrit la longue Préface de *Psyché*. Fort de ses succès précédents, il pourrait parader avec assurance. Il avoue au contraire ses tâtonnements : « J'ai trouvé de plus grandes difficultés dans cet ouvrage qu'en aucun autre qui soit sorti de ma plume. » Apulée lui en a fourni la matière; c'est encore une imitation. « Il ne me restait que la forme, c'est-à-dire les paroles, et d'amener de la prose à quelque point de perfection, il ne semble pas que ce soit une chose fort malaisée : c'est la langue naturelle des hommes. » Tout le monde, comme M. Jourdain, fait de la prose sans le savoir... Pourtant, confesse La Fontaine, « elle me coûte autant que les vers », et dans ce nouveau livre, elle lui a plus coûté que jamais. Il n'écrit pas au fil de la plume.

Il a eu du mal à trouver le ton. Il s'est heurté au principe de l'uniformité du style. C'est, dit-il, « la règle la plus étroite que nous ayons ». Il la conçoit un peu moins étroitement qu'en 1658, quand il refusait, dans son *Adonis* manuscrit, les assouplissements que Chapelain justifiait par l'exemple de Marino. Il venait justement, pour le publier, d'en diminuer le caractère épique et d'y développer les scènes d'idylle. Mais que faire dans *Psyché*? Le style de l'histoire est « trop simple »; celui du roman, « pas encore assez orné »; celui du poème héroïque, « plus qu'il ne faut ». Il ressent une contradiction entre ses personnages, qui appellent « quelque chose de galant », et leurs aventures, qui demandent au contraire « quelque chose d'héroïque et de relevé ». « J'avais donc besoin, dit le poète, d'un caractère nouveau et qui fût mêlé de tous ceux-là. »

En tête des *Contes*, en janvier 1665, il affirmait son intention de s'accommoder le mieux possible « au goût de son siècle ». Il déclare pareillement en tête de *Psyché* : « Je considère le goût du siècle. Or, après plusieurs expériences, il m'a semblé que ce goût se porte au galant et à la plaisanterie. » Pour plaire à son public, La Fontaine s'intéresse à son attente et s'y soumet. Elle n'a pas beaucoup changé depuis le temps où Mlle de Scudéry prédisait le succès d'une poésie galante à la manière de Voiture et de Sarasin. Même les *Fables* s'y conforment par le moyen de la « gaieté ». Les passions sont bonnes pour d'autres genres : romans, poèmes héroïques, pièces de théâtre. Elles ne seraient pas à leur place dans le genre neuf qui est essayé dans *Psyché*.

« Dans un conte comme celui-ci, qui est plein de merveilleux, à la vérité, mais d'un merveilleux accompagné de badineries, et propre à amuser des enfants, il a fallu badiner depuis le commencement jusqu'à la fin; il a fallu chercher du galant et de la plaisanterie. » La Fontaine insiste sur la continuité de ses œuvres. *Psyché* aussi est un conte, destiné à ceux qui aiment le merveilleux. *Psyché* aussi est une fable, destinée à ceux qui aiment donner un sens à ce qu'on leur raconte. La différence n'est que dans l'ampleur du projet. L'auteur a mis dans son récit le même esprit de plaisanterie que dans les *Contes*, et, bien qu'il ne le rappelle pas, il y reprend un des plus vieux mythes de l'Antiquité, qui comporte une morale comme les *Fables*.

Entre la nécessaire galanterie et le sérieux de l'histoire, il a fallu chercher le point d'équilibre. « Que je l'aie ou non rencontré, c'est, dit-il, ce que le public m'apprendra. » D'œuvre en œuvre réapparaissent la même volonté d'expérimenter du nouveau et la même soumission au jugement des lecteurs. Les théories des doctes et les réflexions du poète ne peuvent prévaloir contre l'accueil, favorable ou non, qu'ils réserveront à son livre. Chacun d'eux est une aventure. La Fontaine aime cette sorte d'aventure. Il avait réussi celle des *Contes*; il vient de réussir celle des *Fables*. Il continue à en écrire. Mais ces victoires ne lui suffisent pas. Il veut essayer d'autres voies, inventer un ton, composer un ouvrage plus élevé dans la hiérarchie des genres. Il n'y parvient qu'à moitié.

Guéret, l'année même de *Psyché*, lui reproche d'être « un peu sorti de son cercle ». De tout ce qu'on a de lui, seuls, dit-il, ses *Fables* et ses *Contes* méritent d'être loués hardiment, « parce que cette nature d'ouvrage tombe dans le propre caractère de son esprit. Tout le reste ne plaît pas de même, et sans parler de son *Eunuque* de Térence et de quelques autres pièces qu'il a faites contre son génie, sa *Psyché* n'a pas eu le succès qu'il s'en promettait ». Des gens du monde pensent de même. Lambert le trouve « provincial » dans *Psyché*. Fournier estime qu'il est bel esprit, mais que cette « méchante pièce » l'a « perdu ». Il y a loin entre l'auteur, toujours désireux d'expériences littéraires, et une large partie de son public qui souhaite le cantonner dans ses *Contes* et ses *Fables*, parfois même seulement dans ces dernières, ainsi que le fera la postérité.

Comme si tout dédicace, préface, avertissement ou épilogue le conduisait naturellement à parler de lui, comme s'il voulait à chaque instant rappeler sa présence dans son œuvre, La Fontaine achève par une confidence son développement critique sur les buts et moyens de la création littéraire dans son nouveau livre. Il ne se contente pas d'affirmer qu'il lui a « fallu chercher du galant et de la plaisanterie », il ajoute : « Quand il ne l'aurait pas fallu, mon inclination m'y portait, et peut-être y suis-je tombé en beaucoup d'endroits contre la raison et la bienséance. » L'esprit du siècle, en fin de compte, c'est en lui-même que La Fontaine l'a trouvé. C'est pourquoi il ne faut pas considérer sa présence malicieuse et ironique dans ses écrits comme un pur artifice littéraire, comme un simple moyen de la « gaieté ». Elle est l'expression de sa nature, un plaisir qu'il se fait en pensant qu'il fera également plaisir à son lecteur.

Fréquente dans le récit des aventures de Psyché, cette présence est de même nature que dans *Joconde* ou dans *La Fiancée du roi de Garbe*. Elle rappelle que tout conte suppose l'existence d'un conteur. Certaines remarques, purement techniques, rejoignent les procédés d'un Scarron ou d'un Sorel, par exemple lorsque Poliphile refuse de « chercher des comparaisons jusque dans les astres » pour décrire la beauté de son personnage. D'autres renvoient à une sorte de sagesse convenue. La colère démesurée de Vénus contre la beauté de Psyché marque « merveilleusement bien le naturel et l'esprit des femmes ». Sur quoi l'auteur renchérit selon ses préjugés, ou ceux qu'il feint de partager avec son public : « Et je dirai en passant que l'offense la plus irrémissible parmi ce sexe, c'est quand l'une d'elles en défait une autre en pleine assemblée. »

Quand Psyché aplanit toutes les difficultés pour se conformer à l'oracle qui la destine à un monstre, l'auteur ironise pareillement : « Je ne veux pas dire que cette belle, trouvant à tout des expédients, fût de l'humeur de beaucoup de filles qui aiment mieux avoir un méchant mari que de n'en point avoir du tout. » C'est le climat railleur et misogyne des *Contes*. Conviction ou artifice ? Les deux, sans doute, car la littérature contribue à répandre une image de la femme à laquelle le public est attaché et à laquelle elle adhère elle-même. Seules résistent les précieuses et les féministes. La Fontaine n'en fait pas partie !

L'histoire de Psyché n'est pas rapportée seule. Elle fait l'objet d'une mise en scène. Elle est lue entre quatre amis au cours d'une promenade à Versailles. La « Promenade » est alors un genre littéraire. Guéret publie une *Promenade de Saint-Cloud* l'année même de *Psyché*. La Fontaine égaie son récit d'une « Promenade de Versailles ». Il y fait une description de lieux que le roi mettait à la mode. Elle n'est pas « tout à fait conforme » à leur état présent. « Je les ai décrits, précise-t-il, en celui où, dans deux ans, on les pourra voir. » Dans *Le Songe de Vaux*, il avait été obligé d'anticiper sur la réalité ; il avait dû rêver pour voir le château et le parc achevés. Dans *Psyché*, il raconte par choix une promenade dans un Versailles futur. Dans *Le Voyage en Limousin*, il a décrit les étapes après coup. La Fontaine aime les décalages qui sauvent les descriptions d'un étroit réalisme.

Les amis visitent la ménagerie, l'orangerie, le château, particulièrement la chambre du roi, les jardins, la grotte de Thétys dont on fait jouer les eaux. C'est là, à l'abri et au frais, que Poliphile prend son cahier et commence à lire. Il s'interrompt au moment où l'Amour découvre Psyché transgressant l'interdit. Elle le contemple pendant son sommeil à la lueur d'une lampe. Elle a voulu découvrir l'identité de son mystérieux mari. Comme « le chaud est passé », ils sortent de la grotte pour aller voir « les endroits les plus agréables des jardins ». Ils admirent, au « Fer-à-cheval », la « longue suite de beautés toutes différentes qu'on découvre du haut des rampes ». Ils visitent « le salon et la galerie qui sont demeurés debout après la fête qui a été tant vantée », salle de bal et galerie de verdure construites par Le Vau pour la fête donnée par le roi, en juillet 1668, après la paix d'Aix-la-Chapelle. Ils s'assoient enfin sur le gazon, au bord de l'eau. Poliphile lit la fin de son histoire.

Les quatre amis, dit La Fontaine, « adoraient les ouvrages des Anciens, ne refusaient point à ceux des Modernes les louanges qui leur sont dues, parlaient des leurs avec modestie, et se donnaient des avis sincères quand quelqu'un d'eux tombait dans la maladie du siècle et faisait un livre, ce qui arrivait rarement. Poliphile y était le plus sujet ». Il a eu envie d'écrire les aventures de Psyché. « Il y travailla longtemps sans en parler à personne. Puis il communiqua son dessein à ses trois amis, non pas pour leur demander s'il continuerait, mais comment ils trouvaient à propos qu'il continuât. » Chacun lui donne son opinion. Il en retient ce qui lui convient, jusqu'au jour où, « l'ouvrage achevé », il prend rendez-vous pour le lire aux trois autres. On dirait une confidence sur la façon dont l'auteur a écrit son propre livre.

« Quatre amis dont la connaissance avait commencé par le Parnasse lièrent une espèce de société que j'appellerais Académie si leur nombre eût été plus grand et qu'ils eussent autant regardé les Muses que le plaisir. » Ce début de *Psyché* a fait couler beaucoup d'encre. On a voulu retrouver sous les pseudonymes les vrais personnages de l'histoire : La Fontaine, Boileau, Molière, Racine, cela faisait très bien! Les quatre plus grands poètes du siècle de Louis XIV se retrouvaient dans son château pour parler de littérature. Mais Molière était gravement brouillé avec Racine depuis *Alexandre*, en 1666, et Boileau n'était pas très lié avec La Fontaine à l'époque de *Psyché*. Il faut donc chercher d'autres noms.

Que Poliphile soit La Fontaine, rien ne s'y oppose. Il lit son œuvre et il a son goût du badinage. Mais il a également beaucoup de points communs avec Acante dont il a déjà porté le nom dans *Le Songe de Vaux*. Acante, dit l'auteur, « aimait extrêmement les jardins, les fleurs, les ombrages. Poliphile lui ressemblait en cela; mais on peut dire que celui-ci aimait toutes choses. Ces passions, qui leur remplissaient le cœur d'une certaine tendresse, se répandaient dans leurs écrits et en formaient le principal caractère. Ils penchaient tous deux vers le lyrique, avec cette différence qu'Acante avait quelque chose de plus touchant, Poliphile de plus fleuri. » Ils sont comme les deux faces d'un même caractère. Malgré *Adonis*, on ne peut cependant pas dire que la tendresse soit le caractère principal de l'œuvre de La Fontaine...

Elle conviendrait mieux à Acante, surnom ordinaire de Pellisson, le tendre ami de Mlle de Scudéry. Il était sorti de la Bastille au début de 1666, et le roi l'avait aussitôt pris à son service. Il avait écrit des élégies et il aimait la nature, comme l'Acante de *Psyché*. Son retour en grâce et sa situation à la Cour expliquent qu'il ait pu obtenir pour ses amis l'autorisation d'entrée − le « billet qui vient de si bonne part » − dont ils avaient besoin pour circuler librement dans les jardins et le château. Acante est donc en partie Pellisson. Mais Ariste lui ressemble aussi. Quant à Gélaste, le rieur défenseur du rire, il fait beaucoup penser à Maucroix, le plus ancien et le plus fidèle des amis du poète.

Il est le seul dont on est sûr que La Fontaine lui communiquait ses œuvres pour correction. « Joins ce conte à la nouvelle du Gascon puni − lit-on dans un billet qui lui est adressé − et à la nouvelle tirée de Boccace. *La Fiancée du roi de Garbe* est un breuvage de longue haleine. Il y a des traits qu'il me faut revoir. » Ce billet, qui suit une copie autographe de *L'Anneau de Hans Carvel*, se rapporte manifestement à la préparation de la deuxième partie des *Contes*, publiée en janvier 1666. Le poète, qui a déjà envoyé deux de ses contes à son ami, lui en envoie un troisième et lui donne des nouvelles d'un quatrième. Au dos d'une copie de « La Jeune Veuve », publiée dans les *Fables* de 1668, on lit de même, à propos des fables, cette fois : « En voici encore, et je n'y trouve plus rien à changer. Il ne me semble pas que je doive me rendre à tes scrupules. Ma veuve est également sincère dans ses deux états. » La Fontaine demandait l'avis de Maucroix, et, comme il le dit dans *Psyché*, décidait seul en dernier ressort.

On ne peut préciser davantage. Le brouillage opéré autour des surnoms des amis rappelle qu'il ne faut pas tout croire. Rien ne prouve que la promenade a eu lieu, qu'il y

avait quatre amis, qu'on y a lu *Psyché*. Le cadre de l'histoire
n'est pas forcément moins imaginaire que l'histoire elle-
même. En situant sa lecture dans un décor prétendument
réel, Poliphile donne de la crédibilité à la fiction qu'il
raconte. Substitut de La Fontaine, il y tient son rôle de
conteur. Les amis forment l'auditoire, tenant lieu des futurs
lecteurs. Peu importe la vérité ou le mensonge de la visite de
Versailles. Ce qui compte, c'est le goût du poète pour la
mise en scène, son besoin d'avoir un public, son plaisir de
raconter. Tout cela fictivement et par compensation, dans
ses œuvres et non dans sa vie, puisqu'il n'était pas, dit-on, un
brillant causeur.

Il aime dire vrai au moyen de fausses confidences. Il n'a
pas révélé l'identité précise de ses amis. Mais il a célébré son
goût pour l'amitié, plusieurs fois chantée aussi dans ses
Fables. Il l'a dépeinte, tournée vers le plaisir de la conversation plus que vers la littérature. « Quand les quatre amis se
trouvaient ensemble et qu'ils avaient bien parlé de leurs
divertissements, si le hasard lès faisait tomber sur quelque
point de science ou de belles-lettres, ils profitaient de l'occasion. C'était toutefois sans s'arrêter trop longtemps à une
même matière, voltigeant de propos en autre comme des
abeilles qui rencontreraient en leur chemin toutes sortes de
fleurs. » A plus de vingt années de distance, on retrouve, en
plus détendu encore, l'esprit des réunions de la Table ronde.
Rien d'étonnant, puisque Pellisson, Maucroix et La Fontaine s'y rencontraient déjà.

Psyché contient un éloge de Louis XIV, le roi bâtisseur. Il
est placé collectivement dans la bouche des amis qui s'entre-
tiennent ensemble de ses mérites. On y trouve aussi un éloge
de Colbert, commencé par le porte-parole de La Fontaine.
On vient d'admirer le spectacle découvert depuis le Fer-à-
cheval. « Poliphile et ensuite ses trois amis prirent là-dessus
occasion de parler de l'intelligence qui est l'âme de ces merveilles et qui fait agir tant de mains savantes pour la satisfaction du monarque. » De peur de lui déplaire, l'auteur ne
rapporte pas en détail les éloges prodigués au ministre. Il les
résume : on loua « sa fidélité et son zèle. On remarqua que
c'est un génie qui s'applique à tout et ne se relâche jamais.
Ses principaux soins sont de travailler pour la grandeur de
son maître, mais il ne croit pas que le reste soit indigne de

l'occuper. Rien de ce qui regarde Jupiter n'est au-dessous des ministres de sa puissance ». Il faut beaucoup d'imagination pour trouver dans ce portrait une critique voilée de Colbert. Il n'en faut pas beaucoup pour constater que La Fontaine loue en lui le contraire de ce qu'était Foucquet. Les temps changent. Les poètes aussi.

« Quelque peu d'assurance qu'ait un auteur qu'il entretiendra un jour la postérité, il doit toujours essayer de se la proposer autant qu'il lui est possible et essayer de faire les choses à son usage. » Ainsi s'achève la Préface, qui commençait en affirmant la nécessité d'être attentif au goût du temps. Il faut suivre la mode et instruire la postérité. La Fontaine a fait du chemin depuis le temps où, en tête de ses premiers *Contes*, il insistait sur la différence entre ses bagatelles, liées aux circonstances, et les ouvrages « vraiment solides » et d'une « souveraine beauté », seuls assurés d'être bien reçus « dans tous les siècles ». Le succès lui a donné de l'assurance et de l'ambition. Il commence à penser que, malgré la légèreté de ton de ses ouvrages « galants », son œuvre aussi pourrait ne pas être éphémère.

38.

« Cocuage est un bien »

Une légende tardive veut que La Fontaine ait été reçu du roi après *Psyché*. La visite, cette fois, est fondée sur le mécontentement du monarque. Une des sœurs de l'héroïne regrette que son royal mari ait « toujours une douzaine de médecins à l'entour de sa personne »; l'autre, que le sien ait « deux fois autant de maîtresses qui, toutes, grâce à Lucine, ont le don de fécondité. La famille royale est si ample qu'il y aurait de quoi faire une colonie très considérable ». De malins courtisans avaient appliqué le passage à Louis XIV, qui en avait été ulcéré. La Fontaine s'inquiétait de la colère royale. Saint-Aignan, qui le protégeait à cause de leur goût commun pour le vieux langage, s'entremit en sa faveur. Bien loin de le punir, on le récompensa en le recevant à la Cour. Mais Louis XIV, en janvier 1669, n'avait pas encore une colonie de bâtards reconnus. Celui qui rapporte cette histoire, en 1755, a confondu les temps.

Le succès des *Fables* n'avait pas ralenti celui des *Contes*. Plusieurs réimpressions clandestines paraissent en Hollande. Celle que Jean Sambix donne à Leyde, avant juin 1669, ajoute aux textes déjà connus la *Dissertation sur Joconde* et un fragment inédit de *La Coupe enchantée*. Resté manuscrit, le texte de Boileau, qui remontait au moins à la première édition de *Joconde*, n'avait atteint que quelques initiés. Sa publication le répand dans le public et concourt largement à la gloire du conteur, maintes fois avantageusement cité à côté des plus grands auteurs de l'Antiquité. « Monsieur de La Fontaine a pris à la vérité son sujet de l'Arioste, lit-on dès la première page, mais, en même temps, il s'est rendu maître de sa matière ; ce n'est point une copie qu'il ait tirée un trait après l'autre sur l'original ; c'est un original qu'il a formé sur l'idée qu'Arioste lui a fournie. C'est ainsi que Virgile a imité Homère ; Térence, Ménandre ; et le Tasse, Virgile. »

De la comparaison des *Joconde*, Boileau a fait une sorte de petit « traité de l'imitation » dont le conteur français devient le modèle, puisqu'il est préféré à l'Arioste même. La tentative avortée avec *L'Eunuque* (« mauvaise copie d'un excellent orginal ») a superbement réussi, maintenant qu'au lieu de donner une « copie » du modèle, comme Bouillon, il a su en faire à son tour « un original ». Le compliment allait droit au cœur du poète, apportant du renfort à ses idées. Il avait traité lui aussi de l'imitation dans les deux préfaces de ses *Contes*. Il en avait parlé dans celle de ses *Fables*. Il venait d'y revenir en tête de *Psyché*.

Dans cet ouvrage, explique-t-il, presque toutes les « inventions » sont d'Apulée, du moins « les principales et les meilleures ». Et, plus loin : « Ce que j'ai pris de mon auteur est la conduite de la fable, et c'est en effet le principal, le plus ingénieux et le meilleur de beaucoup. » Il n'a pas hésité, pourtant, à y ajouter quelques épisodes de son cru et à modifier le reste. « Avec cela, écrit-il, j'y ai changé quantité d'endroits selon la liberté ordinaire que je me donne. » Voilà pour le fond. Ce n'est pas tout : « La manière de conter est aussi de moi, et les circonstances, et ce que disent les personnages. » La technique essayée dans les *Contes* et dans les *Fables* est appliquée ici à grande échelle par un auteur conscient qu'une imitation réussie est le résultat de dosages subtils dont il a seul le secret.

Inutile donc de justifier dans le détail les modifications opérées. « Ce n'est pas à force de raisonnements qu'on fait entrer le plaisir dans l'âme de ceux qui lisent : leur sentiment me justifiera, quelque téméraire que j'aie été, ou me rendra condamnable, quelque raison qui me justifie. Pour bien faire, il faut considérer mon ouvrage sans relation à ce qu'a fait Apulée, et ce qu'a fait Apulée sans relation à mon livre, et là-dessus s'abandonner à son goût. » Toute œuvre d'art est autonome, et son échec ou sa réussite ne dépend pas de sa conformité à des règles sur lesquelles on peut discuter à perte de vue. Elle dépend du plaisir indéfinissable produit

sur un lecteur quand il est emporté par la saveur du texte.
Cinq ans plus tôt, en 1663, Molière vantait pareillement « la
bonne façon d'en juger, qui est de se laisser prendre aux
choses et de n'avoir ni prévention aveugle, ni complaisance
affectée, ni délicatesse ridicule ». La preuve du poids de la
critique en plein classicisme, ce n'est pas qu'elle arrive à
fonder la primauté de la théorie sur la pratique, mais que les
auteurs sont obligés de répéter partout que rien ne prévaut
contre le jugement du public.

En même temps que la *Dissertation* de Boileau, l'édition
de Jean Sambix donnait un fragment d'un conte de La Fontaine inachevé et inédit. « Je ne vous aurais pas donné cette
nouvelle imparfaite, disait l'éditeur, si je n'avais su de bonne
part que son illustre auteur n'est pas dans le dessein de
l'achever. » Imitée de l'Arioste comme *Joconde*, *La Coupe
enchantée* racontait comment Renaud avait refusé de boire
dans une coupe magique qui révélait à celui qui y buvait s'il
était ou non cocu. S'il l'était, il ne pouvait y boire, le breuvage se répandant « sur son sein, sur sa barbe, et sur son vête-
ment ». Plus encore que dans *Joconde*, le poète s'était largement écarté de son modèle pour montrer comment la coupe
avait permis de lever sans peine une armée de cocus.

La Coupe enchantée comporte un long prologue, où vient
en refrain : « Cocuage n'est pas un mal », puis : « Cocuage
est un bien. » Cet éloge paradoxal n'avait rien de bien neuf.
Rabelais, dans *Le Tiers Livre*, l'avait déjà développé à
Panurge qui voulait prendre femme. Molière venait de le
reprendre dans son *Ecole des femmes*. Chrysalde y expliquait
par deux fois à Arnolphe pourquoi il ne fallait pas mettre
son honneur ni son bonheur dans la vertu de sa femme.
Dans les deux cas, pourtant, le raisonnement perdait de sa
force parce qu'il entrait dans un scénario comique. Chez La
Fontaine, en prologue au récit, il présentait toute l'apparence d'un développement dont l'humour n'ôtait rien au
sérieux de la conclusion. C'était la morale de *Joconde*. Les
deux maris trompés retournaient vers leurs femmes, décidés
à ne plus y regarder de si près. Ils y trouvaient paix et
contentement, peut-être même fidélité. C'est maintenant la
morale de Renaud. C'est la morale de tous les *Contes*.

On avait vivement reproché à Molière les tirades de Chrysalde. Les temps étaient de moins en moins aux libertés

rabelaisiennes. La Fontaine prenait un risque en développant brillamment un thème qui heurtait les efforts de la Contre-Réforme pour restaurer l'ordre moral. Heureusement, on ne le prenait pas au sérieux. Peut-être la publication d'un large extrait du conte dans une édition subreptice avait-elle pour principal but de tester les réactions de la censure française. Comment, sinon, le manuscrit d'une œuvre encore inachevée aurait-il pu arriver dans des mains étrangères et indiscrètes ? Si l'édition a vraiment eu lieu contre le gré de l'auteur, il faut qu'on ait été très attentif à ce qu'il écrivait.

La Fontaine s'empressa de reprendre son bien. Une nouvelle édition de ses *Contes et Nouvelle en vers* parut chez Barbin et Louis Billaine, avec un nouveau privilège daté du 6 juin 1669. Il y redonnait le contenu des recueils de janvier 1665 et 1666. Il y ajoutait les trois contes parus subrepticement à Cologne en 1667, et l'extrait de *La Coupe enchantée* qu'on venait de publier à Leyde. « Sans l'impression de Hollande, expliquait-il, j'aurais attendu que cet ouvrage fût parfait avant que de le donner au public, les fragments de ce que je fais n'étant pas d'une telle conséquence que je doive croire qu'on s'en soucie. » En soulignant qu'on s'arrachait ses œuvres à peine composées, le poète faisait habilement sa publicité. Il protestait contre l'affirmation de l'éditeur qui avait prétendu savoir de bonne part qu'il n'avait pas l'intention d'achever sa nouvelle. « C'est ce que je ne me souviens pas d'avoir jamais dit, et qui est tellement contre mon intention que la première chose à quoi j'ai dessein de travailler, c'est cette *Coupe enchantée*. » Il fera plusieurs autres choses dans l'intervalle. Mais il la donnera en effet complète en janvier 1671, dans la troisième partie de ses *Contes*.

En 1685, dans un factum où il attaque violemment son ancien ami, Furetière n'hésite pas à lui appliquer la morale de *La Coupe* : « Il donne tant d'éloge au cocuage volontaire que quelques-uns pourraient conclure de là qu'il y a apparence qu'il s'en est bien trouvé. » Les ennemis de Molière raisonnaient pareillement. Même aujourd'hui, dans notre société permissive, accuser un mari de ne pas se soucier de la vertu de sa femme reste majoritairement une injure grave. En fait, l'indifférence au cocuage était alors un thème authentiquement libertin. Seuls quelques esprits forts osaient dénoncer la liaison si constamment faite entre l'honneur féminin et la chasteté ou la fidélité conjugale. On le verra au début du XVIIIe siècle, quand se développera le mythe de Ninon de Lenclos. Elle n'avait pas vécu en honnête femme. Tant mieux, dira Voltaire, puisqu'elle s'est comportée en honnête homme...

C'est à peu près ce que dit La Fontaine, parlant au nom de tous les maris, avec quelques gauloiseries traditionnelles en plus, à propos de toutes les femmes. Pour ce qui est de la sienne, nous ne savons pas grand-chose. La logique voudrait qu'il se soit montré libéral à son égard. Mais la logique n'est guère consultée en ce domaine. Tallemant affirme l'indifférence de Jean, peu de temps après son mariage, aux coquetteries de Marie qui en séchait de dépit. On ne voit pas pourquoi il aurait été plus jaloux par la suite. Mais on ignore jusqu'où allaient ces coquetteries, et si elles se sont accrues à mesure que le mariage se défaisait. Détaché de son épouse et progressivement séparé d'elle en un temps où le divorce n'existe pas, le poète mène pratiquement une vie de garçon libre d'attaches matrimoniales. Il n'est pas étonnant qu'il ait, sur la fidélité conjugale, la même indifférence que la plupart des hommes non mariés attentifs seulement aux faiblesses dont ils peuvent profiter.

Comme le montre la dédicace de *Psyché*, la cessation de ses activités forestières n'a pas rompu les liens de La Fontaine avec les Bouillon. En 1664, dans l'Épître sur l'usurpation de noblesse, il s'adressait au duc en le situant dans sa glorieuse lignée : « Fils et neveu de favoris de Mars », lui disait-il, ou encore : « Digne héritier d'un peuple de vainqueurs. » L'oncle était le célèbre maréchal de Turenne ; le père, mort en 1652, avait eu quantité d'enfants. On les retrouve presque tous dans une lettre en vers que le poète adresse, entre le 19 juin et le 5 août 1669, à Mauricette-Fébronie de La Tour, la plus jeune sœur de Bouillon. A seize ans, le 24 avril de l'année précédente, elle avait épousé Maximilien de Bavière à Château-Thierry.

Deux de ses frères sont alors « sur les flots » pour secourir l'île de Chypre, assiégée par les Turcs. Cette possession vénitienne était considérée comme le rempart de la chrétienté, et, malgré les négociations qu'il menait pour son compte avec l'assiégeant, Louis XIV avait consenti à l'envoi d'un corps expéditionnaire français, à condition qu'il combattît sous le drapeau du pape. « Ô combien de sultanes prises! prophétise le poète, / Que de croissants dans nos églises! / Quel nombre de turbans fendu!/ Tête et turban, bien entendu. » Il se trompait. Les Français durent se retirer, et la place se rendit en septembre 1669.

La guerre-éclair menée en France avait eu plus de succès. En mai 1668, le traité d'Aix-la-Chapelle avait préparé l'annexion de la Franche-Comté. Frère aîné de la destinataire, le duc de Bouillon, qui avait accompagné Louis XIV dans sa campagne, avait été récompensé d'une charge de grand chambellan. La paix le condamnant à l'inactivité, il passait son temps à la chasse : « Vous saurez que le chambellan / A couru cent cerfs en un an. » Il aurait mieux aimé « courir les hommes ». Son cadet, le comte d'Auvergne, a eu un accident : il « s'est dans notre terre / Rompu le bras : il est guéri. / Ce prince a dans Château-Thierry / Passé deux mois et davantage ». C'est là que le poète a dû le rencontrer.

Autre frère du duc de Bouillon, le duc d'Albret « donne à l'étude sa principale inquiétude ». La Fontaine lui promet l'avenir le plus brillant. Il n'était pas mal informé. Le 4 août, à vingt-six ans, le duc reçut le chapeau de cardinal. Le poète célébra sa nouvelle dignité dans une épître en six vers : « Vous voilà deux fois prince », lui dit-il : prince de l'Église et prince par la naissance, puisqu'il appartenait à une maison souveraine. Du moins le prétendait-il, comme tous les membres de sa famille, au désespoir de tous les autres ducs et pairs de France sur lesquels ils entendaient avoir préséance.

Ces épîtres aux Bouillon sont des exercices de flatterie. Un poète n'est pas grand-chose dans la société de ce temps-là. Malgré le succès des *Contes* et des *Fables* et la gloire qu'ils lui apportent, La Fontaine a besoin de protecteurs. Il s'adresse tout naturellement aux suzerains de Château-Thierry. L'hôtel des Bouillon pourra plus tard apparaître comme un repaire de libertinage et d'opposition. A en juger par les faveurs que leur fait le roi, ils sont pour le moment bien en cour. Pour les vanter, le poète retrouve le ton et le style du temps de Vaux, quand il chantait Foucquet, sa femme et ses enfants.

Un long développement est consacré à la Pologne. Jean-

Casimir avait abdiqué en septembre 1668. Il fallait lui choisir un successeur. Chaque puissance avait ses candidats. On parlait de Condé, mais la France favorisait le duc de Neubourg dans l'espoir de récupérer une part de ses États à la frontière de la Lorraine et de la Hollande. Ce sera un outsider qui emportera la palme. « On s'est en Pologne choisi / Un roi dont le nom est en ski. / Ces Messieurs du Nord font la nique / A toute notre politique, » note La Fontaine. Ils avaient en effet élu Michel Wienowiski.

Ils ont déjoué les pronostics de « ceux qui des affaires publiques / Parlent toujours en politiques, / Réglant ceci, jugeant cela, / Et je suis de ce nombre-là ». Comme souvent, le poète glisse dans ses vers une confidence inopinée qui déborde le sujet traité. Lui qui se présente si souvent comme un rêveur ou un paresseux, se dépeint tout à coup attentif à l'actualité et se plaisant à raisonner sur elle. Il a un esprit curieux. Mais s'il se range un instant parmi les politiques, c'est avec ironie, en « mouche du coche » parmi les « raisonneurs » qui croient pouvoir trancher de tout et dont les conclusions sont souvent démenties par l'événement, comme le montre la fin de l'épître. Il n'y a pas de « La Fontaine politique » au sens strict du terme.

En août 1669, Colbert prend une importante ordonnance pour réorganiser l'administration des forêts. Le 20 novembre, la commission chargée d'évaluer le domaine de Château-Thierry reprend ses travaux. Le poète, ses indemnités fixées et en partie déjà payées, contemple tout cela d'un œil serein. Il est plongé dans un projet d'édition. Il y a une grande distance entre les *Contes*, les *Fables* et *Psyché*. Il y en a une plus grande encore entre ces œuvres et le prochain livre qu'il va donner au public.

39.

Au service de Port-Royal

Le poète qui avait publié l'éloge du cocuage pendant l'été 1669 signe en décembre 1670 ces vers pleins de zèle envers le Tout-Puissant :

Je ne sens d'amour que pour toi;
Je crains ton nom, je suis ta loi,
Ta loi pure et contraire aux lois des infidèles;
Je fuis des voluptés le charme décevant,
M'éloigne des méchants, prends les bons pour modèles,
Sachant qu'on devient tel que ceux qu'on voit souvent.

La déclaration, il est vrai, n'est pas originale. Elle est adaptée du Psaume XVII, dans lequel David remercie Dieu de l'avoir délivré de ses ennemis. La Fontaine en a fait une paraphrase plus fidèle à l'original que ses imitations de textes profanes. On n'a pas le droit de s'écarter de la Parole divine. Il la publie à la fin du premier tome d'un ouvrage en trois volumes dans lequel il donnera aussi, au terme du dernier, son élégie et son ode pour Foucquet, quatre fragments de sa *Psyché* et sept fables de son premier recueil. La « paraphrase » est sa seule contribution inédite. Il ne la publiera que là.

Plus surprenante encore que cette contribution, qui pourrait passer pour un exercice de style, est la part qu'il a prise dans l'édition des volumes. On lit sur le premier : *Recueil de poésies chrétiennes et diverses. Dédié à Monseigneur le prince de Conti. Par M. de La Fontaine.* L'ensemble n'est pas publié chez Barbin, comme l'ont été jusque-là les œuvres du poète, mais chez Le Petit, l'imprimeur habituel des jansénistes. La dédicace au prince de Conti confirme l'esprit de l'entreprise. C'était le tout jeune fils du frère de Condé, et le neveu de Mme de Longueville, deux célèbres convertis de Port-Royal. L'un était mort en 1666, mais l'autre protégeait le parti et avait largement contribué, en 1668, à la fin des persécutions, ce qu'on appelle « la paix de l'Église ». On se demande ce que fait là l'auteur des *Contes*...

Il le dit dans l'épître en vers à Conti qui ouvre le premier volume. Il est le maître d'œuvre d'une anthologie poétique. Sercy avait lancé en 1653 ses célèbres recueils de *Poésies choisies,* cinq volumes en sept ans, sans parler des réimpressions et des recueils en prose. Plusieurs éditeurs avaient suivi son exemple. On y publiait un peu de tout, à l'abri de quelques grands noms qui servaient de « locomotives ». La Fontaine, dans la dédicace, cite dans la même intention Malherbe, Racan et Godeau. Il définit aussi l'esprit de l'œuvre :

> *Si le pieux y règne, on n'en a point banni*
> *Du profane innocent le mélange infini.*

Il n'y a pas de solution de continuité entre le premier volume, rempli de poésies chrétiennes, et les deux autres, où l'adjectif « chrétiennes » a disparu du titre, qui contiennent des poèmes destinés à faire pièce à la trop grande mondanité, voire à la lascivité du contenu des recueils concurrents.

La Fontaine n'y est pas la vedette. Il n'a de part « en ces dons du Parnasse » qu'à la faveur des autres auteurs publiés, qu'il suit modestement. Disciple d'Esope (« J'orne d'un trait léger ses riches fictions »), il cultive un genre secondaire (« Ma Muse cède en tout aux Muses favorites »). Son succès dans la fable ne compense pas son échec dans le poème héroïque, le théâtre et le lyrisme. Il a conscience de n'être qu'un comparse parmi les grands de l'Olympe. Son rôle est de leur « servir d'introducteur ». Pour cela, il a rédigé la dédicace du volume, et peut-être, aux yeux du public, la préface et l'avertissement, qui ne sont pas signés. Il a surtout mis son nom sur la page de titre. Il a contribué à lancer le fruit d'un travail collectif.

Il n'a point agi seul. D'autres, « par leur travail », ont établi le recueil sans « sortir de cette paix profonde » où ils vivent « en secret, loin du bruit et du monde ». Les solitaires de Port-Royal ont opéré le choix. Ils ont demandé à La Fontaine de le publier : « Ils m'engagent pour eux à le produire au jour. » Il l'a fait non par « vanité », mais par « obéissance ». Il est l'intermédiaire entre les auteurs, qui ont choisi les textes en fonction d'un esprit général, et le public qu'ils souhaitent atteindre. Sorte de relais entre la retraite et le monde, il garantit, en y mettant son nom, que le livre n'est pas un simple ouvrage d'édification et de piété, mais une œuvre de qualité s'adressant à tous les gens de goût. Bref, son rôle n'a pas été d'élaborer le recueil, mais d'être le principal support de son lancement publicitaire.

Il est surprenant que Port-Royal se soit adressé à l'auteur sulfureux des *Contes,* et étonnant qu'il ait accepté. Ce fut le résultat d'un concours de circonstances où l'amitié et la littérature semblent avoir joué davantage que les principes moraux et religieux. La Fontaine était un ami de longue date de Louis-Henri de Loménie de Brienne, fils d'un secrétaire d'État de Louis XIV, et secrétaire d'État lui-même à vingt-trois ans, disgracié en 1662 pour tricherie au jeu. Entré à l'Oratoire en 1664, il y manifesta un grand zèle janséniste, pour complaire, dira-t-il plus tard, à sa marraine, la duchesse de Longueville. Il y trouva le père Desmares, l'ancien maître de La Fontaine.

En 1665, le poète dédia à Brienne « Le Bûcheron et Mercure », précédé d'un important prologue sur l'art de la fable. « Votre goût a servi de règle à mon ouvrage », disait l'auteur au dédicataire. Ce n'est pas rien. Brienne était donc de son parti, contre les tenants de la fable en prose à la Patru ou de la fable laconique en vers à la Boileau. Il était pour une aimable négligence (« Vous voulez qu'on évite un soin trop curieux ») et pour un harmonieux équilibre entre la sévérité et les fioritures, contre les « vains ornements », mais pour les « traits délicats » (« Vous les aimez, ces traits, et je ne les hais pas »). Sur le plan littéraire, il y avait accord parfait entre Brienne et le fabuliste.

A Brienne revient justement l'idée de publier un recueil de poésies chrétiennes. « Ce fut encore lui, dit Batterel, l'historien de l'Oratoire, qui eut soin de rassembler les pièces de vers qui sont dans le recueil que M. de La Fontaine, son ami particulier, se chargea, à sa prière, de dédier à M. le prince de Conti, à la considération duquel, et par l'ordre de sa vertueuse mère [la princesse de Conti, une des patronnes du jansénisme], il entreprit cet ingrat et fatigant travail. » A Brienne revient donc l'initiative de la publication du recueil, encouragée mais non menée par Port-Royal. « Lucile-Hélie de Brèves » prend pour cela un privilège, cédé à Le Petit le 10 janvier 1669. C'est un pseudonyme de Brienne.

Dès le début de 1670, il a cessé d'y travailler, ayant été invité le 16 février à quitter l'Oratoire en raison de sa mauvaise conduite. Il donnait de sérieuses marques de troubles mentaux. Enfermé à la demande de sa famille, il restera à Saint-Lazare de 1674 à 1692... C'est là qu'il raconte son initiative dans un manuscrit écrit de sa main en 1689, à un moment où il est devenu violemment antijanséniste. Il y narre ses démêlés avec Arnauld d'Andilly, qui a « tellement défiguré son recueil par ses dégoûts et scrupules jansénistes ». Il n'a pas, dit-il, perdu tout espoir de « le refaire tout entier à sa manière, ou du moins d'y ajouter une quatrième partie » selon son cœur, avec un jugement sur les pièces retenues dans les volumes parus.

On devine ce qui s'est passé. Les folies de Brienne ne lui permettant plus de mener à bien une idée que les Solitaires avaient jugée intéressante, ils mettent eux-mêmes sur pied une petite équipe qui trie et choisit les textes. Dès le début, Brienne avait informé La Fontaine de son projet. Plutôt que de l'en exclure, les nouveaux maîtres d'œuvre du recueil décident de le récupérer. En acceptant de le publier sous son nom, il donnera à Brienne une preuve de son amitié. Il contribuera à la réussite d'une entreprise que son initiateur n'a plus la force morale ni intellectuelle d'assumer. On ajouta sans doute la promesse d'une bonne rétribution, car le recueil avait aussi un but lucratif, et La Fontaine avait toujours besoin d'argent. Le fabuliste céda à ces beaux raisonnements.

Il avait déjà collaboré sans problèmes avec un proche de Port-Royal, Giry, le traducteur de saint Augustin. Aux cent trente-neuf vers traduits par lui en 1665 s'en étaient ajoutés vingt-trois autres en 1667, dans les tomes VI à X de *La Cité de Dieu*. Son chemin s'était par deux fois croisé avec celui de Le Maître de Sacy, un des Solitaires qui s'est occupé du recueil. En 1654, quand il a donné *L'Eunuque,* il a dû lire les pièces de Térence qu'il avait traduites en français et « rendues très honnêtes en y changeant fort peu de choses ». En 1665, en publiant ses *Fables,* il s'est sûrement souvenu de la traduction de Phèdre par le même auteur en 1647. Comme La Fontaine, Sacy justifiait son entreprise par la qualité de ses modèles et par son désir de les mettre à la portée des enfants comme à celle des honnêtes gens.

Littérairement, le poète se sentait assez d'accord avec les principes qui avaient guidé le choix des œuvres du recueil. Ils étaient longuement expliqués dans une préface anonyme que Batterel prétend être de La Fontaine, mais qui est très probablement de Nicole, l'un des grands préfaciers de Port-Royal. Il faudrait, y explique-t-on, que chacun, lecteur ou auteur, puisse discerner correctement les bons et les mauvais vers. « C'est à quoi plusieurs personnes ont espéré réussir en établissant des règles et des principes fixes pour en juger. » L'auteur a lui-même pensé à « faire quelque chose de semblable en mettant à la tête de ce recueil un traité pour faire connaître en quoi consiste l'excellence de notre poésie ». Il y a renoncé, car on peut trouver ces règles ailleurs, et surtout, à la réflexion, elles lui sont apparues inutiles et même trompeuses.

Rien de meilleur que « les préceptes de la rhétorique des Anciens ». Pourtant, « c'est d'un amas de ces préceptes mal digérés que se forme l'esprit de pédanterie, qui est un caractère si insupportable qu'il vaudrait mieux ne rien savoir du tout que d'être savant en cette manière ». Point de règle qui n'ait ses exceptions. Même les meilleures sont de peu d'usage, « parce qu'elles ne forment qu'une idée fort vague », et que « tout dépend de l'application que chacun en fait, selon la mesure de sa lumière et de son esprit ». La beauté ne se prouve pas, elle se sent. « Il faut s'élever au-dessus des règles qui ont toujours quelque chose de sombre et de mort. Il faut ne concevoir pas seulement par des raisonnements abstraits et métaphysiques en quoi consiste la beauté des vers; il la faut sentir tout d'un coup et en avoir une idée si vive et si forte qu'elle nous fasse rejeter sans hésiter tout ce qui n'y répond pas. » La poésie relève de l'esprit de finesse, non de l'esprit de géométrie.

« Cette idée et cette impression vive, continue la Préface,

qui s'appelle sentiment ou goût, est tout autrement subtile que toutes les règles du monde. » Ce sont exactement les idées énoncées par La Fontaine en tête de ses *Contes* (la régularité n'est pas toujours « le secret de plaire ») et de sa récente *Psyché*. Les justifications théoriques n'éveillent pas de plaisir chez le lecteur qui n'en a pas éprouvé spontanément en lisant l'œuvre. Le mieux est de « s'abandonner à son goût ». Question d'expérience. « Il est visible que, pour former les personnes à la poésie, il faut leur former le sentiment et le goût. Or, pour cela, il n'y a qu'une méthode, qui est de lire quantité de bons vers et de n'en point lire de mauvais. » Cela justifie l'existence du *Recueil de poésies chrétiennes et diverses.* Il propose trois volumes des meilleurs vers des meilleurs auteurs. C'est « le meilleur art poétique qui se puisse imaginer ».

La Préface est doublée d'un Avertissement souvent attribué à La Fontaine depuis Mathieu Marais. C'est un éloge de Malherbe, admirable par « le tour et la chute de sa stance », par « l'harmonie et la netteté de ses vers », par ses expressions nobles, poétiques et hardies. « Tout cela, joint à la beauté de la rime, cause un plaisir sensible aux personnes même les plus grossières. » Il serait pourtant faux de croire, après ces compliments, que « les paroles de ce grand homme » doivent être « tenues pour sacrées, et qu'on n'ait pu y toucher sans témérité ». On en a modifié quelques vers, car, dit l'auteur, il a pu, comme Homère, « laisser de certaines choses qui auraient mérité sans doute une plus grande perfection ». Curieusement, on en donne la table à la fin du deuxième tome.

Ces corrections sont en évidente contradiction avec l'hommage ostensiblement prodigué au maître des classiques. Loin d'être de La Fontaine, l'Avertissement est sans doute une mise au point exigée par lui. On y est informé de modifications qu'on aurait, sinon, faites sans rien dire. L'auteur des *Contes* et des *Fables* admirait trop Malherbe et aimait trop les archaïsmes pour avoir approuvé la modernisation de celui qui, dit-on, avait déclenché sa vocation poétique. Ce qui paraît être de lui, en revanche, c'est la manière dont on laisse finalement le dernier mot au lecteur. A ce dernier de juger des quelques corrections opérées. « Si quelqu'un nous fait la grâce de nous fournir d'autres changements, le public en profitera dans une seconde édition, et les nôtres seront ôtées. »

Le *Recueil de poésies chrétiennes et diverses* est une concession de Port-Royal à la faiblesse des hommes. Elle tient compte de leur « inclination » pour la poésie, aussi universelle dans les faits que déraisonnable dans son principe. Puisque c'est « une chose dont on ne peut se défaire », il faut tâcher de la « rendre la moins désagréable et la moins nuisible qu'il se pourra ». L'appel à La Fontaine s'accorde avec la première partie de ce programme : contribuer à la formation du bon goût. Son nom donne du lustre au recueil, ses conseils et ses choix éventuels (bonne place est faite à ses amis Pellisson, Furetière, Benserade, Perrault, Maucroix) ont contribué à sa qualité littéraire. Mais le second ? Il faut croire que les Solitaires avaient cru à sa promesse de janvier 1666 de ne plus écrire de *Contes,* et qu'ils ne prêtèrent pas une attention suffisante à ceux qu'il avait glissés subrepticement dans l'édition parue en 1669, peu avant qu'il ne prît le relais de Brienne.

Pour eux, il n'était que l'auteur de *Fables* dont la moralité, affichée dans la préface, était d'autant plus au-dessus de tout soupçon que Sacy, l'un des leurs, avait déjà montré le chemin à suivre. Il leur était agréable et utile de voir leur recueil de poésies édifiantes ou innocentes précédé d'une dédicace à Conti de la même main qui avait précédemment signé celle des *Fables* au Dauphin. Peut-être espéraient-ils, par la confiance qu'ils lui avaient faite, inciter le poète à demeurer dans le droit chemin de la poésie sans danger. Ils ignoraient sans doute qu'au moment où sortait leur recueil, La Fontaine avait déjà sous presse un troisième volume de *Contes.* Il paraîtra le 27 janvier 1671, cinq semaines après seulement. Le poète mettait à la fois sur le marché le poison et son antidote...

Il est difficile de croire qu'il l'ait fait innocemment, sans deviner ce que la publication de nouveaux contes à ce moment-là avait de désobligeant pour ses « amis » de Port-Royal. Il était malicieux. Peut-être y vit-il un bon tour à leur jouer, une petite vengeance pour les difficultés soulevées par un Arnauld d'Andilly qui s'opposait, paraît-il, à la publication d'une ode galante de Segrais au roi, parce qu'il « trouvait du péché à mettre dans des vers » une expression comme « la Mère des Charmes » pour désigner Vénus. Peut-être aussi, car il était malin, pensa-t-il qu'avoir mis son nom en tête du pieux recueil le mettait au-dessus des reproches et des soupçons, voire des poursuites. Il avait un certificat de bonne conduite. Il était avide de gloire et de réussite. Il ne lui déplaisait pas de faire parler de lui et d'occuper largement le terrain. Jamais il ne le fit autant qu'en 1671.

40.

Une année de gloire

La Fontaine avait publié *Les Amours de Psyché et de Cupidon* le 31 janvier 1669. Deux ans plus tard, le 17 janvier 1671, Molière donne devant le roi, au théâtre des Tuileries, une *Psyché* en cinq actes et en vers irréguliers, les vers préférés du fabuliste. Étape vers l'opéra français, qui allait naître deux ans plus tard, elle contenait des parties chantées sur une musique de Lulli. Molière, le maître d'œuvre, n'avait pas eu le temps d'achever la pièce pour la date fixée par le roi. Il avait fait appel, pour l'aider, à Corneille et à Quinault. On est surpris que, compte tenu de ses bons rapports avec La Fontaine, il n'ait pas plutôt recouru à celui dont il s'était largement inspiré pour le scénario de sa « tragi-comédie et ballet ». Peut-être le fabuliste était-il alors trop occupé par la préparation de ses propres ouvrages. *Psyché* fut un immense succès, qui retentit nécessairement sur celui qui avait mis le sujet à la mode.

Dix jours après la première de *Psyché*, La Fontaine sortait chez Barbin des *Contes et Nouvelles en vers. Troisième partie*. De peur de la censure, on avait un peu triché en employant pour ce nouveau volume le privilège du second recueil. On avait au contraire demandé et obtenu sans peine, le 16 février, un privilège pour l'impression des *Fables nouvelles et autres poésies*. Le volume parut le 12 mars, toujours chez Barbin. Il ne contenait que huit fables nouvelles, et, pour le reste, des poésies écrites au fil du temps et toujours inédites, de l'épître à Mme de Sévigné sur la gloire naissante du poète à l'épître à la princesse de Bavière sur l'élection du roi de

Pologne. Profitant de sa vogue, La Fontaine se risquait à donner le meilleur de sa production antérieure.

Le volume des *Contes et Nouvelles* contenait treize nouveaux contes (toujours le même chiffre), dont *La Coupe enchantée*, achevée comme promis. *Le Petit Chien et les Pierreries* venait pareillement de l'Arioste. Deux contes étaient tirés d'Anacréon, parallèles à ceux du premier recueil tirés d'Athénée. Ils étaient brefs, de même que trois autres de provenances diverses. La Fontaine avait diversifié ses sources : deux seulement imitaient Boccace. Les vers irréguliers continuaient d'alterner avec les décasyllabes ou les octosyllabes en vieux langage. On y trouvait la traditionnelle liberté de ces sortes d'ouvrages, non l'audace des trois contes subreptices de 1669. Le poète exploitait une veine qui lui avait réussi. Il n'innovait pas. Il le savait : nulle préface ne présente la nouvelle œuvre au lecteur.

Dans le prologue en vers du premier conte, *Les Oies de frère Philippe*, il redit cependant que son livre est sans danger. Les dames même peuvent le lire. La cajolerie des soupirants est plus à craindre pour leur vertu que ses fictions, et pourtant elles y cèdent peu. S'il y a plus d' « heureux amants » que de phénix ou de « corbeaux blancs », ce ne sont pas des « fourmilières ». Il en a lui-même fait l'expérience : « J'ai servi des beautés de toutes les façons. / Qu'ai-je gagné ? très peu de chose; / Rien. » Il suffit donc que les honnêtes femmes blâment en leur cœur « celles qui font quelque sottise ». Elles peuvent « rire à leur aise » des bons tours qu'il raconte et qu'on ne doit pas confondre avec la réalité. La littérature n'est pas la vie.

Les mères et les maris ne doivent pas « le prendre aux cheveux » pour « dix ou douze contes bleus ». Comment son livre réussirait-il à faire ce qu'il n'a pu réussir lui-même ? Il est vain de le blâmer « pour un peu de plaisanterie ». Puisqu'on est dans le domaine de la fiction, le seul point est de décider si son œuvre est ou non littérairement réussie. La censure éventuelle portera librement et largement sur « méchants vers et phrases méchantes », c'est-à-dire sur la qualité littéraire du texte. « Contons; mais contons bien, conclut La Fontaine. / C'est le point principal, c'est tout. » En 1671, il maintient donc pour les *Contes* le système d'appréciation qu'il avait proposé dès le premier recueil, aux antipodes de ce qu'il a dit cinq ans plus tôt dans ses *Fables* pour y justifier l'existence d'une morale : « Et conter pour conter me semble peu d'affaire. » Loin d'être universelle, comme l'affirme la doctrine classique, la nécessité d'unir le profit au plaisir varie pour La Fontaine selon la nature de l'œuvre. On doit moraliser dans les Fables; on peut plaisanter gratuitement dans les Contes.

Aux treize contes proprement dits du nouveau recueil s'ajoutait un dialogue galant, symétrique de *L'imitation des arrêts d'Amour* du premier : *Le Différend de beaux yeux et de belle bouche*. S'y ajoutait surtout, pour finir, un long texte, *Clymène, comédie*, précédé d'une brève présentation, comme si l'auteur voulait souligner qu'il y avait mis toute l'originalité du volume : « Il semblera d'abord au lecteur que la comédie que j'ajoute ici n'est pas en son lieu, mais, s'il la veut lire jusqu'à la fin, il y trouvera un récit, non tout à fait tel que ceux de mes contes, et aussi qui ne s'en éloigne pas tout à fait. Il n'y a aucune distribution de scène, la chose n'étant pas faite pour être représentée. »

Toujours soucieux d'expériences littéraires, La Fontaine profite de son succès de conteur pour proposer au public une forme hybride, tenant à la fois du récit et du dialogue, une sorte de théâtre dans un fauteuil. Le sujet est mince : Apollon, dégoûté de la médiocrité des vers d'amours du temps, veut « du nouveau, n'en fût-il point au monde ». Il demande aux neuf Muses de célébrer, chacune à sa manière, les beautés d'une certaine Clymène, aimée d'Acante. Il n'y aura que cinq éloges, certaines Muses ayant préféré dialoguer. C'est le même exercice de virtuosité que dans *La Fiancée du roi de Garbe*, prise pour neuve la nuit de ses noces après avoir perdu huit fois son pucelage... Le poète aime les difficiles variations sur les sujets les plus ténus.

Il termine en passant de l'éloge de Clymène au récit, par Acante, des faveurs qu'elle lui a enfin consenties. Comme l'amoureux d'Aminte du *Songe de Vaux*, il a découvert sa belle endormie, le sein et le pied nus. Après l'avoir contemplée et admirée, il a fini par lui baiser le pied, « la chose étant plus amoureuse », voire « plus friponne ». Voilà Clymène réveillée, qui se cache vite dans ses draps. « La honte l'a rendue un peu de temps muette. » Elle veut chasser Acante. Mais l'Amour donne courage au jeune homme qui lui donne hardiment un baiser. Miracle : Clymène « a fait la moitié du chemin ». Ce dénouement-là est digne des *Contes*.

A la différence du recueil de janvier, celui de mars commence par un long Avertissement. A quatre lignes près, qui insistent sur la « variété » du volume, La Fontaine le consacre à la présentation des trois fragments du *Songe de Vaux* qu'il s'est enfin décidé à publier. Il donne « presque tout le plan de l'ouvrage ». Le lecteur en a besoin pour comprendre les fragments. Il lui permettra de décider de la valeur de l'œuvre et si elle mérite d'être achevée. « Par ce moyen, dit le poète, j'apprendrai le sentiment du public aussi bien sur l'invention et sur la conduite de mon poème en gros que sur l'exécution de chaque endroit en détail et sur l'effet que le tout ensemble pourra produire. » Il ne continuera que si « la chose plaît ».

Un lourd handicap pèse sur son projet. « La poésie lyrique ni l'héroïque, qui doivent y régner, ne sont plus en vogue comme elles étaient » douze ans plus tôt. En tête d'*Adonis*, imprimé à nouveau dans le même recueil, il s'inquiète pareillement : « On est tellement rebuté des poèmes à présent que j'ai toujours craint que celui-ci ne fût enveloppé dans la commune disgrâce. » Pour réussir, La Fontaine a écrit des *Contes*, puis des *Fables*. Il s'est prêté au goût, et parfois à la mode de son temps. Il continue à le regretter. Par inclination, il aurait aimé pratiquer les genres les plus élevés. Par ambition, il aurait souhaité atteindre à la seule vraie gloire, celle des poèmes, c'est-à-dire de la poésie héroïque.

Comme souvent, il mêle à ces vues générales un peu de confidence personnelle. Si le public n'aime pas son échantillon du *Songe de Vaux*, il ne s'y attardera pas davantage. « Le temps, dit-il, est chose de peu de prix quand on ne s'en sert pas mieux que je fais, mais puisque j'ai résolu de m'en servir, je dois reconnaître qu'à mon égard, la saison de le ménager est venue. » La Fontaine, qui est sur le point d'avoir cinquante ans, commence à sentir qu'il n'est pas éternel. Malgré la réputation que lui ont donnée les œuvres publiées, il a soudain la désagréable impression d'avoir gaspillé sa vie. Il est décidé à ne plus le faire. Mais de quelle façon ? En écrivant de grandes œuvres, susceptibles de lui apporter la vraie gloire. En quatre mois, trois recueils de style différent sont parus sous son nom avec succès, et il demeure insatisfait.

Juste avant l'*Adonis*, il a placé quatre élégies. Ces essais dans le genre lyrique sont des échantillons de ce qu'il est capable de faire dans un genre noble. Il les a dédiées à Clymène. En y reprenant le nom de la belle célébrée dans la « comédie » de son tout récent volume de *Contes*, il pousse le lecteur à les voir comme la suite de la même histoire. On savait seulement que Clymène était belle et provinciale, et qu'il en avait triomphé. Ce triomphe était illusoire. Peut-être l'avait-il rêvé. Entre elle et lui, selon la première élégie, s'élève le plus grand des obstacles. Clymène aime un mort. Nouvel échec du poète, après tant d'occasions manquées.

Il garde le personnage d'amant rebuté dans la deuxième élégie. Le voilà « rembarqué sur la mer amoureuse », lui à qui « tant de fois elle fut malheureuse ». Il s'en consolait en se montrant volage. Pourvu d'un cœur « fécond en nouvelles amours », il aimait « s'engager, mais non pas pour toujours ». La nouveauté, c'est que, cette fois, il va « brûler d'un feu durable ». Quel que soit l'accueil de Clymène, il n'aspire qu'à un seul bonheur : être son esclave. « Hors l'honneur d'être à vous, je ne demande rien. » La troisième élégie raconte son désespoir. Avant Clymène, tout lui riait :

Pour moi, le monde entier était plein de délices.
J'étais touché des fleurs, des doux sons, de beaux jours ;
Mes amis me cherchaient et parfois mes amours.

Ce bonheur est maintenant perdu. Il renonce à la poésie. Le « vain bruit d'un peu de renommée » l'intéressait seulement parce qu'il le rendait digne de la bien-aimée. Mieux vaudrait la mort, puisqu'il lui déplaît. Il s'était jusque-là trompé en croyant connaître l'amour, dit la quatrième élégie. Il ne le connaît que « d'un jour », depuis qu'il est jaloux « d'un rival mort » dont il doit supporter le perpétuel éloge.

La tentation est grande de lire ce scénario comme une confession de l'auteur. Ce n'est pas la première fois qu'il raconte avoir aimé toutes sortes de femmes sans toujours obtenir leurs faveurs. C'étaient amours légères et sans lende-main. Il y trouvait son plaisir en cas de succès, et ne s'en affectait guère en cas d'échec. Puis il a découvert l'amour fou et le désespoir de ne rien pouvoir contre un souvenir. D'où ses plaintes dans quatre poèmes d'un ton nouveau.

Rien n'empêche, après tout, qu'ils aient un support biographique... Mais il est impossible de préciser dans quelle
mesure, quand ils ont été écrits, quand se seraient passés ces
événements. « La plaintive élégie » est en fait un genre littéraire destiné à célébrer les deuils : deuil de Clymène qui a
perdu l'objet de son amour, deuil du poète qui pleure un
amour impossible. La Fontaine, qui a tant raconté d'histoires paillardes, veut montrer à son lecteur qu'il sait aussi
chanter les troubles délices de l'amour-passion.

Comme la Clymène qui clôt le recueil des *Contes*, celle
des dernières pages des *Fables et autres poésies* est un exercice de virtuosité. L'auteur a voulu montrer la diversité de
ses talents. Il craint d'être réduit au personnage de conteur
qu'il a si bien mis en valeur dans ses *Contes* et dans ses
Fables. Il veut montrer qu'il sait faire autre chose. Contrairement à son attente, le public ne le suivra pas. Il devra renoncer à son « dessein » d'achever *Le Songe de Vaux* et il n'écrira
plus d'élégies. Il voulait qu'on admire la variété de ses
œuvres, et on la regrette. Mme de Sévigné, par exemple : « Il
y a des endroits jolis et très jolis, et d'autres ennuyeux, écrit-
elle à sa fille, le 30 mars, en lui envoyant ses deux derniers
livres : on ne veut jamais se contenter d'avoir bien fait; en
croyant mieux faire, on fait mal. » Celle qui a été des toutes
premières admiratrices du poète porte sur lui un très exact
diagnostic. Elle a bien senti qu'il changeait pour se dépasser.
Il n'y a pas réussi.

Elle revient à la charge un mois plus tard, précisant ce
qu'elle a aimé. Elle cite trois fables : « Le Singe et le Chat »,
« Le Gland et la Citrouille », « Le Milan et le Rossignol ».
Elle les a admirées de compagnie, « l'autre jour », chez La
Rochefoucauld. On y a même appris la première fable « par
cœur ». Quelques jours plus tard, elle cite trois contes : *Les
Oies de frère Philippe, Les Rémois, Le Petit Chien et les Pierreries*. « Ne jetez pas si loin les livres de La Fontaine, dit-elle à
Mme de Grignan. Il y a des fables qui vous raviront et des
contes qui vous charmeront. » Elle abandonne tout le reste :
« Il n'y a que ce qui est de ce style qui n'est point plat. Je
voudrais faire une fable qui lui fît entendre combien cela est
misérable de forcer son esprit à sortir de son genre, et
combien la folie de vouloir chanter sur tous les tons fait une
mauvaise musique. Il ne faut point qu'il sorte du talent qu'il
a de conter. »

Ce jugement sans appel, qui confirme celui de Guéret, ne vient pas d'une dame isolée dont l'avis n'importerait guère. Il traduit l'opinion collective d'un groupe de personnes choisies dont le poète faisait le plus grand cas. Avec ses deux amis intimes, Brienne et Maucroix, Mme de Grignan et La Rochefoucauld sont les seuls dédicataires des fables de son premier recueil. Ce que Mme de Sévigné rapporte à sa fille s'est dit chez le duc. Elle a dû l'entendre également de Mme de La Fayette, qui fait quotidiennement partie du même milieu. L'avis de cette dame importait à La Fontaine. Il savait son autorité. Il lui a un jour adressé une épître « en lui envoyant un petit billard » où il lui disait le prix qu'il attachait à son amitié. Toujours très attentif aux réactions de son public, il n'a pu ignorer celles de la marquise et de ses amis, qui les colportaient dans d'autres salons. Il en a été ulcéré. Il n'est pas sûr qu'il en ait tenu compte dans l'immédiat. Les prochains *Contes* seront de 1674, les *Fables* de 1678.

Le 21 janvier 1671, il avait reçu le reste de ce qui lui était dû pour sa charge. Sans doute a-t-il touché des droits d'auteur pour ses trois derniers livres. Pour une fois, le voilà riche. Le 23 février, Nicolas Mélicque, trésorier général des menus plaisirs du roi, reconnaît devoir 5 000 livres à La Fontaine qui les lui a prêtées. Cette situation ne dure pas. Dès le 18 avril suivant, Mélicque lui rend son argent sans qu'on puisse dire pourquoi, ni ce qu'il en a fait. Il demeure encore chez Jannart, dans la maison du quai des Orfèvres. Plus pour longtemps. C'est la dernière fois qu'il signe en donnant cette adresse.

41.

Éloges et portraits

Les Rémois racontent l'histoire d'un homme qui profite des faveurs de deux femmes sous les yeux de leurs maris, grâce à la complicité de son épouse qui les a attirés et enfermés. L'aventure n'a pas de source précise. Elle pourrait se passer n'importe où. La Fontaine l'a située à Reims pour rendre hommage à la ville de son ami Maucroix, sa « cité » préférée. « C'est, dit-il, l'ornement et l'honneur de la France », car dans la ville du sacre et des bons vins abondent les belles filles. Le héros de son histoire est un peintre. On a proposé d'y reconnaître Hélart, peintre des abbesses du lieu, de l'hôtel de ville et de la clientèle riche. Peut-être La Fontaine a-t-il brodé autour d'une aventure réelle, comme dans le *Conte d'une chose arrivée à Château-Thierry*, et s'est-il servi d'un petit fait divers de son pays natal. A moins que, dans les deux cas, il se soit plu à situer dans un décor connu des événements imaginaires.

On a gardé quelques-uns des propos qui couraient sur lui ou qu'il a tenus en ce temps-là grâce à un anonyme qui a noté ce qu'il entendait dire parmi les sympathisants jansénistes. Sous le titre « Poésie » : La Fontaine « croit que notre poésie est plus parfaite qu'aucune des autres comme la grecque, la latine, l'espagnole et l'italienne, parce que nous avons plus de sortes de vers qui sont et ont été inconnus aux autres nations ». En marge des déclarations officielles et de principe sur l'importance des Anciens, voilà une préférence toute moderne d'un homme qui aime à voir varier le rythme poétique : « Notre poésie est enjouée ; les Anciens étaient assez sérieux. » En 1671, le poète continue de balancer entre l'enjouement nécessaire à la conquête du public mondain et le sérieux des grands genres imités de l'Antiquité.

Sous la rubrique « Homère, Virgile, poème épique », on apprend que Boileau regrettait qu'Homère n'ait consacré qu'un vers à la peste qui avait ravagé l'armée grecque. La Fontaine partageait son opinion. Il aurait « mieux fait, disait-il, de la décrire que de nous donner un livre de ce qui était gravé sur le bouclier d'Achille ». Ils estimaient tous deux « qu'Homère est plus grand que Virgile, parce qu'Homère n'a imité personne et Virgile beaucoup imité d'Homère ». Curieuse hiérarchie des valeurs chez un poète qui excelle lui-même dans l'imitation. Elle explique ses efforts pour créer aussi des œuvres originales.

« Il dit peu en conversation, juge de tout ce que les autres disent et en fait son profit. » Ces propos, prêtés à Brienne, nuancent l'image traditionnelle du poète. Son silence n'est pas rêverie gratuite, mais prise de distance critique, par rapport à ce qu'il entend, d'un homme qui veut et sait juger. Cette capacité de s'abstraire pour réfléchir est confirmée par cette note anonyme : « M. de La Fontaine est officier supprimé, âgé de cinquante ans, mélancolique et de bon sens. » Dans ce portrait exprès, écrit au moment où le fabuliste vient de toucher le dernier argent de sa maîtrise, le « bon sens » qu'on lui dénie ordinairement est mis sur le même pied que la « mélancolie » que tout le monde lui accorde. Les distractions qui lui sont familières ne viennent pas d'une inaptitude naturelle à la réflexion.

De l'avis des médecins du temps, la mélancolie ou bile noire peut, dans les cas extrêmes, conduire à la manie ou à la folie. Bien tempérée, c'est l'humeur des génies, particulièrement des poètes. « A guérir un atrabilaire, dira de lui La Fontaine quelques années plus tard, / Oui, Champmeslé [l'actrice qui joue superbement Racine] saura mieux faire / Que de Fagon [médecin célèbre] tout le talent. » Plus que des drogues, son mal relève de la qualité de la vie et de ses fréquentations. Il se reconnaît de la même étoffe qu'Alceste, « le misanthrope ou l'atrabilaire » de Molière. Moins agressif, parce qu'il n'est pas d'aussi bonne condition sociale, il exprime son malaise à vivre dans le monde en le fuyant dans la rêverie.

Poliphile, dans *Psyché*, entonne un hymne à la Volupté, principal mobile des conduites humaines. C'est pour le plaisir de la gloire qu'agissent soldat, capitaine, ministre, prince, et le poète aussi, qui n'écrirait rien si, « pour fruit de ses veilles, / Un bruit délicieux ne charmait ses oreilles ». Pour attirer chez lui la Volupté qui a jadis habité chez Epicure, il lui promet qu'elle n'y sera jamais sans emploi :

> *J'aime le jeu, l'amour, les livres, la musique,*
> *La ville et la campagne, enfin tout; il n'est rien*
> *Qui ne me soit souverain bien,*
> *Jusqu'au sombre plaisir d'un cœur mélancolique.*

Sur ces mots ou presque, quasi indépendants de l'histoire racontée, Poliphile interrompt sa lecture de *Psyché*. Comment ne pas le confondre ici avec La Fontaine ? A la manière des peintres qui glissaient leur autoportrait dans un coin du tableau, il a placé le sien à la fin de son poème.

Comme Poliphile, il hésite encore entre la ville et la campagne. Malgré sa cessation de fonctions, il continue de faire d'assez longs séjours à Château-Thierry. D'après une lettre à la duchesse de Bouillon, il s'y trouve en juin 1671. Elle avait peur qu'il s'y ennuie. Elle avait demandé à La Haye, son prévôt, de le distraire. Il l'en remercie en prose mêlée de vers. Qu'elle se rassure, lui dit-il, il est impossible de « s'ennuyer en des lieux / Honorés par les pas, éclairés par les yeux / D'une aimable et vive princesse, / A pied blanc et mignon, à brune et longue tresse », à « nez troussé ». La Fontaine avait fréquenté la duchesse dans son fief l'année précédente. Il la voyait également à Paris où elle accueillait volontiers autour d'elle une aimable compagnie de libertins dont beaucoup lui faisaient la cour, dont plusieurs n'étaient pas repoussés, car elle était d'humeur galante.

« Pour moi, le temps d'aimer est passé, je l'avoue », confesse-t-il. Sa cinquantaine rend plausible cet apparent renoncement. Puis il laisse planer le doute, se mettant discrètement sur les rangs. Une rechute est toujours possible :

> *S'il arrive que mon cœur*
> *Retourne à l'avenir dans sa première erreur,*
> *Nez aquilins et longs n'en seront pas la cause.*

Avant de lui céder, la Clymène des *Contes* conseillait à Acante l'amour tendre à la Scudéry. L'autre amour, lui disait-elle, n'est qu'un « agréable poison ». Inutile d'alléguer ses plaisirs : « Loin, loin tels plaisirs; le repos est plus doux. » On paie trop cher les bouleversements de la passion. Mieux vaut les refuser. Après avoir connu plus d'échecs que de réussites, le poète se demande, dans sa lettre à la duchesse de Bouillon, s'il a encore un avenir amoureux. Poliphile aime l'amour. Acante croit que l'heure est venue d'y renoncer. La Fontaine confie son hésitation à ses personnages. Il en parle trop bien dans ses œuvres pour s'être résigné à ne plus le connaître.

Il avait, le 12 mars, dédié son recueil de *Fables nouvelles et autres Poésies* au duc de Guise, mari de l'ancienne demoiselle d'Alençon : « Sans dire que vous êtres maître de mon loisir et de tous les moments de ma vie, puisqu'ils appartiennent à l'auguste et sage princesse qui vous a cru digne de posséder l'héritière de ses vertus, vous avez reçu mes premiers respects d'une manière si obligeante que je me suis moi-même donné à vous avant que de vous dédier ces ouvrages. » C'est dire, en style de préface, qu'il s'acquitte d'un devoir lié à sa charge près de la duchesse d'Orléans. La suite est embarrassée : « Ni le livre ni la personne ne sont des dons qui doivent être considérés. C'est en quoi je me loue davantage de votre accueil; il m'a fait l'honneur de me demander une chose de peu de prix; je la lui ai accordée dès l'abord. Vous exercez sur les cœurs une violence à laquelle il est impossible de résister. » Guise a souhaité de façon pressante une dédicace que le poète ne pouvait lui refuser. On ne sait si La Fontaine s'en flatte ou s'il en est contrarié.

Il fait un long éloge de la famille du dédicataire. Celui de François de Lorraine, le plus célèbre des Guise, qui avait repoussé Charles Quint à Metz en 1552, et de son frère le cardinal de Lorraine, qui avait joué un grand rôle pendant les guerres de religion. Il y évoque de façon générale tous ceux que la Fortune avait « fait courir quelquefois dans la carrière de l'adversité », et ils étaient nombreux, depuis « le balafré » assassiné par Henri III comme chef de la Ligue jusqu'à son petit-fils Henri, lancé, au milieu du XVIIe siècle, dans la folle aventure de la conquête de Naples. C'est maintenant au tour de son unique neveu de recueillir « la valeur, la fermeté d'âme, l'accortise » de ses aïeux. Il en est le digne héritier. Il n'a pas encore vingt et un ans, et il a déjà fait brillamment campagne en 1668, aux côtés de Louis XIV, pour la conquête de la Franche-Comté.

Cet éloge en prose est le pendant de celui que La Fontaine fait en vers, presque dans le même temps, dans son Épître à la princesse de Bavière, d'une longue suite de Bouillon. Les poètes louent ceux dont ils espèrent aide et protection. Mais l'épître est faite de bon cœur. La dédicace est écrite par devoir. L'une est un badinage dans le style de Marot et de Voiture, l'autre un morceau de lourde et ennuyeuse éloquence. Peine perdue. Quelques mois plus tard, le 30 juillet 1671, le jeune duc mourait, précédant de peu son fils posthume, mort à quatre ans. C'était la fin d'une illustre maison.

Le 3 avril de l'année suivante, la mort de la belle-mère de Guise, la duchesse douairière d'Orléans, touchait directement son gentilhomme servant. On peut dramatiser la situation : après la perte de ses charges à Château-Thierry, La Fontaine perd ses fonctions et son entrée au Luxembourg. Le voici sans emploi. On peut aussi considérer que le voici totalement libre. La minceur des gages et des avantages en nature qu'il tirait de Madame rendait sa perte assez légère. Il en conservait l'essentiel, son titre de gentilhomme servant. Il continuera toute sa vie de le porter dans les actes officiels.

Contrairement à ce qu'on a dit, la mort de la duchesse ne le mettait pas à la rue, puisque, de son vivant, il n'était pas logé dans son palais. De décembre 1658 jusqu'en avril 1671, chaque fois qu'il a signé devant des notaires parisiens, il se dit toujours demeurant à Château-Thierry et résidant à Paris chez Jannart. Si la perte de ses fonctions au Luxembourg a eu une influence sur son changement de domicile, c'est indirectement, en contribuant à une réorganisation générale de sa vie et de ses habitudes. Seule certitude : dans une procuration du 26 juillet 1672, il se dit demeurant rue du Battoir, pour la première fois sans référence à Château-Thierry. Il s'écarte de son pays et donc de sa femme.

Sa procuration ne manque pas de sel. Il la donne en qualité d'oncle maternel des enfants mineurs de feu Bernardin de Villemontée et de Renée de Prast, fille d'Anne de Jouy, sa demi-sœur. Elle avait épousé le frère du second mari de sa mère, dont elle était ainsi devenue la belle-sœur. Ils avaient eu plusieurs enfants, dont une fille, Marguerite, baptisée en juillet 1656. Veuve, elle était devenue leur tutrice. La Fontaine donne procuration « pour certifier que ladite Renée ayant une mauvaise conduite, elle peut être destituée de la tutelle de ses enfants ». On ne s'en serait pas douté : le poète ne se désintéresse pas de sa famille, et il adopte pour sa nièce une morale qui n'a rien à voir avec celle de ses *Contes* !

Il continue d'écrire des *Fables*. En 1672, le père Commire publie en latin, prétendument tirée d'un appendice aux fables de Phèdre de la bibliothèque de Leyde, une fable, *Sol et ranae*, « Le Soleil et les Grenouilles ». Pure fiction : elle portait sur les démêlés de Louis XIV et de la Hollande. Pressentant la guerre et l'invasion, ce pays s'agitait pour se prémunir contre les attaques de son ancien allié. La Fontaine avait déjà publié en 1665 une fable du même titre. Imitée de Phèdre, elle disait le danger du mariage et de la multiplication des puissants. L'allégorie de Commire le décida à donner une nouvelle fable sur le même sujet. Elle parut en plaquette, avec, en sous-titre : « imitation de la fable latine ». C'était bien vague. Le fabuliste défendait son territoire...

L'imitation d'un texte de Commire inspiré de l'actualité montre que La Fontaine n'hésite plus à s'écarter des modèles anciens. Le 17 février 1672, Mme de Sévigné annonçait à sa fille la mort subite de Boufflers, gendre d'une de ses amies. Le 26, elle lui racontait comment il avait « tué un homme après sa mort. Il était dans sa bière et en carrosse. On le menait à une lieue de Boufflers pour l'enterrer. On verse ; la bière coupe le cou au pauvre curé ». Mince scénario sur lequel La Fontaine va écrire un de ses chefs-d'œuvre, « Le Curé et le Mort », qui circule dès le 9 mars. La marquise l'envoie ce jour-là à Mme de Grignan. « Cette aventure est bizarre, commente-t-elle. La fable est jolie, mais ce n'est rien au prix de celles qui suivront. Je ne sais ce que c'est que ce " Pot au lait ". »

Dans l'édition originale, publiée en tiré à part comme « Le Soleil et les Grenouilles », le poète concluait en effet : « Proprement toute notre vie / Est le curé Chouart qui sur son mort comptait / Et la farce du Pot au lait... » Citée par Rabelais dans le *Gargantua*, cette farce montrait un « cordonnier qui se faisait riche par rêverie, puis, le pot cassé, n'eut de quoi dîner ». Cette farce non identifiée s'inscrivait dans une riche tradition, européenne et orientale, de contes et de sermons moraux sur les méfaits de l'imagination. La Fontaine au contraire en vante les bienfaits :

> *Chacun songe en veillant, il n'est rien de plus doux.*
> *Une flatteuse erreur emporte alors nos âmes :*
> *Tout le bien du monde est à nous,*
> *Tous les honneurs, toutes les femmes.*

Il fait pareil. A lui la bravoure, l'aventure, la victoire et le pouvoir. La vie se charge de le ramener sur terre. Il est « Gros-Jean comme devant ». En plaisantant son prénom, La Fontaine accroît encore l'impression qu'il parle de lui.

Il n'écrit pas seulement de nouvelles fables. Il compose aussi de nouveaux contes. Une copie manuscrite des *Troqueurs* est datée de 1672. Une plaquette imprimée de huit pages a répandu l'histoire dans le public. Elle raconte comment deux paysans ont échangé leurs femmes par contrat devant notaire. Belle occasion de vanter les mérites du changement. Un des manants retrouve ainsi du goût à son ancienne femme. Il demande d'annuler l'échange. Procès au parlement de Rouen. Selon le conteur, qui prétend rapporter « un fait arrivé depuis peu », il y serait toujours pendant. *Les Troqueurs* disent la défiance du poète envers le mariage. Il avait publié contre lui une épigramme dans son recueil de mars 1671. C'est le pire des états :

> *Fol était le second qui fit un tel contrat;*
> *A l'égard du premier, je n'ai rien à lui dire.*

Mieux vaut l'amour qu'on dérobe en cachette. A la fin de *Joconde*, les deux amis étaient finalement contents de retrouver leurs femmes. Il n'y a maintenant de plaisir que dans les fruits défendus.

42.

Nouvelle expérience

Dans le même temps qu'il publiait *Les Troqueurs*, La Fontaine écrivait *La Captivité de Saint-Malc*. L'histoire vient d'une lettre de saint Jérôme, traduite au milieu du siècle par le janséniste Arnauld d'Andilly dans ses *Vies des saints pères du désert*. Elle raconte comment un homme et une femme, réduits en esclavage et forcés de vivre en époux par un maître cupide qui veut en avoir des enfants, résistent à la tentation malgré un attrait réciproque. Ils en triomphent aussi dans la promiscuité d'une fuite qui leur rendra la liberté. Pour finir, ils se retireront chacun dans un couvent. Après tant de gauloiseries et tant d'éloges des plaisirs de l'amour, après avoir dit dans Clymène l'invincibilité de la passion, le poète consacre plus de six cents vers à la gloire de la chasteté. Curieux contraste, et curieuse idée...

On l'a expliquée par la volonté de faire pénitence. Selon Mathieu Marais, les Messieurs de Port-Royal lui auraient infligé ce pensum. « Ils lui donnèrent le sujet de la vie d'un des pères du désert, tirée de saint Jérôme, pour mettre en vers. » Il faudrait d'abord être sûr que La Fontaine se soit senti coupable; sûr aussi qu'il ait pensé à se repentir. Il est certain, en revanche, qu'il s'est livré sur la prose de saint Jérôme au même exercice que sur les *Fables* d'Esope, dont le titre du premier recueil soulignait qu'il les avait « mises en vers ». *La Captivité de Saint-Malc* est un nouvel exercice, une nouvelle expérience d'imitation poétique.

Pour la comprendre, il faut se rappeler son désir de réussir dans les grands genres. Il l'avait quand il a écrit *Adonis*,

quand il l'a enfin publié conjointement avec *Psyché*, quand il
a proposé à son public les fragments du *Songe de Vaux*. Il
espère triompher d'une répugnance qu'il n'ignore pas,
puisqu'en mars 1671, il a noté lui-même que la poésie
lyrique et la poésie héroïque n'étaient plus à la mode. Il doit
beaucoup tenir à cette sorte de succès pour aller contre elle,
lui qui en a si souvent reconnu la souveraineté. Il ne veut
pas se contenter d'être l'auteur des *Fables* et des *Contes*.

A défaut de préface, une dédicace au cardinal de Bouillon
révèle ses intentions : « Je voudrais que cette idylle, outre la
sainteté du sujet, ne vous parût pas entièrement dénuée des
beautés de la poésie. Vous ne les dédaignez pas, ces beautés
divines et les grâces de cette langue que parlait le peuple
prophète. La lecture des Livres saints vous en a appris les
principaux traits. C'est là que la Sagesse divine rend ses
oracles avec plus d'élévation, plus de majesté et plus de force
que n'en ont les Virgile et les Homère. » Il s'agit bien, pour
La Fontaine, de traiter un sujet où l'on peut surpasser les
plus grands maîtres de l'Antiquité païenne.

Il s'agit également de choisir son camp dans une querelle
qui divisait alors la gent littéraire : la possibilité ou l'impossibilité de prendre pour sujet les vérités chrétiennes. Contre
ceux qui prétendaient que l'épopée ne devait retenir que des
sujets païens, un parti s'était formé qui pensait au contraire
que le poète ne devait les choisir « que dans la religion qu'il
professe ». L'abbé de Marolles l'avait soutenu dans son
Traité du poème épique (1662), comme Le Laboureur qui
écrit dans la préface de son *Charlemagne* (1664) : « Je cher-
chais un héros chrétien et brave, un héros sage et vaillant. »
Bien avant eux, Desmarets de Saint-Sorlin avait prétendu
démontrer, dans son *Clovis* (1657), la supériorité de l'épopée
chrétienne. En 1673, l'année même du *Saint-Malc*, il en
donne une nouvelle édition dont la préface était un mani-
feste contre la doctrine opposée, soutenue notamment par
Boileau.

Dans son *Art poétique*, non encore publié, mais déjà largement répandu dans le public par des lectures privées,
celui-ci soutenait avec vigueur que « les mystères terribles de
la foi des chrétiens » ne sont pas « susceptibles » de devenir
les supports des « ornements » de la poésie. Les poèmes à
sujets païens permettaient au contraire de profiter des

richesses infinies de la mythologie. Le débat sur le choix des
sujets se doublait d'une querelle sur la nature du langage et
des moyens de la poésie. Contre Boileau, Desmarets soutenait que l'histoire biblique n'était pas moins riche de beauté
que la fable grecque ou latine. Par le biais des discussions
sur l'emploi des sujets religieux et sur le recours à la mythologie, le Poème était donc d'une certaine façon toujours
d'actualité.

Loin d'être une pieuse pénitence, le *Saint-Malc* est pour
La Fontaine une façon de prendre concrètement parti dans
une polémique importante. Une façon aussi de profiter
d'elle pour se faire reconnaître comme un poète capable de
réussir dans un grand genre, voire de donner le premier
chef-d'œuvre d'une poésie héroïque chrétienne. Ce n'est pas
par hasard qu'il commence son poème par une invocation à
la Vierge analogue à la traditionnelle invocation aux Muses
de l'épopée classique, pas par hasard non plus qu'il présente
Saint-Malc dans des termes analogues à ceux d'Homère et
de Virgile pour Ulysse ou Enée : « Je chante d'un héros la
vertu solitaire. » Vertu et solitude dont on apprend dès le
titre qu'elles sont celles d'un saint.

Dans l'invocation initiale, le poète répudie les procédés
qu'il a utilisés jusque-là :

Mère des bienheureux, Vierge enfin, je t'implore.
Fais que dans mes chansons aujourd'hui je t'honore;
Bannis-en ces vains traits, criminelles douceurs
Que j'allais mendier jadis chez les neufs Sœurs.

« Aujourd'hui » : La Fontaine ne promet pas d'abandonner pour toujours les traits dont il a égayé ses récits,
mais il pense qu'ils seraient déplacés dans un poème à
sujet chrétien. S'il recourt (une seule fois) à la mythologie
pour dire que ses héros refusent le mariage (« On n'y vit
point d'hymen ni de Junon paraître »), il corrige aussitôt :

Frivoles déités qui nous devez votre être,
Vous n'accourûtes pas. Comment l'auriez-vous pu ?
Vous n'êtes que des noms dont le charme est rompu.

On a le droit de mettre en vers les vérités de la religion, non d'y mêler les mensonges de la rhétorique païenne. Comme le dit La Fontaine au cardinal de Bouillon, elles ont leurs « traits » propres, qu'on apprend par la lecture des livres saints.

Saint-Malc n'eut pas le succès escompté. Il ne connut qu'une édition. Encore fut-elle presque aussitôt retirée de la circulation. Adry, le bibliothécaire de l'Oratoire, a en effet recopié sur son exemplaire une note ancienne selon laquelle l'auteur « a supprimé cette édition à cause du titre d'Altesse Sérénissime qu'il a donné dans l'épître [dédicatoire] à M. le cardinal de Bouillon ». Il n'avait droit qu'à l'Eminentissime... Comme tous les membres de la maison de La Tour d'Auvergne, Turenne y compris, le cardinal prétendait appartenir à une maison souveraine. Cela irritait les ducs et princes français. La Fontaine aura vu tardivement le danger de s'aliéner nombre de personnages importants pour une flatterie qui risquait de ne pas lui rapporter grand-chose. « Il doit faire quelques corrections dans le poème, continue la note, après lesquelles il le fera imprimer » dans un nouveau format. Ce projet n'eut pas de suite. Sans doute parce que le poète avait eu le temps de s'apercevoir qu'il avait fait fausse route. Son public ne le reconnaissait pas dans cet essai de poème chrétien...

Molière mourut le 17 février 1673. Comme celle de La Fontaine, sa réussite avait été tardive. Elle avait cependant largement précédé celle des *Contes*. Louis Racine a évoqué un souper « fait chez Molière, pendant lequel La Fontaine fut accablé des railleries de ses meilleurs amis... Ils ne l'appelaient tous que le *Bonhomme*, à cause de sa simplicité. La Fontaine essuya leurs railleries avec tant de douceur que Molière, qui en eut enfin pitié, dit tout bas à son voisin : "Ne nous moquons pas du bonhomme; il vivra peut-être plus que nous tous."» Pieuse légende. Le comédien était fâché avec Racine depuis le début de 1666. Si cette anecdote était vraie, il faudrait la placer avant cette date. Pour pressentir le génie de La Fontaine, Molière n'aurait disposé que des premiers *Contes*... Inventé tardivement, ce prétendu souvenir cherche à combler une lacune : on ignore ce que Molière a pensé du fabuliste.

On connaît au contraire l'admiration de La Fontaine pour

le grand comique. Il n'avait que six mois de moins que lui. Il le considérait pourtant comme une sorte d'aîné. Il avait réussi avant lui, et il avait écrit le théâtre qu'il aurait aimé faire. A la différence des Fables et des Contes, la comédie appartenait à un genre haut placé dans la hiérarchie littéraire. L'auteur de *La Critique de l'Ecole des femmes* soutenait qu'elle pouvait l'emporter même sur la tragédie. La Fontaine avait ouvert le même débat dans *Psyché* sur la supériorité du rire sur la compassion.

Une épitaphe de Molière par La Fontaine circula peu après sa mort dans les milieux cultivés. Le 19 mars, Mlle du Pré l'envoie à Bussy, membre de l'Académie française et l'un des arbitres du goût, qui était exilé en Bourgogne. Le directeur du *Mercure galant* l'imprima, non signée, dans le numéro de juin, un des premiers de ce périodique, probablement sans demander l'avis de l'auteur, comme il arrivait fréquemment. Signe qu'il n'y attachait pas grande importance, La Fontaine n'a jamais publié cette épitaphe, d'une authenticité incontestable puisque la Comédie-Française en conserve une copie signée de sa main.

Elle porte sur l'auteur, non sur l'homme :

> *Sous ce tombeau gisent Plaute et Térence*
> *Et cependant le seul Molière y gît.*
> *Leurs trois talents ne formaient qu'un esprit*
> *Dont le bel air réjouissait la France.*
> *Ils sont partis ! Et j'ai peu d'espérance*
> *De les revoir. Malgré tous nos efforts,*
> *Pour un long temps, selon toute apparence,*
> *Térence, et Plaute, et Molière sont morts.*

Plus spirituel que vibrant d'émotion, cet éloge réconcilie les deux comiques latins si fortement opposés en 1661, au moment des *Fâcheux*. A la différence de Boileau, La Fontaine ne condamne pas l'auteur des *Fourberies de Scapin* au profit de celui du *Misanthrope*. Il le félicite finalement d'avoir su allier la finesse de Térence aux bouffonneries de Plaute.

« Le peu de soin qu'il eut de ses affaires domestiques l'ayant mis en état d'avoir besoin du secours de ses amis, écrit Charles Perrault en 1696, Mme de La Sablière, dame

d'un mérite singulier et de beaucoup d'esprit, le reçut chez
elle, où il a demeuré près de vingt ans. » L'abbé d'Olivet fait
chorus en 1724 : « La Fontaine demeura chez elle près de
vingt ans. Elle pourvoyait généralement à tous ses besoins,
persuadée qu'il n'était guère capable d'y pourvoir lui-
même. » A en croire les premiers biographes du poète, son
logement chez Mme de La Sablière a été le résultat de la
dégradation de sa situation familiale et financière.

D'Olivet en a fait un tableau simpliste : « Il s'éloignait de
sa femme le plus souvent et le plus longtemps qu'il pouvait,
mais sans aigreur et sans bruit. Quand il se voyait poussé à
bout [car, selon d'Olivet, les désaccords venaient du mauvais
caractère de sa femme, ce qui n'est pas prouvé], il prenait
doucement le parti de s'en venir seul à Paris, et il y passait
les années entières [jamais avant le remboursement total de
sa charge ; après, l'absence de documents ne prouve rien,
puisque la source en est tarie], ne retournant chez lui que
pour vendre quelque portion de son bien [impossible : il
avait pratiquement tout cédé à Jannart dès 1658]. » Sa
femme et lui, « dans les commencements », avaient subsisté
de ces ventes, n'étant capables ni l'un ni l'autre de « faire
valoir leurs terres dont le revenu, s'ils les avaient bien gou-
vernées, leur pouvait suffire ».

Au moment de leur mariage, et plus encore après avoir
hérité de leurs parents, La Fontaine et Marie Héricart
avaient en effet de quoi vivre bourgeoisement à leur aise. La
séparation de biens permit à l'une de continuer à le faire
paisiblement, tandis que l'autre perdait progressivement son
aisance. Ce n'était pas faute de droits d'auteurs : le succès du
poète faisait la fortune de Barbin. Ce n'était pas non plus
faute de gratifications. D'Olivet parle de celles « reçues de
loin en loin de Foucquet, puis de Vendôme et de Conti ». Il
faut y ajouter les « grâces » dont il remercie les Bouillon, et
celles dont le duc de Guise a dû récompenser sa belle dédicace. Ce n'étaient pas des rentrées assez sûres ni assez abondantes pour asseoir sa sécurité financière. Jointes à un bon
usage du reste de son bien, elles lui auraient cependant
donné de quoi vivre. Il refusa de se montrer économe. Il ne
s'intéressait à l'argent que pour le dépenser.

Mme de La Sablière étant morte en janvier 1693, les vingt
ans de présence chez elle dont parlent Perrault et d'Olivet

reportent au début de 1673. La Fontaine ne serait donc pas resté longtemps rue du Battoir. Mais vingt ans est un chiffre rond. Il marque la longue durée d'un hébergement dont il n'est pas sûr que le début ait exactement coïncidé avec la fin de ses fonctions au Luxembourg. La vraie rupture date du jour où le poète a décidé de ne plus conserver sa principale résidence à Château-Thierry et de quitter définitivement le foyer conjugal.

On ignore pourquoi ce fut Mme de La Sablière qui le recueillit. Elle recueillit aussi Bernier, voyageur et philosophe. On ne sait qui fut le premier. Il n'était pas rare qu'une grande dame s'entourât d'hommes de lettres. Mme de La Fayette prit Segrais chez elle pendant plusieurs années, quand Mlle de Montpensier l'eut chassé pour avoir mal parlé de Lauzun. Mme de Sévigné, qui n'avait pas les moyens de le faire gratuitement, sous-louait une chambre à Corbinelli dans l'hôtel de Carnavalet. Corneille fut un moment accueilli à l'hôtel de Guise. Survivance des temps encore récents où ils étaient au service de grands seigneurs en qualité de secrétaires, les écrivains ne perdaient rien de leur dignité à appartenir, au propre et au figuré, à la maison d'un homme ou d'une femme assez riche pour assurer leur entretien. Mais, justement, Mme de La Sablière, qui n'est pas une grande dame, n'avait guère d'argent.

C'était, depuis 1668, la femme séparée d'Antoine de Rambouillet de La Sablière, épousé quatorze ans plus tôt à Charenton, car ils étaient protestants. La Fontaine avait dû connaître le futur mari au temps de la Table ronde. On l'appelait alors le « grand madrigalier ». Il était riche, appartenant à une famille de financiers. Elle ne l'était pas ou plus depuis que son père était mort criblé de dettes en 1661. Rambouillet ne se piquait pas de fidélité. Elle fit de même. Mais une femme n'avait pas le droit de se donner les mêmes libertés qu'un homme. D'où la séparation, qui ne lui fut pas favorable. On lui retira ses trois enfants. Pour vivre, elle disposait d'une pension annuelle de mille livres consentie par La Sablière. Elle recouvra sa dot, dont on ignore le montant. Tout cela n'allait pas très loin.

Ce n'est donc pas la femme respectée et respectable d'un financier cossu qui hébergea La Fontaine, rue Neuve-des-Petits-Champs, paroisse Saint-Roch, mais une femme de trente-trois ans marginalisée par un divorce quasi infamant. En 1671, Mme de Sévigné la montre entourée de femmes de réputation douteuse : Mme de Salins, Mme de Montsoreau, Mlle de Fiennes, Ninon de Lenclos. Comme la plus fameuse courtisane du Grand Siècle, elle doit faire oublier l'équivoque de son statut social par les grâces de son corps et de son esprit.

La Fontaine était à son aise chez cette intellectuelle irrégulière où il ne retrouvait ni l'austère vertu du Luxembourg, ni la régularité bourgeoise du foyer de Jannart. Il y découvrait beaucoup plus et beaucoup mieux : une grande liberté d'esprit, le goût des idées neuves, une large ouverture sur le monde.

43.

La tentation de l'opéra

La Fontaine battu par Quinault! Le prototype du mauvais poète doucereux, si souvent ridiculisé par Boileau, l'emportant sur l'auteur des *Fables*! C'est pourtant ce qu'annonce à Condé le président Perrault dans une lettre du 13 septembre 1674 : « La Fontaine s'est rebuté ; il a quitté son entreprise et laissé le champ de bataille à Quinault. » Le premier avait voulu ôter au second le glorieux terrain de l'opéra. Il n'avait pas été le plus fort.

En confiant à Quinault le soin de rédiger une part de sa *Psyché*, Molière avait introduit le loup dans la bergerie. Lulli avait apprécié son talent et deviné qu'il ferait un bon librettiste. Il savait le goût de Louis XIV pour les spectacles où se mêlaient la musique, la danse et le chant. Molière y avait pourvu jusque-là en inventant la comédie-ballet. Lulli en écrivait la musique. En mars 1672, il obtint du roi le monopole de l'opéra qui était en train de naître. Personne ne pouvait désormais monter une pièce entièrement chantée sans sa permission. Les comédiens n'avaient plus le droit d'utiliser plus de six chanteurs et plus de douze instrumentistes. Molière lui-même eut beaucoup de mal à obtenir les dérogations nécessaires à la création de son *Malade imaginaire* en février 1673.

Deux mois plus tard, Lulli donnait un *Cadmus et Hermione* qui remporta un énorme succès. Le livret était de Quinault. Il employa le même poète pour son *Alceste*, représenté le 12 janvier de l'année suivante au théâtre du Palais-Royal, que le roi s'était empressé de lui donner à la mort de

Molière. Attendu avec impatience, le nouvel ouvrage ne fit pas l'unanimité. « On va fort à l'opéra, écrit Mme de Sévigné le 29; on trouve pourtant que l'autre était plus agréable. Baptiste [ainsi appelait-on Lulli] croyait l'avoir surpassé. Le plus juste s'abuse. » Le roi trancha en sens contraire. Il assura le succès d'*Alceste* en allant le voir à Paris le 10 avril.

L'opéra était à la mode, et la place de Lulli imprenable. On pouvait du moins convoiter celle de Quinault. S'il la garda, ce ne fut pas faute de concurrents. En 1679, Thomas Corneille réussit (ce fut le seul) à prendre sa place pour *Bellérophon*. En 1678, Boileau et Racine échouèrent à imposer le livret d'un *Phaéton*. En 1674, La Fontaine essaya vainement d'être le librettiste d'une *Daphné* dont il n'a publié le texte qu'en 1682. Il était aussi attentif aux modes qu'avide de gloire. Le semi-échec du deuxième essai de Quinault, à un moment où sa collaboration avec Lulli pouvait paraître provisoire, lui donna l'idée qu'après tout, il devait être capable de faire mieux. Il aimait le changement. Il aimait la musique. L'expérience méritait d'être tentée.

Des personnes bien placées l'y encourageaient : la sœur de la maîtresse du roi, Mme de Thianges, par exemple. Elle n'aimait pas Quinault. Elle obtint de Lulli la commande du livret du prochain opéra pour La Fontaine, à qui on promit « une récompense digne de son mérite ». Il se mit au travail sans tarder. Quand il lui apporta son projet, « Lulli n'en eut pas plus tôt fait la lecture, raconte une *Vie de Quinault*, qu'il dit tout net à La Fontaine qu'il n'était pas son homme et que son talent n'était pas de faire des opéras. La Fontaine, qui ne pouvait se persuader que ses vers fussent mauvais », crut qu'il voulait, « par cette excuse », le priver de la récompense convenue. Il menaça de le poursuivre s'il donnait l'opéra sans l'avoir payé. « Lulli lui répondit qu'il remettait son paiement à la première représentation de sa pièce. La Fontaine prit cette réponse pour de l'argent comptant et fut fort étonné quand il apprit quelques jours plus tard » que seule était en cause la qualité de son œuvre. Lulli retourna à Quinault, qui lui écrivit un *Thésée*. En janvier, ce fut un triomphe.

Ulcéré d'avoir été éconduit, le fabuliste se vengea en

faisant circuler une satire contre Lulli, *Le Florentin*. Elle rappelait ses vices et l'accusait de mauvaise foi. Après l'avoir engagé à travailler pour lui, le musicien l'avait volé :

> *Veux-tu faire,*
> *Presto, presto, quelque opéra,*
> *Mais bon ? Ta Muse répondra*
> *Du succès par devant notaire.*
> *Voici comment il nous faudra*
> *Partager le gain de l'affaire :*
> *Nous en ferons deux lots, l'argent et les chansons;*
> *L'argent pour moi, pour toi les sons.*

Les deux récits ont un point commun : l'importance de l'argent. A en croire La Fontaine, c'est Lulli qui l'aurait persuadé d'écrire pour lui. Il lui demanda « du doux, du tendre et semblables sornettes », banalités d'usage du jargon amoureux. « Bref, dit-il, il m'enquinauda ». L'apprenti librettiste avait beau n'épargner ni son temps ni sa peine, le musicien n'était jamais content. « Cent fois », La Fontaine voulut reprendre sa liberté en lui rendant sa parole. Il refusait. Il prenait un malin plaisir à l'abuser. Après quatre mois de patience, le poète, encouragé par ses amis, l'a envoyé au diable. Il était excédé des corrections et remaniements qu'on exigeait de lui. Lulli demandait en effet à Quinault une obéissance absolue, persuadé que les paroles étaient au service de la musique, et non l'inverse. La Fontaine pensait le contraire. A lui seul ce conflit expliquerait l'échec de l'entreprise.

Le poète montra sa satire à Mme de Thianges, qui la jugea inopportune. Il lui dédia une épître pour s'expliquer. « Le Ciel m'a fait auteur », dit-il en guise d'excuse. De ses travaux, il ne récolte qu'« un peu de gloire ». Or on la lui enlève. Comment pourrait-il s'en taire ? Il faudrait justement, pour y arriver, qu'il ne soit pas auteur... La Fontaine a avoué à plusieurs reprises son appétit de gloire; jamais il ne s'est si fortement défini comme auteur de vocation. « Il est homme de cour, dit-il de Lulli; je suis homme de vers. » A ce moment de sa vie, il s'identifie à sa création poétique; elle est son élément, le milieu où il vit à l'aise, comme la Cour est celui de Lulli. Il est prêt cependant à faire la paix avec le musicien, et même son panégyrique s'il le fait « pour le roi travailler un jour ».

Travailler pour le roi : c'est ce que La Fontaine souhaite le plus. Sa colère contre Lulli vient de ce qu'il l'en a empêché. Rien ne vaut la gloire de divertir le monarque. « Heureux sont les auteurs connus à cette marque ! » On l'a empêché d'en faire partie ; il le regrette. Il souhaite pouvoir le faire bientôt. Il demande à sa protectrice d'intervenir en ce sens : « Vous êtes bonne et bienfaisante / Servez ma Muse auprès du roi. » Ce sont les derniers mots de l'épître. Nulle part La Fontaine n'a laissé à ce point percer son regret de ne pas être bien en cour, de ne pas être un poète courtisan. Comme tous ses contemporains, il était prêt à aliéner sa liberté pour un peu de gloire. Le système mis en place par Louis XIV y poussait inexorablement les plus fiers.

Si Lulli avait voulu, explique La Fontaine, on aurait pu imaginer un partage. Quinault aurait écrit un opéra pour Saint-Germain. A sa « Muse moins parfaite », en attendant qu'elle soit « à son tour » jugée « digne de partager en aînée », on aurait donné Paris comme « partage de cadette ». Distinction capitale d'un public de premier et de deuxième choix. Seul le roi et sa Cour assurent le vrai succès. « Qu'est-ce qu'un auteur de Paris ? » Un auteur de seconde zone... « Paris a bien des voix ; mais souvent, faute d'une, / Tout le bruit qu'il fait est fort vain. » C'est « du suffrage de Saint-Germain » que chacun attend sa gloire et sa fortune. Le roi y « sert de règle aux autres ». Légitimement, puisqu'il est le maître et qu'il a « meilleur sens » que tout le monde... Où sont les fières déclarations de La Fontaine sur la souveraineté du peuple des lecteurs ?

La distinction du goût de la Cour et du goût de la ville était ancienne. Au temps de *La Critique de l'École des Femmes*, Molière osait soutenir que le choix du parterre convergeait avec celui des courtisans. Mais le Clitandre des *Femmes savantes* oubliait bientôt le premier au profit des seconds. Affirmer l'infériorité d'un « auteur de Paris », c'était répéter ce qui était en train de devenir vérité d'évidence. Les temps changeaient. Le poète avec eux. La tentation de l'opéra pour obtenir enfin une gloire reconnue, celle que dispensait le roi, était chez La Fontaine de même nature, sinon du même ordre, que le désir de réussir un poème épique qui lui aurait valu la consécration des doctes. De même nature que le plaisir de complaire à Foucquet quand ses châteaux étaient le haut lieu de la culture. De même nature, finalement, que la recherche des suffrages de la ville, reniés ici, mais désirés aussi par le poète, comme pis-aller ou parce qu'il n'était pas toujours convaincu que tout devait dépendre du roi. Même s'il est des publics de diverses qualités, un « homme de vers » court toujours là où se dispense la gloire.

Le refus de *Daphné* était motivé. « Que m'a donc Saint-Germain reproché ? dit La Fontaine. / Un peu de Pastorale. Enfin, ce fut l'obstacle. / J'introduisais d'abord des bergers; et le roi / Ne se plaît qu'à donner aux héros de l'emploi. » Depuis 1672, la France luttait contre la Hollande et ses alliés. Les deux précédents opéras de Lulli célébraient les vertus guerrières, et la part élégiaque d'*Alceste* (une femme accepte de mourir pour ressusciter son mari) était largement compensée par la présence d'Hercule, le héros par excellence. L'heure était à la célébration des victoires et des vertus héroïques. En août 1674, au moment où La Fontaine s'escrimait à son opéra, Louis XIV donnait « à toute sa cour » et pendant plusieurs jours les *Divertissements de Versailles au retour de la conquête de la Franche-Comté*. On y présentait les drapeaux gagnés sur les Impériaux, les Espagnols et les Hollandais. On y donnait l'*Iphigénie* de Racine où un père accepte de sacrifier sa propre fille à son désir de conquête.

Daphné avait le tort d'être un opéra pacifique. Le prologue montrait Prométhée en train de créer de nouveaux hommes, après le déluge, sous le regard critique des dieux de l'Olympe. Minerve leur vantait la raison. « La peine de vivre » n'était rien « sans le plaisir d'aimer », répliquait Vénus. « Heureux qui par raison doit plaire, tranchait le chœur. / Plus heureux qui plaît par l'amour. » La suite, qui se passait dans la vallée du Tempé, n'était pas moins « pastorale ». Apollon en était le héros. Trop fier de sa victoire sur le serpent Python, il osait se flatter d'être plus fort que l'amour. Vindicatif, le dieu le rendait amoureux de Daphné et la rendait insensible à son égard. Diane la transformait en laurier. C'était du moins ce qu'on voyait sur terre. Au ciel, divinisée, elle devenait la femme d'Apollon. C'était l'occasion de grandes fêtes.

Au Parnasse, lors du divertissement final, dans « deux galeries qui ressemblent à celles où on étale les raretés les jours de fêtes et les jours de foire », on découvre des portiques qui abritent des bustes (souvenir de la galerie de la bibliothèque de Foucquet ?), neuf de conquérants d'un côté, neuf de poètes de l'autre, mise en scène qui met la gloire littéraire sur le même pied que celle des armes. Parmi les neuf poètes, dont le nombre est égal à celui des Muses, on découvre trois Grecs (Homère, Anacréon, Pindare), trois Latins (Virgile, Horace, Ovide), trois modernes (deux Italiens, l'Arioste, le Tasse, et un Français, Malherbe). La Fontaine rend hommage aux Anciens. Il rend hommage aussi à ceux qui ont décidé de sa vocation poétique.

Trois poètes entrent successivement en lice afin de concourir pour le prix. Ils représentent trois grands genres littéraires : l'héroïque, le lyrique et le satirique. Ils sont couronnés tous trois, mais les Muses lyriques ont le dernier mot. Elles concluent l'opéra en célébrant l'amour, indispensable à la joie de vivre. Troisième dans la hiérarchie traditionnelle, le genre dramatique n'intervient pas dans cette compétition. Mais l'opéra, qui porte alors le nom de « tragédie lyrique », assure dans le public le triomphe d'une forme mêlée. Attentif à gravir les échelons de la gloire, La Fontaine espérait se venger de ses précédents échecs au théâtre et dans le lyrisme par le succès de *Daphné*. Il est d'autant plus dépité que Lulli lui refuse son livret.

Il connaissait depuis longtemps le plus illustre des Bouillon, l'oncle du duc en titre, l'illustre Turenne. Il avait parlé de lui au passage, en même temps que des autres membres de sa famille, dans son Épître à Mme de Bavière. Il lui consacre maintenant une épître entière pour célébrer ses victoires. Le 16 juin 1674, le maréchal avait en effet battu à Sinsheim, dans le Palatinat, des forces supérieures aux siennes, réunissant celles du duc de Lorraine (soixante-dix ans), le dévastateur de Château-Thierry pendant la Fronde, aux troupes impériales de Caprara. Il avait fait un chef-d'œuvre, on disait alors un « opéra ».

La Fontaine le rappelle dès les premiers mots de l'épître :

> *Vous avez fait seigneur un opéra,*
> *Quoi! le vieux duc, suivi de Caprara?*

Comme le poème est de style marotique, il rapproche plaisamment la campagne de Turenne et sa *Daphné* :

> *Vous avez fait, Seigneur, un opéra.*
> *Nous en faisons un nouveau, mais je doute*
> *Qu'il soit si bon, quelque effort qu'il m'en coûte.*

L'opéra du « Mars de l'Alsace » n'encourt pas les défauts reprochés à *Daphné* : « D'amour très peu, très peu de pastorale. » Y abondent en revanche « grands événements » et « fureur martiale » qui font défaut à celui du poète. « Grande est la gloire ainsi que la tuerie », la première n'allant pas sans la seconde. « Brûler, raser, exterminer, détruire », c'est ce que font tous les chefs militaires. Turenne moins que d'autres. C'est un « Mars plein de bonté », un soldat cultivé, qui sait son Marot par cœur. La Fontaine se rappelle lui avoir autrefois entendu réciter « Frère Lubin ».

Son épître fut sans doute bien reçue, puisque, dès le début de l'année suivante, il lui en adresse une seconde dans le même style. Les alliés avaient réuni 60 000 hommes pour envahir la France. En août, les victoires de Condé, rapidement cité dans l'épître, celle surtout de Turenne à Ensheim, en octobre, et son habileté à manœuvrer un ennemi supérieur en nombre, puis à le vaincre à Mulhouse (29 décembre) et à Turckeim (5 janvier 1675), ont repoussé le danger. La Fontaine l'en remercie au nom des « poètes picards et poètes de Champagne » qui peuvent maintenant « dormir en repos » sous sa protection.

Il n'a rien inventé, conclut-il. Il s'est contenté de redire ce que lui a inspiré le dieu des vers. Un temps viendra qu'on peindra ces propos « sur les lambris du temple de Mémoire ». Il écrit pour l'éternité :

Ces vers, dit-on, seront mis à côté :
Turenne eut tout : la valeur, la prudence,
L'art de la guerre, et les soins sans repos.
Romains et Grecs, vous cédez à la France.
Opposez-lui de semblables héros.

Six mois plus tard, Turenne était tué à Salzbach. La Fontaine, sans le vouloir, avait écrit d'avance son oraison funèbre.

44.

« Annette, la contemplative »

A la déconvenue du refus de *Daphné* s'ajouta, à peu près en même temps, une autre déception, non moins vive pour La Fontaine : ni son nom ni le genre de la fable ne figurent dans l'*Art poétique* de Boileau. Paru en juillet 1674, cette mince plaquette en vers prétendait faire la somme des idées du temps sur la création littéraire. Son auteur avait commencé dès 1672 à en lire des extraits dans les salons. Le fabuliste n'y était pas cité. Mais il aurait pu l'être dans la version écrite. Au chant II, on y parlait du sonnet, de l'élégie, du madrigal, du rondeau, de la ballade, de l'épigramme, et même du vaudeville. Pas un mot de la fable. Et quand l'auteur évoquait au chant IV la Muse fertile « en savantes leçons » de ceux qui savent « joindre au plaisant le solide et l'utile », il omettait d'évoquer le genre dont la vocation était de les mêler, largement répandu dans le monde par les *Fables choisies*.

Ce ne pouvait être un oubli de la part de celui qui avait écrit deux fables pour rivaliser avec leur auteur et lui faire la leçon. C'était un désaveu. Même si Boileau était encore loin d'avoir le prestige qu'il obtiendra plus tard, il était très désagréable à La Fontaine de se voir négligé par un critique qui avait quinze ans de moins que lui et dont il avait vu les troubles débuts. Il avait volontairement opté pour les vers contre la prose. Cela aurait dû lui ouvrir de plein droit tous les arts poétiques à venir. Le succès lui avait donné la reconnaissance du public. Elle ne lui avait jamais suffi, et il avait multiplié les tentatives pour obtenir une gloire de meil-

leur aloi. Boileau aurait pu contribuer à apaiser ses doutes
en accordant à la fable une place parmi les genres incontes-
tés. Son refus le fâchait d'autant plus qu'il dépassait sa personne. C'était celui d'une coterie. La Fontaine se sentait
rejeté par les doctes, groupés autour du président de Lamoignon dont tout le monde savait que l'*Art poétique* exprimait
les idées.

Est-ce pour le consoler de ses déboires ? Mme de
Thianges veilla à ce qu'il figurât en janvier 1675 parmi les
célébrités représentées dans « La Chambre du Sublime »
qu'elle offrit en étrennes au duc du Maine, bâtard favori de
Louis XIV, qui allait avoir cinq ans. C'était une chambre de
la grandeur d'une table, avec des personnages en cire.
L'enfant était dans un grand fauteuil à côté d'un lit. La
Rochefoucauld lui donnait des vers à examiner. Derrière le
dos du fauteuil, Mme Scarron, la future Maintenon, qui
avait élevé l'enfant. Autour de lui, Bossuet, son précepteur,
et Marsillac, fils de La Rochefoucauld. A l'autre bout de
l'alcôve, Mme de Thianges et Mme de La Fayette lisaient
des vers. De l'autre côté du balustre qui séparait la pièce,
Boileau, avec une fourche, empêchait sept ou huit mauvais
poètes d'entrer. Racine se trouvait près de lui, « et un peu
plus loin La Fontaine auquel il fait signe d'avancer ».
Mme de Thianges, dit-on, se moquait de la timidité de La
Fontaine. Elle le vengeait plutôt de son exclusion par
Boileau.

Le succès des *Fables* et des *Contes* ne se démentait pas. A
la fin de 1674 parut, sans privilège ni permission, à Mons,
chez Gaspard Migeon selon le titre, mais plus probablement
en France par un éditeur désireux de cacher son nom, un
volume de *Nouveaux Contes*. A la requête du procureur du
roi, qui avait su que « certains libraires de cette ville » le
débitaient illégalement, le lieutenant de police La Reynie
intervint le 5 avril 1675 pour en ordonner la saisie et en
défendre la vente. On accusa le livre d'être « rempli de
termes indiscrets et malhonnêtes », ce qui était absolument
faux. On affirmait que sa lecture ne pouvait avoir « d'autre
effet que celui de corrompre les bonnes mœurs et d'inspirer
le libertinage ». C'était reprendre l'accusation dont le
conteur s'était défendu dès ses premiers *Contes*, dix ans plus
tôt. Mais, cette fois, le libraire et lui n'avaient osé ni demander un nouveau privilège, ni se servir d'un ancien.

Nulle préface ou avertissement pour justifier ou préciser les intentions de l'auteur. Elles sont évidentes. Décidé à satisfaire pleinement les goûts de son public, La Fontaine égrène dix-sept contes (dont *Les Troqueurs*) sans rien leur mêler d'étranger. Ses seules expériences portent sur la forme. Il n'a toujours pas décidé entre le vers libre (quatre contes) et les décasyllabes marotiques (onze). A deux reprises, il reprend un vers en refrain. Il a composé *Janot et Catin* de « stances en vieil style à la manière du blason des fausses amours », souligne un en-tête, le seul du recueil.

Sa principale source reste le *Décaméron* de Boccace, avec sept contes. Il a puisé le reste un peu partout, dans les *Cent Nouvelles nouvelles,* à son ordinaire, mais aussi dans Rabelais, Béroalde de Verville et même l'Arétin. Plus de la moitié des histoires mettent en scène des moines, des ermites, des curés ou des nonnes. Nulle hargne pourtant envers les gens d'Église, comme dans les trois contes de 1667. Tout se fait au grand jour, sans hypocrisie. Comme si la nature se vengeait des promesses inconsidérées de ceux qui ont fait vœu de chasteté. Dans *Le Diable en Enfer,* l'ermite Rustic se croit capable, tel saint Malc, de cohabiter innocemment avec la vierge Alibech qui, dans son désir de sainteté, lui a demandé asile et conseil. Il veut faire un exploit. Veiller, prier, jeûner, porter la haire n'est rien. « Mais d'être seul auprès de quelque belle / Sans la toucher, il n'est victoire telle. » Il échouera, puni de son orgueil. Initiée aux plaisirs, la fille retournera dans le monde où sa famille, sans approfondir l'affaire, la donnera à un mari plus attentif à sa dot qu'à son pucelage. Tout est bien qui finit bien.

La Fontaine est le premier à se moquer de sa propension à raconter des histoires de nonnettes. « Nonnes, dit-il en tête du *Psautier*, souffrez pour la dernière fois, / Qu'en ce recueil, malgré moi, je vous parle. » Ce n'est pas sa volonté, mais l'abondance de la matière qui le pousse à rappeler leurs « bons tours ». Jusqu'à maintenant, il en a conté quatre. Il les cite. Il annonce que *Le Psautier* sera le dernier. Il se moque : « J'avais juré de laisser là les nonnes », dit-il en tête des *Lunettes*. Il n'a pas tenu parole. Il a tort. Non d'un point de vue moral, mais pour l'intérêt de son œuvre. Même si elles font « les tours en amours les plus fins », il ne devrait pas épuiser le sujet. Encore ce conte, et puis il n'y reviendra plus. C'est promis. Mais *Le Tableau*, qui ferme le recueil, met de nouveau des religieuses en scène... Depuis l'épître à l'abbesse de Mouzon, il s'est plu à les dévêtir. Cette fois, il les montre en action. Elles n'échappent pas à l'universelle souveraineté de la chair.

Dans *Le Pâté d'anguille*, La Fontaine répète un refrain destiné à devenir célèbre : « Diversité, c'est ma devise. » On l'applique souvent à la variété des tons et des styles du poète. Il célèbre seulement la diversité de ses amours. Il le dit dès les premiers vers :

> *Même beauté, tant soit exquise,*
> *Rassasie, et saoûle à la fin.*
> *Il me faut d'un et d'autre pain.*
> *Diversité, c'est ma devise.*

Le récit vient ensuite illustrer cette « morale », aux antipodes de la morale moralisante, présentée comme le fruit de son expérience. Il applique à ses contes la technique mise au point pour ses *Fables*. Il n'a pas renoncé à s'adresser à son lecteur. A défaut d'une préface générale, il multiplie les prologues particuliers.

Celui du premier conte, *Comment l'esprit vient aux filles*, donne le sujet et le sens du recueil : la toute-puissance du désir amoureux. « Il est, dit-il au lecteur, un jeu divertissant pour tous » :

> *Vous y jouez; comme ainsi faisons-nous;*
> *Il divertit et la laide et la belle;*
> *Soit jour, soit nuit, à toute heure il est doux;*
> *Car on y voit assez clair sans chandelle.*
> *Or devinez comment ce jeu s'appelle.*

Jeu que l'on pratique sans témoins pour « juger des coups », jeu dont « le beau » n'est jamais pour l'époux, jeu dont tout le plaisir est pour l'amant.

Après dix ans, le poète répète le même mot en tête de son nouveau livre, pour présenter une œuvre apparemment de même nature. Illusion. Dans le premier recueil, il pouvait soutenir à bon droit que ses récits n'étaient que jeux inoffensifs de l'imagination. Ils le sont aussi dans le nouveau, mais non les jeux de l'amour auxquels ils servent de cadre. On ne joue plus avec une histoire, mais avec les réalités de la chair. L'acte sexuel n'est plus seulement l'occasion d'un « conte à rire ». Il est au centre de tout, et les organes sexuels aussi, jamais nommés, toujours présents, de « l'esprit » du père Bonaventure, qui en donne plusieurs doses à l'innocente Lise, jusqu'à « l'enfer » de l'apprentie sainte Alibech dans lequel l'ermite Rustic fourre son « diable » pour mieux l'emprisonner — à leur plaisir réciproque. Cherche-t-on, dans *Les Lunettes*, le jeune homme qui a engrossé une non-nette ? Voilà toutes les demoiselles du couvent nues devant la supérieure, et le coupable obligé de se lier... « Je suis à court moi-même, dit le poète. / Où prendre un mot qui dise honnêtement / Ce que lia le père de l'enfant ? »

Avec Aminte et Clymène, le poète avait déjà montré son plaisir à voir et à faire voir le sein nu de belles endormies. Il récidive dans ses *Nouveaux Contes*. C'est en imaginant les beautés d'Alibech, et surtout de son sein « qui pousse et repousse certain corset », que Rustic succombe à la tentation. La Fontaine va plus loin. Il se plaît désormais à représenter les beautés des corps nus, tel Candale dévoilant à Gygès les trésors les plus secrets de sa femme et l'obligeant à les louer en détail de peur d'être suspect de cacher son plaisir et son désir. Le corps de l'homme n'a pas moins de charme pour la femme que celui de la femme pour l'homme. Dans *Le Cas de conscience*, « Annette la contemplative » repaît ses regards de la beauté sans défaut d'un jeune homme au bain. « Au fond de sa mémoire », elle en place un portrait « conforme à cet original ». Elle s'en confesse. Nouvelle occasion de « circonstancier le tout fort amplement ». Les barrières religieuses et morales ne peuvent rien contre les plaisirs naturels :

> *Anne avait bonne conscience :*
> *Mais comment s'abstenir ? est-il quelque défense*
> *Qui l'emporte sur le désir*
> *Quand le hasard fait naître un sujet de plaisir ?*

La Fontaine rejoint Molière pour soutenir que l'amour est l'école des femmes, ou plutôt de toute la jeunesse. Onze ans avant Annette, Agnès avait pareillement rejeté l'idée que les agréables caresses d'Horace pussent être un péché : « Le moyen de chasser ce qui fait du plaisir ? » Cette conduite naturelle traduit, chez les simples, une morale de païens; chez les intellectuels, une pensée libertine. On ne peut pas réduire les célébrations des jeux de l'amour dans les *Nouveaux Contes* à des jeux littéraires sans conséquences. L'auteur lui-même ne le prétend plus.

Il préfère détourner l'attention vers les prouesses qu'il a dû accomplir pour que son livre reste accessible aux dames. Dans *Le Tableau*, dernier conte du recueil, il prétend raconter son histoire à partir d'un tableau. Deux religieuses nues s'y disputent un rustre tombé d'une chaise, l'une frappant l'autre, au milieu des « apprêts d'un régal » auquel on n'a pas touché. L'anecdote vient de l'Arétin. C'est la première fois que La Fontaine ose lui emprunter un sujet. Il n'ignore pas que son « tableau » fera forcément penser aux gravures des fameuses « figures » représentant les diverses postures de l'amour, auxquelles l'œuvre de son modèle avait servi de support.

En prologue du *Tableau*, il expose les principes de son entreprise : « On m'engage à conter d'une manière honnête / Le sujet d'un de ces tableaux sur lequel on met des rideaux. » Cela l'oblige à inventer « nombre de traits nouveaux, piquants et délicats / Qui disent et qui ne disent pas », et que comprennent même « les Agnès les plus sottes », s'il en existe. Comme les oreilles des femmes sont plus chastes que leurs yeux, il s'est conformé à cette fausse pudeur :

> *Nuls traits à découvert n'auront ici de place :*
> *Tout y sera voilé, mais de gaze; et si bien*
> *Que je crois qu'on n'en perdra rien.*
> *Qui pense finement, et s'exprime avec grâce,*
> *Fait tout passer; car tout passe :*
> *Je l'ai cent fois éprouvé :*
> *Quand le mot est bien trouvé,*
> *Le sexe en sa faveur à la chose pardonne :*
> *Ce n'est plus elle alors, c'est elle encor pourtant :*
> *Vous ne faites rougir personne,*
> *Et tout le monde vous entend.*

Les *Contes* exigent une parfaite maîtrise du langage. Leur

auteur doit tout dire sans jamais se montrer grossier. Les récits ne sont que des mots. On ne doit pas les prendre au sérieux, puisqu'ils relèvent du seul imaginaire. On ne rougit pas à les entendre, puisqu'ils ne disent pas ce qu'ils disent. Ils ont besoin de la complicité du lecteur pour arriver à dire ce qu'ils ne disent pas. Le conteur doit avoir un sens très fin de son public, particulièrement de sa partie féminine, pour lui donner le plaisir d'entendre, exprimé avec des mots permis, ce qu'il est d'ordinaire défendu d'entendre. Gratuit en apparence seulement, ce jeu en cache un autre, moins innocent, qui consiste à transgresser les tabous que le monde appose à l'expression de la sexualité. Le détournement de langage, nécessaire pour rendre le récit possible, aboutit à la subversion de la morale.

A l'en croire, La Fontaine aurait été poussé par autrui dans cette aventure. « On m'engage », s'excuse-t-il. Son audace lui est venue de la pression de son entourage. Une note ancienne prétend qu'il a fait des contes pour Foucquet, « et cela pour avoir du pain ». C'est improbable. Le poète, en ce temps-là, ne manquait pas de pain, et la « pension poétique » n'était pas constituée de contes. Des auteurs plus récents ont attribué ceux-ci à l'influence de la duchesse de Bouillon. Ce serait étonnant au moment du premier recueil. Anne-Marie Mancini venait de se marier à quatorze ans. Elle n'était pas encore émancipée. C'est au contraire fort possible pour les *Nouveaux Contes*. Le nom du poète figure en toutes lettres sur des volumes imprimés sans permission dont le contenu outrepassait largement les limites de ce que permettait la France de la Contre-Réforme. Il n'a pas été inquiété. Cela suppose de puissantes protections. Le prologue du *Tableau* en rappelle l'existence.

Comme au temps de Vaux, la lecture des textes à haute voix précède leur éventuelle publication. Le « dieu des vers », dit La Fontaine, doit le favoriser dans le choix de ses mots. Autrement, il risque de dire « quelque sottise » qui lui « fera donner du busque sur les doigts ». Il n'écrit pas ses contes sous le contrôle de la censure, mais sous celui des dames. Il les leur récite à l'essai avant de les publier. Il faut imaginer le poète guettant les réactions de ses lectrices pour voir jusqu'où il peut aller trop loin. Il continue d'aimer la virtuosité. Dans le recueil précédent, elle allait jusqu'à transformer le conte en une suite de variations sur les charmes de Clymène. Cette fois, elle finit par changer la nature même des contes : la variété des « bons tours » cède le pas à la célébration multiple d'une même fête des corps.

On y a engagé le poète. Il le dit. Pourquoi ne pas le croire ? Mais il a obéi avec beaucoup de plaisir. Dans *Saint-Malc,* pour réussir un « poème », il avait mis toute son expérience de l'écriture. Dans les *Nouveaux Contes,* il y a ajouté toute l'expérience de sa sensualité. Il avait cinquante-trois ans, largement l'âge de la retraite amoureuse selon les préjugés du temps...

45.

Déracinement

Pendant dix ans, des *Contes* de décembre 1664 à ceux de 1674, La Fontaine n'a cessé d'écrire de nouvelles œuvres, publiées presque chaque année. De décembre 1670 à mars suivant, il a battu tous les records avec quatre ouvrages signés de son nom. Il diminue alors sa production. Il faut attendre mai 1678, puis juin 1679 pour avoir deux, puis trois livres de *Fables*. Assuré de sa suprématie dans les genres où il a réussi, il a ralenti son effort. Déçu de ses échecs dans le poème héroïque et dans l'opéra, il a pour un temps renoncé à conquérir de nouvelles gloires.

Le soin de ses affaires l'occupe plus qu'il n'aurait voulu. Elles le ramènent malgré lui à Château-Thierry. Il y est le 8 novembre 1675 pour une transaction avec Jannart. Il y est le 2 janvier 1676 pour vendre sa maison. Il y est le 9 novembre suivant pour un nouvel accord entre sa femme, Jannart et lui. A une date inconnue, probablement très tôt, son oncle lui avait rétrocédé, contre rétrocession de rentes de même valeur, la maison familiale de Château-Thierry comprise à la mort de son père dans le grand échange de décembre 1658. Il avait continué de l'habiter tant qu'il avait exercé sa charge de maître des eaux et forêts, puis chaque fois qu'il revenait au pays. Il avait de moins en moins de raisons de la garder, maintenant qu'il vivait séparé de sa femme. En automne 1675, par bail passé à Laon, il la loua au receveur des gabelles. Puis il changea d'avis. Le 2 janvier suivant, par acte passé avant midi chez Nicolas Visinier, vétéran des gardes du roi, il la vend en bonne et due forme pour 11 000 livres à son parent et ami, Antoine Pintrel, gentilhomme de la grande vénerie du roi. Il ne lui en revient que 500 livres, qu'il reçoit comptant. Une bonne partie (4 500 livres) sert à éteindre une dette qu'il avait envers l'acheteur depuis décembre 1658. Le reste (6 000 livres) lui est payé au moyen d'une constitution de rente. A côté de la signature de La Fontaine et de Pintrel figurent celles de leurs femmes, solidaires de la vente et de l'achat, celle aussi de Claude de La Fontaine, ecclésiastique demeurant à Nogent-l'Artaud, qui garantit qu'il a précédemment cédé à son frère tous ses droits d'héritage.

Cette vente n'a pas rendu La Fontaine plus riche. Quatre jours plus tard, il transmet à sa femme la rente de 6 000 livres sur Pintrel. Puis, avec son accord, il la reprend pour la céder à Jannart, le 9 novembre suivant, afin de rembourser des dettes qui remontent à plus de vingt ans. Comme elles sont supérieures à la créance cédée, Jannart lui fait grâce du surplus. Conclu chez lui, en « la maison des Garas » qu'il avait à Château-Thierry, cette cession pour solde de tout compte ressemble fort à une séparation à l'amiable entre l'oncle de Marie Héricart et son neveu par une alliance dont il ne reste désormais à peu près rien. Après tant d'années de complicité familiale et financière, on tourne la page.

En même temps que sa maison, et le même jour, La Fontaine cède à Pintrel, par déclaration écrite de sa main, « le droit et propriété » qui lui appartiennent « aux banc, place et cabinet dans l'église de Château-Thierry sous le jubé ». Symboliquement, cette vente est importante. En même temps qu'il abandonne la maison de son enfance et de son âge mûr, Jean abandonne l'église de son baptême et de ses aïeux. Il rompt ses dernières attaches au pays natal. Ce ne fut sans doute pas un déchirement, car il projetait de le faire depuis longtemps, mais enfin, il le savait bien, c'était une étape de plus dans l'abandon du statut social hérité de son père. Après avoir cessé d'être maître des eaux et forêts, il cessait d'être un bon bourgeois de Château-Thierry. Il n'était plus que le poète Jean de La Fontaine. Si célèbre qu'il fût, ce n'était pas, à l'époque, une promotion sociale, mais un net recul. Sans charges ni domicile à lui, ayant vendu la plupart de ses terres et de ses rentes, il dépend désormais de la charité de sa famille, de ses amis et de ses protecteurs.

Seule sa femme le relie encore à son milieu d'origine.
C'est en considération de sa nièce que Jannart l'avait si longtemps logé à Paris. C'est pour elle également qu'il a accepté
de réduire sa dette. A cette date, les actes notariés le
montrent, il n'y a pas de dissensions financières entre les
époux. Malgré tout ce qui les sépare, il n'y a pas totale rupture entre eux. Marie Héricart est toujours la femme du
poète aux yeux de l'Église et de la loi. A ses yeux à lui aussi.
Le 2 janvier, après avoir écrit qu'il cédait à Pintrel sa place à
l'église, il a continué, toujours de sa main, « pour en jouir par
lui toutefois seulement après le décès de demoiselle Marie
Héricart, ma femme, et ce pour des raisons et considérations
qui sont particulières entre nous ». Il était en congé de
mariage, acceptant joyeusement un déracinement souhaité,
mais il avait toujours une femme et elle continuait de vivre à
Château-Thierry.

Une lettre à la Champmeslé, la grande actrice qui triom-
phait à l'hôtel de Bourgogne, date probablement du temps
où il était là-bas pour vendre sa maison. « Je m'occupe si peu
de mes affaires que je ne sais quand elles finiront. C'est
chose de dégoût que compte, vente, arrérages. » La Fontaine
a beaucoup changé depuis le temps où il s'occupait activement non seulement de ses intérêts, mais de ceux de Jannart. Ses succès parisiens lui font aimer la vie facile et
mépriser les humbles tâches de gestion d'un patrimoine plus
qu'écorné. Celui qu'on se représente si volontiers comme un
amoureux impénitent de la campagne a perdu le goût des
paysages de son pays natal et n'aime plus que la ville et les
brillantes sociétés qu'on peut y fréquenter.

« Bois, champs, ruisseaux et Nymphes des prés, écrit-il, [ne]
me touchent plus guère depuis que vous avez enchaîné le
bonheur près de vous; aussi compté-je partir bientôt. » Par
galanterie, le poète ramène à l'absence de la seule Champmeslé le sentiment de frustration produit en lui par l'éloignement de la capitale. Sa désaffection et son regret n'en
sont pas moins vrais. « Que vous aviez raison, Mademoiselle,
de dire que l'ennui galoperait avec moi devant que j'aie
perdu les clochers du grand village! C'est chose si vraie que
je suis présentement d'une mélancolie qui ne pourra, je le
sens, se dissiper qu'à mon retour à Paris. » Celui qui, dans
son récit de l'Entrée de la reine, se flattait, au temps de

Vaux, d'être un « provincial », a besoin maintenant de la
grande ville comme d'une drogue.

La Champmeslé était arrivée à Paris en 1670 avec son
mari, acteur comme elle et quelquefois auteur. Elle avait
joué Hermione et triomphé dans *Bérénice*. Elle venait de
remporter un très beau succès dans *Iphigénie*. La Fontaine le
lui rappelle. Il aimerait, dit-il, que Racine lui écrive : « Il me
parlerait de vos triomphes. » L'actrice n'était pas une vertu.
« Le sieur Champmeslé et sa femme, lit-on dans un recueil
du temps, étaient séparés l'un de l'autre par leur débauche.
La femme était grosse de son galant, et sa servante était
grosse du sieur Champmeslé en même temps. Il y aurait de
quoi faire un gros livre de leurs aventures amoureuses. » Elle
avait cinq ou six amants à la fois, parmi lesquels Racine qui
lui apprenait également à dire correctement ses vers.

C'est au titre d'amie très intime de ce poète que La Fontaine s'adresse à elle. « M. Racine avait promis de m'écrire ;
pourquoi ne l'a-t-il pas fait ? Il aurait sans doute parlé de
vous, n'aimant rien tant que votre charmante personne ;
ç'aurait été le plus grand soulagement à la peine que
j'éprouve à ne plus vous voir. » Le provincial malgré lui
excuse son correspondant défaillant : « Les agréments de
votre société remplissent tellement les cœurs que toutes les
autres impressions s'affaiblissent. » Pour La Fontaine
comme pour Racine, la qualité de la compagnie ne se
mesure pas à la vertu de ceux qu'on fréquente, mais au plaisir qu'on trouve auprès d'eux. Il fait de loin la cour à
l'actrice sous le nez de son préféré du moment. Chacun son
tour.

Pour ses affaires, il a, dit-il, suivi « en partie les conseils »
que lui avait prodigués Racine, « sans cesser pourtant d'être
fidèle à la paresse et au sommeil ». Étroitement lié au personnage poétique que La Fontaine met si volontiers en
scène dans ses œuvres, le thème du somme et du repos est
repris ici dans une lettre privée comme s'il avait voulu nous
en garantir l'authenticité biographique. Il y parle également
de sa mélancolie. Signe que paresse et mélancolie font partie
de l'image qu'il donne de lui à ses plus familiers amis. Qu'il
les ait reçues de la nature ou qu'elles lui viennent de l'habitude, elles font certainement partie de son être. Clin d'œil
du destin, ces confidences, les plus précises et les plus cré-

dibles que nous ayons de lui sur le fond de son caractère, il les a faites à une femme de toute petite vertu. Il en était entouré.

A l'autre bout de la société, la duchesse de Bouillon avait beau être une grande dame, elle était fort déconsidérée dans le monde. Sous la pression de Turenne, on l'avait un moment enfermée au couvent de Montreuil pour inconduite. Comme Ninon de Lenclos, qui fréquentait chez elle en un temps où elle n'était pas encore reçue des honnêtes femmes. C'est probablement en septembre 1676, quand La Fontaine est retourné à Château-Thierry pour s'accorder avec Jannart, qu'il a écrit à la duchesse pour lui dire son plaisir de la fréquenter. « Vous souvient-il que Votre Altesse nous amusa quatre heures durant chez Monsieur l'abbé de Chaulieu ? Nous étions quatre beaux esprits, sans compter Mlle de Lenclos, si charmés de vous entendre que nous n'eûmes pas le mot à dire. » Ninon, Chaulieu, la duchesse de Bouillon : nul doute sur les fréquentations du poète. Il hante les milieux épicuriens, voire libertins de la capitale. La parution de ses *Nouveaux Contes* lui en aurait largement ouvert les portes s'il en avait été besoin.

La Fontaine y est à son aise. Il retournera volontiers chez la duchesse, dit-il. On mettra « quelque peu de contestation et de dispute sur le tapis ». Elle lui donnera l'ordre d'avoir un autre avis que le sien, car elle excelle dans ces sortes de conversations. « Je ne suis pas mauvais disputeur, ajoute-t-il, et je n'en dois guère à Monsieur le duc de Vendôme. » Le poète, qui l'eût cru ?, ose se mettre sur le même pied que le brillant neveu de la duchesse. Il croit en son habileté verbale. Dans un milieu où règnent la liberté et l'indépendance d'esprit, il n'a pas de peine à retrouver la langue qu'il perd exprès partout où il s'ennuie. Il ne prétend pas soutenir la vérité, puisqu'il sera par définition l'adversaire de la duchesse, qu'elle ait tort ou raison. Il vit parmi des gens qui aiment éprouver les idées en soutenant le pour et le contre. Ils aiment jouer avec elles et jouer entre eux. On s'y « donne la comédie », comme dit La Fontaine pour conclure.

En attendant, il se trouve à Château-Thierry « pour des raisons d'intérêt ». Il espère ne pas y rester plus de deux mois, et rentrer à Paris plus tôt que prévu. Tant mieux. Il accepte pourtant l'offre de la duchesse, transmise par le prévôt La Haye, de lui donner un logement au château dont il apprécie le site, perché au-dessus de la ville : « Je ne m'imagine point qu'il y ait au monde une vue plus agréable que celle-ci. » Il se plaît à jardiner : « Je vous supplie très humblement de me permettre de cultiver les fleurs dans le parterre d'en haut. » A sa prochaine venue, elle trouvera, grâce à lui, le lieu tout orné. Au mépris de la campagne affiché dans la lettre à la Champmeslé s'oppose, dans celle à la duchesse, quelques mois plus tard, le plaisir d'ordonner la nature. Ce repli au château montre que le poète n'a plus de chez-soi dans son pays natal, maintenant qu'il ne descend plus chez sa femme ni chez son oncle. Venu régler ses derniers intérêts au pays, il a pris ses distances avec sa famille.

C'est probablement en ce temps-là qu'ayant besoin d'un nouveau domicile à Paris, il s'est établi chez Mme de La Sablière. Il y mena joyeuse vie, sans souci du lendemain, comme la Cigale. En 1684, lors de sa réception à l'Académie française, dans un Discours dédié à son amie, il reconnaît avoir gaspillé son temps :

> *Des solides plaisirs, je n'ai suivi que l'ombre :*
> *J'ai toujours abusé du plus cher de nos biens;*
> *Les pensers amusants, les vagues entretiens,*
> *Vains enfants du loisir, délices chimériques,*
> *Les romans et le jeu, peste des républiques...*
> *Cent autres passions, des sages condamnées,*
> *Ont pris comme à l'envi la fleur de mes années.*

Les circonstances voulaient qu'il exprimât ses regrets de sa conduite passée. On se demande s'il ne regrette pas plutôt de n'avoir pas encore ces plaisirs devant lui. Assuré du vivre et du couvert, il dépensait ses derniers sous à jouer sans compter. S'il n'aimait pas, dit-on, bavarder pour ne rien dire dans les salons chics où il était reçu comme poète à la mode, il pratiquait volontiers avec ses amis les « vagues entretiens » où l'on parle beaucoup pour ne pas dire grand-chose.

La Champmeslé, « la meilleure amie du monde et la plus agréable », était un jour d'été partie à la campagne. La Fontaine est resté à Paris avec « ceux qui ne l'ont pas suivie ». Il fait chaud, lui écrit-il. « Ils boivent depuis le matin jusqu'au soir de l'eau, du vin, de la limonade, *et caetera*, rafraîchissements légers à qui est privé de vous voir. » Autrement dit, on l'oublie dans la boisson. Il l'imagine « accumulant cœur sur cœur » pendant ce temps-là. Il espère qu'elle charme « l'ennui » de La Fare, oubliant auprès d'elle son « malheur au jeu et toutes ses autres disgrâces ». Puis il en vient au comte de Clermont-Tonnerre, grand nom de l'aristocratie, qui venait de supplanter Racine auprès de l'actrice. On en avait fait un quatrain :

> *A la plus tendre amour, elle fut destinée,*
> *Qui prit longtemps Racine dans son cœur;*
> *Mais par un insigne malheur*
> *Le Tonnerre est venu qui l'a déracinée.*

Ce n'avait pas été un drame. La Fontaine rappelle à la fois la victoire amoureuse de l'aristocrate et sa chance au jeu. Il en faisait profiter l'actrice, qui ne négligeait pas ces profits matériels. « Et M. de Tonnerre, rapporte-t-il toujours au logis quelque petit gain ? Il ne saurait plus en faire de grands après l'acquisition de vos bonnes grâces. » Que La Champmeslé le salue de sa part : « Mandez-moi s'il n'a point oublié le plus fidèle de ses serviteurs et si vous croyez qu'à son retour, il continuera de m'honorer de ses niches et de ses brocards. » Le poète appartient à une troupe de joyeux fêtards. Mais la phrase finale choque. Passe encore pour les niches : elles confirment la « simplicité » de La Fontaine. Mais les « brocards »... Le poëte trouve normal qu'on se moque de lui. C'est même lui faire bien de l'honneur. On est à la limite de l'avilissement. Puisqu'il veut partager un peu de la Champmeslé avec un Clermont-Tonnerre, il lui faut en payer le prix...

Quand il rentre définitivement à Paris après l'accord de novembre 1676 avec Jannart, les événements se sont chargés de lui rappeler la distance qui sépare un noble de race d'un poëte. On était en pleine querelle des deux *Phèdre*, celle de Racine, jouée le 1er janvier 1677 à l'hôtel de Bourgogne, et celle de Pradon, donnée deux jours plus tard par une troupe rivale. « On a trouvé la première dans le goût des Anciens, dit le 8 *La Gazette d'Amsterdam*, mais la dernière a plus donné dans celui du public. » La Fontaine était pris entre deux feux, car l'hôtel de Bouillon soutenait vivement Pradon que la duchesse avait poussé à rivaliser avec Racine.

Quelqu'un dont on ignore encore l'identité attaqua son frère, le duc de Nevers, dans un sonnet supposé défendre la *Phèdre* de l'ami de La Fontaine. « Jamais, écrit Bussy, qui le croit comme tout le monde de Racine et Boileau, il n'y eut rien de si insolent que ce sonnet. Deux auteurs reprochent à un officier de la couronne qu'il n'est ni courtisan, ni guerrier, ni chrétien, que sa sœur, la duchesse de Mazarin, est une coureuse et qu'il a de l'amour pour elle », malgré son vice italien. Le scandale, à vrai dire, n'est pas dans les accusations dont Bussy reconnaît le bien-fondé, mais dans l'audace de gens sans naissance qui ont osé les porter contre un homme de la plus haute qualité : « Bien que ces injures fussent des vérités, elles devraient attirer mille coup d'étrivières à des gens comme ceux-là. » Il fallut que Condé intervienne pour protéger les prétendus coupables et faire entendre leur démenti.

Cette querelle qui opposait ses protecteurs à son ami rappela à La Fontaine, s'il en était besoin, combien le statut de poète restait précaire dans une société dont le fondement était la naissance et non le mérite. En ne conservant pas ses charges qui lui donnaient un statut social, en vendant sa maison qui l'enracinait dans son pays natal, en délaissant femme et enfant qui le rattachaient à une lignée, il avait abandonné tout ce qui pouvait le garantir des caprices de ses protecteurs et de ses camarades de plaisir. Les succès de ses *Contes* et sa gloire littéraire ne l'empêchaient nullement de n'être rien selon les nobles, un déclassé aux yeux des bourgeois qu'il avait abandonnés, pour les gens de plaisir un fêtard qui vieillissait sans avoir su se ranger à temps, et un marginal pour tout le monde.

46.

Un nouvel horizon

En même temps qu'il menait joyeuse vie de garçon à cinquante ans passés, La Fontaine découvrait chez Mme de La Sablière un univers qui lui était resté fermé, celui de la pensée scientifique. Les collèges n'y préparaient guère, encore moins ceux où des maîtres de campagne « n'apprenaient que du latin » à leurs élèves. A l'Oratoire, puis en faisant son droit, il s'était formé aux disciplines spéculatives et au raisonnement, non aux sciences expérimentales. Près de Fouquet, il s'était ouvert aux beaux-arts, particulièrement favorisés par le ministre. Il n'avait pas eu le temps ou l'envie de s'intéresser aux recherches des savants.

Chez sa nouvelle amie, il n'était pas question d'ignorer les progrès du savoir. C'était une femme cultivée, qui lisait, dit-on, Homère dans le texte. Elle aimait la littérature, surtout la moderne. Mais elle était passionnée pour les sciences exactes, femme savante que Boileau montrera « l'astrolabe en main », entichée d'astronomie. Elle soutenait la conversation avec Sauval et Roberval, les meilleurs mathématiciens du temps. Elle avait accueilli familièrement le médecin Marin Cureau de La Chambre jusqu'à sa mort en 1669. Elle accueillait maintenant un autre médecin, son oncle, Antoine Menjot, esprit curieux et non conformiste. Contre les spéculations et les déductions des philosophes, et particulièrement de Descartes, ils lui vantaient l'expérience et l'observation attentive de la réalité.

Né un an avant La Fontaine, François Bernier, autre médecin, avait beaucoup voyagé. Pendant quinze ans, il

avait vu la Syrie, l'Égypte, et surtout l'Inde, le Grand Mogol.
A son retour, Mme de La Sablière le logea chez elle. Il y
cohabita plusieurs années avec le fabuliste. Il avait été l'élève
de Gassendi, qu'il assista dans ses derniers moments. En
1674, il publia le premier volume d'un *Abrégé* de sa philosophie, suivi d'un second en 1675. Il faudra attendre 1684
pour en avoir l'édition complète en sept volumes, mais
l'ensemble, à en croire l'auteur, existait en manuscrit dès
1673. Rue Neuve-des-Petits-Champs, le fabuliste en a
entendu parler et a dû en lire des pages non encore imprimées.

En 1676, à trente-sept ans, Mme de La Sablière
commença avec le marquis de La Fare une liaison qui fut
tout de suite célèbre dans Paris. Les plaisirs de l'amour y
avaient leur part, mais sans préjudice de ceux de l'esprit. Le
marquis, en tête de *Mémoires* qui ne parlent pas de ses
amours, explique qu'il les a écrits pour « faire comme un
tableau de la vie humaine » et montrer « par expérience » le
véritable chemin de la félicité. On ne va pas à la philosophie
par la spéculation, mais par l'observation des mœurs. Les
différences entre les hommes s'expliquent scientifiquement,
par l'appétit naturel, les passions et la raison quand il s'agit
de groupes sociaux, par le tempérament, l'habitude et la fortune chez les individus. Soucieux de rationalité, l'auteur
refuse les causes occultes.

Avec La Fare et les amis de Mme de La Sablière, La Fontaine découvre donc l'esprit scientifique moderne. A la tradition constamment répétée et jamais vérifiée des Anciens, ils
veulent substituer les conclusions de l'observation et de
l'expérimentation telles qu'on peut les faire désormais avec
des instruments nouveaux. A l'Académie royale des Sciences
de Paris, fondée par Colbert en 1666 à l'imitation de celle de
Londres, on organise des séances de dissection d'animaux
pour étudier sans préjugés les fonctions organiques du cerveau, des nerfs, des muscles, la circulation du sang et des
« esprits ». On y observe les astres avec la précision que permettent les progrès de l'optique. Des conversations qui en
résultent rue Neuve-des-Petits-Champs, La Fontaine a tiré
plusieurs fables, révélatrices de son changement de préoccupations.

Dans « Un Animal dans la Lune », il raconte qu'en Angleterre, on a cru y voir un éléphant. Vérification faite, ce n'était qu'une souris « cachée entre les verres ». Selon une satire publiée au début du XVIIIe siècle, l'aventure serait arrivée à l'Académie de Londres. « On en rit », dit le poète, mais il ne s'en moque pas. Il s'émerveille au contraire de la curiosité scientifique d'un Charles II, venu en personne admirer le prodige : « Il favorise en roi ces hautes connaissances. » Les Anglais ont de la chance : « Peuple heureux, quand pourront les Français / Se donner comme vous entiers à ces emplois ? » Vienne le temps où, lassés de conquérir les lauriers de la guerre, ils auront eux aussi le loisir de s'occuper des travaux de la paix. Avec prudence, car il ne peut critiquer trop ouvertement la politique royale, le fabuliste souhaite l'avènement d'une autre politique tout aussi glorieuse, dont les conquêtes ne seraient plus militaires.

Avant le bref récit et ses conclusions, une assez longue présentation pose la question du rôle des sens dans l'expérience. Certains les disent trompeurs, d'autres infaillibles. La vérité est qu'il faut rectifier « l'image de l'objet sur son éloignement, / Sur le milieu qui l'environne, / Sur l'organe et sur l'instrument ». Contre la sensibilité passive d'Aristote, la fable reprend très précisément la thèse de Gassendi dont elle répète les exemples : la petitesse apparente des objets éloignés comme le Soleil, l'image du bâton qui paraît brisé quand il est plongé dans l'eau, les fausses images que l'on voit dans la Lune. En passant, le poète ne craint pas de prendre parti sur un sujet brûlant. Le Soleil paraît tourner autour de la Terre. Il faut corriger cette apparence : « Je le rends immobile et la terre chemine. » La Fontaine croit à la raison, seule capable de tirer méthodiquement les leçons de l'expérience et d'en dégager les lois de la Nature.

Comme La Fare et Bernier, il refuse les fausses explications de la fortune par l'astrologie, si populaires pourtant. Dès le premier Recueil, il leur avait manifesté son hostilité dans « L'Astrologue qui se laisse tomber dans un puits ». « Du hasard, il n'est point de science », disait-il, sinon, il cesserait d'être le hasard. « Quant aux volontés souveraines » de la Providence, elles règlent le monde, mais nul ne peut en pénétrer le secret. Dans « L'Horoscope » ou « Les Devineresses », il développe maintenant les idées de Gassendi et de Bernier. Notre sort ne dépend pas des « conjonctions » des

astres dont parlent les charlatans, mais d'une « conjoncture »,
c'est-à-dire de la rencontre de causes variées de temps, de
lieux et de personnes. Entre le cours régulier des astres et la
« course » variée et imprévisible de notre vie, il ne peut rien
y avoir de commun. Comment pourraient-ils, de si loin, garder sur nous la moindre influence ? Comment percerait-elle
« Mars, le Soleil et des vides sans fin » pour arriver jusqu'à
nous ? Malgré sa formation classique, sous l'influence des
discussions de la rue Neuve-des-Petits-Champs, le poète
refuse désormais les traditions que l'expérience contredit.
Contre ceux qui soutiennent, avec l'ancienne philosophie,
que la Nature a horreur du vide, il adopte l'idée moderne de
son existence.

Il continue d'imiter les apologues d'Ésope ou de Phèdre,
dont le contenu fabuleux soutient l'enseignement d'une
morale. Mais il écrit aussi de nouvelles fables dont le
contenu véridique, ou prétendu tel, vient à l'appui de vérités
scientifiques ou philosophiques. Aux nombreuses compila-
tions d'histoires d'animaux notées par les Anciens, il préfère
pour cela les témoignages récents qui portent sur des faits
observés.

Il dépeint par exemple les mœurs des castors d'après la
*Description géographique et historique des côtes de l'Amérique
septentrionale* publiée par Nicolas Denys en 1672, ou d'après
son compte rendu dans le *Journal des savants* de 1674. A
moins que ce ne soit après avoir lu, dans un livre paru en
1673, un récit de du Hamel, qui prétend tenir ses renseignements d'un ami récemment revenu du Canada. Il a pu le
trouver aussi dans l'*Abrégé* de Gassendi de 1674. Peut-être
en avait-il simplement entendu parler, puisque le sujet était
dans l'air. Il raconte l'histoire des boubaks, et prétend,
comme Bernier, la tenir de Sobieski, élu roi de Pologne en
mai 1674. Ils la devaient tous deux à l'abbé de Chaulieu, qui
s'est lié avec le vulgarisateur de Gassendi chez Mme de La
Sablière en 1676, à son retour de Varsovie où il était allé porter les félicitations de la France.

En 1675, Bernier note comme vrai, dans son *Abrégé*, un
fait divers que l'orientaliste Jacques Gaffarel tenait d'un des
moines augustins de la forêt de Fontainebleau. On avait
découvert, dans un tronc creux, « soixante ou quatre-vingts
souris toutes vives, et des épis de blé pour emplir deux ou

trois chapeaux ». Les souris avaient toutes « les cuisses rompues » pour les empêcher de s'échapper. Elles étaient « la provision d'un hibou qui leur aurait apporté les épis pour les nourrir quelque temps, cependant qu'il les mangerait l'une après l'autre ». La Fontaine a repris l'histoire dans « Les Souris et le Chat-huant ». « Ceci n'est point une fable, relève-t-il en note; et la chose, quoique merveilleuse, est véritablement arrivée. » Elle lui prouve la « prévoyance » de l'animal, marque de sa raison, contre la théorie cartésienne qui réduisait les animaux à de purs mécanismes physiques, à des ressorts semblables à ceux des montres.

La question, très controversée au moment où Descartes avait lancé ses idées, était redevenue très à la mode entre 1672 et 1677. Célèbres en leur temps, les ouvrages du P. Pardies (*Discours de la connaissance des bêtes*) et de J. B. du Hamel (*De corpore animato*), qui prétendaient le réfuter, furent aussitôt suivis des répliques de Le Grand et Dilly. La controverse portait sur un point capital puisqu'elle mettait en cause l'ordre de la création. Si les animaux pensaient et raisonnaient, et s'il fallait par suite leur accorder une âme, que devenait l'immortalité de celle des hommes, fondée sur la distinction de l'esprit et de la matière ? En réduisant les animaux à de l'espace et du mouvement, la doctrine cartésienne avait l'immense avantage de préserver les privilèges de la seule créature que Dieu avait faite à son image.

Mais elle heurtait à la fois l'expérience et la sensibilité. Comment, disait Mme de Sévigné à sa fille, « des machines qui aiment, des machines qui ont une élection pour quelqu'un, des machines qui sont jalouses, des machines qui craignent! Allez, allez, vous vous moquez de nous; jamais Descartes n'a prétendu nous le faire croire ». Sa réaction montre que tout le monde connaissait en gros la théorie cartésienne. Chacun prenait parti pour ou contre elle. Elle séduisait par sa simplicité ou révoltait par son invraisemblance. Au point que certains de ses partisans, comme le P. Poisson, relâchaient la doctrine originelle pour accorder une sorte d'âme aux animaux, et qu'inversement, certains de ceux qui réfutaient Descartes commençaient par un exposé si sympathique à sa théorie que la réfutation en paraissait ensuite insuffisante. C'était le cas du P. Pardies.

Comme lui, dans un *Discours* à Mme de La Sablière dont

la dédicace révèle l'origine de son intérêt pour le sujet, La Fontaine commence par rappeler la théorie qu'il récuse, « philosophie subtile, engageante et hardie ». La bête est une machine. « En elle tout se fait sans choix et par ressorts : / Nul sentiment, point d'âme, en elle tout est corps, / Telle la montre qui chemine. » Il marque aussi son admiration pour Descartes, « ce mortel dont on eût fait un dieu chez les païens ». Il rappelle son apport essentiel : « Sur tous les animaux enfants du Créateur, / J'ai le don de penser et je sais que je pense. » Il note le point d'accord entre les cartésiens et les autres philosophes : « Quand la bête penserait, / La bête ne réfléchirait / Sur l'objet ni sur sa pensée. » Seul l'homme a conscience de sa pensée. Puis vient le point de séparation : « Descartes va plus loin et soutient nettement » que la bête « ne pense nullement ». Comme la dédicataire du discours, La Fontaine n'est, dit-il, point « embarrassé » de le croire.

La difficulté est de concilier cette doctrine avec certaines conduites animales, celles par exemple des quatre histoires que le fabuliste se met à raconter. Vraies ou considérées comme telles à l'époque, deux sont tirées de l'expérience quotidienne des campagnes françaises, deux rapportées de pays lointains. Elles supposent de la mémoire chez la perdrix et le cerf, de l'expérience et même « du bon sens » chez le castor et un « germain du renard », le boubak. « Que ces castors soient un corps vide d'esprit, / Jamais on ne pourra m'obliger à le croire », dit-il. Tout en reconnaissant la spécificité de l'âme humaine, il réclame pour les animaux quelque chose de plus qu'à la plante. Comment concilier en effet la théorie cartésienne avec une nouvelle histoire « vraie » : « Les Deux Rats, le Renard et l'Œuf » ?

On y voit comment deux rats, sous la menace d'un renard, transportent rapidement un œuf sans le casser. « L'un se mit sur le dos, l'œuf entre les bras »; l'autre « le traîna par la queue ». L'inventivité est d'ordinaire accordée aux castors ou aux boubaks. La Fontaine la donne aux rats, peut-être par simple souci de variété. Les fables ne sont pas un traité d'histoire naturelle. Mais il greffe sur l'anecdote toute une sérieuse réflexion où il rend aux animaux l'âme que leur dénie Descartes. S'il en était « le maître », dit-il, il attribuerait à l'animal, « non point une raison selon notre manière, /Mais beaucoup plus aussi qu'un aveugle ressort ». Et il reprend, avec une remarquable précision, la théorie de l'âme animale selon Gassendi, telle que la résumait Bernier : « Une contexture de corpuscules très subtils et très mobiles ou actifs, semblables à ceux qui font le feu ou la chaleur. »

Il termine sur une théorie de l'âme humaine en deux parties, également prise chez Gassendi par l'intermédiaire de Bernier : « l'une incorporelle » et, partant, immortelle, qui est « particulière aux hommes »; l'autre « corporelle, qui leur est commune avec les animaux ». Il va plus loin. Il explique que l'épanouissement de l'âme supérieure est subordonnée à celle du corps : les enfants sont encore très semblables aux animaux. L'idée était en germe chez Lucrèce : la sagesse et la vigueur de l'âme croissent en même temps que la force physique. L'Anglais Thomas Willis venait de la développer et de lui donner une allure scientifique dans un livre en latin orné de gravures et se réclamant d'expériences médicales.

Selon certains, chez Mme de La Sablière, La Fontaine serait devenu gassendiste sous l'influence de Bernier. D'autres ont montré au contraire la multitude des courants de pensée qui s'y sont exercés sur lui. Il n'est pas l'homme d'une seule école. Rue Neuve-des-Petits-Champs, par imprégnation, à partir de conversations avec Bernier, il a découvert la seule philosophie moderne qu'on pouvait opposer à celle de Descartes. Sa curiosité éveillée, il a ensuite cherché à la satisfaire par d'abondantes et sérieuses lectures, puisées à toutes sortes de sources : « J'en lis qui sont du nord et qui sont du midi », écrira-t-il bientôt pour souligner la diversité de sa culture. Entre ses deux recueils de *Fables*, et surtout après son installation dans un milieu favorable aux savoirs modernes, il s'est largement ouvert sur le monde.

47.

Le pouvoir des Fables

Thésée, qui avait pris la place du *Daphné* de La Fontaine, avait été un franc succès en avril 1675. *Atys*, encore sur un livret de Quinault, avait pareillement obtenu un excellent accueil en 1676 à Saint-Germain, puis à Paris. En janvier 1677, au contraire, *Isis*, le nouvel opéra, avait été reçu plus froidement. « La pièce, lit-on le 18 dans une gazette de Bruxelles, a été fort frondée à la Cour, et le roi même n'en a pas été content, ce qui a fait bien des ennuis au sieur Baptiste, qui en est l'auteur. » On avait cru y voir des allusions aux amours de Louis XIV et Mme de Montespan représentée sous les traits peu flatteurs d'une Junon jalouse.

La Fontaine profita aussitôt de la situation pour rompre la trêve promise à Mme de Thianges après *Le Florentin*. Il dédia une Épître sur l'opéra à Niert, un des musiciens favoris de Louis XIII. Pour opposer la bonne musique d'autrefois à celle d'aujourd'hui, il célèbre le roi capable de composer et pas seulement d'écouter, comme Louis XIV. Puis il s'étonne du « déchaînement » actuel de la faveur de la cour pour l'opéra, qu'il compare à la fronde qu'avait inversement suscitée en 1647, sous Mazarin, l'*Orféo* de Luigi Rossi. D'abord éblouis par les machines, les bourgeois leur avaient vite préféré de bonnes tragédies : *Le Cid, Horace, Héraclius*. En un temps où le public hésite entre le dépouillement du théâtre traditionnel et le fabuleux spectacle de l'opéra, le passé lui montre le bon choix.

Les machines, explique le poète, fonctionnent mal, et les changements de décors sont souvent ratés : « Un dieu pend à la corde et crie au machiniste. » Le mélange d'une intrigue, de ballets et de concerts n'est pas un enrichissement, au contraire. « Ces beautés » seraient mieux « savourées » séparément. La Fontaine, sur un ton d'Art poétique, énonce sous l'autorité d'Horace des règles fondées sur le principe de la séparation des genres :

> *Le bon comédien ne doit jamais chanter :*
> *Le ballet fut toujours une action muette.*
> *La voix veut le théorbe, et non pas la trompette;*
> *Et la viole, propre aux plus tendres amours,*
> *N'a jamais jusqu'ici pu se joindre aux tambours.*

La quantité a succédé à la qualité. « Il faut vingt clavecins, cent violons pour plaire. » On n'aime plus les bergeries où « une voix tendre », accompagnée de la flûte ou du hautbois, suffisait à l'exécution de « quelques airs choisis ». Louis XIV est la cause de ces excès. « Ses divertissements ressentent tous la guerre. » Il lui plaît que les instruments donnent l'impression du tonnerre, les voix des cris de bataille, le ballet d'une revue militaire. Pour lui complaire, on « se conforme à son goût. » D'où une vogue inégalée et, sans cela, incompréhensible. La Fontaine en peint plaisamment les effets : rue Saint-Honoré engorgée, foule de spectateurs composite, autres lieux de plaisirs désertés. Qui ne chante, ou « plutôt ne gronde » quelque récitatif de Lulli, n'a pas « l'air du monde » et s'exclut des gens dans le vent.

On le savait depuis l'Oratoire, La Fontaine était doué pour la satire. L'Épître à Niert en est une, pleine de verve, et qui surpasse celles de Boileau. Le poète y reprend, en la retournant, l'objection que l'on avait faite à sa *Daphné*, d'être trop pastorale. L'art de Lulli est trop guerrier. Le roi, auquel ce type d'opéra doit son succès, se lassera, et « la ville et la cour » quitteront cet auteur complètement fini :

> *De Baptiste épuisé, les compositions*
> *Ne sont, si vous voulez, que répétitions.*

On n'aurait pas imaginé le joyeux auteur des *Contes* si rancunier. Encore moins le sage fabuliste.

La Fontaine aimait la musique. Il l'a dit plusieurs fois. Il regrette celle des récitals paisibles de son enfance, au temps des « Boisset, Gaultier, Hémon, Chambonnière, La Barre », et des Du But, Lambert et Camus, qu'il oppose nommément à Lulli. Goût profond ou machine de guerre ? Aurait-il parlé de même si son livret avait été accepté ? Comme tout le monde, il aurait tempéré son goût pour obtenir un peu plus de gloire... Il s'y cantonne pour dénigrer ce qu'il n'a pu faire : « Ces raisins sont trop verts... »

Il avait demandé un nouveau privilège pour ses *Fables*. On le lui accorda le 29 juillet 1677. Puis on le barra en écrivant en marge : « Le privilège est arrêté. » La censure se méfiait sans doute d'un auteur dont les *Contes* étaient interdits. Sous prétexte de fables, qu'allait-il encore diffuser ? Il donna les assurances nécessaires, puisqu'on lui accorda définitivement, le 2 décembre, un privilège de portée limitée. On y rappelle qu'il a reçu en 1667 « permission d'imprimer un livre intitulé *Fables choisies*, qu'il a mises en vers français, dont la jeunesse a reçu beaucoup de fruit en son instruction. Et comme ce livre est d'une grande dépense, il nous a très humblement fait supplier lui vouloir accorder la permission de le réimprimer et faire graver les planches nécessaires s'il juge à propos ». Elle lui est accordée en raison « de l'estime que nous faisons de sa personne et de son mérite ».

La Fontaine dut être ulcéré de cet éloge qui le condamnait à toujours refaire le même livre. Nulle mention de nouvelles fables dans ce privilège, accordé pour une simple réimpression du premier Recueil, dont la valeur morale et pédagogique était établie et vérifiée. Il restait cantonné dans sa double image d'auteur de fables pédagogiques à reproduire indéfiniment et de contes lestes à interdire absolument. Malgré son vif succès dans le monde, il ne parvenait pas à se faire reconnaître pour une des gloires de son siècle. « Il est doux à un homme de mérite, imprime Bernier en 1678, dans son *Abrégé,* d'être montré au doigt, et qu'on dise : le voilà ! comme lorsqu'on dit : c'est là ce Chapelle, le plus agréable esprit du royaume ; celui-là Despréaux [notre Boileau], l'Horace de son temps ; cet autre, ce fameux Racine, qui sait tirer les larmes des yeux quand il veut ; celle-là, cette savante Sablière... » Bernier, qui n'oublie pas de se citer lui-même (« ce grand voyageur »), ne pense pas à citer La Fontaine, qu'il voyait pourtant tous les jours.

Pendant qu'il prépare sa nouvelle édition, il intervient sans quitter Paris dans plusieurs affaires familiales. Le 23 mars 1678, il vend 1 479 livres une rente provenant de l'héritage de Guillaume Héricart, le grand-père de sa femme. Elle lui avait passé procuration pour le faire. Les ponts ne sont donc pas rompus entre les époux. Jean intervient aussi dans la liquidation d'une petite dette de 845 livres envers Jannart, reste de la même succession. Le 15 janvier de la même année, au contrat de mariage de Jacques Jannart, fils de son oncle, il avait signé le premier. On ne lui aurait pas cédé cette place d'honneur s'il n'était pas resté en bons termes avec sa belle-famille. C'est par choix et en vertu d'un consentement mutuel, non dans le drame et par nécessité, qu'il a quitté le domicile conjugal et la maison parisienne de son oncle pour aller vivre chez Mme de La Sablière.

Entre le privilège et l'achevé d'imprimer du premier tome, le 3 mai 1678, il s'est écoulé plus de neuf mois. Avec le deuxième, il contient les fables de 1667 et rien de plus, conformément au privilège. A en juger par cette lenteur, La Fontaine eut sans doute des difficultés à mener à bien son entreprise. C'est seulement dans le tome trois, publié la même année, que parurent enfin deux livres de fables majoritairement inédites. Le poète y faisait son possible pour se concilier les faveurs du pouvoir. Il avait l'amitié de Mme de Thianges. Elle au moins n'avait pas craint de l'attirer parmi les grands auteurs de la Chambre sublime. Elle l'avait soutenu contre Lulli au temps de *Daphné*. Elle l'avait introduit auprès de Mme de Montespan, sa sœur. Il décida d'offrir ses nouvelles fables à la maîtresse du roi.

Il le fait en tête du tome trois, dans une dédicace parallèle à celle au Dauphin, réimprimée en tête du premier. La symétrie ne manque pas de sel. En contraste avec la destination pédagogique du livre, rappelée par le privilège, l'hommage à une femme spirituelle, en vue et de conduite irrégulière, indiquait ostensiblement que les *Fables* s'adressaient aussi aux adultes les plus avertis. L'auteur y soulignait la dignité de l'apologue, « don qui vient des immortels », ou du moins d'un « sage » qui mériterait d'être divinisé. « C'est proprement un charme », un ensorcellement, qui tient l'âme « captive ». Il nous attache à des récits « qui mènent à son gré les cœurs et les esprits ». Pour tenter de valoriser ses fables,

La Fontaine avait déjà dit quelque chose d'approchant dans la Préface de son premier Recueil. Il consacre cette fois un apologue entier au mystérieux « Pouvoir des Fables ».

L'orateur athénien a beau user de la grande éloquence, personne ne l'écoute. Il conte alors comment Cérès voyage un jour « avec l'anguille et l'hirondelle ». Ils doivent tous trois traverser un fleuve. Le poisson et l'oiseau n'ont aucune peine à le passer, l'un en volant, l'autre à la nage. Comment fera Cérès ? demande la foule, réveillée par ce trait. Elle ferait mieux, lui répond l'orateur, de se soucier des préparatifs de l'ennemi, Philippe de Macédoine. Conclusion : si vieux que soit le monde, « il le faut amuser encore comme un enfant ». Parce qu'elle emporte l'imagination des auditeurs, la fable réussit là où la raison échoue.

C'est pourquoi on peut l'employer dans les affaires les plus sérieuses, en politique par exemple. La Fontaine a dédié « Le Pouvoir des Fables » à Paul Barrillon d'Amoncourt, un Champenois comme lui, familier de Mme de La Sablière, nommé ambassadeur à Londres en septembre 1677, juste avant le mariage de la fille de Charles II d'Angleterre avec le prince d'Orange. On craignait que ce roi n'abandonnât l'alliance française. « Par éloquence ou par adresse », son « esprit plein de souplesse » doit empêcher, dit le poète, que toute l'Europe ne se ligue contre la France. L'éloquence, c'est le mode d'expression habituel d'un ambassadeur. La fable lui montre un « trait » d'adresse. S'intéresser à elle n'est donc pas « s'abaisser à des contes vulgaires », comme il pourrait le croire, mais apprendre à utiliser son « pouvoir ».

La suite de la dédicace place le nouveau Recueil sous la protection de Mme de Montespan. Si elle favorise « les jeux » du fabuliste, « le temps qui détruit tout, respectant son appui », leur donnera l'immortalité :

Olympe, c'est assez qu'à mon dernier ouvrage
Votre nom serve un jour de rempart et d'abri.
Protégez désormais le livre favori
Par qui j'ose espérer une seconde vie.

Pour flatter la dédicataire, La Fontaine n'hésite pas à renverser le thème traditionnel du poète qui immortalise ceux qu'il célèbre. Cette fois, c'est la maîtresse du roi qui assurera la survie de l'œuvre. Flatterie ambiguë, puisqu'on se demande si le nouveau Recueil des *Fables* est le dernier ouvrage paru ou le dernier à paraître, s'il est le « livre favori » du poète ou s'il demande à la dédicataire de le favoriser de son crédit. En 1667, la dédicace au Dauphin était de convenance; elle ne compromettait pas la liberté du poète. Celle à Mme de Montespan relève de son désir de se rapprocher de la Cour. Elle l'asservit, lui et son langage.

La défection anglaise, que Barrillon ne peut empêcher, ne changea pas le cours des événements. La guerre s'acheva victorieusement. Signée d'abord avec la Hollande en août 1678, la paix de Nimègue provoqua de grandes réjouissances. Chaque ville organisa les siennes, et, dans chaque ville, chaque association culturelle. Il y avait à Troyes deux frères Simon qui occupaient « les premiers emplois » dans le recouvrement des aides, un des impôts les plus importants. C'étaient de riches financiers, « membres d'une joyeuse et aimable coterie, dont ils tenaient la correspondance avec La Fontaine, qui est venu deux ou trois fois partager les plaisirs de cette coterie ». Grosley, auxquels on doit la diffusion de ces renseignements en 1777, les tenait des mémoires de son père. Il avait également trouvé dans ses papiers « les paroles imprimées d'un ballet » donné « pour la paix de Nimègue en 1678, dont la danse et le chant furent exécutés par les membres de cette coterie ».

Ce ballet comprenait douze entrées, présentées chacune par des vers écrits « de plusieurs mains, d'un travail et d'un ton inégal ». La sixième était de La Fontaine. Elle mettait en scène des bergers et bergères joués par des notables de Troyes dont les noms sont portés en marge. Parmi eux, un certain Quinot dont la maison était remarquable par « divers morceaux d'ornements » (ils étaient de Girardon) et « par une collection aussi nombreuse que bien choisie de tableaux d'histoire naturelle ». Le fabuliste connaissait bien ce Quinot. Dans le Recueil de poésies chrétiennes publié par ses soins en 1671, il avait inséré une « Peinture poétique » de ses tableaux de miniature qui occupait quatorze pages.

Le désormais très parisien La Fontaine conserve donc, en 1678, les relations provinciales nouées au temps où ses charges l'attachaient à Château-Thierry. Il s'intéresse à la

« coterie » de Troyes comme il s'était naguère intéressé aux Rieurs du Beau-Richard et à l'Académie de sa ville natale. En pleine gloire, il ne refuse pas de mettre son talent au service de réjouissances locales. Parallèlement à son œuvre imprimée et aux textes inédits qu'il jugeait dignes d'être conservés dans ses papiers, il arrivait à La Fontaine d'écrire des petites pièces de circonstance pour faire plaisir à ses amis, dont le hasard n'a conservé qu'une partie, comme ce morceau de ballet retrouvé à la bibliothèque de Troyes.

« J'ai connu, dit Grosley, étant encore aux études, le dernier reste de la coterie dont MM. Simon faisaient partie dans la personne de M. Hérault, receveur des tailles, qui, à une connaissance intime de nos bons auteurs dans tous les genres, joignait un talent cultivé pour la musique et un goût éclairé pour les beaux-arts. » En allant au mariage du fils de Jannart, La Fontaine montre qu'il n'a pas rompu toutes ses attaches familiales. En participant à la fête de Troyes, il montre qu'il demeure attaché à ses racines culturelles. C'est parmi des fonctionnaires et des financiers provinciaux qu'il a trouvé le premier climat favorable à l'éclosion de sa vocation poétique. La musique et les beaux-arts n'y étaient pas moins cultivés que la littérature.

C'est sans doute à ce moment-là qu'il a une nouvelle fois manifesté son intérêt pour la musique en mettant en chantier une nouvelle bergerie. Il espérait que la paix lui serait plus propice que la guerre ne l'avait été à *Daphné*. Ce n'était pas véritablement un opéra, car il n'y a pas prévu, explique-t-il, « les accompagnements ordinaires, qui sont le spectacle et les autres divertissements ». Il s'en est tenu à la formule que pratiquait Molière avant la création de l'Académie de Musique : « Je n'ai eu pour but que de m'exercer en ce genre de comédie ou de tragédie mêlé de chansons qui me donnaient alors du plaisir. » Comme dans l'*Épître à Niert*, il refuse tout ce qui distrait l'attention. L'auditeur ne doit pas se transformer en spectateur.

A sa publication, en 1682 seulement, *Galatée* sera précédée d'une Préface très révélatrice des habitudes et du caractère de La Fontaine. Il avait prévu d'écrire sa pièce en trois actes, dit-il. Il n'en a fait que deux. « Si l'on trouve quelque satisfaction à lire ces deux premiers, peut-être me résoudrai-je à y ajouter le troisième. » Il avait pareillement subordonné l'achèvement du *Songe de Vaux* à l'accueil qui serait réservé aux échantillons publiés en 1671. Commencé dès *L'Eunuque,* le dialogue avec le lecteur se poursuit d'œuvre en œuvre. Faux dialogue, car comment l'interlocuteur pourrait-il faire connaître son choix, le début de *Galatée* comme les fragments du *Songe* étant publiés avec d'autres textes ? Le poète se donne l'alibi de consulter son public.

Pour expliquer l'inachèvement de sa pièce, il invoque « l'inconstance et l'inquiétude » qui lui sont « si naturelles ». Malgré l'âge et les succès, La Fontaine est un être instable, incapable d'effort prolongé. Il le sait, et cette conscience de ses limites le paralyse. Jeune, il parvenait quelquefois à surmonter son défaut et à écrire de longs poèmes. Maintenant, il n'y arrive plus. Heureusement, la Fable et le Conte s'accordent à son naturel. Seulement, il n'est toujours pas persuadé qu'il ne doit pas chanter sur tous les tons. Il voudrait échapper à sa curieuse double réputation d'auteur d'œuvres pédagogiques pour enfants ou d'œuvres polissonnes pour belles dames. Il voudrait réussir au théâtre. Il voudrait réussir n'importe quoi qui le consacrerait enfin aux yeux de tous comme un vrai grand poète.

48.

« Un air et un tour
un peu différents »

La Fontaine a donné un titre distinct à chacun de ses trois grands recueils de *Contes*. Il garde au contraire pour ses Fables le même titre modeste qu'en 1668 : *Fables choisies, mises en vers par M. de La Fontaine.* C'est marquer leur continuité. A peine laisse-t-il prévoir un peu de nouveauté en imprimant qu'elles sont « revues, corrigées et augmentées ». La présentation extérieure va dans le même sens. Les deux premiers volumes reprennent quasi identiquement le contenu du premier Recueil. Il faut ouvrir le troisième pour découvrir un Avertissement qui prélude à deux autres tomes de quatre-vingt-dix fables presque toutes nouvelles : huit seulement ont paru en 1671, et deux ou trois en plaquettes séparées. L'augmentation équivaut à peu près à ce qui existait déjà. La publication a traîné : le quatrième volume est sorti le 15 juin 1679, treize mois après le premier.

Auteur scrupuleux, la poète se désole des fautes d'impression. Il a fait composer un *errata*, « mais ce sont de légers remèdes pour un défaut considérable ». Méticuleux, il a tout fait, certains exemplaires en témoignent, pour le corriger en cours d'impression. Soucieux de ne pas décevoir ses lecteurs, il leur demande de ne pas lire un texte défiguré : « Si on veut avoir quelque plaisir de la lecture de cet ouvrage, il faut que chacun fasse corriger les fautes à la main dans son exemplaire. » A son ordinaire, mais plus brièvement, le poète cherche à donner au public l'impression qu'il tient à son estime, qu'il partage avec lui ses préoccupations.

A l'inverse du titre, l'Avertissement marque la disconti-

nuité. « Voici un second recueil de *Fables* », dit La Fontaine.
Ce n'est plus une augmentation, mais une nouvelle série.
« J'ai jugé à propos de donner à la plupart de celles-ci un air
et un tour un peu différents de celui que j'ai donné aux premières, tant à cause de la diversité des sujets que pour emplir
de plus de variété mon ouvrage. » On a beaucoup épilogué
sur cette déclaration. Maucroix lui-même a prétendu
que son ami n'avait « pas trop pesé ses paroles en cette occasion ». Pour lui, il ne trouvait « nulle différence » dans les
nouvelles Fables... C'est refuser de voir l'évidence. « J'ai
tâché, répète le poète, d'y mettre toute la diversité dont
j'étais capable. » A l'unité d'inspiration du premier Recueil
s'opposent les mélanges du second.

En fait, c'est une révolution. En 1668, la Fable était le genre
d'Ésope. Le poète empruntait presque tous ses sujets à la tradition qui se réclamait de l'auteur grec. Il s'appuyait sur elle pour
justifier son entreprise et ennoblir son livre. Cette fois, c'est à
lui-même qu'il renvoie, le premier Recueil servant de point de
référence pour mesurer les innovations du second. Elles sont
énormes. Sous l'influence du salon de Mme de La Sablière, il
est résolument sorti de la tradition gréco-latine pour prendre
ses sujets un peu partout. Certaines fables sont tirées de témoignages récemment recueillis sur le comportement des animaux, d'autres puisées dans une tradition culturelle étrangère
au monde habituel de ses contemporains.

Il n'a pas cru nécessaire, dit-il, d'indiquer où il a pris les
sujets de ses nouvelles Fables. A une exception près : « Seulement, je dirai par reconnaissance que j'en dois la plus
grande partie à Pilpay, sage indien. Son livre a été traduit en
toutes les langues. » Les récits attribués à ce brahmane
légendaire, qui dérivent du *Panchatantra*, avaient en effet
été traduits du sanskrit en pehlvi, puis de là en arabe, et
enfin en syriaque, en hébreu, en grec, en persan, en turc, en
latin, etc. Au milieu du xvie siècle, il en était paru des adaptations en italien. En 1644, l'orientaliste Gaulmin en avait
tiré en français *Le Livre des Lumières ou la Conduite des
rois* de Bidpay, autre nom de Pilpay. On avait parallèlement
publié des traductions de Locman, autre sage indien. Tout
cela avait introduit en France, dans des milieux encore res-
treints, quantité d'histoires inconnues.

La Fontaine aurait pu les trouver dans les livres. Il les a

plus probablement découvertes chez Mme de La Sablière. Bernier, son commensal, revenait justement des Indes. Il en ramenait une bonne connaissance des mœurs asiatiques, appréciée parmi les savants. Il y a intéressé son commensal. Comme l'âme des bêtes, le « goût chinois » était à la mode. On y englobait la Chine, le Japon, l'Inde et la Perse. En 1667, pour le carnaval, Louis XIV avait porté un costume moitié à la « persienne » et moitié à la chinoise. En 1669, dans *Psyché*, les quatre amis notent que la chambre et le cabinet du roi sont meublés d'un tissu de Chine qui explique la religion du pays. Ils n'y comprennent rien, faute de brahmane. Près de Bernier, La Fontaine a acquis une compétence qui lui permet d'aborder de nouveaux sujets accordés à la curiosité naissante de son public.

Dans le premier Recueil, La Fontaine avait joué sur le plaisir tout classique qu'éprouve le lecteur cultivé à lire, racontées autrement, des fables déjà connues. Dans le second, il joue au contraire sur le goût encore balbutiant de l'exotisme et de la découverte de cultures différentes. Il a conscience de son audace. Pour la diminuer aux yeux des critiques, il unifie le plus possible ses anciennes et ses nouvelles sources. « Les gens du pays », explique-t-il, croient Pilpay « fort ancien et original à l'égard d'Ésope, si ce n'est Ésope lui-même sous le nom du sage Locman ». On avait en effet proposé d'identifier Ésope à Locman, mais personne n'avait encore eu l'idée d'assimiler Pilpay à Locman et de confondre en un les trois auteurs!

A la diversité du Recueil s'ajoute la variété à l'intérieur de chaque fable. La Fontaine avait jusque-là « semé avec assez d'abondance » des « traits familiers ». Il en a cette fois, explique-t-il, usé « plus sobrement pour ne pas tomber en des répétitions, car le nombre de ces traits n'est pas infini ». Il a donc dû chercher « d'autres enrichissements » et il a, pour cela, « étendu davantage les circonstances de ces récits, qui d'ailleurs lui semblaient le demander de la sorte ». Présentée aussi modestement que l'élargissement du choix des sujets, cette modification n'est pas moins révolutionnaire.

Au moment du premier Recueil, La Fontaine sait que la perfection d'une fable est dans la brièveté. Ainsi le veut la tradition gréco-latine. Il est obligé d'en tenir compte. Il doit se contenter d'égayer ses récits par des « traits » dont le nom seul indique la nécessaire rapidité. Il s'est aperçu depuis, en diversifiant ses sources, que le laconisme n'était nullement essentiel au genre. Il se donne donc le droit, dans son nouveau Recueil, d'abandonner le modèle traditionnel de la fable au profit d'un autre qui fait une large place aux « circonstances ». Furetière les définit comme les « particularités qui accompagnent quelque action ». Pour les théoriciens de la rhétorique, c'est tout ce qui indique le lieu, le temps, l'occasion, les goûts, les paroles, les causes, toutes ces « parties » d'un événement ou d'un être qu'il faut préciser si on veut « amplifier » pour intéresser. Contre la rhétorique du laconisme, La Fontaine ose maintenant choisir ouvertement celle de l'amplification, c'est-à-dire l'esthétique inverse. Fort de sa réussite, sous couleur d'une simple adaptation de sa manière, il définit en fait de nouvelles lois du genre.

Prudent, il ne dit pas tout ce qu'il a changé. Il s'était, dans ses premières fables, le plus souvent soumis à la nécessité de joindre à son récit une brève leçon de morale. Il y avait dit les dures nécessités d'un monde régi par des rapports de forces où chacun lutte pour sa survie. Cette leçon s'accompagne maintenant d'une vision de la condition humaine, d'une philosophie de la vie largement empruntée à Épicure, à travers le Gassendi de Bernier.

Contre le christianisme du renoncement cher aux augustiniens, il affirme que les hommes ont droit au bonheur dès cette terre. Ils ont tort de remettre les plaisirs au lendemain. Ils doivent en profiter tout de suite. « Jouis dès aujourd'hui », reprend « Le Loup et le Chasseur ». Avec modération toutefois, comme l'enseigne la même fable, car le bonheur humain est toujours relatif. La « félicité naturelle », explique Bernier, n'est pas l'état « le meilleur, le plus doux et le plus désirable que l'on puisse penser ». Sa « possession » n'est pas « ferme, constante et assurée ». C'est un état où on est « aussi heureux qu'on le puisse justement espérer », où il se trouve « autant de bien et aussi peu de mal que possible », et où on peut par conséquent « passer la vie doucement, tranquillement, constamment, autant que la condition du pays, la société civile, le genre de vie, la constitution du corps et les autres circonstances de la sorte le permettent ».

La cupidité, l'ambition, l'attachement aveugle aux biens

périssables déçoivent toujours. Rien n'est plus dangereux que la fureur d'accumuler. Le sage se contente de peu. C'est ce que rappellent par exemple « Les Souhaits », « Le Savetier et le Financier », « L'Homme qui court après la Fortune »... Chacun a sa nature particulière, qu'il doit suivre. Le cierge veut imiter « la terre en brique au feu durcie ». Il se perd : « Ce cierge ne savait grain de philosophie. / Tout en tout est divers : ôtez-vous de l'esprit / Qu'aucun être ait été composé sur le vôtre. » Il faut tirer parti de cette diversité.

« La mort ne surprend point le sage. » Il est, dit « La Mort et le Mourant », « toujours prêt à partir / S'étant su lui-même avertir / Du temps où l'on se doit résoudre à ce passage ». Sereine acceptation qui n'exclut pas la pitié pour autrui. La Mort rappelle au vieillard le sort des jeunes gens qui, à la guerre, marchent courageusement « à des morts, il est vrai glorieuses et belles, / Mais sûres cependant et quelquefois cruelles ». Raison de plus, pour lui, d'accepter son destin avec sérénité. « Je voudrais qu'à cet âge, conclut le poète, / On sortît de la vie ainsi que d'un banquet, / Remerciant son hôte, et qu'on fît son paquet. »

La Fontaine chante après bien d'autres un air connu. Le discours de la Mort est imité d'un passage de Lucrèce que tout le monde savait alors par cœur. Le commentaire final du poète aussi. On peut dire que, s'il le fait à la première personne, c'est seulement pour lui donner une plus grande charge affective, non pour confier son propre sentiment. Comme toutes les *Fables,* « La Mort et le Mourant » est du début à la fin une construction littéraire. Mais en disant si bien que la mort est l'affaire de tous et, « hélas! », (le mot est dans le texte), de tous les moments, comment le fabuliste pourrait-il s'abstraire et se distinguer de ce qu'il est biographiquement au point d'oublier sa propre condition de mortel et de parler aux autres sans se sentir concerné ? C'est La Fontaine, et pas seulement « l'auteur », qui a choisi de parler de l'attitude du sage épicurien devant la mort. C'est lui qui a choisi de finir en disant *je* à sa place. A plus de cinquante-cinq ans, La Fontaine ne peut pas parler de la mort comme s'il ne s'agissait pas aussi, ou d'abord, de sa mort. Il est beaucoup plus présent dans son second que dans son premier Recueil. Non content d'y jouer le rôle de présentateur, de commentateur, de personnage des fables, qu'il avait revêtu en 1668, il multiplie maintenant les passages où il prend à son compte la philosophie et la vision du monde illustrées dans ses récits.

A la fin du « Songe d'un habitant du Mogol », La Fontaine dit son souhait de réussir dans la poésie cosmogonique, ou, à défaut, dans la poésie lyrique. Vain désir, puisqu'il n'avait rien essayé dans la première sorte de poésie. Mais il va se lancer bientôt dans un poème scientifique auquel il devait déjà penser, et, surtout, il a toute sa vie souhaité accéder à la grande poésie épique. L'épilogue du « Songe » renvoie au début du premier *Adonis,* où, vingt ans plus tôt, il avait dit sa volonté d'écrire un poème héroïque, et surtout à sa version modifiée de 1671. Il y opposait l'épopée, où il avait échoué, au lyrisme bucolique où il espérait réussir.

Comme le discours sur la mort, l'éloge de la solitude et du repos qui termine « Le Songe d'un habitant du Mogol » est une adaptation personnelle d'un passage très connu. Après bien d'autres, et notamment son ami Maucroix, La Fontaine a imité Virgile. Il a sûrement eu le projet, tout littéraire, de surclasser ses concurrents. Son constant appétit de gloire l'y poussait. Mais il ne l'obligeait pas à choisir ce passage plutôt qu'un autre. S'il l'a retenu, c'est qu'un autre avait dit quelque chose qui s'accordait à ce qu'il avait lui-même envie de dire. L'imitation de Virgile lui sert à exprimer, en appendice à une fable, son éternel regret d'être seulement l'auteur des *Fables*.

Il termine sur le même message épicurien que dans « La Mort et le Mourant » : « Quand le moment viendra d'aller trouver les morts, / J'aurai vécu sans soins et mourrai sans remords. » Pour le reste, « Le Songe d'un habitant du Mogol » s'inscrit naturellement dans la continuité du *Songe de Vaux*. La Fontaine y demandait aux Muses pourquoi elles avaient perdu leur « humeur solitaire ». Il leur demande ici quand elles l'arrêteront « loin des cours et des villes », quand il pourra enfin, « loin du monde et du bruit, goûter l'ombre et le frais » dans cette « solitude » où il trouve « une douceur secrète ». Vaine question dont il sait trop bien la réponse. Ce qui le détourne du repos cher à ses maîtres épicuriens, c'est le désir de gloire. A la paisible vie de Château-Thierry, dès le temps de Foucquet, il a préféré le bruit du monde, parce qu'on fait les réputations dans les Cours et dans les villes. Probablement sincère, le goût de la retraite qui l'avait conduit à l'Oratoire est largement contrebalancé chez lui par le plaisir des compagnies, celles où on l'admire comme poète, celles où il s'amuse avec des actrices, celles où il s'instruit en échangeant des idées avec des amis.

L'éloge du somme auquel il « voue au désert de nouveaux sacrifices » s'inscrit dans le droit-fil de la visite au palais du Sommeil du *Songe de Vaux*. Il s'accorde à maintes déclarations disséminées dans les poèmes et dans les lettres du fabuliste. Comme la paresse, le somme fait partie de son personnage. Encore faudrait-il savoir exactement le sens des mots. S'ils signifient que le poète ne veut pas d'occupations obligatoires et qu'il aime laisser son imagination vagabonder librement, ses vœux sont accomplis. Il est comblé depuis qu'il est libéré de ses maîtrises et qu'il a gratuitement le vivre et le couvert chez Mme de La Sablière. Séparé de sa femme, insouciant de son fils, il n'a d'obligations qu'envers lui-même et la poésie quand il la met au centre de sa vie.

On ne peut donc ni prendre au pied de la lettre ni rejeter totalement les confidences des *Fables*. Elles font partie de l'œuvre. Elles ne disent pas sa vie. Mais elles traduisent des aspirations, des regrets, des contradictions avec une continuité telle qu'il est difficile de les attribuer à un personnage purement fictif qui n'aurait d'existence que pour le public. A travers sa culture et malgré les imitations de Lucrèce ou de Virgile, elles révèlent La Fontaine en personne.

Il arrive qu'il se dévoile dans une série d'imitations. « Les Deux Pigeons » chantent l'amour. « Soyez-vous l'un pour l'autre un monde toujours beau, / Toujours divers, toujours nouveau », dit le poète dans un texte qui provient peut-être d'Épicure, mais dont l'enthousiasme est de lui seul. Puis il continue : « J'ai quelquefois aimé » – hémistiche qu'on a retrouvé sous la plume d'un autre poète, Mme de Villedieu. Il enchaîne sur l'ivresse qui le saisissait alors. Pour rien au monde, dit-il, je n'aurais « changé les bois, changé les lieux, / Honorés par les pas, / Éclairés par les yeux, / De l'aimable et jeune bergère, / Pour qui, sous le fils de Cythère, / Je servis, engagé par mes premiers serments ». Fausse confidence. A la femme qui a vraiment un jour appris l'amour à La Fontaine (quand ? où ? de quelle condition sociale ?) est substituée une bergère de convention. Rien n'est dit que le souvenir codé d'une lointaine émotion.

Pis encore, dans ce texte qui semble couler de source, La Fontaine s'imite lui-même. « Peut-on s'ennuyer en des lieux – avait-il dit naguère à la duchesse de Bouillon – Honorés par les pas, éclairés par les yeux, / D'une aimable et vive princesse, / A pied blanc et mignon, / à brune et longue tresse, / Nez troussé... »? Entre la bergère de roman et le portrait-express de la duchesse, le contraste est saisissant. Et le réemploi textuel d'un vers inquiète sur la vérité des sentiments. A tort. Le poète se sert de son propre texte comme il s'est servi de Lucrèce ou de Virgile. Le souvenir de son premier amour lui a rappelé le désir un jour éprouvé en voyant la duchesse, et qu'il n'avait pu lui avouer. Il le confie indirectement par cette substitution d'identité. Et la charge affective en est redoublée.

Il en va de même pour les derniers vers où il regrette sa jeunesse. « Pour moi, le temps d'aimer est passé, je l'avoue », disait-il à la duchesse. Il espérait un démenti. « Ai-je passé le temps d'aimer? », s'inquiète-t-il à la fin des « Deux Pigeons ». Il aime encore l'amour sans savoir s'il pourra encore le partager.

> *Hélas! quand reviendront de semblables moments?*
> *Faut-il que tant d'objets si doux et si charmants*
> *Me laissent vivre au gré de mon âme inquiète?*
> *Ah, si mon cœur osait encore se renflammer!*
> *Ne sentirai-je plus de charme qui m'arrête?*

On peut accumuler les raisonnements sur le statut littéraire de ce texte, sur ses thèmes convenus, sur ses imitations et sur ses ressemblances avec d'autres textes analogues, on ne peut empêcher le lecteur d'être pris par ce qu'il considère, selon la volonté de l'auteur, comme une vraie confidence d'une personne vivante. On ne saurait être plus loin des *Fables* d'Ésope.

49.

Grandeurs

Inquiet des difficultés qu'il avait rencontrées pour obtenir le privilège de ses nouvelles *Fables*, La Fontaine essayait de se concilier le pouvoir. A la dédicace à Mme de Montespan qui ouvrait le troisième tome paru en mai 1678, il ajouta dans le dernier, treize mois plus tard, une fable « Pour Monseigneur le duc du Maine », dédiée au bâtard de Louis XIV et de sa maîtresse. On le considérait comme un prodige d'esprit. On avait présenté à sa mère, pour le jour de l'An, les *Œuvres diverses d'un auteur de sept ans*, recueil de ses « ouvrages en 1677 et dans le commencement de l'année 1678 ».

Dans sa contribution forcée à l'admiration générale, le poète ne fait pas dans la nuance : « Jupiter eut un fils, qui se sentant du lieu / Dont il tirait son origine, / Avait l'âme toute divine. » Mars, Apollon, Hercule lui ont donné l'art de la guerre, de la poésie et de la vertu. L'Amour intervient le dernier, disant « qu'il lui montrerait tout ». Il a raison, dit le fabuliste : « De quoi ne vient à bout, / L'esprit joint au désir de plaire ? » Pauvre La Fontaine! Ces flatteries étaient nécessaires quand on voulait parvenir à certains honneurs et voir son talent reconnu à la cour. Il était trop inquiet de nature, et trop peu sûr de la valeur des genres qui faisaient son succès dans le monde, pour avoir le courage de s'en passer.

Dans l'Épilogue qui concluait le dernier volume, il revenait une fois de plus sur le sens de ses *Fables*. Il y a traduit « en langue des dieux » tout ce que disent « sous les cieux /

Tant d'êtres empruntant la voix de la nature ». S'il n'y a pas parfaitement réussi, il a « du moins ouvert le chemin ». A d'autres de parfaire son œuvre. C'est toujours le même mélange de fierté et d'incertitude. Il terminait en glorifiant le roi. Pendant qu'il cultive sa « Muse innocente », Louis « dompte l'Europe », et « d'une main puissante » réalise « les plus nobles projets / Qu'ait jamais formés un monarque ». Voilà pour les poètes de vrais sujets, ceux qui, « vainqueurs du temps et de la Parque », leur assurent l'immortalité. C'est toujours le même complexe d'infériorité devant les grands genres.

Le 5 février 1679, Louis XIV signa avec l'Empereur le dernier traité de la paix de Nimègue. La Fontaine, qui détestait la guerre, avait enfin une occasion de célébrer le roi de bon cœur. En 1671, dans ses *Fables nouvelles et autres poésies*, il avait publié *l'Ode au roi sur la paix des Pyrénées*, écrite en été 1659, au temps de Vaux. Elle tombait mal. On préparait alors la campagne de Hollande. Maintenant que la victoire était acquise, il écrivit et publia sans attendre, dans une plaquette à part, sa nouvelle *Ode pour la paix*. Elle parut chez Barbin le 18 juin, trois jours après le quatrième et dernier volume des *Fables choisies*. Signe qu'il y attachait beaucoup de prix.

L'ode était un grand genre, figurant dans tous les traités de poétique. Boileau venait d'en donner les règles dans le sien. « Chez elle, un beau désordre est un effet de l'art », prétendait-il. A la construction rigoureuse de l'ode malherbienne, il préférait le délire de Pindare vantant les exploits des athlètes et des guerriers, ou l'aimable laisser-aller d'Horace chantant les fleurs, les danses et l'amour. En célébrant la paix à la manière de Malherbe dans un poème construit, La Fontaine n'était pas mécontent de prendre le parti de celui qui avait déclenché sa vocation poétique, contre l'opinion du critique qui avait passé la fable sous silence. Sa liberté, il la prenait dans les rythmes, renonçant à bâtir toutes les strophes sur le même modèle, profitant de son expérience des vers libres pour varier la mesure selon une savante progression.

Acante, son habituel porte-parole, prenait le premier la parole pour anathémiser la guerre : « Loin de nous, fureurs homicides... » Louis a rendu la paix au monde. Après avoir connu sa force, on va connaître sa bonté. Entendant cette nouvelle, le Dieu de la Seine et les nymphes sortent de l'eau pour en savoir plus. Aux conquêtes qu'il aurait pu facilement mener, le roi a préféré « le repos de ses sujets ». Cette nouvelle porte « l'allégresse au Parnasse ». En souriant, « le dieu des vers » prophétise : « La paix couronnera l'ouvrage de la guerre. » Voici venu « le temps des Beaux-Arts ».

Dans « Un Animal dans la Lune », le poète avait opposé à la gloire militaire française les occupations pacifiques des Anglais :

Ô peuple trop heureux! Quand la paix viendra-t-elle
Nous rendre, comme vous, tout entier aux Beaux-Arts?

Le vœu formé par le poète est maintenant exaucé. La paix est là. On va voir bâtir d'autres Louvres, dit le dieu, et fleurir de belles tragédies. Par ordre du roi, « cent traducteurs célèbres / Tireront du sein des ténèbres / Ce que Rome et la Grèce ont produit de plus beau ». Toute la culture du passé sera mise à la disposition des modernes. La Fontaine renoue avec le vieux rêve humaniste d'un total pillage des Anciens. Mais, au lieu d'y chercher une sagese universelle, il en fait le moyen d'une hégémonie nationale : « Tout deviendra français. » Au lieu d'être militaire, la conquête du monde se fera par l'esprit et par le langage. On ne l'aurait pas cru si patriote.

Le poète aime les prophéties. A la fin de 1679, il écrit des *Prédictions pour les quatre saisons de l'année* suivante. Il y annonce, pour l'hiver, la venue d'outre-Rhin de la future Dauphine (le mariage aura lieu en janvier); pour le printemps, des amours que ne troublera plus la guerre; pour l'été, d'abondantes moissons; pour l'automne, la naissance d'un fils du Dauphin (il n'aura son premier enfant qu'en août 1682). Il n'y a rien d'original dans ces quatrains, sauf une volonté trop marquée d'y louer le roi. C'est lui qui décide de tout, même des saisons. « Son vouloir est le sort, ses ministres les dieux. » On est en pleine poésie de complaisance. La Fontaine cherche la faveur.

Ces prédictions ont été, dit-on, « mises dans un almanach écrit à la main sur du velin garni d'or et de diamants, et présenté à Mme de Montespan par Mme de Fontanges le 1er de

l'an 1680 ». Elles font partie des étrennes dont parle allusivement Mme de Sévigné dans une lettre à sa fille du 7 janvier :
« Pour la personne qu'on ne voit point et dont on ne parle
point, elle se porte parfaitement bien. Elle paraît quelquefois
comme une divinité; elle n'a nul commerce. Elle a donné
des étrennes magnifiques à la devancière et à tous les
enfants. C'est pour récompenser des présents du temps
passé. » Fille d'honneur de Madame, belle-sœur du roi,
Mlle de Fontanges était une belle rousse sans esprit, à l'apo-
gée d'une faveur commencée en avril et qui dura à peine un
an. A la différence de « la devancière », elle n'était point
maîtresse en titre, et ses amours restaient théoriquement
secrètes. Mme de Montespan elle-même l'avait jetée dans les
bras de son amant pour contrecarrer l'influence croissante —
et autrement dangereuse — de celle qui avait élevé ses
bâtards, la future Mme de Maintenon. Vainement. En
entrant dans son jeu, La Fontaine a choisi le mauvais camp.

Pis encore, il a bientôt récidivé. Dans la première quin-
zaine de janvier 1680, il écrit une longue Épître à la nouvelle
favorite. Puisse-t-elle lui faire la grâce de recommander ses
vers « au dompteur des humains ». Comme dans les *Prédictions*, La Fontaine vise Louis XIV à travers sa maîtresse.
Puis il le flatte en célébrant les deux mariages qui vont bientôt être contractés selon ses vœux, celui du Dauphin avec
une princesse de Bavière, conforme aux intérêts de la couronne, celui du prince de Conti avec Mlle de Blois, fille du
roi et de Mlle de La Vallière, conforme à sa volonté d'établir
au mieux ses bâtards.

Pour chanter à l'avance ce double événement qui pas-
sionnera le public, le poète prophétise encore, feignant
d'avoir été emporté « chez les dieux », il ne se souvient plus
comment. C'est la technique du *Songe de Vaux* et de la Promenade à Versailles de *Psyché*. La Fontaine aime anticiper
sur la réalité. En présence de tous les dieux, avec Jupiter à
leur tête, « le Sort ouvrit un livre à cent fermoirs » tandis que
trois hérauts annonçaient que conformément à l'usage, on
allait « faire au ciel deux mariages » avant qu'ils ne fussent
« sur la terre accomplis ». Alors « le dieu des vers lut deux
épithalames », l'un pour Conti, sur le ton léger de Voiture,
l'autre solennel. Puis vient l'éloge de Louis XIV, égalé à
Alexandre, et de Mlle de Fontanges, « jeune merveille » faite

exprès pour lui. Célébration d'un troisième couple dans une sorte d'épithalame subreptice.

A la fin de décembre, le mariage de Conti et de Mlle de Blois est encore une nouvelle. Mme de Sévigné l'annonce à sa fille le 27 : « Ils s'aiment comme dans les romans. Le roi s'est fait un grand jeu de leur inclination. Il parla tendrement à sa fille, et qu'il l'aimait si fort qu'il n'avait point voulu l'éloigner de lui. » La princesse pleura de joie et Louis XIV se réjouit de voir la Cour prendre plaisir à « cette petite scène » quand il la raconta. La Fontaine était sûr de lui plaire en prophétisant un mariage qu'il avait voulu et qu'il mena rondement, puisque la cérémonie eut lieu dès le 16 janvier. « La belle Fontanges n'y parut point, note la marquise ; on dit qu'elle est triste de la mort d'une petite personne » – un enfant qu'elle avait eu du roi. Elle ne se remettra pas de ses couches, et ce sera la fin de son règne éphémère.

Au milieu des fêtes et des mariages éclata l'affaire des Poisons. Principale accusée, la Voisin compromit la duchesse de Bouillon, protectrice de La Fontaine, en l'accusant d'avoir sollicité ses services. Comme il était avéré qu'elle était venue chez l'empoisonneuse avec Ruvigny et Chaulieu, elle reçut le 23 janvier « une assignation à être ouïe » par le tribunal. A en croire Mme de Sévigné, elle s'y serait comportée « en petite reine. – Pourquoi vouliez-vous vous défaire de votre mari ? – Moi, m'en défaire ! Il m'a donné la main jusqu'à cette porte. – Mais pourquoi alliez-vous si souvent chez cette Voisin ? – C'est que je voulais voir les sybilles qu'elle m'avait promises ; cette compagnie méritait bien qu'on fît tous les pas ». Elle se lève et dit tout haut en sortant : « Vraiment, je n'eusse jamais cru que des hommes sages pussent demander tant de sottises. » A sa sortie, amis et parents la retrouvent « avec adoration, tant elle était jolie, naïve, naturelle, hardie, et d'un bon air et d'un esprit tranquille ». Comme le dit la marquise : « Quand une Mancini ne fait que des folies comme celles-là, c'est donné ! » Que de bruit pour des bagatelles...

Ce n'était pas l'avis des juges. Lesage, un des coaccusés de la Voisin, avait porté des accusations très précises contre un de ses anciens écuyers et même contre un certain La Fontaine, laquais devenu gouverneur des enfants des Bouillon.

Ce n'était pas le poète, mais il se trouvait quand même tout d'un coup en plein drame. Brayer, son ami et ancien médecin de la duchesse, s'afflige d'écrire le 16 février : « Mme de Bouillon, voyant qu'on allait la confronter avec la Voisin, a prié le roi de lui épargner cette confusion; ce que le roi lui a accordé. » Il se souvenait de son oncle Mazarin et des anciens temps. Mais il la relégua en Gascogne, à Nérac, d'où elle eut l'autorisation de se rendre à Vichy, puis à Évreux, dans une de ses terres. Elle ne reviendra à Paris qu'en avril 1681. La Fontaine lui demeurera fidèle dans son malheur. Mais elle avait perdu tout son crédit.

Comme tout poète, il avait besoin de protection. Il tenta de se concilier celle de Condé. On a supposé qu'il l'avait connu chez Mme de La Fayette dès 1664. En fait, on ignore tout de ses relations avec la comtesse. On sait qu'il lui a dédié un poème « en lui envoyant un petit billard », mais on ne sait pas quand. Mme de Sévigné, qui va constamment rue de Vaugirard et qui le connaît bien, ne dit jamais qu'elle l'a rencontré chez son amie. On ne peut rien conclure sur une base aussi fragile. De ce que Condé recevait parfois Boileau et Racine à Chantilly à partir de 1672, on ne peut rien conclure non plus pour La Fontaine, protégé des Bouillon et, comme tel, appartenant à un réseau différent, comme venait de le montrer la querelle des deux *Phèdre*.

La disgrâce des Bouillon le contraint à chercher ailleurs. Il connaissait Conti, dédicataire à dix ans, en 1671, de son *Recueil de poésies chrétiennes*. Trop jeune pour le patronner, même au temps de son mariage, il pouvait du moins le recommander à Condé, son oncle et parrain, qui l'avait recueilli, lui et son frère, orphelins de père en 1666, puis de mère en 1672. C'est peut-être au sujet de l'Épître à Mme de Fontanges, et de l'Épithalame de Conti et de Mlle de Blois qu'elle contient, que Mondion écrit au prince le 6 avril : « M. de La Fontaine m'a fait demander comment Votre Altesse Sérénissime avait trouvé les vers que je lui ai envoyés de lui à Saint-Germain dernièrement. Si Votre Altesse Sérénissime voulait bien que j'en dise un petit mot de votre part au sieur de La Fontaine, cela lui ferait un grand plaisir et l'obligerait à me donner ce qu'il y aura de nouveau. » Le poète cherche à ce moment-là à se concilier Condé. Il voudrait devenir l'un de ceux qui le fournissent en nouvelles,

dont il est friand, et en poèmes, dont il aime avoir la primeur.

La proposition du 6 avril eut une suite. Mondion annonce
au prince, le 29 mai, « un exemplaire de la comédie d'*Aga-
memnon* » de Claude Boyer, un rival de Racine, que La Fontaine lui a confiée pour la lui donner de la part de l'auteur.
Il lui transmet aussi le manuscrit d'une de ses œuvres :
« J'envoie à Votre Altesse Sérénissime, écrit Mondion, une
traduction que M. de La Fontaine a faite d'un dialogue de
Platon. Il m'a chargé de mander à Votre Altesse Sérénissime
que si elle croit qu'elle mérite d'être achevée, il y travaillera
pour l'amour d'elle... M. de La Fontaine supplie Votre
Altesse Sérénissime d'avoir la bonté de lui renvoyer ce dialogue quand elle l'aura lu. » Alors qu'il s'adresse à Conti sur
le mode galant et au Dauphin sur un ton solennel, le fabuliste protéiforme flatte en Condé l'homme de culture, celui
qui s'intéresse à la philosophie et aux grands Anciens. Il se
souvient de ses études classiques pour plaire au prince.

Il n'avait appris au collège que le latin. On trouvait que
cela suffisait pour donner accès aux œuvres grecques,
presque toutes traduites dans cette langue. C'est en traduction que Louis Racine a montré La Fontaine lisant Platon
avec son père, et c'est sans doute à partir du latin qu'il avait
commencé à traduire le dialogue envoyé à Condé. Cideville
a tardivement raconté que Fontenelle aurait un jour trouvé
le poète en train de lire Platon. « Ne trouvez-vous pas, lui
aurait-il objecté, qu'il fait quelquefois des raisonnements
assez peu justes et que c'est souvent un gros sophiste ? – Oui,
dit La Fontaine, mais c'est cependant toujours un grand philosophe ; il peint si bien ses personnages ; par exemple, il raisonne si bien quand il me dit : Je vois Agathon couronné de
fleurs qui entre dans le port du Pirée, etc... » Et Fontenelle
de se gausser du peu de jugement « de cet estimable
conteur ». La Fontaine, à en croire l'anecdote, lisait Platon
uniquement pour ses qualités littéraires, en poète et non en
philosophe. C'était aussi pour ses qualités littéraires qu'il
prenait plaisir à le traduire.

En demandant à Condé s'il devait continuer la traduction
commencée, il lui posait la même question qu'à son public,
quelques années plut tôt, en lui présentant les deux actes
d'une *Galatée* inachevée. On a retrouvé aussi dans ses

papiers le début d'un *Achillle* inédit et incomplet.
L'inconstance et « l'inquiétude » continuent de se liguer
contre son désir de gloire. Il commence volontiers un peu de
tout. Il s'arrête facilement en chemin. Il a besoin d'encouragements pour continuer. C'était le cas pour *L'Eunuque*, sa
première pièce, en 1654. C'était encore le cas après tant de
succès. Heureusement que les *Fables* et les *Contes* sont des
œuvres brèves. Il pouvait les achever vite et les tester rapidement sur des lecteurs choisis.

Avec ses nouvelles *Fables*, aussitôt réimprimées, il a connu
un immense succès dont Mme de Sévigné, par exemple, qui
les cite abondamment, s'est fait l'écho auprès de son cousin
Bussy : « Faites-vous envoyer promptement les *Fables* de La
Fontaine : elles sont divines. On croit d'abord en distinguer
quelques-unes, et à force de les relire, on les trouve toutes
bonnes. C'est une manière de narrer et un style à quoi l'on
ne s'accoutume point. » Personne n'était mieux qualifié que
la marquise pour vanter le fabuliste. Elle a les mêmes qualités littéraires. Elle avait découvert son talent au temps de
Vaux. Elle avait regretté de le voir se disperser en 1671. Elle
était ravie de le voir maintenant au sommet de son art.

50.

Misères

La Fontaine est au faîte de sa gloire. La Fontaine célèbre Louis XIV et la paix. La Fontaine chante les maîtresses du roi. La Fontaine gagne les bonnes grâces de Condé. La Fontaine vit dans la familiarité des grands. La Fontaine est à la mode. Mais, qui l'eût cru ? La Fontaine, ce fils de famille riche, vit misérablement. La Fontaine, ce propriétaire d'une des plus belles maisons de Château-Thierry, où il a passé son enfance, sa jeunesse et une large partie de son âge mûr, habite maintenant chez autrui une chambre délabrée. La Fontaine, qui possédait une charge, des rentes et des terres à l'âge où les poètes meurent de faim, dépend à près de soixante ans des charités d'une dame dont les revenus dépassent à peine ceux qu'il avait au temps de sa splendeur.

Cette situation nous est révélée par Guilleragues, ambassadeur à Constantinople, dans une lettre qu'il écrit à Péra, du palais de France, à Mme de La Sablière, son amie. Il faut qu'elle ait suffisamment frappé un de ses correspondants pour qu'il ait pris la peine de la lui écrire, et qu'elle ait étonné Guilleragues au point de la redire à celle qui la connaissait mieux que personne. « M. de La Fontaine, descendu d'un grenier, tombe dans un entresol, où il a sans doute soutenu un froid cruel, l'hiver passé, n'ayant pas vraisemblablement pris la liberté d'allumer un cotret [un fagot] en son particulier dans la nouvelle maison, comme il ne vous avait pas proposé, par discrétion, de faire accommoder dans l'ancienne un vieux chassis dénué de tout papier qui donnait un passage très libre au vent et à la neige. »

L'hiver passé, c'est celui de 1679-1680; celui pendant lequel La Fontaine a vécu avec une fenêtre ouverte à tous les vents, l'hiver précédent. Guilleragues, encore en France à ce moment-là, parle de ce qu'il avait vu. C'est dans cet inconfort que le poète a préparé le dernier tome de ses *Fables choisies*! La faute en revient partiellement à son caractère : il ne veut pas peser sur son hôtesse. Il aime mieux souffrir que déranger ou causer de la dépense. Mais elle vient fondamentalement de l'état précaire des finances de celle qui l'a recueilli. Au point que Guilleragues s'inquiète du surcroît de dépense qu'entraînerait pour elle le paiement du port de lettres trop fréquentes : « Je n'ai pas voulu, dans ces extrémités, écrit-il, renverser l'ordre économique de votre famille réglée, ni devenir la cause que votre servante Madeleine employât une somme inconnue en vos comptes. Aurais-je si tôt oublié que les articles qui composent votre livre de raison [votre livre de compte], que j'ai cent fois vu sur votre table indignement placé avec Horace, n'étaient que de sols et de deniers [les plus petites unités monétaires, par opposition aux grandes, la livre et l'écu], toujours utilement employés en raves, en œufs, en lait et en charbonnées ? » Mme de La Sablière règle rigoureusement un maigre budget dont l'essentiel est consacré à la nourriture, à une nourriture de pauvres, celle des paysans et des domestiques.

Guilleragues, choqué des conditions d'hébergement de La Fontaine, revient longuement sur le délabrement des lieux et la frugalité des repas : « Je ne puis m'empêcher de vous dire à ce propos que l'hospitalité est pratiquée chez vous, Madame, comme dans un couvent de fameux moines caloyers que saint Paul, suivant la tradition, fit bâtir près d'Angora en Galatie. Ils sont obligés de loger et de nourrir tous les passants de quelque qualité et de quelque religion qu'ils puissent être : ces bons et charitables moines présentent aux voyageurs fatigués et mourant de faim un peu de lait, un peu d'eau et un ancien cloître ruiné de tous côtés pour y passer la nuit. Ils tiennent à la vérité table ouverte, mais il n'y a pas un lieu dans tout le vaste couvent qui soit destiné à la cuisine. » La Fontaine mangeait-il tous les jours à sa faim ? En faisant la part de l'exagération rhétorique, on se dit qu'il devait manger frugalement.

Ce n'était pas la faute de son hôtesse, mais de la faiblesse de ses revenus. Guilleragues lui avait demandé si elle était « devenue riche par l'accommodement de ses affaires avec ses enfants ». Elle ne lui a pas répondu. Rien n'a effacé, lui dit-il, « ma première idée de votre décente et philosophique pauvreté. Car enfin, vous êtes engagée depuis peu au louage d'une maison assez humble; les nouvelles qu'on m'a écrites de Paris ne font aucune mention de l'accroissement de votre équipage ». Depuis le départ de Guilleragues, les affaires de Mme de La Sablière ne se sont pas améliorées, comme on avait pu l'espérer. La Fontaine en a subi les conséquences, obligé de déménager du grenier de la belle demeure de la rue Neuve-des-Petits-Champs à l'entresol d'une modeste maison de la rue Saint-Honoré.

Tout s'était dégradé, à la fois financièrement et sentimentalement. Au début de 1678, la situation familiale de Mme de La Sablière avait paru s'améliorer. Le 10 mai, sa seconde fille devenait Mme de La Mésangère. Le 23 décembre, dans l'appartement de son premier gendre, Muysson, elle et son mari brûlaient solennellement un mystérieux papier déposé dix ans plus tôt entre les mains de Conrart. Le 11 janvier suivant, toujours domiciliée rue Neuve-des-Petits-Champs, elle confirme devant notaire les engagements financiers pris lors du mariage de sa fille aînée. Mais le 27 avril, juste une semaine avant le décès de son mari, elle dépose une protestation contre la renonciation qu'elle avait faite d'une part de sa dot en faveur de ses enfants. Elle l'annulera à la fin d'octobre, quand ils lui auront payé ce qui lui revenait pour ses droits de veuve.

Elle aurait alors disposé d'un revenu annuel d'environ quatre mille livres. Ce n'est pas considérable pour une dame qui vit sur un certain pied dans le monde. Quelques années plus tard, avec à peu près le même revenu, Mme de Sévigné, qui n'a plus les moyens d'avoir un équipage personnel, croit devoir aller cacher sa pauvreté en province. Comme Guilleragues le soupçonne, « l'accommodement de ses affaires avec ses enfants » n'a pas rendu Mme de La Sablière riche. Il a clarifié sa situation. Il lui a fait prendre conscience de la nécessité d'une plus stricte économie. Il l'a poussée à son déménagement de 1680 et conduite à une nouvelle réduction de son train de maison.

Le sort de La Fontaine a donc été en jeu pendant quel-

ques mois. Pourrait-elle, voudrait-elle le garder dans sa nouvelle demeure ? Finalement, elle le garda, et Bernier aussi.
Le fabuliste s'installa pour rester. L'orientaliste, en attendant une occasion de partir. « M. de La Fontaine, dit Guilleragues, ne quittera jamais un entresol pour habiter un palais,
mais M. Bernier devrait bien me venir voir si je passe ici
quelques années. » A la différence du savant orientaliste, le
fabuliste n'était pas un voyageur. Des deux pigeons, il serait
celui qui reste attendre l'autre au logis. A part le voyage en
Limousin et un hypothétique voyage à Lyon, il ne circule
qu'autour de Paris et en Champagne. C'est un casanier. Il
aime le coin de maison qu'il habite, méprisant l'éclat des
palais. Les confidences des *Fables* sur son peu d'intérêt pour
« les riches lambris » sont ici parfaitement authentifiées par
un homme qui parle de lui à son hôtesse : elle connaît ses
goûts.

« Vous faites bien, lui dit encore Guilleragues, d'aimer
toujours M. de La Fontaine et M. Bernier. Ils sont faciles,
naturels, jamais importuns. Leurs singularités plaisent. On
peut abuser d'eux et de leur mérite. Ils ne sont pas scandali-
sés du mal, ni du bien qu'ils ne veulent point faire. » Comme
son commensal, le fabuliste est un homme « singulier », un
original qui ne vit ni ne pense comme tout le monde, un
marginal qui serait vite englouti dans la lutte pour la vie s'il
n'avait personne pour l'héberger et le protéger en le laissant
libre. Libre dans sa conduite comme dans sa pensée. Ne pas
être scandalisé du mal dans une société d'ordre où règne une
morale clairement définie par la religion implique une
ouverture d'esprit peu commune et de mauvais aloi pour les
gens bien-pensants. Ne pas être scandalisé de la façon dont
cette société et ces gens-là comprennent et pratiquent le
bien implique un large esprit de compréhension et de tolérance. Et aussi beaucoup de scepticisme sur la possibilité de
décider ce que sont le bien et le mal...

La Fontaine, dans son entresol, achète sa liberté avec sa
pauvreté. Singulière situation. Il avait à lui seul, au moment
de la mort de son père, un revenu quasi égal à celui de la
dame qui l'héberge aujourd'hui. Une situation dans le
monde. Une belle maison. Il n'a presque plus rien, et surtout, il fait comme s'il n'avait absolument plus rien. Car il a
toujours femme et enfant, une famille dans laquelle il pour-

rait avoir le vivre et le couvert à Château-Thierry. Mme de
La Fontaine y habite et y a des revenus qui suffiraient au
ménage. Lui-même y a gardé de menus intérêts. La vie dans
l'entresol sans confort n'est pas d'une absolue nécessité :
c'est un choix, un des signes de sa singularité, une des
marques de son refus intérieur du conformisme. Il vit avec
les grands. Il les flatte et le roi aussi. Mais il dit non aux
valeurs qu'ils représentent en campant dans le froid chez
une femme de beaucoup d'esprit et de peu de vertu.

Ou plutôt, car elle est en train de changer, chez une
pécheresse repentante, ou du moins en cours de conversion.
« Je n'ai pas été plus étonné que ces deux philosophes – lui
dit encore Guilleragues, toujours à propos de La Fontaine et
de Bernier –, du choix que vous avez fait des Incurables pour
votre maison de plaisance : tout est à peu près de même, et il
n'y a que les usages, les regards et les dispositions diverses
qui établissent les grandes différences. » Changer de façons
de vivre n'est rien. Seuls comptent les changements dans les
façons de penser. Comme les deux hôtes de Mme de La
Sablière, Guilleragues juge qu'elle peut, au moins un certain
temps, trouver autant de bonheur à soigner les grands
malades d'un hôpital qu'elle en trouvait jusque-là à aller se
distraire dans sa maison de campagne. Il n'y voit qu'une
nouvelle forme de divertissement.

Mme de Sévigné n'est pas de cet avis, qui parle de volonté
divine : « Mme de La Sablière est dans ses Incurables, écrit-
elle le 21 juin, fort bien guérie d'un mal que l'on croit
incurable pendant quelque temps, et dont la guérison réjouit
plus que nulle autre. Elle est dans ce bienheureux état. Elle
est dévote et vraiment dévote ; elle fait un bon usage de son
libre arbitre. Mais n'est-ce pas Dieu qui le lui fait faire ?
N'est-ce pas Dieu qui la fait vouloir ? N'est-ce pas Dieu qui
l'a délivrée de l'emprise du démon ? » Pour la marquise,
Mme de La Sablière est un esprit fort que la grâce a enfin
touché. La Fare, son amant, qui l'a abandonnée pour le jeu,
n'en a été que l'instrument.

La raison de « cette solution de continuité » entre les deux
amants ? « C'est pour cette prostituée de bassette qu'il a
quitté cette religieuse adoration. Le moment était venu que
cette passion devait cesser et passer à un autre objet. Croi-
rait-on que ce fût un chemin pour le salut de quelqu'un que

la bassette ? Ah! c'est bien dit; il y a cinq cent mille routes où il est attaché. » Puis, après avoir raconté la « désertion » de l'amant et la progressive et discrète retraite de l'amante, la marquise conclut le 14 juillet : « Voilà la fin de cette grande affaire qui occupait tout le monde; voilà la route que Dieu avait marquée à cette jolie femme. »

Le début remontait à novembre précédent. Dès le 8, la marquise annonçait que l'amour de La Fare n'avait jamais été que « de la paresse ». Il venait chez Mme de La Sablière par commodité. « La bassette a fait voir qu'il ne cherchait chez elle que la bonne compagnie. » En janvier, elle se réjouissait que la délaissée eût « pris son parti en jolie et en spirituelle personne ».

En quelques mois, la protectrice de La Fontaine avait marié sa dernière fille, et perdu son mari et son amant. Sa situation morale, financière et sentimentale s'en était trouvée profondément bouleversée. D'où la crise qui l'avait conduite à quitter le décor de son bonheur perdu et à louer une nouvelle maison, située sur le portail du couvent des Feuillants, dans son ancien quartier, et surtout à se réfugier le plus souvent possible aux Incurables, paroisse Saint-Sulpice, à l'autre bout de Paris, loin du monde qui lui rappelait sa cruelle déception. Elle avait en effet, semble-t-il, tout sacrifié à La Fare, abandonnant pour lui être fidèle une liberté de mœurs dont il n'est pas exclu qu'elle ait parfois tiré profit. Réduite pour lui à une « philosophique pauvreté », elle le voyait partir par goût d'un nouveau jeu, mode ruineuse à laquelle elle n'avait pas les moyens de fournir. Il y avait de quoi douter de la nature humaine et à chercher plus haut des raisons d'espérer.

La Fontaine a été le témoin et peut-être le confident de cette crise. On ignore comment il l'a vécue intérieurement. On sait seulement par Guilleragues qu'il s'empressait auprès de la délaissée : « Il passe sa vie aux Feuillants, aux Incurables, tout environné de religieux, de dévotions, de solitaires. Il n'entrera pas dans de grands détails ni dans des pratiques sur tout cela... Il vous suit partout. Je ne veux pas offenser personne, mais c'est à lui seul que convient la devise du tournesol, *usque sequar* [je le suivrai jusqu'au bout]. N'allez pas vous imaginer que je pense que vous soyez sur votre déclin, et quand même je le penserais, il ne faudrait pas, s'il vous plaît, en être offensée : je vois de ma chambre des couchers de soleil admirables. »

Adressée à une femme de quarante ans, la plaisanterie n'est pas d'une délicatesse extrême. Elle a le mérite de rappeler que, pour La Fontaine qui en a presque soixante, Mme de La Sablière est encore jeune. S'il la suit partout sans partager le moins du monde ses nouvelles convictions religieuses, c'est qu'il en est très amoureux, et depuis longtemps. Cette dévotion explique qu'il a naguère quitté son confort bourgeois pour venir s'installer près d'elle dans un grenier, et qu'il habite maintenant une mauvaise chambre dans un entresol. Pour Guilleragues, La Fontaine est « celui qui compose sans cesse des vers à la louange » de sa correspondante. Autant que le poète des *Fables* et des *Contes*, il est à ce moment-là le chantre de son amie, comme il a été autrefois le chantre de Foucquet. Parmi ces textes, deux ou trois seulement ont été conservés. Il a dû en exister beaucoup d'autres.

A cette raison très personnelle d'habiter un grenier pour être plus près de l'objet de son adoration s'en sont ajoutées plusieurs autres. Celle, par exemple, de vivre chez une femme intelligente où la compagnie était bonne. « A propos d'ouvrage d'esprit, lit-on dans le *Mercure galant* de juin 1678, je me trouvais dernièrement chez une dame qui en juge admirablement bien. Aussi voit-elle ce qu'il y a de plus beaux esprits en France. Elle entend les langues, fait des vers qu'il serait difficile de mieux tourner, et la plupart de nos illustres de l'Académie française ne dédaignent pas de la consulter sur leurs ouvrages avant que de les donner au public. » Chez cette dame, probablement Mme de La Sablière, règne un climat qui convient sûrement mieux à un La Fontaine que celui de l'Académie de Château-Thierry. Avide de gloire – car il le sera toute sa vie, même après le succès venu –, il est flatté d'être le poète de la maison. Peu importe s'il a froid dans son lit. Il s'est coupé de ses racines pour s'épanouir dans un milieu qu'il aime, près d'une femme qui le séduit.

« J'aime le jeu, l'amour, les livres, la musique », dit un jour un de ses porte-parole. Il trouvait tout cela chez Mme de La Sablière. Le jeu vient en premier. A en croire Mme de Sévigné, La Fare, grand joueur, n'a quitté Mme de La Sablière que pour la bassette. Jusqu'alors et pendant plusieurs années, il venait chez elle paresseusement, par commodité, pour y jouer à des jeux moins ruineux. Occupé de la même passion, cause principale de sa constante pauvreté, La Fontaine aussi a dû se plaire à demeurer chez une dame où l'on pouvait jouer. S'il n'y avait pas perdu son argent, avec ses droits d'auteur, les gratifications des grands qu'il célébrait et les quelques rentes qui lui restaient, il aurait eu largement de quoi s'installer confortablement chez lui ou dans une pension convenable.

Pauvre La Fontaine qui a préféré dépendre d'autrui pour mener la vie du Joueur!

51.
Le quinquina

Au début d'avril 1680, on apprenait à Paris que Foucquet était mort le 23 mars à Pignerol. La Rochefoucauld venait de mourir le 16. « Voilà toute la Fronde morte », écrit Mme de Sévigné, confondant dans un même regret le duc rebelle et le fidèle serviteur du roi. La Fontaine dut penser de même. Il n'avait pas oublié le temps de Vaux et ce qu'il devait à son « pensionné ». Avec l'ancien surintendant, c'était la part la plus heureuse et la plus équilibrée de sa vie qui disparaissait. Il avait de l'admiration pour La Rochefoucauld. Il la lui avait dite dans son premier Recueil en lui dédiant « L'Homme et son image ». Fait unique, quatorze ans après, dans le second, il lui avait dédié un *nouveau texte*, un *Discours*.

Il faisait pendant au *Discours à Mme de La Sablière*, avec le même titre insolite. Le poète y traitait de la ressemblance des bêtes et des hommes. « Je me suis souvent dit, voyant de quelle sorte / L'homme agit, et qu'il se comporte / En mille occasions comme les animaux : / Le roi de ces gens-là n'a pas moins de défauts / Que ses sujets... » Les apologues d'Ésope avaient pour but de tirer une morale des histoires imaginaires d'animaux léguées par la tradition littéraire. La Fontaine suit maintenant un autre chemin. Sous l'influence de Mme de La Sablière et de La Rochefoucauld, il a étudié le comportement réel des animaux. Il en a déduit avec eux qu'ils sont à l'image de l'homme, et qu'on peut donc légitimement philosopher sur l'un à partir des conduites des autres. Au lieu d'être, selon son nom, le récit de fictions, la

Fable devient le récit d'expériences qui donnent à réfléchir, et sa morale, sérieuse méditation sur la condition humaine. Voilà qui anoblit le genre que le fabuliste veut élever dans la hiérarchie littéraire.

Le *Discours à Mme de La Sablière* est un hommage à celle qui l'a intéressé au problème philosophique de l'âme des bêtes. Le *Discours à La Rochefoucauld*, un remerciement à celui qui l'a poussé à retrouver en elles une image des conduites humaines. Il l'y a poussé théoriquement, dès le temps du premier Recueil, avec sa fameuse Réflexion « *Du rapport des hommes avec les animaux* ». Il l'y a poussé concrètement en parlant avec lui de leurs comportements. Il lui a même fourni – les deux derniers vers du *Discours* le précisent – le sujet des deux fables qui y sont insérées. La conduite des lapins, apeurés par les coups de fusil des chasseurs, mais oublieux et bientôt rassurés, illustre l'inconstance et l'inconséquence des sentiments. L'exemple des chiens du lieu, qui aboient sur les chiens qui passent, montre à quel point chacun est attentif à garder son territoire sans partager avec autrui.

En même temps qu'il rappelle que La Rochefoucauld lui a « donné le sujet de ces vers », La Fontaine insiste sur sa reconnaissance de lui avoir permis, lui qui refuse d'ordinaire d'écouter les louanges, de se mettre à l'abri de son nom pour défendre ses œuvres « du temps et des censeurs ». Signe de leur distance sociale, seule l'admiration du fabuliste pour le duc est passée à la postérité. Dans une société fondée sur la naissance, le jeu n'est pas égal entre un La Rochefoucauld, qui ne signe même pas ses *Maximes*, et un La Fontaine dont la seule gloire, fragile et de mauvais aloi, vient de ses succès littéraires. Si marginal qu'il fût, le poète ne se révoltait nullement contre cette situation. Il était au contraire fier d'une amitié qui le flattait. Il dut ressentir douloureusement une mort qui le privait d'un garant pour son œuvre, d'un appui dans le monde et de fructueuses conversations.

En janvier 1681 mourait Patru. On a dit, sans grandes preuves, que La Fontaine aurait suivi son convoi funèbre en compagnie de Boileau et de Racine. C'est possible. Il devait y avoir beaucoup de monde à l'enterrement de cet académicien bienveillant pour les jeunes talents littéraires. Il appelle le fabuliste son « ami » dans une de ses lettres. Il l'avait, dit-on, accueilli à Paris à son arrivée avec Maucroix. Jean atteignait maintenant la soixantaine. Sa jeunesse était loin de lui. Il voyait disparaître ses aînés. Certains n'étaient pas beaucoup plus vieux que lui : le frère de Maucroix, par exemple, mort en février 1679. Bientôt, ce sera le tour de Pintrel, le parent de Château-Thierry qui l'avait orienté vers la lecture des grands poètes latins à sa sortie de l'Oratoire.

Époux d'une Louise de La Fontaine, ce Pintrel de L'Étang, qui avait huit ans de plus que le poète, n'était pas le Pintrel qui lui avait acheté sa maison en 1676 et qui lui survivra. Président du présidial, c'était un lettré qui avait consacré ses loisirs à traduire les *Épîtres* de Sénèque à Lucilius. Achevée d'imprimer le 1ᵉʳ août 1681, cette traduction parut en deux volumes chez Barbin, d'abord sans nom d'auteur. Ce fut un échec. Pour y remédier, l'éditeur remplaça la page de titre. Elle précisait : « nouvelle traduction par feu M. Pintrel ». Pour appâter la clientèle, elle ajoutait : « revue et imprimée par les soins de M. de La Fontaine ». Le débit resta lent. Certains volumes sont datés de 1684 ou 1685.

Il n'y a pas de différences entre l'édition anonyme et l'édition annoncée comme revue par La Fontaine, qui était intervenu dès le vivant de son parent pour traduire en vers français les vers cités dans les *Épîtres*. Il avait fait naguère le même travail pour *La Cité de Dieu* de saint Augustin, et pour l'une des citations, qui est commune, la traduction est la même. Jean, qui aimait les mots, semble avoir pris plaisir à ce minutieux travail de transfert poétique d'une langue à une autre. En mettant son talent au service de Pintrel, puis en mettant son nom en tête du volume, il marquait sa reconnaissance pour l'aide et les conseils que son parent avait su lui donner au bon moment.

Cette participation à l'œuvre de Pintrel, et la probable recommandation du livre à l'éditeur Barbin, montrent que La Fontaine n'a pas coupé tous les ponts avec sa famille. Il en est d'autres signes. « Le baptême de M. de La Fontaine, auquel je ne m'attendais pas, nous obligea à revenir à Villers-Cotterets », écrit Racine en septembre 1681. Il y avait plusieurs La Fontaine en cette ville, dont l'hôtelier du lieu. C'étaient des cousins de ceux de Château-Thierry. Jean était resté en relation avec eux, puisqu'il a accepté d'être le parrain d'un de leurs enfants. Son désir de liberté n'a jamais entraîné de totale et définitive rupture. Avec sa femme aussi, il conservait toujours des liens.

Malgré tout ce qu'il avait apporté de neuf et de non conformiste à la poésie, il n'avait pas rompu non plus avec les idées traditionnelles sur la supériorité de l'épopée. Dans l'espoir d'être consacré grand poète, il avait déjà écrit *Adonis* dans sa jeunesse, *La Captivité de Saint-Malc* dans son âge mûr. Il y avait imité Virgile et Ovide. En novembre 1681, il prit un privilège pour un *Poème du quinquina*, qui parut le 24 janvier. Cette fois, il avait imité Lucrèce. A défaut d'avoir pleinement réussi dans la poésie héroïque, il allait, pensait-il, triompher dans la poésie scientifique. « Sur des pensers nouveaux, faisons des vers antiques... », dira Chénier. La Fontaine essaya de le faire un bon siècle avant lui. Il voulait réussir un « Poème ». Il voulait, comme toujours, rester à la mode. Le quinquina était à la mode.

Un médecin anglais, qu'on appelait Talbot, avait obtenu des guérisons apparemment miraculeuses grâce à un remède dont il tenait la composition secrète. En août 1679, Mme de Sévigné déplore que la famille n'ait pas voulu l'administrer à son ami le cardinal de Retz, qui venait de mourir. En mars 1680, au chevet de La Rochefoucauld, on disputa longtemps pour savoir si on le lui donnerait ou non. On opta finalement contre l'Anglais, pour le frère Ange. En novembre suivant, parce qu'il avait guéri « toute la maison royale », le roi acheta le mystérieux remède que combattait la Faculté. Il en rendit publique la composition : c'était une infusion de quinquina dans du vin. Ces miracles avaient attiré l'attention sur ce produit, méprisé quand les jésuites l'avaient introduit en Europe trente ans plus tôt.

En 1679, au moment où l'Anglais faisait grand bruit, un médecin, François de La Salle, dit Monginot, lui avait consacré anonymement un opuscule : *De la guérison des fièvres par le quinquina*. A l'inverse de Talbot, qui entourait son remède de mystère pour en faire monter le prix, l'auteur tâchait d'expliquer scientifiquement les vertus de l'écorce du « quin », nouvellement découvert en Amérique. La vogue du remède de l'Anglais entraîna celle de l'ouvrage. On l'avait déjà réédité deux fois quand parut le poème de La Fontaine, qui y renvoie expressément : « Il en court un traité », dit-il. Il l'aurait loué davantage si l'amitié ne l'avait retenu. Il connaissait donc bien Monginot, sans doute membre du petit groupe de savants familiers de Mme de La Sablière. A son désir de réussir un Poème s'ajoutait donc chez La Fontaine le plaisir de diffuser les idées nouvelles et de contribuer au succès de l'opuscule de son ami, peut-être aussi le désir de profiter de sa vogue pour élargir la sienne.

Contrairement à son habitude, il n'a pas précisé ses intentions en prose dans une préface ou un avant-propos. Il les a seulement évoquées dans un rapide prologue en vers. A l'en croire, il ne voulait plus « chanter que les héros d'Ésope ». Un ordre « accompagné de grâces » lui est venu, « plus puissant et plus fort » que ses projets. Il a cédé à Uranie, surnom savant de la dédicataire :

> *C'est pour vous obéir, et non point par mon choix,*
> *Qu'à des sujets profonds j'occupe mon génie,*
> *Disciple de Lucrèce une seconde fois.*

Affirmation surprenante, car on ne voit guère pourquoi la duchesse de Bouillon, naguère dédicataire de *Psyché*, et, dit-on, inspiratrice ou du moins lectrice assidue de ses *Contes*, l'aurait particulièrement orienté vers la poésie scientifique. Déclaration inexacte, puisque l'amitié du poète pour Monginot, son désir de gloire et sa volonté de réussir une épopée, l'ont conduit à écrire ce poème au moins autant que les éventuelles objurgations d'une protectrice.

La Fontaine avait placé sous l'égide de Mme de La Sablière, son initiatrice dans le savoir moderne, sa première tentative d'imiter Lucrèce. Protégé par le succès probable des *Fables* qui se trouvaient dans le même volume, cet essai s'était fait sans risques. Cette fois, il se lançait à visage découvert dans la poésie scientifique. En prétendant qu'il l'avait fait sur ordre de la duchesse de Bouillon, il se garantissait contre l'éventuel échec d'une nouvelle expérience dont il voyait la difficulté. Il traite d'une « matière non encor par les Muses traitée », dit-il dans le cours de son poème. Il suit une « route qu'aucun mortel en ses vers n'a tentée ». Tâche ambitieuse et délicate. « Le dessein en est grand », le succès malaisé. Son audace est sa gloire. « Si je m'y perds, au moins j'aurai beaucoup osé. »

Il y a toujours en La Fontaine la claire conscience d'être

un initiateur, presque un aventurier en poésie. Il l'affirme en tête de ses premiers *Contes*, puis de ses premières *Fables*. Il le répète dans l'épilogue du second Recueil, à la fois fier et inquiet de la nouvelle formule qu'il y a essayée. Dans *Le Quinquina*, il se place sous le patronage de Lucrèce, dans l'espoir d'atteindre les plus hauts degrés de la poésie à l'abri d'une tradition littéraire remontant à l'Antiquité. Mais il sait qu'il a pris des risques en se donnant d'insolites libertés. Liberté dans la forme, puisqu'il n'a pas utilisé l'alexandrin classique du Poème, mais les vers irréguliers de ses *Fables* et de ses *Contes*. Liberté surtout dans le fond : il a pris hardiment parti pour la science moderne contre l'Université et la tradition.

Il critique la saignée et la diète qui affaiblissent le malade et, dans le meilleur cas, en font un « homme usé ». Il récuse l'explication habituelle de la fièvre. Il décrit la circulation du sang, doctrine neuve et majoritairement refusée par la Faculté, selon les idées de Harvey, qui l'avait découverte, et de Descartes, qui en avait déduit, à partir de la théorie des esprits animaux, la cause du battement du pouls et, chez les fiévreux, des frissons et de l'élévation de température. Il imite d'assez près, pour cette description, les idées du *Traité de physique* du cartésien Rohault, paru en 1671. Pour dépeindre la fièvre dans la seconde partie du poème, il suit de près le traité de Monginot. C'est, avait-il écrit, un « bouillonnement ou une fermentation extraordinaire excitée dans la masse du sang », et sa « cause immédiate est un mauvais levain qui tient de l'aigre ou de l'âcre et qui infecte ou agite les humeurs ». L'amertume du quin « combat et mortifie le levain des fièvres, l'amer et l'acide ne pouvant compatir ensemble, et leur propre étant de se détruire l'un l'autre ».

L'explication vaut ce qu'elle vaut. La science de La Fontaine et de ses garants est en avance sur leur temps, et en retard sur leurs prétentions scientifiques. L'important est leur ouverture d'esprit et leur désir d'expliquer rationnellement les phénomènes, et, dans le cas d'un amateur comme La Fontaine, son désir de savoir et son plaisir à communiquer à autrui sa science toute neuve. Cela suppose en lui un enthousiasme digne de celui dont la tradition a conservé le souvenir dans la célèbre anecdote sur Baruch. Autant que le rêveur et le paresseux dont il aime à entretenir l'image (entre les deux chants de son poème, il se montre allant « quelques moments dormir sur le Parnasse »), il est un homme qui s'intéresse à ce qui se passe, un moderne pleinement engagé dans la vie intellectuelle contemporaine.

A la fin du *Quinquina*, il glisse la fable des « Deux Tonneaux » (l'un plein de biens et l'autre de maux, où les hommes puisent inégalement). Il y reprend l'idée, qui lui est désormais chère, de la ressemblance des hommes et des bêtes : « L'homme, dit-il, se porte en tout avecque violence / A l'exemple des animaux. » Sacrifiant au mythe du bon sauvage hérité de Montaigne, il fait, en devançant Rousseau, un tableau idyllique des Iroquois « sans lois, sans arts et sans sciences », non encore corrompus physiquement et moralement par la société. Ils mangent ce que leur donne la nature, dont ils ne « trafiquent » point les dons. Ils vivent sans hâter leur fin par des remèdes : « L'âge où nous sommes vieux est leur adolescence. » Ils ne meurent que parce qu' « enfin il faut mourir ».

A ce mythe moderne hérité des voyages au bout du monde s'ajoute le mythe ancien de l'âge d'or :

Les Muses m'ont appris que l'enfance du monde,
Simple, sans passions, en désirs inféconde,
Vivant de peu sans luxe, évitait les douleurs :
Nous n'avions pas en nous la source des malheurs
Qui nous font aujourd'hui la guerre.
Le Ciel n'exigeait lors nul tribut de la terre.
L'homme ignorait les Dieux, qu'il n'apprend qu'au besoin.

Curieux éloge de l'ignorance dans un poème qui célèbre un progrès scientifique. Mais le progrès n'est qu'un remède aux maux qu'a suscités notre curiosité. L'art est devenu nécessaire parce que la nature a été corrompue.

Thèmes littéraires utilisés comme ornements de la partie technique du poème, ou pensée profonde du poète ? Dans les *Fables*, c'est parmi les ornements que La Fontaine glisse confidences et théories philosophiques. S'il mêle ici mythologie et découverte de nouveaux mondes et de nouvelles sciences, c'est que sa culture est ainsi faite, classique et moderne à la fois, moyen de dire de deux façons ce qu'il croit la vérité. Comme le mythe de l'âge d'or, celui du bon sauvage signifie qu'il n'aime pas le monde dans lequel il vit. Les hommes s'y conduisent fiévreusement. Ils ne pratiquent pas les vertus de constance et de sobriété nécessaires à leur équilibre. Il voudrait que le « fruit de ses vers soit l'usage réglé des dons de la nature ». A l'école de Lucrèce, il prêche pour une vertu épicurienne.

Et le christianisme dans tout cela ? Il est terriblement absent. L'idée que les dieux sont une création de nos besoins vient d'Épicure, comme celle d'un Ciel qui n'attend rien de nous et dont nous n'avons rien à attendre. On est loin de la grâce et de la rédemption, et de la supériorité des baptisés sur les sauvages... Sous l'influence des idées neuves propagées par les voyageurs et les savants, La Fontaine s'est beaucoup écarté de la foi de son enfance.

52.
Déboires académiques

La Fontaine avait obtenu un privilège pour « le poème du *Quinquina* et autres ouvrages en vers ». Il continuait, malgré les critiques, à aimer les recueils disparates où se manifestait la diversité de son talent. A son épopée scientifique, il joignit ses deux opéras, *Daphné*, refusé par Lulli en 1674, *Galatée*, inachevé, mais qu'il continuerait, disait-il, à la demande du public. On en retint la chanson initiale, dont il avait repris le premier couplet du *Songe de Vaux*. Quarante ans après, Mathieu Marais en cite les premiers vers (« Feuillages verts, naissez, / Herbe tendre, croissez »), vantant « cette chanson si fameuse, qui est dans la bouche de tout le monde et que Lambert a mise en musique ». Maigre consolation pour qui aurait voulu réussir un opéra tout entier. La Fontaine n'acheva jamais *Galatée*.

A ces deux essais manqués, il ajoutait deux textes, *La Matrone d'Éphèse* et *Belphégor*, qui appartenaient sans conteste à la tradition des *Contes*, mais qu'il placera plus tard parmi ses *Fables*, en raison de leur caractère anodin. C'étaient deux satires traditionnelles. « S'il est un conte usé, commun et rebattu, disait-il en tête du premier, c'est celui qu'en ces vers, j'accommode à ma guise. » Il venait de Pétrone et figurait, dans une version attribuée à Saint-Évremond, avec les deux premiers *Contes* publiés par La Fontaine en 1664. Il racontait l'histoire d'une veuve éplorée, qui s'enferme dans le tombeau de son mari dans l'intention d'y mourir. Elle finit par se consoler avec un soldat chargé de veiller sur un autre cadavre, volé pendant qu'il s'occupe de la dame. On lui substitue celui du mari... Bel exemple de la versatilité féminine.

Le deuxième conte, qui venait de Machiavel, était lui aussi largement répandu dans le public. Il racontait l'histoire d'un diable envoyé sur la Terre pour se marier et qui préférait finalement l'Enfer à une femme dont il payait trop cher l'impeccable vertu. L'auteur l'avait dédicacé à la Champmeslé. Il évoquait la qualité de son jeu et la beauté de sa voix. Il évoquait aussi leur amitié : « Par des transports n'espérant pas vous plaire, / Je me suis dit seulement votre ami ; / De ceux qui sont amants plus qu'à demi ; / Et plût au sort que j'eusse pu mieux faire ! » La Fontaine est un galant homme. Chaque fois qu'il parle d'amours heureuses, il garde à la belle son anonymat. S'il la nomme, il prétend n'être pas allé jusqu'au bout. Il apprécie en connaisseur les douceurs de ces amitiés ambiguës qui ne sont pas sans menues récompenses.

Selon Furetière, la dédicace de La Fontaine ne serait pas gratuite. Il l'aurait faite pour récompenser la comédienne de l'avoir aidé à « infecter le public » avec ses *Contes* en assurant « le débit de cette marchandise de contrebande ». Elle l'en aurait à son tour récompensé « d'une manière fort plaisante », qu'il ne rapporte pas, dit-il, « parce qu'elle est assez connue dans le monde ». On la devine. Mais Furetière écrit en 1685, brouillé à mort avec son ancien ami. La vérité est différente. Le poète, qui savait le rôle qu'on attribuait à la Champmeslé dans la diffusion de ses *Contes*, a placé exprès son nom en tête d'une histoire anodine. C'était promettre implicitement de ne plus retomber dans ses fautes passées. Il ne pécherait plus contre la morale. Ses deux nouveaux contes illustraient sa nouvelle méthode. Il ne mettrait plus sa virtuosité à dire ce qui paraît indicible honnêtement, mais à dire, autrement et mieux, des histoires parfaitement connues. Il se montrera sage dans ses écrits comme il est resté sage avec la comédienne. Désireux de complaire au pouvoir, La Fontaine donne des gages de sa bonne volonté. Parce qu'il est naturellement provocateur, il le fait en jouant avec le feu.

Il continue de pratiquer la poésie officielle. En août 1682, il écrit deux ballades pour le duc de Bourgogne, fils du Dauphin, à l'occasion de sa naissance. Il n'en a publié qu'une

seule, la moins familière, gardant dans ses papiers celle qui
lui prédisait l'avenir en style marotique. A la fin du *Quinquina*, célébrant quelques-unes des guérisons obtenues grâce
au nouveau remède, il louait Condé et son fils. C'étaient
éventuellement de bons protecteurs. Il y vantait aussi, et
beaucoup plus longuement, Colbert et ses « faveurs » aux
« savants », c'est-à-dire son rôle dans la distribution des pensions dont lui-même ne bénéficiait toujours pas, malgré tant
de succès. Il y célébrait hyperboliquement le roi : « D'autres
temps sont venus; Louis règne », s'écriait-il par deux fois.
Grâce au nouveau remède, c'était sous lui que reculait la
mort. Les flatteries au roi étaient obligatoires, celles au
ministre qui s'occupait de la culture aussi, pour un homme
de lettres.

Obligatoires si l'on espérait quelque chose du pouvoir;
non, si l'on était décidé à se passer de pensions et d'honneurs. La Fontaine n'avait pas cette sagese. C'était une de
ses contradictions. Il assumait philosophiquement de vivre
en déclassé dans un entresol chez Mme de La Sablière, mais
il aspirait comme poète à toutes les reconnaissances officielles. Souhaitant particulièrement faire partie des
« illustres », comme on disait alors, il était prêt à toutes les
soumissions pour être élu à l'Académie française. Selon
Furetière, il aurait brigué cet honneur « pendant sept
années ». Cela fait remonter le début de cette ambition à
1676. Elle explique la dédicace du second Recueil de *Fables*
à Mme de Montespan et les flatteries au duc du Maine, puis
à Mlle de Fontanges, les ballades au Dauphin, les éloges
prodigués au roi et même à Colbert.

En janvier 1682, La Fontaine avait déjà pensé se présenter
au siège laissé vacant par la mort du modèle de Trissotin.
« Quand vous me mandâtes que l'abbé Cotin était mort,
lit-on dans La Monnoye, je dis tant mieux pour l'Académie,
mais sur ce que vous ajoutiez que le célèbre M. de La Fontaine postulait pour être reçu en sa place et qu'on lui avait
donné l'exclusion, je dis tant pis pour l'Académie. » L'abbé
Dangeau succéda à Cotin. Il n'avait encore rien écrit, mais il
était lecteur du roi et tenait, à ce titre, le *Journal* de ses bienfaits. Il dressait la liste des pensions. Il avait de solides appuis
dans la place, dont Bossuet qui l'avait converti au catholi-
cisme. En collaboration avec l'abbé de Choisy, il écrira de

pieux traités sur l'immortalité de l'âme, l'existence de Dieu, la Providence, la religion, etc. La Fontaine n'était pas du même camp. Il n'y eut même pas de scrutin d'exclusion. On se contenta de faire comprendre au poète qu'il n'avait aucune chance. Il se retira.

Il tenta d'obtenir du public la gloire que lui refusait l'Académie. Il continuait d'aimer le théâtre. Il avait publié ses deux livrets d'opéra pour faire appel au lecteur du refus de Lulli. Grâce à la Champmeslé et à son mari, il avait ses entrées à la Comédie-Française. A la fin de la grande pièce, on en jouait alors une petite. Molière avait ainsi créé ses *Précieuses*. La Fontaine proposa une comédie en un acte. On l'accepta. Les *Registres pour les seuls comédiens du roi* portent que la compagnie décida, le 26 avril, de « commencer demain mardi les répétitions du *Rendez-vous* et de le jouer le jeudi 6ᵉ de mai 1683 ». Il le fut après l'*Héraclius* de Corneille. On le joua encore le 7 et le 9 après son *Othon*, le mardi 11 après l'*Alexandre* de Racine. Puis on dut retirer la pièce de l'affiche.

Furetière s'en gaussera bientôt, mettant La Fontaine dans le même sac que Boyer et Le Clerc, auteurs médiocres. « Quand il a voulu, dit-il, mettre quelque pièce sur le théâtre, les comédiens n'ont pas osé faire une seconde représentation de peur d'être lapidés. » Furetière exagère, puisqu'on avait joué la comédie quatre fois ; mais l'échec est patent. La Fontaine n'en tira que 55 livres et 10 sous de droits d'auteur. Il ne l'a pas publiée. On n'en a pas retrouvé le texte. Le titre pourrait être celui d'un de ses *Contes*.

Colbert mourut le 6 septembre 1683. Oubliant ses flatteries intéressées, le poète lui décocha une méchante épigramme. Il attendait la mort du chancelier Tellier pour prendre sa place. La France s'en affligeait. Il est mort avant lui, malgré la différence des âges. Elle s'en réjouit. Le ministre laissait un siège vacant à l'Académie. La Fontaine eut l'audace de s'y présenter. Selon Louis Racine, il se serait d'abord assuré que Boileau ne se présenterait pas contre lui. Bourdelot, qui raconte l'élection à Condé dès le lendemain, prétend le contraire : « L'Académie a mis un académicien nouveau dans la place de défunt M. Colbert. Les prétendants étaient MM. de La Fontaine, faiseur de fables [appellation qui eût ulcéré le poète], et Despréaux. Le premier l'a emporté; il a eu vingt-trois voix, M. Despréaux n'en a eu que seize, mais à la première promotion, la chose est infaillible pour lui. »

Dressé le 15 novembre, jour de la séance, par le secrétaire Régnier-Desmarets, le procès-verbal donne d'autres chiffres. Selon l'usage, on commença par un vote préalable. Il fallait y avoir au moins huit voix pour être admis au scrutin suivant. « Chacun de ces messieurs ayant donné son billet contenant le nom de celui auquel il donnait sa voix », le directeur annonça qu'il y avait vingt-trois billets. « Le nom de M. de La Fontaine était écrit dans treize. » On procéda alors au vote, « selon la forme ordinaire ». Le même candidat obtint seize voix. Après l'avoir déclaré « admis au scrutin de proposition », le Directeur se chargea lui-même de « savoir du roi s'il aurait agréable que l'on procédât dans la huitaine au scrutin de l'élection ». Si Boileau a eu des voix au scrutin préalable, puisqu'il n'a pas été admis au scrutin de proposition, c'est qu'il en a obtenu moins de huit.

Les chiffres objectifs du procès-verbal ne disent pas le climat passionnel des débats. D'Olivet le rappelle, non sans embarras, en 1725, dans son *Histoire de l'Académie française* : « Voici la vérité, car pourquoi la supprimer, aujourd'hui que la mémoire de M. de La Fontaine est, s'il faut ainsi dire, consacrée sur le Parnasse ? » Elle ne l'était donc pas encore pour tout le monde en 1683... « D'un côté, la plupart des Académiciens le souhaitaient, à cause de son rare génie et de sa grande réputation, mais d'un autre côté aussi, quelques-uns jugeaient qu'ayant fait et publié des poésies où il avait franchi les bornes de la pudeur, il ne devait pas être admis dans une compagnie qui met la vertu bien au-dessus des talents, et qui compte beaucoup de prélats. » La lutte entre les deux partis fut chaude. Elle ne portait pas seulement sur un homme, mais sur la définition de l'académicien : un « rare génie » ou une personnalité exemplaire.

Selon l'abbé Tallemant, Benserade fit pencher la balance à un moment crucial. La Fontaine, écrit-il, prétendait à la place de Colbert « avec d'autant plus de raison qu'il avait cédé celle qu'il aurait pu avoir à un autre [l'abbé Dangeau]. Cependant, quelqu'un vint à la traverse, qui avait des amis dans la compagnie, et entre autres, un que je ne nommerai pas, qui entreprit de détruire La Fontaine dans l'esprit des

Académiciens. Il en voulait surtout à ses *Contes* qu'il accusait d'être pleins d'impiété. Et pour mieux exagérer le tort que l'Académie se ferait en le recevant, il se servait souvent de ces paroles : " Je le vois bien, Messieurs, il vous faut donc un Marot " [ou phonétiquement un maraud]. Ennuyé de cette répétition, " il nous faut un Marot, répond Benserade, et à vous une marotte " [c'était traiter son adversaire de fou]. Ce qui fit assez rire la compagnie, qui se déclara entièrement pour La Fontaine. »

Ce soutien étonna beaucoup le fabuliste. Il croyait Benserade hostile. En juin 1678, ce poète de cour avait publié des *Fables d'Ésope en quatrains dont il y en a une partie au Labyrinthe de Versailles*. En réduisant toutes ses fables à quatre vers, il pratiquait la technique traditionnelle de la brièveté, celle qu'avait refusée La Fontaine au profit des « traits » et des « circonstances » qui allongeaient le récit. Mais il ne l'avait pas fait par doctrine ou pour donner une leçon à son devancier, comme celui-ci le craignait. Il l'avait fait par jeu. La poésie, pour lui, était une sorte de gageure. Il aimait se donner d'étroites contraintes pour en triompher. En 1676, il avait écrit dans le même esprit un *Ovide en rondeaux* qui avait déjà failli le brouiller avec La Fontaine.

On se moqua anonymement de son entreprise dans un rondeau parodique : « A la fontaine où l'on puise cette eau / Qui fait rimer et Racine et Boileau. / Je ne bois point ou bien je ne bois guère », disait l'auteur, jouant sur les noms des grands auteurs du temps pour déclarer qu'il n'était pas professionnel de l'écriture. Il mettait La Fontaine en cause dans le dernier refrain : « De ces rondeaux un livre tout nouveau / A bien des gens n'a pas eu l'heur de plaire. / Mais quant à moi, j'en trouve tout fort beau, / Papier, dorure, images, caractère, / Hormis les vers, qu'il fallait laisser faire à La Fontaine. » Comme « il faut peu de chose pour faire tort aux ouvrages de l'esprit », cela nuisit au succès de Benserade. Le fabuliste, qui n'y était pour rien, s'imagina « qu'il lui en voulait du mal ». Heureusement, Benserade comprit qu'on s'était servi de son nom pour la beauté de la chute. Touché des craintes de La Fontaine, il le prit sous sa protection.

En 1683, donc, et peut-être même dès 1682, il soutint activement sa candidature. On a conservé la ballade où il dévoile qui s'opposait à l'élection du fabuliste. C'était le président Rose, secrétaire à la main de Louis XIV, dont la fonction était de contrefaire l'écriture du roi pour écrire et signer à sa place. Il y réussissait merveilleusement. Ce n'était pas à des écrits personnels inexistants, mais à cette mission de confiance qu'il devait son autorité dans une compagnie à laquelle il avait rendu d'importants services. « Les gens de son tempérament, dit Boileau à Racine dans le même moment, sont de fort dangereux ennemis, mais il n'y a point non plus de plus chauds amis, et je sais qu'il a de l'amitié pour moi. » Il n'en avait pas pour La Fontaine, qu'il attaquait sur son libertinage.

Cela impatientait Benserade : « Vous vous trompez, dit-il ironiquement dans sa ballade, si vous croyez que c'est assez que vous soyez savants / Pour obtenir place à l'Académie. » Il y faut de tout autres talents : « Soyez dévots, fréquentez bien l'église, / Écrivez mal, mais sur sujets pieux, / Faites des vers que jamais on ne lise : / Vous entrerez; Rose a dit : je le veux. » A quoi bon faire « Sonnets, rondeaux, fables, contes plaisants »?, dit-il, énumérant les genres pratiqués par La Fontaine. « Mieux sont reçus les dévots postulants / Portant brevets de bonne et sainte vie. » La science et la prud'homie suffisaient jusqu'à maintenant. « Bientôt faudra des lettres de prêtrise / Être profès dans l'ordre des Chartreux... » Pour conclure, Benserade demandait au prince de rétablir la paix au Parnasse divisé entre deux candidats. Qu'il fasse justice à qui il l'a promise, et que « le demeurant des deux » entre la fois d'après. Si la ballade date, comme il est probable, du temps de la compétition entre La Fontaine et l'abbé Dangeau, on pouvait en conclure que le roi ayant choisi d'abord Dangeau, c'était ensuite le tour de La Fontaine.

Mais le roi était circonvenu. Le Directeur, dit le procès-verbal du 20 novembre, « a rapporté à la compagnie qu'il avait été à Versailles pour rendre compte au roi de ce qui s'était passé dans l'assemblée du 15 et pour savoir s'il agréait que l'on procédât au second scrutin sur M. de La Fontaine, qui avait été admis au premier sous le bon plaisir de Sa Majesté. » Louis XIV répondit qu'il savait « qu'il y avait eu du bruit et de la cabale à l'Académie ». Effectivement, reconnut le Directeur, « quelqu'un avait témoigné publiquement n'agréer pas le choix qui avait été fait de M. de La Fontaine et en avait parlé avec un peu de chaleur ». Pour le reste, « tout s'était passé avec tranquillité et dans les formes ordinaires ». Il entreprit de les expliquer. Sa Majesté l'interrompit et lui dit qu'elle les connaissait, « mais que, pour ce coup, elle n'était pas bien déterminée, et qu'elle ferait savoir ses intentions à l'Académie ». L'élection était ajournée.

Colbert était mort, non l'hostilité du pouvoir. Dans une société d'ordre, il n'était pas facile à un marginal à la mode d'obtenir sa reconnaissance officielle par une institution expressément fondée pour normaliser la littérature.

53.
Une élection difficile

Pour être reçu à l'Académie, La Fontaine était prêt à toutes les soumissions. Il écrivit une ballade au roi. Il l'y complimente de ses victoires, de la paix, des annexions qui l'avaient suivie. Quoi qu'il fasse, dit le refrain, « l'événement n'en peut être qu'heureux ». Cela le console des blâmes que certains lui ont infligés « pour des récits qui ne sont que sornettes ». Il reprend son vieil argument : ses *Contes* sont des jeux que ses adversaires n'auraient pas dû prendre au sérieux. Il promet de ne plus s'y livrer : « Si je défère aux leçons qu'ils m'ont faites, / Que veut-on plus ? » Au prince d'être « plus indulgent, plus favorable qu'eux ». Il a confiance : « L'événement ne peut m'être qu'heureux. » Puisqu'il promettait d'être sage, le roi n'avait plus de raisons de le laisser à la porte de l'Académie.

Il obtint d'être reçu à la Cour. Sans doute pour remettre sa ballade. « Notre prince ne fait rien qui ne soit orné de grâces, dira-t-il bientôt, soit qu'il donne, soit qu'il refuse, car outre qu'il ne refuse que quand il le doit, c'est d'une manière qui adoucit le chagrin de n'avoir pas obtenu ce qu'on lui demande. S'il m'est permis de descendre jusqu'à moi, un simple clin d'œil m'a renvoyé, je ne dirai pas satisfait, mais plus que comblé. » Louis XIV ne lui a donc rien dit, ne l'a pas écouté. La Fontaine avoue agréablement qu'il lui a fait grise mine... Il ne se découragea point. Il fit connaître par voie de presse sa promesse de tenir compte des avis de ses censeurs. Il donna sa ballade au *Mercure galant* de janvier 1684. « Comme il y a quelque surséance à sa réception, précisait une notice, il prie le roi d'avoir la bonté de la lever. C'est ce que vous remarquerez dans l'envoi, qui n'est fait que pour cela. » Le poète écrivit dans le même sens au nouveau Directeur de l'Académie.

Dans l'idée de plaire au roi, il se réconcilia avec Lulli. Selon Tallemant, ce serait le musicien qui aurait prié le poète, sur les instances du comte de Fiesque, d'oublier la satire du *Florentin* et d'écrire une dédicace en vers de son *Amadis*. Compte tenu de la situation, le contraire est plus probable. La Fontaine obtint de Lulli, grâce à Fiesque, d'écrire la dédicace de son nouvel opéra. Elle parut sous le titre : « Pour Lulli, qui dédie à Sa Majesté l'opéra d'*Amadis*. » Le roi y était loué de ses doubles conquêtes amoureuses et guerrières. Cette banalité en fort beaux vers n'avait d'autre fin que de l'amadouer.

Amadis suscita une petite querelle entre La Fontaine et Mme Deshoulières. Elle avait près de cinquante ans. Elle regrettait son passé. Après la première représentation de l'opéra, elle adressa au vieux duc de Montausier, qui avait si longtemps soupiré pour la précieuse Julie, une ballade au refrain chagrin : « On n'aime plus comme on aimait jadis. » Il y a toujours eu des séducteurs infidèles à côté des amants transis, lui répondit La Fontaine, des Hylas à côté des Céladon. « On aime encore comme on aimait jadis. » Tel était le refrain de sa ballade. « Quand la dame est d'attraits pourvue », précisait-il méchamment. Il avait toujours eu le goût de la satire. Il en oubliait que ce n'était pas le moment de montrer ses griffes.

En mars 1684, la mort d'un académicien laissa un nouveau siège vacant. Boileau-Despréaux s'y présenta. Il y fut élu le 17 avril à la quasi-unanimité des dix-huit votants. L'abbé Têtu, alors Chancelier, alla en porter la nouvelle à Versailles. Louis XIV lui dit « que ce choix était très agréable et qu'il serait généralement approuvé ». Le Chancelier répondit que l'Académie en était trop heureuse. Il allait reprendre la parole quand Sa Majesté « l'interrompit en le chargeant de dire à l'Académie qu'elle travaillât incessamment à consommer l'élection de M. de La Fontaine qui avait été jusque-là suspendue ». Le Chancelier l'assura qu'on exécuterait cet ordre « promptement et agréablement ». On procéda dès le 24 à l'élection définitive. La Fontaine, puis Boileau furent tous deux le même jour déclarés reçus à l'unanimité.

Ce n'était pas l'effet du hasard. Entre le 8 et le 13 avril, le Chancelier était allé à Versailles demander les intentions du roi. A en croire les registres, celui-ci aurait répondu que l'Académie devait agir avec sa liberté ordinaire. Tout le monde avait pourtant compris qu'il voulait l'élection de Boileau. Le petit nombre des votants, le mensonge du Chancelier, qui parle d'unanimité alors que les registres portent « la plupart » des suffrages, montrent que l'Académie n'avait pas grande envie d'élire celui qui avait naguère ridiculisé plusieurs de ses membres dans ses *Satires*. Boileau aussi avait été non conformiste et marginal. Mais il avait su se ranger et devenir le docte auteur d'un *Art poétique* avant d'être choisi, avec Racine, pour la très officielle fonction d'historiographe du roi. La Fontaine n'en revenait pas que l'élection de cet ancien jeune loup eût été la contrepartie de la sienne. Il était tout abasourdi d'avoir été l'objet d'un tel marché. Il n'aurait jamais cru avoir tant d'importance aux yeux du roi et de ses confrères. Il était somme toute flatteur qu'on se fût battu pour lui ouvrir les portes que Rose et les dévots avaient voulu lui claquer au nez.

Le grand jour arriva le mardi 2 mai, dans la salle du rez-de-chaussée du Louvre où l'Académie siégeait depuis 1672. « L'assemblée, à en croire Perrault, n'était pas si nombreuse qu'à l'ordinaire en pareilles rencontres, parce que le public n'eut pas le temps d'en être averti et que la cour n'était plus à Paris. » Il n'y avait que des hommes, les femmes n'étant pas encore admises aux séances publiques. « Sa harangue me parut spirituelle, continue Perrault, quoiqu'il la lût assez mal et avec une rapidité qui ne convient nullement à une harangue. » La Fontaine n'était pas un bon orateur, mais un conteur. Il loua l'Académie et sa souveraineté sur le langage et dans la république des lettres : « Quelques applaudissements que les plus heureuses productions de l'esprit aient remportés, on ne s'assure point de leur prix si votre approbation ne confirme celle du public. » Le poète flatte la compagnie et lui confie son secret : son élection confirme et légitime son succès. Elle le rassure sur la qualité de son œuvre. Il a toujours besoin de l'être. Il a toujours la même inquiétude.

Le reste du discours est de peu d'intérêt. Le poète s'y débarrassait en quelques lignes de l'éloge de son prédécesseur : « Le public fut bien étonné, dit l'abbé Tallemant, de voir la place d'un grand ministre si riche, si accrédité et si puissant remplie par un homme si fort brouillé avec la fortune. » La Fontaine reprend le même thème avant de conclure : « Il aimait les lettres et les arts et les a favorisés autant qu'il a pu. » Venant d'un poète qu'il n'avait jamais pensionné, le compliment ne manquait pas de sel. Il terminait par un long panégyrique du roi, dont les belles actions avaient besoin des « plumes savantes » des académiciens pour passer à la postérité. Seule sa « faiblesse » le retenait de prendre lui-même sa lyre pour les chanter.

Le Directeur en exercice prit alors la parole pour lui répondre selon l'usage. C'était l'abbé de La Chambre, fils du Cureau de La Chambre que La Fontaine avait fréquenté chez Mme de La Sablière. L'Académie, disait-il, « reconnaît en vous un génie aisé, facile, plein de délicatesse et de naïveté, quelque chose d'original et qui, dans sa simplicité apparente et sous un air négligé, renferme de grands trésors et de grandes beautés ». Ce n'était pas si mal vu. Mais l'abbé ne citait que les *Fables*, et encore en s'excusant de ne pouvoir leur donner des « éloges proportionnés », sa profession l'ayant « de bonne heure sevré des douceurs de la poésie ». C'était à peu près tout pour les fleurs. Elles étaient étouffées par les épines.

L'Académie était « sensible à la joie » d'accueillir le poète (comment s'en dispenser ?), mais, rappelait-il désagréablement, « après beaucoup d'agitations et de tempêtes ». Cette « nouvelle acquisition » commence à « réparer ses pertes » (commence, et non répare) « et lui plaît d'autant plus qu'elle en a fait en même temps une autre très considérable, telle que la compagnie doit souhaiter d'en faire toujours de pareilles ». Le bon choix de Boileau fait un peu oublier l'erreur, à ne pas recommencer, de l'élection de La Fontaine... C'était le sort, insistait le Directeur, qui lui avait confié la charge de lui répondre, « charge bien loin de ses désirs et qui convenait mieux à tout autre dans une réception comme celle-ci ». Le nouvel académicien lui déplaît. Il le prend avec des pincettes...

De cette charge qu'il n'a point voulue, il retient essentiellement l'autorité qu'elle lui donne pour morigéner le récipiendaire. Il occupe la place de Colbert. Il doit s'en montrer digne. Il doit se conformer au but que se propose l'Académie : « Travailler pour la gloire du Prince, consacrer uniquement toutes ses veilles à son honneur, ne se proposer point d'autre but que l'éternité de son nom, rapporter là toutes ses études. » A La Fontaine qui avait célébré la vocation littéraire de l'institution, l'abbé répondait de façon restrictive en la réduisant au rôle de gardienne de la geste du roi. Puis venait cette phrase, incroyable et pourtant prononcée sérieusement : « *Ne comptez donc pour rien, Monsieur, tout ce que vous avez fait par le passé.* » Avoir écrit tant de chefs-d'œuvre, avoir ajouté au succès des *Contes* la gloire des *Fables*, avoir pratiqué l'épopée et la comédie, avoir écrit des odes et des élégies, avoir vu dans son élection à l'Académie la consécration suprême d'une réussite, et s'entendre dire, à soixante-deux ans, devant ses nouveaux confrères et le beau monde des invités, qu'il devait tout recommencer à zéro! Il y avait de quoi s'étrangler, d'indignation ou de rire.

« Songez jour et nuit, continuait le Directeur, que vous allez dorénavant travailler sous les yeux d'un prince qui s'informera du progrès que vous ferez dans le chemin de la vertu et qui ne vous considérera qu'autant que vous y aspirerez de la bonne sorte. Songez que ces mêmes paroles que vous venez de prononcer et que nous insérerons dans nos registres, plus vous aurez pris peine à les polir et à les choisir, plus elles vous condamneraient un jour si vos actions s'y trouvaient contraires, si vous ne preniez à tâche de joindre la pureté des mœurs et de la doctrine, la pureté du cœur et de l'esprit à la pureté du style et du langage, qui n'est rien, à le bien prendre, sans l'autre. » L'Académie accueille en son sein un pécheur public repenti. Tout le monde, et le roi lui-même, aura l'œil sur lui pour le guider et l'encourager sur le chemin de la vertu.

L'abbé parlait sérieusement. Signe de l'importance qu'il attribuait à ses paroles : il les fit imprimer aussitôt chez son libraire ordinaire. Preuve du mépris dans lequel il tenait le poète : contrairement à l'usage, il ne fit pas imprimer aussi son discours. Un correspondant de Bayle pense que les objections morales n'étaient pas l'important : « Il est certain, écrit-il un mois plus tard, le 17 août, que l'obstacle de la réception ne procédait que de M. Despréaux, qui était son compétiteur et que, quoi qu'en ait pu dire M. Rose dans ses déclarations, les *Contes* n'en étaient que le prétexte. » A tel point « qu'en la cour on a tourné cette affaire-là en ridicule et que le sérieux de Messieurs de l'Académie a été fort longtemps un sujet de satire ». Le duc d'Enghien, fils du Grand Condé, serait allé jusqu'à en plaisanter le roi, lui disant « qu'une affaire de cette importance et si essentielle à l'État ne demandait pas moins qu'un juge » tel que lui.

Le fait qu'on n'a reçu La Fontaine qu'après l'élection de Boileau justifie cette façon de voir. Mais les deux causes ont joué conjointement. Le ridicule est retombé sur l'Académie, mais l'initiative est probablement venue du roi. L'énormité des propos et recommandations de son Directeur s'expliquent mieux s'il a agi sur ordre. Devenu dévot avec l'âge, Louis XIV se souciait un peu trop du salut et de la morale de ses sujets. Il ne lui plaisait pas de voir à l'Académie, ancien bourgeois nanti réfugié dans un entresol, un fonctionnaire devenu parasite, un homme qui s'était déclassé et qui n'avait même pas l'hypocrisie de le cacher.

Le compte rendu de séance ne mentionne que « le compliment de remerciement » de La Fontaine et la réponse du Directeur. Charles-Perrault précise qu'après cette réponse, le poète « lut une pièce en vers en forme d'épître qu'il adresse à Mme de La Sablière, en un mot une confession générale fort naïve et fort bien reçue et qui venait bien, après ce qui s'était passé sur sa réception ». Ce discours n'était pas aussi innocent que Perrault voulait bien le croire. Le nouvel académicien avait la malice de célébrer devant ses confrères une Iris que sa conversion purifiait, mais qui avait longtemps mené une vie de pécheresse, favorisant dans son salon cette liberté de penser que La Chambre venait justement de reprocher à La Fontaine.

Autre incongruité. On exhortait le récipiendaire à louer le roi, et il lisait un long poème où il ne parlait que de soi! C'était sans doute une confession, mais se confesser n'est rien sans le repentir et la résolution de bien faire à l'avenir. Il a gaspillé son temps, avouait Jean à ses confrères, en occupations frivoles (bavardages plaisants, lectures de romans) ou même dangereuses (le jeu, « peste des républiques »), et c'est bien ennuyeux à l'âge où il est parvenu. Il s'est laissé emporter par cent passions. Il s'est obstiné à porter les yeux « sur ce qui nous est interdit par les Cieux ». Le moment est venu où il devrait se ranger. « Je recule, dit-il cependant, et peut-être attendrai-je trop tard. » C'est le propre du pécheur endurci. Premier refus du programme qu'on vient de lui faire.

A supposer qu'il se range comme promis (« si j'étais sage », dit-il), il ne suivrait que partiellement les leçons d'Iris : « les suivre en tout, c'est trop ». Bref, il ne se convertirait pas comme elle. Il adopterait « un plan moins difficile », « un chemin dont sans crime on se puisse écarter ». Il a eu tort de « se prendre à toutes les amorces », mais il veut rester libre, y compris de fauter : « Ne point errer est chose au-dessus de mes forces. » Nouveau refus : il n'a pas « le ferme propos ».

Donnant la parole à ses censeurs, il répète leurs reproches. On dénonce en lui « l'inconstance d'une âme en ses plaisirs légère », toujours « inquiète ». Il ne le nie pas. Cette inconstance psychologique et morale se retrouve dans ses vers. « Tu changes tous les jours de manière et de style. » Il va de Térence à Virgile. C'est pourquoi il n'a encore rien écrit de « parfait ». On lui permet ces changements, et même, s'il le veut, d'essayer encore de nouvelles formes littéraires : « Tente tout au hasard de gâter la matière. » On ne lui refuse qu'une seule chose : ses « contes d'autrefois ». Le marché semble favorable. « J'ai presque envie, Iris, de suivre cette voix », dit La Fontaine. Tout est dans le *presque*... Il ne promet rien.

Il reconnaît sa légèreté, et qu'elle lui a été préjudiciable. Peut-être aurait-il fait une œuvre plus durable s'il avait « usé ses jours » dans un seul genre. On reconnaît l'ancienne critique dont Mme de Sévigné se faisait l'écho en 1671. Il ne la récuse pas, il y oppose un fait : « Mais quoi, je suis volage en vers comme en amours. » Il n'y peut rien. Tant pis s'il s'accuse lui-même en faisant son portrait. Il dit ingénument l'effet, bon ou mauvais, de son « tempérament ». Il est comme ça. Il se retranche derrière sa nature. A peine a-t-il eu l'âge de raison qu'il est tombé amoureux pour la première fois. Il a depuis éprouvé « plus d'une passion ». Il craint de continuer dans ses vieux jours d'être emporté par de « vains désirs ». Il ne refuse pas la leçon qu'on lui a faite. Il se dit incapable de la suivre. Il n'est pas sûr d'être maître de lui. Autre façon de refuser.

Avant d'achever, il met en cause la confession qu'il vient de faire. « Que me servent ces vers avec soin composés ? N'en attends-je autre fruit que de les voir prisés ? » Et si tout cela n'était qu'un jeu littéraire ? Subtilement, il coupe l'herbe sous les pieds de l'adversaire. Les objurgations de l'abbé étaient aussi un beau discours académique... Comme il l'a dit dans sa réponse, l'Académie est l'empire des mots. Chacun veut y briller. Mais cela engage-t-il les conduites et les âmes ? Il est dans le lieu des belles paroles, non dans celui des belles résolutions morales.

Certes, il n'a pas vécu. Il a « servi deux tyrans » : l'amour et le désir de gloire. Il pourrait vivre. Il croit entendre Iris lui conseiller la bonne méthode pour « jouir des vrais biens avec tranquillité » : ne pas perdre son temps, « s'acquitter des honneurs dus à l'Être suprême », renoncer aux femmes et à l'amour pour mieux être soi-même. Beau programme. Il ne dit pas qu'il le suivra. Mais cet appel épicurien n'a évidemment rien de commun avec celui que venait de lui faire l'abbé de La Chambre. Encore moins avec l'exemple que lui donnait une Mme de La Sablière convertie.

54.

« Plût à Dieu qu'il m'en crût capable »

Enfin reçu, La Fontaine occupa consciencieusement son fauteuil. Il lui servait au besoin de prétexte pour s'éclipser. Un jour qu'il déjeunait chez Le Verrier, il se lève. On lui demande où il va. « A l'Académie, répond-il. – Il n'est que deux heures, lui dit-on. – Je le sais. Aussi je prendrai le plus long. » Dans une lettre à Furetière, Etienne Pavillon a prétendu qu'il ne pouvait y parler, parce qu'il dormait. Il a lui-même accrédité cette idée dans une lettre à Bonrepaus en évoquant « quarante beaux esprits » dormant aux ouvrages d'autrui, quelquefois même aux leurs. Il précisait : « quand le discours est froid ». Le sommeil était depuis trop long-temps lié à son personnage et aux discours ennuyeux pour qu'il n'en tirât pas littérairement parti. S'il a dormi plus que les autres à l'Académie, c'est qu'il y a été plus assidu.

En janvier 1683, pour lutter contre l'absentéisme, Louis XIV avait institué les jetons de présence. On a calculé ce que le poète en a tiré. « Depuis 1676, la moyenne des séances (car il y avait le chômage et les fêtes) était par an de cent cin-quante; comme il s'absente de moins en moins, nous pou-vons en compter pour lui cent vingt-cinq. Comme, d'autre part, dans cette période, on ne voit guère en moyenne qu'une dizaine d'académiciens présents, cela fait pour cha-cun trois jetons et demi [ceux qui étaient là se partageaient les quarante jetons], c'est-à-dire quatre cents à peu près par an : à 32 sols par jeton, cela donne à La Fontaine au moins 600 livres, somme considérable pour lui. » Pour lui qui avait eu plusieurs milliers de livres de revenus! On connaissait sa pauvreté et on rappelait l'Évangile : « La Fontaine ayant succédé à M. Colbert, on dit : le Lazare a succédé au mauvais riche. » On aurait pu citer l'enfant prodigue...

Il participe aux délégations officielles. Le 9 juin 1684, un mois après sa réception, le duc de Richelieu ayant perdu sa femme, « avec quelques-uns de ses confrères, il lui porte les condoléances de l'Académie ». Le 1er juillet, il assiste à la réception de Boileau, « où l'assemblée se trouva très belle et très nombreuse ». Il participe activement à la fête. « Il régala les auditeurs, dit le *Mercure galant* (qui avait ignoré sa réception), d'une fable que l'on écouta deux fois avec beaucoup de plaisir. La morale était qu'il y a de la prudence à se défier d'un inconnu. » C'était « Le Renard, le Loup et le Cheval », qu'il publia l'année suivante.

La Fontaine était intervenu après Benserade, qui avait lu sa traduction de deux psaumes. « Du sérieux, on passa à l'enjoué », dit le *Mercure*. Quoi qu'il fasse, il est catalogué parmi les amuseurs. Au point qu'un des correspondants de Bayle confond allégrement fable et conte : « J'oubliais à vous dire que ce fameux faiseur de contes en avait lu dans la dernière assemblée. » Il avait, rappelle-t-il, été élu « au préjudice de Despréaux, ce qui les avait un peu aigris l'un contre l'autre ». Ils se réconcilièrent publiquement, et Benserade en même temps, qui avait soutenu la candidature du poète contre le parti dévot.

Celui-ci ne désarmait pas. A la parution du discours de l'abbé de La Chambre sans celui du récipiendaire, contre « l'usage inviolable de la compagnie », certains académiciens s'étonnèrent. « On lui demanda raison de son procédé », écrit Perrault le 30 juillet. Il dit alors « de si belles choses pour sa défense que l'avis le plus fort de la compagnie a été qu'il avait raison ». Pauvre La Fontaine, mis en minorité après son élection!... Il ne s'en formalisa pas. Ces mesquineries lui seraient, pensait-il, de bons prétextes pour conserver sa liberté. De fait, dès janvier 1685, l'abbé Deschamps transmet à Condé, de la part de Mme de La Fayette, « un nouveau conte de La Fontaine ». Il a recommencé à en écrire.

Descendant de Génois qui s'étaient réfugiés en France en 1547, le comte de Fiesque obtint l'appui de Louis XIV pour réclamer à la République le paiement d'une provision de

300 000 livres en attendant l'évaluation du préjudice qu'il avait subi. La Fontaine composa pour lui un remerciement, *Le Comte de Fiesque au roi*, célébrant la puissance et la magnificence du monarque. C'était sa façon de lui manifester sa gratitude de l'avoir réconcilié avec Lulli l'année précédente. Quand le musicien donna son nouvel opéra, *Roland*, en janvier suivant, le poète en écrivit de nouveau la dédicace. Nouvelle occasion de célébrer la vaillance et la sagesse du roi. Il n'aurait pas déplu au poète d'avoir, comme Racine et Boileau, la mission officielle d'en chanter les exploits.

A défaut, il offrit ses services à Condé. Il fournissait Conti d'ouvrages anciens et modernes sur lesquels le jeune prince aimait contester avec son oncle. Il lui dédie son nouvel ouvrage, une *Comparaison d'Alexandre, de César et de Monsieur le Prince*, où il indique au passage ce qu'il a cherché à obtenir en l'écrivant. Condé, dit La Fontaine, n'a pas eu l'occasion de montrer ses mérites avant la bataille de Rocroi : « Quiconque écrira sa vie (plût à Dieu qu'il m'en crût capable), quiconque, dis-je, écrira sa vie ne la commencera que par cet endroit. » La parenthèse n'est pas innocente. C'est dans l'espoir d'obtenir cette mission que le poète donne en prose un spécimen de son savoir-faire d'historien.

A soixante ans passés, par ambition, ou, qui sait, pour avoir une situation stable, le voilà qui essaie une nouvelle voie. On lui a reproché (il vient d'en convenir devant l'Académie) d'être un touche-à-tout. Il est convenu qu'il aurait peut-être mieux fait de se borner à un seul genre, celui où il excelle : les fables. Et voici qu'il se met à en pratiquer un de plus. Lui qui a toujours (le *Voyage en Limousin* excepté) travaillé dans la fiction, et de préférence en vers, il s'attelle en prose à un genre dont l'essence est la vérité. Que ce soit la nécessité ou son caractère qui l'y pousse, il garde une merveilleuse aptitude à se renouveler.

Il garde aussi son besoin de se mettre en scène. On pouvait croire qu'il y avait été conduit jusque-là par la nature de ses œuvres. Cette fois, il n'invente pas. Il prétend comparer objectivement les faits et gestes de trois personnages historiques. Qu'a-t-il donc à faire parmi eux ? La même chose que dans les *Contes* et les *Fables*. Il les présente et il commente la façon dont il les présente. Mettre César et

Alexandre en parallèle n'est pas nouveau. Il le sait. « Je ne serai pas le premier qui aura tenté un pareil dessein; c'est à moi de lui donner une forme nouvelle. » Il aurait aussi bien pu comparer Condé à Achille. Il en a l'amour des combats, la valeur, l'opiniâtreté et la véhémence. Mais la comparaison ne vaudrait que dans leur jeunesse. « A présent, l'épithète de *pied léger* [traditionnelle pour Achille depuis Homère] la ferait clocher quelque peu. » Ramener le héros sur la terre en lui rappelant qu'il a la goutte au moment même où on l'exalte, c'était déjà ce que Voiture faisait au même Condé quand il était encore le duc d'Enghien.

Avant de commencer la *Comparaison*, La Fontaine dresse un bref portrait du principal personnage. « Il n'ignore rien non plus que vous », dit-il à Conti. C'est pourquoi l'œuvre est parsemée de citations latines empruntées à Plaute, Térence, Horace et à la Vulgate. Le poète roturier joue sur sa communauté de culture avec le prince du sang pour se rapprocher de lui, intellectuel comme lui et habile à manier les idées. « Il aime extrêmement la dispute et n'a jamais tant d'esprit que quand il a tort. » Autrefois, il luttait contre des ennemis supérieurs en nombre. « Aujourd'hui, il n'est point plus content que lorsqu'on le peut combattre avec une foule d'autorités, de raisonnements et d'exemples; c'est là qu'il triomphe. Il prend la victoire et la raison à la gorge pour les mettre de son côté. »

A la différence des textes destinés au roi, la *Comparaison* garde la « gaieté » des *Fables*, qui sauve la flatterie par l'humour. Des morts, on peut parler comme on veut : « Ce sont les gens du monde les plus commodes. Pour les vivants, il faut prendre garde avec eux à ce qu'on dit. » On ne peut déclarer Condé ni supérieur aux deux autres (crainte de l'envie) ni inférieur (il en aurait du dépit). Dès qu'il ne s'agit plus d'éloges officiels auxquels personne ne croit, la louange est un art délicat. La Fontaine s'y applique parce qu'il a besoin de pain et de protection. C'est une des contradictions de sa vie. Il a quitté les contraintes de l'aisance bourgeoise pour vivre libre, et il est tombé dans une autre servitude : cultiver l'amitié des grands en leur multipliant les compliments. Mais Condé ne voulait point de biographie à la Voiture. Avec le temps, il est devenu un héros auquel seule conviendra l'éloquence d'un Bossuet dans la sombre majesté de la mort.

Chemin faisant, La Fontaine envahit son texte pour donner un avis qu'on ne lui demande pas. Alexandre, César et Condé ont eu plus de savoir et de lecture que les gens de leur sorte n'en ont habituellement. Seul César s'est préoccupé d'en tirer parti pour sa carrière. Les autres ont préféré la force. « Cependant, remarque l'auteur, il est toujours beau de pouvoir régner sur les esprits : cette sorte de domination n'est au-dessous d'aucun prince, quelque grand qu'il soit. » En 1671, il avait pareillement félicité les Guise de savoir joindre à l'empire sur les cœurs « une éloquence par laquelle ils régneront sur les esprits ». Il a été formé à une école où l'on célébrait les pouvoirs de la rhétorique, capable de gouverner le monde. Il a vécu à une époque où la monarchie absolue utilisait d'autres méthodes pour imposer sa loi et frapper les imaginations. Il le regrette.

Il ne se contente pas de raconter les victoires de ses héros. Il juge de la légitimité de leurs entreprises. Seule « une ambition insatiable » a conduit Alexandre jusqu'aux Indes. « Pourquoi troubler le repos d'une nation qui ne lui en avait donné aucun sujet, et qui faisait un meilleur usage que lui des bienfaits de la nature ? » Sous l'influence de Bernier, La Fontaine croit à la sagesse orientale. Elle ne méritait pas d'être troublée, même par l'un des représentants du miracle grec. En avance sur son temps, il suggère que chaque civilisation a le droit de vivre. Celles qui sont restées les plus proches de la nature sont les meilleures.

Vaine réflexion. Il « s'amuse à balancer le droit et le tort » des conquérants alors qu'on ne regarde jamais s'ils sont justes, mais s'ils sont habiles. Seule décide la victoire ou la défaite. La Fontaine rejoint Pascal pour constater que, dans un monde où règne la force, c'est le fait qui crée le droit. Sceptique, il ajoute que presque tout dépend de la façon dont on considère l'événement. « Toutes ces choses-là ont deux faces aussi bien que la plupart de celles que nous louons ou que nous blâmons tous les jours. » Il éprouve, à parler de tout, un plaisir contrebalancé par un fort sentiment de l'inutilité des paroles et des choix. C'est pourquoi il peut être bavard ou taciturne. Cela dépend de son humeur.

Il ne vit pas en dehors de son temps. Faire l'éloge de Condé, c'est rappeler l'histoire récente. Il justifie la sévérité d'Alexandre envers Parménion par l'échec d'Henri de

Guise, trahi par un homme qu'il avait gracié. Certains ont justifié son pardon par la popularité qu'il en avait retirée. « Mon sentiment, intervient l'auteur, est qu'il devait pourvoir à sa gloire de telle sorte qu'il pourvût aussi à sa sûreté. » Le roi Charles Stuart a eu le même tort. Il a « empêché de tout son pouvoir qu'on ait cherché les conspirations qui se faisaient contre lui. Il ne voulait point qu'on punît les conspirateurs. Par là, il se fit aimer et ne se fit pas assez craindre ». Il ne faut pas imaginer le bon La Fontaine plein d'indulgence pour les coupables. Son scepticisme intellectuel ne l'empêche pas d'approuver la fermeté pratique. Ceux qui gouvernent ont d'autres principes que le commun des mortels. « La modération est une vertu de particulier et de philosophe, et non point de Majesté ni d'Altesse. » En politique, le fabuliste est un homme d'ordre.

Condé est un héros humain, qui a toujours été « un père à adorer » et un excellent oncle. « Je serais seulement curieux de savoir s'il pleure, et encore plus curieux de le voir en cet état-là. » Un surhomme insensible ne serait pas un vrai héros. Sa retraite à Chantilly lui donne la palme sur les deux autres. « Il a mis à ses pieds des passions dont les autres ont été esclaves jusques au dernier moment de leur vie. » Sans renoncer entièrement au monde, il « trouve le secret de jouir de soi. Il embrasse tout à la fois, et la cour et la campagne, la conversation et les livres, les plaisirs des jardins et des bâtiments ». La comparaison des grands capitaines s'achève en une sorte de portrait du sage épicurien. Pas un mot de la religion, qui n'était pas le fort de Condé. Ce n'était pas non plus celui de La Fontaine.

Il termine en refusant de compter l'amour pour Cléopâtre parmi les fautes de César. « Du tempérament dont il était, il devait en devenir amoureux; c'est une marque de son bon goût. » Les grands hommes seraient bien malheureux s'ils ne devaient vivre que pour la gloire. Jupiter même... Le poète se montre indulgent pour ceux qui se laissent entraîner par la beauté. Dans l'*Épître à Mme de La Sablière*, il avouait être encore de ceux-là. Toujours présent derrière, à côté ou dans ses héros, il n'a pas voulu établir entre eux une comparaison objective. Il les a regardés tour à tour à la lumière de ses propres choix. Une fois de plus, le peintre s'est mis dans le tableau. Non pas modestement, selon l'usage, mais constamment et ostensiblement, sans craindre de se placer sur le devant de la scène avec ses héros. Sa façon de signer ses œuvres est de s'y montrer envahissant.

Il parle sans qu'on lui demande son avis. Il le sait. Il en joue. Il évoque la façon dont le roi reçoit la cour de Condé. « Je m'ingère de raisonner, commente-t-il, sur des choses qui sont au-dessus de moi. L'imagination des poètes n'a point de bornes; la mienne pourrait m'emporter trop loin. » Il s'arrête et revient à son parallèle. C'est toujours la manière de Voiture. Elle permet de compenser la distance sociale par une aimable désinvolture. Il s'agit donc d'un jeu, dont il ne faut pas minimiser la part. L'envahissement de l'œuvre par l'auteur n'est pas un débordement incontrôlé, mais l'emploi volontaire d'une technique de communication. La Fontaine l'a choisie parce qu'elle convient à son être profond. Elle lui permet de parler de lui. Elle lui permet de le faire indirectement, à l'abri de son personnage. Si faible que soit ici la distance entre ce qu'il est et ce qu'il dit de lui, il ne s'avance que dans l'ombre des héros dont il fait l'éloge. Comme d'habitude, il se montre beaucoup, mais toujours masqué. Seule la forme du masque change. Il est, cette fois, aussi petit et aussi mince que possible.

On s'accorde à attribuer à François de Troy un portrait conservé à Genève représentant La Fontaine aux alentours de ses soixante ans. Il y paraît remarquablement jeune. Celui qui parlait de son déclin dans l'*Épître à Mme de La Sablière* continue de porter beau. De trois quarts face, il tourne vers la gauche une tête surmontée d'une grande perruque. Il a la bouche large et serrée, le menton fort et accentué. Cela lui donne une physionomie volontaire. Ses yeux sont vifs. Ils doivent percer ceux qu'ils regardent. Ils ne se laissent pas pénétrer. Comme dans ses œuvres, le poète s'affiche ostensiblement, mais l'essentiel reste caché. On ne voit point clair dans son âme.

55.
Perturbations

L'année 1685 commença par un événement tout nouveau dans l'histoire de l'Académie française : l'exclusion d'un de ses membres. L'évêque de Dax, qui préside la séance du 22 janvier en qualité de Chancelier, constate que Furetière, l'un de ses membres, refuse d'obtempérer aux injonctions de la compagnie et qu'il faut décider de son sort. On propose la destitution. Les statuts exigent vingt présents pour procéder au vote. Miracle : Daucour survient. Par dix-neuf voix contre une, le coupable est chassé. La Fontaine a voté contre l'ami de sa jeunesse. Racine est sans doute le seul qui ait voté pour lui. Boileau avait eu la sagesse de ne pas venir ce jour-là. Furetière étant coriace, il fera une rude guerre à ceux qui se sont prononcés pour l'exclusion, notamment à son ancien ami.

Son crime ? Avoir terminé un *Dictionnaire* avant que l'Académie ait achevé le sien. Elle avait été fondée en 1635 par Richelieu pour promouvoir la langue française et la « tirer des langues barbares ». Elle devait pour cela en faire d'abord l'inventaire et la description, et donc, précise Chapelain, en « régler les termes et les phrases par un ample dictionnaire et une grammaire fort exacte ». Elle devait ensuite codifier les conditions de la création littéraire en établissant « une rhétorique et une poétique ». Vaste programme. Dès 1636, Ménage, l'un des meilleurs philologues du siècle, écrivait *La Requête des Dictionnaires* pour se moquer des prétentions académiques à décider du bon et du mauvais usage des mots.

L'Académie ne se pressa pas. Elle se déchargea du travail sur Vaugelas, qui mourut en 1653 en laissant d'abondantes notes. On les laissa inexploitées. C'est seulement le 18 juillet 1672, sur les instances de Colbert, devenu protecteur de l'Académie, que les treize membres présents décidèrent de reprendre les travaux du *Dictionnaire*. Les cahiers de Vaugelas seraient confiés à l'historien Mézeray pour être transcrits, puis distribués pour examen. En 1674, pour l'encourager et lui permettre de travailler en toute sécurité, le pouvoir accorda à l'Académie un privilège exorbitant : le monopole absolu pour tout dictionnaire de la langue française jusqu'à la parution de son ouvrage et vingt ans au-delà.

En 1680 parut pourtant un *Dictionnaire français*, œuvre de Pierre Richelet, imprimé à Genève sans privilège. L'auteur avait su s'entourer de collaborateurs influents, dont plusieurs membres de l'Académie. L'ouvrage était de format réduit. Il s'intéressait moins au bon usage qu'à l'usage pratique des mots. On pouvait considérer qu'il ne concurrençait pas vraiment l'entreprise de l'Académie. Elle ferma les yeux. Furetière vit dans cette indulgence un encouragement à continuer le projet qu'il avait conçu quelques années plus tôt. Dès 1676, son ami l'académicien Pavillon lui en avait montré les dangers.

D'un côté, en effet, il était assidu à l'Académie et contribuait plus que personne aux maigres progrès qu'y faisait le fameux *Dictionnaire*. De l'autre, il travaillait pour lui, avançant rapidement la confection du sien. Colbert l'y encourageait, qui aurait sans doute imposé son travail à l'Académie. Sa mort embarrassa Furetière. Il était beaucoup trop avancé pour reculer. Il prétendit que son ouvrage était technique et qu'il pouvait le publier sans préjudice des droits de l'Académie. Charpentier, chargé d'examiner le manuscrit, donna son accord, à la fin, dira-t-on, d'un copieux dîner offert par Furetière, qui obtint effectivement, en août 1684, un privilège lui permettant d'imprimer un *Dictionnaire universel*. Preuve de sa bonne foi ou signe de son audace, à la fin de l'année, il en publia des extraits clairement intitulés *Essais d'un Dictionnaire universel*.

Grand scandale à l'Académie dès le 22 décembre. Elle accuse Furetière de plagiat. « La rencontre des fêtes de Noël, racontera l'abbé Tallemant, me donna lieu de lui dire qu'apparemment, il ne laisserait pas passer de si bons jours sans nous restituer ce qu'il avait pris de notre Dictionnaire. M. Benserade lui dit quelque chose d'approchant. M. Boyer, M. Le Clerc, M. de La Fontaine en firent à peu près de même. » Sept autres encore lui reprochent sa conduite. Il les écoute « sans témoigner aucun chagrin ». La Fontaine fait partie dès le début du lot de ceux qui ont pris parti contre le prétendu plagiaire.

Le 4 janvier 1685, Charpentier certifie à la compagnie réunie pour délibérer sur l'affaire qu'il n'a accordé de dérogation que pour un *Dictionnaire des arts et sciences*. Furetière l'a trompé sur le contenu de son ouvrage. Directeur de la compagnie, le président Novion voudrait « terminer promptement l'affaire à l'amiable ». Furieux de l'*Épître au roi* précédant les *Essais*, qui ironise sur les lenteurs de l'Académie et conteste son privilège, Charpentier et Perrault ne l'entendent pas ainsi. Le 11 janvier, l'Académie prescrit la plus grande fermeté aux commissaires désignés. « Il faut absolument que M. Furetière consente à la révocation de son privilège et à la suppression de tous les *Essais* qu'il a fait imprimer de son *Dictionnaire*, et qu'il en retranche généralement tous les mots communs de la langue. » C'est un ultimatum.

Le 13 janvier, « la compagnie permit à MM. Racine, La Fontaine et Despréaux, ses amis dès l'enfance, rapporte d'Olivet, d'aller le voir au nom de tous pour le disposer à donner des marques de sa soumission et pour tâcher d'adoucir le plus qu'ils pourraient la peine que cette humiliation devait lui faire ». Ils trouvèrent Furetière inflexible. Il date du même jour la « conjuration » qui « se fit contre sa vie, sa liberté, son honneur et ses biens ». Intolérance et désir de vengeance d'un côté, délire de persécution de l'autre : la rupture est inévitable. L'Académie décide, le 16, d'envoyer des députés à la Cour pour obtenir du chancelier Séguier la cassation du privilège de Furetière. On en envoya quatre, dont Charpentier et... La Fontaine. Singulière attitude de la part de celui qui se présentait comme son ami trois jours plus tôt. En votant l'exclusion cinq jours après, il n'agit pas étourdiment en se trompant de boules, comme le prétend une anecdote tardive. Il confirme une hostilité marquée dès le début de l'affaire.

Furetière réagira vivement. Il traînera dans la boue tous ceux qui avaient mené campagne contre lui, et particulièrement La Fontaine, son ami de cinquante années, qui l'a trahi pour quelques jetons de présence. La vie, en fait, s'était chargée de séparer largement les deux hommes depuis le temps où l'un s'empressait, en 1652, de témoigner de la bonne vie et des bonnes mœurs de l'autre, nouveau maître des eaux et forêts. Ils n'étaient déjà plus dans le même camp au moment de l'élection de Gilles Boileau à l'Académie française. Puis Furetière avait essayé de faire la leçon à La Fontaine sur son terrain d'élection en donnant des *Fables nouvelles* en 1671. Il était du côté de Patru et de Boileau-Despréaux contre l'auteur des *Fables choisies*. Son échec avait consolé Jean, mais il avait été blessé de voir que, malgré son succès, on continuait à ne pas le prendre au sérieux.

Il y avait plus. L'auteur satirique du *Roman bourgeois* s'était rangé. Après avoir traduit en vers libres les Paraboles de l'Évangile, il était devenu le protégé de Harlay de Champvallon, l'archevêque de Paris, qui le logeait chez lui. Il s'était délibérément rangé du côté du pouvoir. Par l'intermédiaire de Toussaint Rose, le plus ferme opposant à l'élection de La Fontaine, à partir de 1670, Colbert avait progressivement repris l'institution en main. Il savait qu'il pouvait compter sur Furetière, l'un des académiciens les plus assidus et les plus zélés. Alors que la mort du ministre donnait le champ libre à La Fontaine pour se présenter, elle privait Furetière de son plus important soutien. Quand l'Académie fait célébrer un service solennel pour son défunt protecteur, il se charge de l'organiser. Parmi les factums qu'il va bientôt répandre pour attaquer ses adversaires, il insère un panégyrique de Colbert dans l'espoir d'en tirer une protection posthume.

Dans la condamnation de Furetière, La Fontaine a pu voir une revanche contre le protégé de celui qui l'avait si constamment barré. L'affaire du *Dictionnaire* est pour lui une sorte de révolte après coup contre l'ancien et trop envahissant protecteur de son ami. Son élection au fauteuil de Colbert était déjà une stupéfiante provocation. L'éviction de Furetière faisait coup double. Et le nouvel académicien avait le prétexte de suivre l'avis de la majorité. Il votait comme Benserade, qui s'était donné la peine de le faire élire. Sans

doute aurait-il pu, en souvenir du passé, s'abstenir ou ne pas
venir à la séance. Mais on peut être un grand poète et n'avoir
pas un grand caractère. Il avait envie d'être du bon côté. Il
avait envie de se venger des *Fables nouvelles*. Il savait bien
que c'était le coup de pied de l'âne. Il le donna.

L'Académie poursuivit son action pour obtenir la révocation du privilège de Furetière. Il y renonça de lui-même, le
27 février, pour éviter un arrêt du Conseil défavorable. On le
rendit quand même le 9 mars. Dès la fin du mois précédent,
l'exclu avait contre-attaqué en faisant appel devant l'opinion
dans un factum satirique qui mit les rieurs de son côté. Il
précisait en commençant qu'il ne s'en prenait pas à l'Académie, mais à sa partie la moins saine, celle qui agissait par
envie. Il excluait prudemment de ses ennemis tous les
grands personnages qu'il était dangereux de diffamer, et
aussi Fléchier, Galois, Huet, Racine, Despréaux, Corneille
« et autres qui ont un vrai mérite dans la littérature ». Il
n'avait pas de peine à ridiculiser les lenteurs d'une entreprise à peine ébauchée presque cinquante ans après avoir été
décidée. Il consacrait toute une section à prouver, sur
l'exemple de la lettre G, que son *Dictionnaire* ne devait rien
à celui de l'Académie, dont il montrait mot à mot l'insigne
faiblesse.

Tandis que s'amplifiait cette querelle, La Fontaine était
bien embarrassé par la publication d'une fort belle édition de
ses *Contes*. Bayle la loue dans la livraison d'avril de son journal, les *Nouvelles de la République des Lettres*. Elle satisfait,
dit-il, l'attente des « curieux qui en souhaitaient si ardem-
ment une nouvelle édition ». Elle venait de paraître à Amsterdam, chez Henri Desbordes, en deux volumes « enrichis
de gravures ». Signe de son succès, elle fut presque aussitôt
suivie d'une réimpression, chez le même éditeur, sous le
titre explicite de *Nouvelles tirées de Boccace, de l'Arioste, de
Machiavel, des Cent Nouvelles nouvelles, des Contes de la
Reine de Navarre et autres auteurs, mises en vers français par
Jean de La Fontaine*. Pour la première fois, tous ses contes
antérieurement parus se trouvaient réunis en une suite
homogène. De quatre minces plaquettes égrenées au fil du
temps, cette édition faisait une œuvre. Il ne pouvait pas la
renier. Mais elle allait évidemment contre les conseils de
sagesse qu'on lui avait prodigués lors de sa réception à l'Académie.

L'auteur n'y avait pas donné son aval. D'Harmonville, qui l'avait préparée, l'écrit à Bayle auquel il n'avait pas de raisons de mentir : « Tout cela a été fait sans lui en avoir rien mandé. J'ai cru devoir en user ainsi pour ne point lui attirer d'affaires sur les bras, car, comme vous le savez, nous sommes dans un temps de circonspection et de ménagements. » En tête des *Contes*, il a maintenu l'Avertissement qu'il avait rédigé avant de connaître les préfaces de leur auteur, précisément dans la pensée que la différence des styles « justifierait pleinement La Fontaine de la part qu'on lui pourrait donner à l'impression qui en a été faite ».

Informé de l'entreprise, le poète était intervenu pour l'interdire. « Il y a quelques jours, continue d'Harmonville, qu'il m'écrivit sur l'avis qu'il avait eu à Paris de cette édition, afin de la faire supprimer, s'il le pouvait. » Le nouvel académicien ne souhaite pas qu'on parle une fois de plus de son libertinage, maintenant qu'il est censé se ranger. L'éditeur n'en a pas tenu compte : « Mais, dit-il, je me suis moqué de cette pensée. » Tout serait clair s'il ne donnait des raisons qui brouillent tout : « Il est vrai qu'il ne croyait pas que l'édition fût avancée et que j'en eusse le soin. Car à vous parler franchement, je me suis donné la liberté de faire quelques petits retranchements par-ci par-là, surtout aux contes qu'il n'avait pas encore revus; peut-être en serai-je grondé. » Entre La Fontaine et l'éditeur subreptice de ses *Contes*, il y a plus de complicité qu'on ne l'aurait pensé.

La preuve, c'est que le poète a frappé à la bonne porte en écrivant à d'Harmonville pour lui dire d'arrêter l'édition. C'est surtout qu'il a précédemment *revu* une part de ses Contes. Il a donc été un moment d'accord avec le projet de les rééditer. Il a même commencé à envoyer des textes en Hollande. Puis il a arrêté de le faire, les circonstances ne s'y prêtant plus. Mais le projet, plus engagé qu'il n'avait cru, a continué sans lui sur sa lancée, d'Harmonville achevant la révision à sa place. Il avait une part de responsabilité dans une édition qu'il avait d'abord encouragée. Il était vrai aussi qu'on lui avait finalement forcé la main. Il était mécontent de se trouver, par la faute d'un libraire, sous le coup des lois réprimant l'impression clandestine.

Quand on en trouvait chez un libraire ou ailleurs, on continuait de saisir ceux de ses Contes qui étaient parus sans privilège. Juste au moment de la nouvelle parution, le commissaire de La Marre fait rapport au lieutenant de police La Reynie sur ce qu'on avait découvert chez le relieur Lucas, « en sa boutique et logement au palais, dans la salle royale neuve, un exemplaire d'un livre in-12, qui a pour titre *Nouveaux Contes* de M. de La Fontaine, 1675, sans nom d'imprimeur ni de lieu ». Il est piquant de voir qu'on se procurait les Contes interdits dans l'enceinte du Palais de Justice. Mais cela restait un délit.

56.

« L'œuvre de deux amis »

En votant contre Furetière, La Fontaine avait scellé la fin d'une amitié qui remontait à sa première arrivée à Paris. Du moins Maucroix, son condisciple de Château-Thierry, lui restait-il. Pour se consoler ou pour montrer au public qu'il savait être fidèle, le 1er février 1685, quelques jours après le vote, il prit un privilège pour une publication conjointe de leurs œuvres. « L'assemblage de ce recueil a quelque chose de peu ordinaire, dit l'Avertissement. Les critiques nous demanderont pourquoi nous n'avons pas fait imprimer à part des ouvrages si différents : c'est une ancienne amitié qui en est la cause. Je ne justifierai donc point par d'autres raisons le dessein que nous avons eu. » Le manque d'homogénéité du contenu est suppléé par la force du sentiment qui a poussé les auteurs à donner ensemble un livre intitulé simplement *Ouvrages de prose et de poésie des sieurs de Maucroix et de La Fontaine*.

Le fabuliste en vogue a la coquetterie de céder le pas, dans le titre, à l'auteur provincial de traductions et d'ouvrages historiques. En juillet, à la parution des volumes, l'ordre des matières rétablit les préséances et sépare nettement les productions. Le premier contient les œuvres de l'académicien, le second celles du chanoine de Reims. Entre les deux, rien de commun que le titre, la Dédicace et l'Avertissement. Encore ceux-ci ne sont-ils pas collectifs, mais de la seule main de La Fontaine. Le recueil est dédié à Harlay, comme l' « œuvre de deux amis », mais c'est La Fontaine seul qui le dit : « Je me suis chargé de l'hommage. » Iris

(Mme de La Sablière) le lui avait « prescrit ». A son succès massif (« Acante, le public à vos vers applaudit »), elle l'a invité à ajouter le suffrage d'un homme au « goût parfait », procureur général au parlement de Paris.

A la dédicace en vers de ses poèmes succède une dédicace de la prose de Maucroix. « Comme il y a un volume sans poésies (et c'est le plus digne de vous être offert), j'ai cru que je vous devais confirmer ses hommages en une langue qui lui convînt. Je vous offre donc encore une fois les traductions de mon ami, et au nom de leur auteur et au mien, car je dispose de ce qui est à lui comme s'il était à moi-même. » La situation n'étant pas réciproque, les efforts de La Fontaine pour valoriser son ami le montrent finalement à sa remorque.

Le titre du second volume en énumérait le contenu : *Traduction des* Philippiques *de Démosthène, d'une des* Verrines *de Cicéron, avec l'*Euthyphron, *l'*Hippias [du Beau], *l'*Euthydémus *de Platon.* Les travaux de Maucroix s'accordaient aux préoccupations de La Fontaine qui avait commencé sa carrière poétique en traduisant Térence et souhaité en 1679, dans son *Ode pour la paix*, voir « cent traducteurs célèbres » mettre les œuvres de la Grèce et de Rome à la disposition de la France. A la fin du tome qui contenait ses œuvres, il avait lui-même placé sa traduction, en vers, puis en prose, d'une inscription latine tirée des *Antiquités latines* de Boissard. L'Avertissement expliquait comment il avait été conduit à s'intéresser à l'histoire d'Homonée et d'Altimète, et qu'il l'avait traduite deux fois pour expérimenter les pouvoirs respectifs des deux modes d'expression. Sans le dire et sans le support d'un texte latin, il avait fait la même chose en tête du volume dans sa double dédicace à Harlay. A plus de soixante ans, il continuait d'aimer les expériences littéraires.

A en croire Louis Racine, La Fontaine, à la fin de sa vie, était passionné de Platon. « Il ne parlait point, dit-il, ou voulait toujours parler de Platon, dont il avait fait une étude particulière dans la traduction latine. » D'Olivet, son premier biographe, soutient qu'il « faisait ses délices de Platon et de Plutarque », et prétend avoir eu en main des exemplaires de ces auteurs annotés par le poète, « la plupart de ses notes étant des maximes de morale ou de politique qu'il a semées dans ses fables ». C'est possible. Le début de traduction de

Platon qu'il avait naguère envoyé à Condé témoigne de son intérêt pour ce philosophe et explique qu'il se soit particulièrement intéressé aux traductions de Maucroix portant sur cet auteur.

Il leur consacre presque toute la dédicace en prose et les défend comme si elles étaient de lui. Tâche difficile, car Platon a été, pendant tout le siècle, un auteur dont l'autorité philosophique, les mérites littéraires et la méthode ont été âprement discutés. « On se trompe fort », dit La Fontaine, si on pense que ses entretiens « se devraient passer comme nos conversations ordinaires ». Leur but n'est pas le même : « Nous ne cherchons qu'à nous amuser ; les Athéniens cherchaient aussi à s'instruire. En cela il faut procéder avec quelque ordre. » Les dialogues de Platon déçoivent l'attente du public parce qu'ils diffèrent de la conversation de salon où l'on saute d'un sujet à un autre sans jamais rien approfondir. Mais si l'on recherche l'instruction, la façon de faire du philosophe est supérieure. Il l'employait à meilleur escient qu'on ne le fait aujourd'hui « dans nos écoles ». La Fontaine est un polémiste. Il ne défend pas son auteur dans l'abstrait, mais par référence au monde qui l'entoure.

Pour remédier aux subtilités des sophistes, Platon s'est moqué d'eux « comme nous nous moquons de nos précieuses, de nos marquis, de nos entêtés, de nos ridicules de chaque espèce ». Il a tiré d'excellentes comédies « d'un faux dévot, d'un ignorant plein de vanité, d'un pédant ». Les sophistes, qui étaient « des impertinents et non pas des fous », n'avaient qu'un but : étaler leur habileté afin d'attirer à eux des élèves. « Tous nos collèges retentissent des mêmes choses. » Euthymédus et Dionysodore sont les équivalents du « Docteur de la comédie, qui de la dernière parole que l'on profère prend occasion de dire une nouvelle sottise ». Le plaidoyer pour Platon devient satire d'un temps dont le théâtre vaut mieux que l'enseignement.

Platon, Démosthène, Cicéron, le poète étale complaisamment tous ces noms, deux fois dans la Dédicace, puis de nouveau dans l'Avertissement où il nomme également Socrate, Aristote, l'Académie, le Lycée. Il voudrait que Harlay trouve dans son œuvre « un peu de l'air des Anciens qu'il idolâtre ». En tête d'une traduction destinée à ceux qui ne peuvent lire le texte en grec ou en latin, donc aux femmes et aux « cavaliers », La Fontaine fait le docte. Il ne lui déplaît pas, lui qui a bâti son succès sur des *Contes* et des *Fables* destinés au grand public, de montrer qu'il appartient lui aussi à la caste de ceux qui savent. « Nous laissons le reste au jugement du lecteur », conclut-il. Il réaffirme la souveraineté de ceux qui font le succès ou l'échec des livres. Mais il leur rappelle l'existence d'une culture dont la connaissance lui confère supériorité sur ceux qui ne l'ont pas. En défendant Platon, c'est son propre statut dans le monde qu'il défend. Obligé d'écrire pour des mondains superficiels et qui ne cherchent que l'amusement, il leur donne la littérature qu'ils méritent. Il voudrait, il pourrait leur donner beaucoup mieux.

Le contenu de son volume est assez disparate : des flatteries au roi, dix *Fables*, cinq *Contes*, trois récits (dont l'un comptant plus de cinq cents vers), les discours en vers et en prose qu'il a prononcés le jour de sa réception à l'Académie, une traduction, et même quelques poèmes du temps de Foucquet. Diversité voulue d'un poète qui souhaite une fois de plus montrer qu'il est capable de chanter sur plus d'un ton ? Mélange maladroit d'un auteur pressé qui a recueilli à la hâte tout ce qu'il avait de prêt pour contrebalancer sa rupture avec Furetière par l'étalage de son amitié avec Maucroix ? Sans doute les deux.

Une seule des dix fables vient d'Ésope, et encore dans une version très remaniée par la tradition, une autre de Phèdre, une aussi de Pilpay. Les autres sont tirées des Latins Pline l'Ancien et Aulu-Gelle, des Français Louise Labbé ou Mathurin Régnier, des Anglais Thomas Willis et Kenelm Digby. La Fontaine est loin de sa manière initiale. La fable est désormais son bien. Il en use à sa guise en traitant des sujets de son choix. Il est libre et se sent comme grisé de cette parfaite possession d'un genre où personne n'a pu l'égaler. Mais la réussite de chaque récit n'entraîne pas l'harmonieuse cohérence d'un ensemble que n'organise plus leur communauté d'origine ou le souvenir d'un même modèle. En même temps que se défait en une suite d'instants la vie d'un La Fontaine marginalisé, son œuvre se pulvérise en fragments. Les instants peuvent être heureux et les fragments parfaits. Il leur manque un projet.

La plus longue fable (« Le Corbeau, la Gazelle, la Tortue

et le Rat ») est dédiée à Mme de La Sablière. Un prologue précède le récit. L'auteur aurait voulu élever un palais à la déesse Iris. On l'aurait découverte « sous un dais de lumière » parmi la foule de ses admirateurs. On aurait, sur les murs, lu sa vie, « agréable matière », quoique toute privée. « Au fond du temple eût été son image, / Avec ses traits, son sourire, ses appas, / Son art de plaire et de n'y penser pas, / Ses agréments à qui tout rend hommage. » On aurait admiré également « les trésors de son âme », son « cœur vif et tendre infiniment pour ses amis », son esprit qui sait joindre « beauté d'hommes » et « grâces de femmes ». Bel éloge qui prolonge, au milieu du volume, celui qui était inséré dans la dédicace à Harlay : « Cette Iris, lui disait le poète, est la dame / A qui j'ai deux temples bâti, / L'un dans mon cœur, l'autre en mon livre. » Dans sa vie comme dans son œuvre, Mme de La Sablière est son point d'ancrage. Il la prie comme une déesse :

> *Ô vous, Iris, qui savez tout charmer,*
> *Qui savez plaire en un degré suprême,*
> *Vous que l'on aime à l'égal de soi-même*
> *(Ceci soit dit sans nul soupçon d'amour;*
> *Car c'est un mot banni de votre cour*
> *Laissons-le donc)...*

Mais l'amour défendu n'en est pas moins de l'amour. « A qui donner le prix ? Au cœur, si l'on m'en croit », décide le poète à la fin de la fable. « Tout est mystère dans l'amour », avait-il commencé la première du volume, intitulée « L'Amour et la Folie ». La conversion de Mme de La Sablière avait été totale, non sa retraite. Elle sortait encore souvent des Incurables pour animer la « cour » de ses admirateurs. Le poète y trouvait ce climat d'amour tendre et de grâces féminines indispensable à son inspiration. Cette dévotion amoureuse n'excluait en rien son goût des paillardises. Il était double, quelquefois jusqu'à la duplicité.

Autre hommage à Mme de La Sablière : il publie dans son nouveau livre l'*Épître* lue à l'Académie française le jour de sa réception. Il y avait (« presque ») promis de ne plus écrire de *Contes*. Et voici qu'aussitôt après, dans les pages qui suivent immédiatement cette quasi-promesse, il en insère cinq, tous nouveaux, tous inédits. C'est vraiment se moquer du monde! En prologue au premier, *La Clochette*, il s'empresse de confesser sa faute. L'homme est faible, léger, inconstant, « tenant mal sa parole ». Il a juré de « renoncer à tout conte frivole », et il recommence! Les poètes sont décidément des trompeurs... Tout ce qu'il peut faire, c'est de chercher un « tempérament », un compromis. Il réparera l'audace éventuelle de la matière par la pudeur de la forme. Mauvaise excuse, qui reprend exactement l'argument avancé en tête du *Tableau*, l'une de ses histoires les plus contestées.

Avant de commencer son deuxième conte, *Le Fleuve Scamandre*, La Fontaine revient sur son parjure : « Me voilà prêt à conter de plus belle. Amour le veut, et rit de mon serment. » Pour éviter le scandale, il aura soin d'user « de traits moins forts et déguisant la chose ». Il n'a jamais fait autrement. Mais il ajoute cette fois un nouvel argument : en montrant les ruses des trompeurs, il ouvre l'esprit des innocentes, qui apprendront chez lui à se méfier des pièges qu'on leur tend. Ce que le poète présentait naguère comme des histoires imaginaires racontées pour le seul plaisir, est justifié maintenant par la leçon qu'on peut, prétend-il, en tirer. « L'argent répare toute chose », conclut le conte. Il sert à compenser la perte du pucelage d'une fille séduite par un homme qu'elle avait cru le dieu du fleuve. La fantaisie du conte se mêle à une prétendue vérité d'expérience.

Dans *La Clochette*, un jeune malin entraîne de nuit au fond d'un bois une pauvre fille à la recherche de la vache qu'il y a volontairement égarée et dont elle suit la clochette. Il la viole malgré ses cris. « Ô belles, évitez / Le fond des bois et leur vaste silence. » Le vers est beau. La morale, immorale. « Toute chose est permise, dit le violeur, pour se tirer de l'amoureux tourment. » C'est la première fois dans un conte que le plaisir n'est ni partagé ni volontaire. Curieuse façon pour le poète de tenir sa promesse d'être sage à l'avenir! Il n'a plus mis en scène de moines ni de nonnettes. Mais il a conservé la beauté des corps nus et l'invincible force du désir. Il le montre capable de tout, même d'employer la force. Les nouveaux *Contes* ne sont ni édulcorés ni anodins.

Ils ne sont pas nombreux. Avec *La Matrone d'Éphèse* et *Belphégor*, publiés en 1682, cela ne fait que sept contes en dix ans. Jusqu'à sa mort dix ans plus tard, La Fontaine n'en écrira, ou du moins n'en publiera plus. Signe que les questions soulevées en tête de *La Clochette* et du *Fleuve Scamandre* le tracassent plus qu'il n'y paraît. Pour se prouver qu'il était libre, il a transgressé l'interdit qu'il avait en principe accepté. Cela lui suffit. A l'avenir, il cédera aux pressions de son temps. Quand la belle découvre que son trompeur n'est pas le dieu Scamandre et qu'elle révèle sa ruse à tout le monde, quelques-uns le chassent à coups de pierres. Les autres en rient « sans plus ».

> *Je crois qu'en ce temps-ci*, commente le conteur,
> *L'on ferait au Scamandre un fort méchant parti*
> *En ce temps-là, semblables crimes*
> *S'excusaient aisément : tous temps, toutes maximes.*

Sous la pression des censeurs, La Fontaine regarde ses *Contes* d'un œil différent. Au lieu d'y voir simplement des histoires, de beaux mécanismes qui fonctionnent bien sur l'imaginaire de ses lecteurs, il y découvre des récits inscrits dans l'histoire, variables selon les préjugés du moment. Cette retombée dans le réalisme va le paralyser malgré lui. Dès lors que le conte cesse d'être un jeu intemporel, il lui est impossible de continuer à libérer sans scrupules ses fantasmes. Les livres de ses devanciers ne sont plus une garantie suffisante si on ne peut rester, comme il le soutenait dix ans plus tôt, sur le seul terrain de l'écriture. En modifiant sa vision de l'art du conte à défaut de changer sa morale personnelle, les dévots ont gagné contre La Fontaine. Ils ont bridé son imagination. Comme la raison ne fait pas de bons contes, il cessera d'en écrire. Les cinq de 1685 sont à la fois une provocation et un baroud d'honneur.

Pour échapper à cette impasse, La Fontaine essayait, en fin de volume, d'adapter ses talents de conteur au récit d'histoires tragiques. Dans *Les Filles de Minée*, selon une technique héritée de Boccace et de ses émules, trois personnages, trois sœurs, racontent tour à tour une aventure sur un sujet donné. Elles ont choisi de montrer les malheurs de l'amour. Mais Iris, qui a parlé la dernière, reprend aussitôt la parole pour dire une nouvelle histoire et chanter la palinodie. Elle n'approuve pas l'insensibilité :

Hé quoi, ce long repos est-il d'un si grand prix ?
Les morts sont donc heureux ; ce n'est pas mon avis.
Je veux des passions ; et si l'état le pire
Est le néant, je ne sais point
De néant plus complet qu'un cœur froid à ce point.

Singulier La Fontaine qui ne veut point finir son poème
sans faire l'apologie des passions ! Au milieu de son livre,
dans la fable du « Philosophe Scythe », il les avait déjà défen-
dues, dénonçant l'intransigeance du stoïcien qui « retranche
de l'âme / Désirs et passions, le bon et le mauvais, /
Jusqu'aux plus innocents souhaits ». Il continue de croire
aux plaisirs de la vie et reste le disciple d'Épicure.

La Fontaine a lui-même expliqué comment il a été
conduit à mêler à deux récits d'Ovide « un événement véritable » tiré des *Antiquités* de Boissard. Il l'a préféré à tel
autre épisode qu'il aurait pu tirer du même poète. « Après
avoir fait réflexion là-dessus, j'ai appréhendé, explique-t-il,
qu'un poème de six cents vers ne fût ennuyeux s'il n'était
rempli que d'aventures connues. » Malgré sa longue pratique, le poète continue donc en ce temps-là à réfléchir sur
la meilleure façon d'intéresser le lecteur de récits. Il décide
pour la variété au détriment de l'homogénéité des sources.
On peut mêler du vrai à la fiction reçue de la tradition
littéraire. L'essentiel est d'éviter l'ennui. Le plaisir de
reconnaître ne suffit pas dans un long poème, il faut y ajouter celui de la découverte. L'originalité de la manière, seule
à jouer dans la traduction, essentielle dans l'imitation, doit
ici être relayée par la nouveauté de la matière.

A Ovide et à Boissard, le poète ajoute, pour finir, une histoire tirée de Boccace. Pour écrire *Les Filles de Minée*, il a
donc homogénéisé quatre récits tirés de trois sources différentes, fondus dans une intrigue commune : la vengeance
de Bacchus contre trois filles qui ont refusé de lui rendre
hommage. Comme il y dit les malheurs de l'amour, il y
retrouve les accents élégiaques d'*Adonis* et de *Psyché*. En
fait, il essaie subtilement de greffer cette veine ancienne sur
son talent de conteur pour réussir enfin un poème. C'était
une nouvelle expérience pour sortir des *Contes* et des *Fables*.
Son échec en fera la dernière.

57.

« Autre part,
j'ai porté mes présents »

« Quelle mort, s'écrie Mme de Sévigné, que celle de M. le prince de Conti! Après avoir essuyé tous les périls de la guerre de Hongrie, il vient mourir ici d'un mal qu'il n'a quasi pas! » A vingt-quatre ans, Louis-Armand de Conti, l'aîné des deux neveux de Condé, venait de mourir à Paris, le 9 novembre 1685, des suites d'une petite vérole contractée au chevet de sa femme, qui en réchappa. La Fontaine connaissait bien ce prince. En 1671, quand celui-ci était enfant, il lui avait dédié son *Recueil de Poésies chrétiennes et diverses*. En 1680, dans une épître à Mme de Fontanges, il avait célébré son mariage avec une fille du roi et de Mlle de La Vallière. Il venait de lui dédier sa *Comparaison d'Alexandre, de César et de M. le Prince*.

« Il est fils d'un saint et d'une sainte, dit Mme de Sévigné, il est sage naturellement et, par une suite de pensées emmanchées à gauche, il joue le fou et le débauché et meurt sans confession et sans avoir eu un moment non seulement pour Dieu, mais pour lui, car il n'a pas eu la moindre connaissance. Sa belle veuve l'a fort pleuré. » Commencé comme un roman, le mariage s'était vite dégradé. En mars 1685, alors que la paix régnait en France, Conti et son frère étaient partis, malgré Louis XIV, combattre en Hongrie. On avait saisi de leurs lettres où ils se moquaient de lui, « gentilhomme affainéanti auprès de sa vieille maîtresse », la Maintenon. On y voyait aussi qu'ils pratiquaient le vice italien. « Le roi, dira Saint-Simon, ne put jamais bien pardonner aux princes de Conti, dont l'aîné mourut dans sa disgrâce ouverte, quoique à la cour à cause de sa femme. » Le cadet était relégué dans son château de L'Isle-Adam.

Pour ménager son avenir, La Fontaine déplora la mort du jeune prince dans une épître en vers libre à son frère, François-Louis, qui prit à son tour le titre de prince de Conti. En lui dédiant un panégyrique du mort, La Fontaine manifestait son allégeance à Condé et à sa famille, au mépris de la colère royale. Il avait montré la même fidélité au temps de Foucquet. Les flatteries au pouvoir voisinent dans son œuvre avec les manifestations d'indépendance. Comme homme, il avait besoin de se sentir libre. Comme auteur, il désirait obtenir cette reconnaissance de ses mérites que pouvait seule conférer la faveur du roi. Il vivait cette contradiction comme il pouvait, au gré des circonstances. Par prudence, il ne publia point son épître.

Au début de 1686, ce qui lui restait d'affaires le rappela à Château-Thierry et dans la région. En mars, sa femme signe le bail de la ferme de La Trinité, jadis cédée par le poète à Jannart. Elle appartient désormais à Marie, on ignore par quels arrangements. Le 19 avril, il est à La Ferté-Milon, où il lui donne une procuration générale. Cela suppose entre les époux le maintien d'une certaine communauté d'intérêts. Peut-être ce voyage et cette signature sont-ils à l'origine de la légende selon laquelle, poussé par Racine et Boileau, La Fontaine serait un jour retourné au pays pour se réconcilier avec sa femme, et reparti sans la revoir parce qu'elle était au salut...

Le 6 juin, il était à Château-Thierry. Il écrit ce jour-là à Racine qui prétend savoir que, depuis son arrivée, il « travaille sans cesse » à la poésie « au lieu de s'appliquer à ses affaires ». Il le détrompe : « Il n'y a de tout cela que la moitié de vrai : mes affaires m'occupent autant qu'elles en sont dignes, c'est-à-dire nullement, mais le loisir qu'elles me laissent, ce n'est pas la poésie, c'est la paresse qui l'emporte. » A son ami en 1686, comme à la Champmeslé dix ans plus tôt, il donne de lui une image d'insouciance et de nonchalance accordée à celle qu'il présente de lui dans son œuvre. Image trop ostentatoire pour ne pas être suspecte. Image trop répétée pour ne pas être vraie. L'ostentation est un bon moyen d'assumer un défaut qu'on souligne soi-même pour ôter aux autres l'initiative de le relever. La

Fontaine était paresseux avec délices et mauvaise conscience. Pas assez pour refuser de s'occuper de ses affaires. Assez pour ne pas avoir le courage de s'en occuper convenablement. Excellent moyen de se trouver ruiné.

Pas un mot de sa femme dans sa lettre à Racine. Elle avait autrefois sa place dans leur correspondance. La Fontaine n'habite plus chez elle. La maison de famille a été vendue. Comme lors de sa précédente venue, il est hébergé au château. « Poignant, à son retour, m'a dit que vous preniez mon silence en fort mauvaise part. » C'est son début. Le capitaine avec lequel le jeune poète avait voulu se battre en duel habite donc Château-Thierry. Pour les beaux yeux de Marie Héricart? On pourrait bâtir un roman, d'autant plus que Furetière, au même moment, est en train d'insinuer que La Fontaine est un mari complaisant. En vérité, on ne sait rien. Pas même si Mme de La Fontaine habite alors Château-Thierry.

« Pour l'humeur, selon d'Olivet, elle tenait fort de cette Madame Honesta qu'il dépeint dans sa nouvelle de *Belphégor*. » Le premier biographe du poète n'aime pas sa femme, et il est toujours dangereux de conclure sans précautions de l'œuvre à la vie. Dédié à la Champmeslé, *Belphégor* est un des deux contes publiés par La Fontaine en 1682. Il y imite une « plaisante nouvelle » de Machiavel. Belphégor est un « archidiable », dit l'argument, « envoyé par Pluton en ce monde avec l'obligation de prendre femme. Il arrive, se marie, mais, ne pouvant supporter sa superbe, il aime mieux retourner en Enfer que de rester avec elle ». Il est traditionnel de répéter que la femme est l'enfer de l'homme... Elle l'est ici par son orgueil. « *Traiter ainsi les filles de mon rang!*, disait-elle à son mari.

> *Méritait-il femme si vertueuse?*
> *Sur mon devoir, je suis trop scrupuleuse.*
> *J'en ai regret; et si je faisais bien...* »
> *Il n'est pas sûr qu'Honesta ne fît rien:*
> *Ces prudes-là nous en font bien accroire.*

Il n'y avait nulle différence de rang entre le poète et sa femme. Elle ne l'avait pas épousé pour son argent, comme dans le conte. Tallemant l'a montrée comme le contraire d'une prude. La Fontaine n'était pas un diable, ni un bourgeois comme le Roderic en qui Belphégor s'incarne. Il n'y a donc malgré d'Olivet, aucune raison d'identifier Mme de La Fontaine à la « superbe » Honesta.

Commentant son histoire, le poète plaide pour le mariage d'amour contre le mariage d'intérêt. Sans croire pourtant à la durée de l'amour :

> *Chez les amants, tout plaît, tout est parfait;*
> *Chez les époux, tout ennuie et tout lasse.*
> *Le devoir nuit : chacun est ainsi fait.*
> *« Mais, dira-t-on, n'est-il en nulles guises*
> *D'heureux ménages ? » Après mûr examen,*
> *J'appelle un bon, voire un parfait hymen,*
> *Quand les conjoints se souffrent leurs sottises.*

Si les « sottises » sont les frasques amoureuses, c'était déjà la morale de *Joconde*. Si elles désignent les autres difficultés des ménages, c'est la morale de tout le siècle.

Peindre l'enfer des couples est traditionnel dans les contes. Une fois, pourtant, La Fontaine en a dépeint la douceur. *Philémon et Baucis*, dont il a développé l'histoire dans le recueil publié avec Maucroix en 1685, vivent dans le bonheur d'une entente parfaite :

> *Hyménée et l'Amour, par des désirs constants,*
> *Avaient uni leurs cœurs dès leur plus doux Printemps.*
> *Ni le temps ni l'hymen n'éteignirent leur flamme.*

En récompense de l'hospitalité qu'ils accordent à des dieux déguisés en voyageurs et repoussés de tout le monde, ils obtiennent de vieillir et de mourir ensemble :

> *Même instant, même sort à leur fin les entraîne;*
> *Baucis devient tilleul, Philémon devient chêne.*

Les époux qui y vont en pèlerinage et « séjournent sous leur ombre » continuent de « s'aimer malgré l'effort des ans ».

Cette célébration de l'amour conjugal vient d'Ovide, qui avait raconté cette double métamorphose. La Fontaine l'a jointe à *Daphnis et Alcimadure* et aux *Filles de Minée*, deux poèmes qui condamnent l'insensibilité amoureuse. Dès 1668, dans le premier recueil de *Fables*, il la critiquait chez la fille de Mme de Sévigné. A soixante ans passés, il reste persuadé de l'universelle puissance de l'amour et que c'est un péché de ne pas aimer. Il pense aussi que la nature humaine est inconstante, et que l'amour s'adresse d'ordinaire à des objets différents et successifs. La fidélité de Philémon et Baucis est un idéal rarement atteint. Le conteur s'interrompt : « Ah ! si... Mais autre part, j'ai porté mes présents. » Regrets fictifs d'un auteur habile, qui ajoute à l'émotion du récit celle d'une fausse confidence ? Vraie confidence d'un homme qui regrette un instant une vie qu'il n'a pas choisie, mais qui aurait pu être la sienne ? La Fontaine savait bien que ses lecteurs, qui connaissaient mieux que nous sa situation conjugale, choisiraient la seconde solution.

Dans la suite de sa lettre à Racine, le poète se dépeint aux prises avec une jeune admiratrice de huit ans qui lui avait envoyé une chanson. Songeant au « parfait La Fontaine », elle l'a écrite en tremblant. Elle avait ajouté en prose qu'elle ne l'aurait jamais achevée sans l'espoir d'obtenir une réponse. Il la lui a promise. Elle l'assassinera jusqu'à ce qu'il ait tenu parole. « De grâce, Monsieur, ne négligez point une petite muse qui pourrait parvenir si vous lui jetiez un regard favorable. » Ainsi donc La Fontaine avait un courrier des lecteurs, et on lui demandait sa protection pour réussir. Il y avait des enfants prodiges, ou on se cachait sous ce masque pour l'intéresser. Et il répondait. Il envoie à Racine une copie des trois couplets qu'il a adressés à la demoiselle. Elle fait joliment lettres et chansonnettes, lui dit-il. Dans trois ans, elle fera beaucoup mieux. Elle saura parler d'amour.

A la vue de cet échantillon, Racine voit bien, continue La Fontaine, qu'il ne doit pas se fâcher de ce qu'il ne lui communique pas les bagatelles qu'il produit. Pour l'amadouer, il y joint un fragment en vers d'une lettre à Conti qui est « sur le métier ». Il y dénonce les pédants : « Un sot plein de savoir est plus sot qu'un autre homme. » Il y refuse l'étalage de l'étude en poésie : « Ronsard est dur, sans goût, sans choix. » Il gâte « des Grecs et des Latins les grâces infinies ». Mais il est dommage qu'aujourd'hui on n'ose plus user de traits d'érudition, même modérément, comme faisait Malherbe. Racan, qui « ne savait rien », est devenu le modèle d'une cour qui ose « ouvertement » sacrifier à l'ignorance. « Cet auteur a, dit-on, besoin d'un commentaire. » Cela le condamne. « On voit bien qu'il a lu. » Ce n'est pas ce qu'on lui demande : « Qu'il cache son savoir et montre son esprit. »

A la veille de la querelle des Anciens et des Modernes, le poète croit sentir une évolution du goût et s'en plaint à Conti. Son succès lui est venu des mondains. Il écrit pour les honnêtes gens des textes d'apparence facile. Mais son art, qui s'appuie sur une vaste culture, n'est pleinement compris que de ceux qui ont assez de savoir pour y discerner maintes allusions aux textes anciens. La Fontaine vit comme un appauvrissement la nouvelle exigence d'un art moins évidemment greffé sur la tradition. Plus que son temps, c'est sans doute lui qui a changé. A la cour de Vaux, il ne lui répugnait pas de fonder sa réputation sur son esprit. Il y cédait à la tentation galante. Il a fait de la galanterie la base de la réussite de ses *Contes*. Il ne l'a pas chassée de ses premières *Fables*. Avec le temps, il s'en lasse. Il aspire au sérieux. Ses lecteurs l'en détournent. La petite fille à laquelle il répond est une image symbolique de son public. Il doit badiner malgré lui.

Conservé par hasard dans une lettre à Racine, ce fragment adressé à Conti appartient à une épître dont on ne connaît pas le texte complet. Il y a eu beaucoup d'autres textes de ce genre qui ne nous sont pas parvenus. Toute sa vie, comme au temps de Vaux, La Fontaine a écrit des œuvres pour ainsi dire privées, directement compréhensibles pour ceux-là seuls auxquels elles étaient destinées, trop liées aux circonstances pour avoir un intérêt général ou difficilement publiables en raison de leur contenu. Nous n'en connaissons qu'une faible partie, retrouvée parmi ses papiers après sa mort. Par prudence, il n'a pas publié sa satire contre Le Florentin, ni même l'*Épître à Mme de Thianges* qui lui faisait suite. Il n'a jamais non plus publié l'*Épître à Niert* sur la musique, qui s'en prenait au goût royal.

Toute une part de sa production s'adressait à ses protecteurs et à leur entourage seulement. C'est le cas par exemple de la *Consolation à Conti* sur la mort de son frère aîné, de l'épître dont il parle à Racine et de beaucoup d'autres. Ces œuvres n'avaient pas moins d'importance pour lui que celles qu'il destinait à la publication. Elles lui procuraient des pensions. Elles s'adressaient à des privilégiés, gens de goût qui, malgré leur petit nombre, constituaient un public aussi exigeant que la masse anonyme des lecteurs de livres. « Puisque je vous envoie ces petits échantillons, terminait La Fontaine, vous en conclurez, s'il vous plaît, qu'il est faux que je fasse le mystérieux avec vous. Mais, je vous en prie, ne montrez pas ces derniers vers à personne, car Mme de La Sablière ne les a pas encore vus. » Malgré sa retraite aux Incurables, Iris demeure son juge, le premier, le plus difficile.

Le 11 octobre 1686, La Fontaine, demeurant rue Saint-Honoré, apporte 5 400 livres au receveur général du clergé de France, qui lui constitue en échange 270 livres de rente annuelle. L'emprunt a été ouvert au profit des missions destinées à l'instruction des nouveaux convertis, les protestants mal convertis par la Révocation de l'édit de Nantes. Ce n'est peut-être pas un choix significatif. Cet emprunt ne rapporte ni plus ni moins que les autres constitutions de rentes. Mais il est garanti par l'État. La cigale se comporte en fourmi. Le poète place ses économies en lieu sûr. L'argent lui venait-il d'une vente conclue pendant son séjour à Château-Thierry, abandon du dernier lambeau de ses biens patrimoniaux ? C'est probable. Les libéralités des grands envers les écrivains n'atteignaient jamais de telles sommes. Mais « chassez le naturel, il revient au galop ». La fourmi redevint bientôt cigale. En 1690, c'est Nicolas Mélicque qui a les droits de La Fontaine sur une part de sa rente...

58.
Polémiques

Malgré les promesses faites à l'Académie, La Fontaine reste l'auteur des *Contes*. Il l'est plus ou moins volontairement par la publication hollandaise d'avril 1685. Il l'est de son plein gré par les cinq qui figurent dans son recueil de la fin juillet. Il a senti le danger, et la dédicace à Harlay est une habile précaution, conseillée par Mme de La Sablière. Procureur général au parlement de Paris depuis 1667, Achille de Harlay était, selon Saint-Simon, qui ne l'aimait pas, entièrement tourné à « se faire une réputation de grand homme », quoique « sans honneur effectif, sans mœurs dans le secret, sans probité qu'extérieure, sans humanité, même en un mot un hypocrite parfait ». Concourant à sa gloire, les louanges du poète en tête d'un recueil très majoritairement sérieux étaient le prix payé pour qu'on n'y aperçût pas les contes. Le prix aussi, sans doute, pour n'être pas inquiété pour l'édition complète qui courait sous le manteau.

Tout serait allé pour le mieux si Furetière, ulcéré par son exclusion, ne s'était déchaîné dans un second factum, en principe consacré à démontrer l'injustice de cette mesure. Reprenant une expression du grand Corneille, il y attaquait durement les « académiciens jetonniers », assidus seulement par appât du gain, « partie basse de l'Académie », qui viennent travailler au *Dictionnaire* sans en être capables. Il en nomme treize – onze qui ont voté son exclusion et deux qui n'étaient pas venus ce jour-là. Ce sont des ignorants, tout juste capables de faire des « vers de coquetterie », sans aucune connaissance des Anciens. Ils croient savoir le français parce que c'est leur langue maternelle, et rejettent tous les mots qu'ils n'entendent point, notamment ceux du vocabulaire des métiers. Ils n'ont pas même été capables de définir ce que sont les arts libéraux.

Parmi beaucoup d'autres exemples des lenteurs et des faiblesses de l'Académie, Furetière prend celui du mot *Oriflamme*. Si on avait recueilli ce qu'en avaient dit Huet, l'abbé Dangeau et lui-même, on aurait épuisé la matière. « Mais les ignorants, qui abhorrent toute sorte d'érudition, s'y opposèrent et voulurent qu'on se contentât de dire que c'était la bannière de Saint-Denis. Encore M. de La Fontaine vint-il enchérir sur eux en disant qu'il doutait que l'Oriflamme fût la bannière de Saint-Denis, de sorte que, de peur de s'y méprendre, il fit tant qu'on mît seulement que c'était une bannière gardée à Saint-Denis. » Preuve que le doute de l'ignorant l'emporte toujours sur la certitude des spécialistes, parce que « le premier parti est toujours le plus fort en nombre ». Furetière place La Fontaine parmi les « ignorants outrés », avec Quinault et Benserade. Auteur de « pièces impures et libertines », il corrompt « les bonnes semences » des prédicateurs en répandant « le venin sur les esprits faibles et innocents ».

A ces remarques acides s'ajoute, pour chacun des treize « jetonniers », un portrait satirique complet. La Fontaine est un incapable qui a échoué au théâtre, puis à l'opéra. Il a donné à Quinault la douce satisfaction de voir qu'on pouvait être encore plus nul que lui. Il ne sait rien faire que des contes. « Il se vante d'un malheureux talent qui le fait valoir : il prétend qu'il est original en l'art d'envelopper les saletés, et de confire un poison fatal aux âmes innocentes, de sorte qu'on pourrait l'appeler à bon droit un Arétin mitigé. C'est ce qui l'a mis en réputation chez les coquettes, et c'est ce qui l'a longtemps éloigné de l'Académie. » Furetière sait retourner le fer dans la plaie. Il réduit son ancien ami au rôle d'auteur salace pour dames libérées. Jean avait constamment travaillé à équilibrer cette sorte de succès par des œuvres sérieuses. Sa première réussite lui était venue de ses *Contes*. Il avait continué d'en écrire. Mais il voulait surtout qu'on n'en fasse pas l'essentiel de son œuvre.

A ces reproches littéraires, le factum en ajoute de plus graves. Ses *Contes* sont si licencieux qu'il a dû les imprimer clandestinement. On se demande comment il a pu éviter « la censure et la punition des magistrats », car « dans les contes dont il se pare le plus, il y a des choses si scandaleuses qu'elles choquent absolument les bonnes lois et notre religion ». La Fontaine n'est pas seulement immoral, il est impie et mauvais citoyen. Furetière se fait délateur. Il attaque aussi le fabuliste dans sa vie privée : « Il donne tant d'éloges au cocuage volontaire que quelques-uns pourraient conclure de là qu'il s'en est bien trouvé. » Le voilà cocu content et consentant...

L'ignorance de La Fontaine et le caractère spécifique de son œuvre le rendent inapte aux travaux du *Dictionnaire* : « Comme la force de son génie ne s'étend que sur les saletés et les ordures sur lesquelles il a médité toute sa vie, il a le malheur de voir que les plus sages s'opposent à recevoir tous les mots de sa connaissance, ce qui fait que toute sa prétendue connaissance lui devient inutile. » Reproche absurde, car l'art du conteur a au contraire été de ne jamais employer le vocabulaire ordurier et de tout dire dans un langage honnête. Si l'Académie a refusé des mots à La Fontaine (mais Furetière a peut-être menti), c'est parce qu'il aimait et pratiquait les archaïsmes et les mots populaires de la vieille langue, celle de Marot et de Rabelais. Il en tirait de savants effets de décalage par rapport à la langue usuelle des mondains et des courtisans. Décidée à faire de son *Dictionnaire* un répertoire du bon usage, l'Académie les excluait, se bornant au vocabulaire des milieux choisis.

Pour finir, Furetière reprochait à Jean son incompétence professionnelle : « Après avoir exercé trente ans la charge de maître particulier des eaux et forêts, il avoue qu'il a appris dans le *Dictionnaire universel* [le sien] ce que c'est que du bois en grume, qu'un bois marmenteau, qu'un bois de touche et plusieurs autres termes de son métier qu'il n'a jamais sus. » Malgré ce que dit le factum, La Fontaine savait peut-être qu'un bois en grume est un bois coupé qui a conservé son écorce, qu'un marmenteau est « un bois de haute futaie qui est en réserve et qu'on ne taille point, qu'on appelle quelquefois bois de touche lorsqu'il sert à la décoration d'un château ou d'une terre ». On n'est pas obligé de croire l'auteur d'un pamphlet. Mais sa longue connaissance du poète rendait ses accusations redoutables. Il était, hélas, le premier à lui consacrer tout un portrait.

Écrit au milieu de 1685, peu après la sentence révoquant le privilège du *Dictionnaire universel*, le second factum ne fut imprimé et n'atteignit le grand public qu'un an plus tard. Bayle l'annonce en juin 1686 dans ses *Nouvelles de la République des Lettres* comme « un ouvrage tout plein de feu et d'esprit, mais satirique au dernier point ». Certaines gazettes, précise-t-il, prétendent que « ce nouveau factum, ayant été lu du roi, le fit extrêmement rire ». Il s'y trouve en effet des passages qui « feraient rire les personnes les plus sérieuses ». Réflexion faite, pourtant, on ne change pas de sentiment sur les personnes moquées : « On leur rend la même justice qu'autrefois, et pour ne rien dire des autres, il est bien certain que MM. Benserade et de La Fontaine sont aussi estimés qu'ils étaient avant ce factum. »

Le 4 mai précédent, accusant réception des deux textes que Furetière lui avait envoyés dans son exil bourguignon, Bussy avait tiré du lot les mêmes noms. Il comprenait la « représaille » de son correspondant contre l'Académie, mais regrettait de voir confondus dans la masse « deux entre autres », qui avaient pu avoir des torts envers lui sans pour autant mériter d'être dénigrés comme il l'avait fait : « C'est M. de Benserade et M. de La Fontaine. » Il connaît bien le premier. Il est injuste de prétendre qu'il a fondé sa réputation sur le mauvais goût. Il n'a jamais rencontré le second, mais il est « le plus agréable faiseur de contes qu'on ait jamais vu en France ». Il en a « fait quelques-uns où il y a des endroits un peu trop gaillards, et quelque admirable enveloppeur qu'il soit, ces endroits-là sont trop marqués; mais quand il voudra les rendre moins intelligibles, tout y sera achevé ». Bel éloge, qui repousse l'accusation de libertinage. Bussy était un connaisseur : lui aussi l'avait encourue et lui aussi avait « enveloppé » bien des choses dans sa *Carte du Pays de Bracquerie* et son *Histoire amoureuse des Gaules*.

« La plupart de ses prologues, qui sont des ouvrages de son cru, continuait-il, sont des chefs-d'œuvre de l'art; et, pour cela aussi bien que pour les fables, les siècles suivants le regarderont comme un original qui, à la naïveté de Marot, a joint mille fois plus de politesse. » Il terminait sur un éloge conjoint de Benserade et de La Fontaine. Ils étaient universellement « connus et établis pour des gens de génie et d'un mérite extraordinaire ». Leurs éventuels torts envers Furetière n'y changeaient rien. Bussy était un homme de goût dont le jugement faisait autorité en matière littéraire. Son avis pouvait d'autant moins passer inaperçu qu'il était lui aussi membre de l'Académie. Il envoya copie de sa lettre à son ami Corbinelli, un lettré répandu dans la bonne société parisienne. « Montrez-la, si vous le jugez à propos, lui disait-il, mais ne la donnez point. »

Elle circula largement. « Nous avons vu à l'Académie, écrit bientôt Benserade à Bussy, une lettre que vous avez pris la peine d'écrire à ce misérable Furetière, et la Compagnie s'est un peu formalisée du trop d'honneur que vous lui faites. Nous vous remercions, La Fontaine et moi, du soin que vous avez bien voulu prendre de notre défense. » Les compliments du grand seigneur réconfortaient le poète, heureux de voir qu'il ne réduisait pas son œuvre à ses *Contes*. Mme de Sévigné, à laquelle Corbinelli avait aussi montré la lettre, l'approuva chaleureusement. Elle avait tout de suite pris parti, écrit-elle, contre « tous ceux qui voulaient louer cette noire satire ». Furetière n'y avait que trop montré qu'il n'était « ni du monde, ni de la cour », et d'une pédanterie incorrigible. « On ne fait point entrer certains esprits durs et farouches dans le charme et dans la facilité des *Ballets* de Benserade et des *Fables* de La Fontaine. Cette porte leur est fermée, et la mienne aussi. Ils sont incapables de comprendre ces sortes de beautés et sont condamnés au malheur de les improuver et d'être improuvés aussi des gens d'esprit. »

On s'étonne aujourd'hui de voir défendus avec la même ardeur « le beau feu et les vers de Benserade » (cité le premier et le plus longuement loué) et « les charmes des *Fables* de La Fontaine ». A l'époque, vu la réputation de Benserade, dont le roi faisait ses délices, ce parallèle était glorieux. Jean regrettait seulement que, malgré l'allusion aux *Fables*, on le plaçât toujours, comme au temps de l'*Épître à l'abbesse de Mouzon*, parmi les poètes légers, spirituels et mondains, non parmi les disciples des Anciens. Cela faisait pourtant longtemps qu'il s'efforçait de les rejoindre.

En dépit des conseils de modération qu'on lui prodiguait, Furetière ne démordait pas. Il répondit à Bussy en contestant la qualité littéraire de l'œuvre de La Fontaine. Ses licences poétiques, lui dit-il, ne sont pas moins grandes que ses licences morales. Il plaidait l'amitié déçue : « Je lui ai rendu pendant cinquante ans une infinité de bons offices, et il a trahi le plus vieux de ses amis par l'avidité de gagner trois jetons. » L'excuse était trop bonne pour la garder sous le boisseau. Furetière en fit une épigramme :

> *Quand pour trente deniers Judas vendit son maître,*
> *Il fit un crime horrible et que nous détestons;*
> *Aujourd'hui La Fontaine est un semblable traître;*
> *Qui vend son bon ami pour gagner trois jetons.*

Le fabuliste ne se gêna pas pour répliquer à son tour, car il avait lui aussi l'esprit satirique. Dans un sonnet en bouts-rimés, il déclara que Furetière méritait d'être enfermé à Saint-Lazare; dans une épigramme, qu'il avait été bâtonné. Quand « certaines gens » se sont vengés sur son dos de ses « dits outrageants », était-ce, lui demandait-il, « bois en grume » ou « en marmenteau » ? En évoquant cette humiliation vraie ou fausse, Jean voulait déconsidérer l'adversaire. Il ne pouvait lui faire peur. Seuls de grands seigneurs pouvaient impunément bâtonner un poète. Qu'ils le voulussent ou non, Furetière et La Fontaine étaient dans le même camp, celui des faibles, forcés de ne se battre qu'avec des mots. Ils ne s'en privaient pas.

Furetière répondit du tac au tac :

> *Il est du bois de plus d'une manière;*
> *Je n'ai jamais senti celui que vous citez;*
> *Notre ressemblance est entière,*
> *Car vous ne sentez point celui que vous portez.*

Pour toute réponse, La Fontaine déclara à la cantonade que le bâtonné devait avoir la peau bien dure pour n'avoir rien senti. Quand on préférait son intérêt à son honneur en pratiquant un « cocuage volontaire », lui répliqua Furetière, on n'avait qu'à « filer doux et se taire ». Robbe, qui avait collaboré au *Dictionnaire universel*, alla jusqu'à couvrir le front du fabuliste de « toute une forêt », peut-être par allusion à ses anciennes charges. Le cocuage s'accordait parfaitement avec ses *Contes* :

Je tiens qu'à ta façon d'écrire
Les cornes conviendraient fort bien;
Il ne te manquerait plus rien
Pour être un sale et fort vilain satyre.

Dans le courant de 1686, le libraire d'Amsterdam qui venait de donner plusieurs éditions complètes des *Contes* imprima toutes ces aménités dans un volume intitulé *Recueil de plusieurs vers épigrammes qui ont été faits entre Monsieur Furetière et Messieurs de l'Académie française*. La Fontaine se trouvait en bonne compagnie. Il était pourtant bien déçu. Il avait espéré trouver à l'Académie reconnaissance de ses mérites et respectabilité morale. On avait attaqué son immoralité avant son élection. On l'avait attaquée pendant la longue période où le roi avait différé son acceptation. Et voici qu'elle l'était encore plus durement dans des pamphlets amusants qui portaient le débat devant le public en le traitant de libertin et de cocu volontaire...

59.

Ancien ou Moderne?

La belle Antiquité fut toujours vénérable,
Mais je ne crus jamais qu'elle fût adorable.
Je vois les Anciens sans ployer les genoux,
Ils sont grands, il est vrai, mais hommes comme nous;
Et l'on peut comparer, sans craindre d'être injuste,
Le siècle de Louis au beau siècle d'Auguste.

En donnant à l'Académie, le 27 janvier 1687, la primeur du poème qui commençait ainsi, Charles Perrault n'avait peut-être pas pensé qu'il allait susciter un tel scandale. Aucune des idées exprimées dans *Le Siècle de Louis le Grand* n'était neuve. Cela faisait longtemps qu'on flattait Louis XIV en le comparant à Auguste. On était réuni pour célébrer pompeusement la guérison du roi, opéré avec succès d'une fistule. On avait craint pour sa santé, puis pour sa vie, car l'intervention était alors très dangereuse. On se réjouissait de voir qu'il allait rester à la tête de la France et continuer d'assurer sa suprématie dans le monde. Institution officielle, l'Académie mêlait sa voix au concert des félicitations obligées. C'était banal.

La France était forte de ses victoires. La puissance militaire du royaume était le principal instrument de la gloire du roi. Perrault la célébrait. Mais, puisqu'on était à l'Académie, il entreprit de montrer aussi le succès de sa politique culturelle. Jamais, dit-il, l'architecture, la sculpture, la peinture n'avaient connu pareil essor. Jamais non plus la poésie n'avait atteint pareil degré de perfection. Puisqu'il voulait

vanter l'excellence du siècle de Louis le Grand, il était inévitable qu'il le comparât au siècle qui passait pour le meilleur de l'Antiquité, celui d'Auguste, et qu'il y égalât son
propre siècle, voire qu'il le proclamât meilleur. Les chefs-
d'œuvre littéraires y abondaient, supérieurs à ceux des
Anciens. C'était normal. On était parti d'eux et on avait pro-
gressé.

Cette idée de progrès n'était pas partagée par tout le
monde. Pour beaucoup, la perfection appartenait au passé.
Comme le Paradis terrestre, l'âge d'or était en arrière, non
en avant. En matière d'art et de littérature notamment, on
devait imiter les Anciens. C'était chez eux qu'on trouvait les
modèles et les règles. Il était sacrilège d'espérer faire mieux
qu'eux. C'était notamment l'avis de Boileau. Outré de
colère, il voulut interrompre la lecture pendant la séance.
Son savant confrère Huet, évêque de Soissons et ancien précepteur du Dauphin, l'en empêcha. Quand elle fut termi-
née, il protesta avec colère que c'était une honte d'écouter
de pareils blasphèmes. Racine s'amusa au contraire à louer
Perrault de l'habileté dont il avait fait preuve en développant
par plaisanterie un paradoxe insoutenable. Mais Perrault
défendit le caractère sérieux de son poème, qu'il fit aussitôt
imprimer.

Dans sa livraison de février, le *Mercure galant* note que
« malgré toute l'approbation qu'on lui a donnée, il ne laisse
pas de causer une espèce de schisme parmi les esprits du
premier ordre ». La guerre dura plusieurs années. Les mondains, les beaux esprits, les femmes, les jésuites étaient du
parti de Perrault. Les doctes étaient naturellement de celui
des Anciens, reprochant à leurs adversaires de condamner
des œuvres dont ils ne pouvaient comprendre les beautés
puisque leur ignorance les empêchait d'avoir accès au
texte original. L'Académie était divisée. Majoritairement
moderne, elle comptait dans ses rangs de fermes partisans
des Anciens, ceux-là mêmes que les Modernes citaient en
exemples pour la qualité inégalée de leurs œuvres, Boileau
ou Racine par exemple.

La Fontaine se précipita dans la bataille. Toujours soucieux de sa réputation, il avait pensé que la querelle pouvait
l'aider à corriger l'image qu'on se faisait de lui. Il publia une
mince plaquette de sept pages portant un permis d'imprimer

du 5 février, neuf jours après le discours de Perrault. Elle contenait deux Épîtres. La première, longue de cent vers alexandrins, était adressée *A Monseigneur de Soissons en lui donnant un Quintilien de la traduction d'Oratio Toscanella*. La seconde, une cinquantaine de vers libres *A M. de Bonrepaus*, commençait et finissait par des points de suspension pour en marquer le caractère inachevé. Malgré les ans qui passent, le poète a gardé le goût de soumettre au lecteur des œuvres en cours de rédaction, des fragments destinés à lui donner l'impression d'entrer dans son atelier. Il a gardé aussi le goût de la dualité : achèvement et inachèvement; vers irréguliers et alexandrins. Incapacité de choisir? Plaisir de montrer la variété de son talent? Plaisir aussi de se masquer, d'obliger l'autre à se poser des questions qu'il ne peut trancher.

Familier de Mme de La Sablière, François de Bonrepaus avait fait une brillante carrière dans la marine grâce à la protection de Colbert. Puis il était devenu lecteur du roi. A trois reprises, de 1685 à 1688, Louis XIV l'envoya à Londres, dont deux fois pour tenter de persuader les protestants français réfugiés de se convertir et de revenir dans leur pays. Avant les points de suspension, le fragment d'*Épître* porte en tête : « A Londres le... », comme si La Fontaine répondait à Bonrepaus. Deux lignes en prose l'introduisent : « Le roi est parfaitement guéri; vous ne sauriez imaginer combien ses sujets en ont témoigné de joie. » La Fontaine reprend ostensiblement le sujet du jour. Après une longue flatterie à Louis XIV sur l'amour de ses sujets et sur ses mérites, le poète le loue de s'être rangé. Plus de maîtresses : « Sa principale favorite, plus que jamais, est la vertu. » Le roi est devenu dévot. Il aurait pu se reposer sur ses lauriers. Il a voulu y ajouter ceux de la Révocation de l'édit de Nantes :

> *Il veut vaincre l'Erreur; cet ouvrage s'avance,*
> *Il est fait; et le fruit de ces succès divers*
> *Est que la Vérité règne en toute la France,*
> *Et la France en tout l'Univers.*

Au bout de quinze mois, La Fontaine joint sa voix au concert de louanges qu'avait suscité la suppression de la tolérance accordée depuis Henri IV aux protestants. Il ne s'est pas empressé de le faire. Mais il trouve naturel, dans un panégyrique du roi, de compter cette mesure parmi ses mérites. Il aurait pu se taire. Il ne l'a pas fait. Plus La Fontaine vieillit, plus il multiplie les éloges et flatteries, persuadé qu'il y est passé maître. Sur ce point aussi, il est double. Ami des opposants au régime, irrégulier et marginal, mais toujours empressé à célébrer les puissants. Un grand poète n'est pas nécessairement un modèle de rigueur et de cohérence.

Il espère toujours secrètement toucher le roi et avoir part à ses libéralités. Parce qu'il a gaspillé sa fortune, il a perdu sa liberté. S'il flatte, c'est dans l'espoir d'avoir de l'argent, du souverain comme des grands seigneurs. « Modeste et sage », conclut-il, sa muse se tait et « rentre au fond de ses retraites ». Le sujet est trop grand pour elle.

> *La fortune, il est vrai, m'oubliera dans ces lieux;*
> *Ce n'est point pour mes vers que ses faveurs sont faites :*
> *Il ne m'appartient pas d'importuner les dieux.*

Ces mots, qui terminent le poème, rappellent que leur auteur n'a jamais rien touché des fameuses pensions. Il reconnaît qu'il ne mérite rien. Il ne le dirait pas s'il n'espérait un démenti. Il n'en eut point...

« Jean de La Fontaine, écrit Huet dans ses *Mémoires* en latin, le spirituel, le délicieux, le malin fabuliste, avait su que je voulais avoir une traduction italienne de Quintilien, faite par Horace Toscanelle. Non seulement il me l'apporta et m'en fit présent, mais il y joignit une charmante pièce de vers à mon adresse, où il se moquait des gens qui opposent et même préfèrent notre siècle à l'Antiquité. » La Fontaine avait pris le parti des Anciens. De longue date, puisque Huet date l'*Épître* qui lui est dédiée de 1674.

Comme il a écrit longtemps après les événements, on pourrait croire qu'il s'est trompé, s'il n'avait eu d'excellents points de repère pour fixer ses souvenirs. Le 13 août 1674, lors de sa réception à l'Académie, en réponse à une *Relation du Parnasse* de Quinault, favorable aux Anciens, Perrault, déjà, avait répliqué par un petit poème qui leur préférait les Modernes. La Fontaine, qui n'était pas académicien, n'avait pas pris une part directe à l'affaire, mais il avait ébauché une réponse à Perrault et l'avait envoyée au récipiendaire. En 1687, quand le même Perrault développa ses mêmes idées dans *Le Siècle de Louis le Grand*, La Fontaine reprit lui aussi son précédent poème et le publia vite, après l'avoir revu et corrigé. La rapidité de sa prise de position ne vient pas d'une rédaction hâtive, mais de l'intérêt qu'il portait depuis longtemps à la question.

Son choix n'était pas évident. Tout ce qui avait assuré son succès le rejetait malgré lui dans le camp des Modernes. C'était évident pour les *Contes*, qu'il avait lui-même placés parmi les productions à la mode. Pour les *Fables*, il avait eu beau rappeler complaisamment leurs racines gréco-latines, il n'avait pas échappé à son public moderne de femmes et de cavaliers. Refusant l'austérité du laconisme que recommandaient Boileau et Patru, il s'était prononcé pour la « gaieté », avatar de la galanterie, qui rendait ses récits agréables aux mondains. Malgré ses tentatives pour cultiver les grands genres, il ne parvenait pas à faire figure de docte. Furetière, qui le connaissait bien, avait retourné le fer dans la plaie en le plaçant parmi les académiciens ignorants. « Toute sa littérature, disait-il dans le second factum, consiste en la lecture de Rabelais, de Pétrone, d'Arioste, de Boccace et de quelques auteurs semblables. » Ces lectures impies et grivoises étaient aussi, selon lui, des lectures superficielles, indignes d'un véritable intellectuel. Toutes proportions gardées, l'accusation reviendrait à dire d'un académicien d'aujourd'hui qu'il ne lit que des bandes dessinées pornographiques !

L'*Épître à Huet* était donc, dans une large mesure, un plaidoyer personnel de La Fontaine. Elle renforçait l'effort qu'il avait déjà fait, dans son recueil conjoint avec Maucroix, pour se placer parmi les doctes. Les traductions de son ami donnaient une coloration sérieuse aux œuvres qui les précédaient. Il y avait placé plusieurs imitations d'Ovide, qui montraient sa bonne connaissance de la mythologie, et sa double traduction d'un passage des *Antiquités* de Boissard, œuvre savante de spécialiste. Il avait dédié les volumes à Harlay, célèbre pour sa culture classique et pour son culte des Anciens. Il cherchait par tous les moyens à échapper à son image de poète amusant et léger, bon pour les marquis, les femmes et les enfants.

Poète marginal qui en prend à son aise avec ses sources et qui se règle sur son expérience et les réactions de son public, non sur les préceptes des doctes, ami personnel de Perrault, qu'il a connu chez Foucquet et que Mme de La Sablière révère comme un maître, bientôt cité en exemple parmi ceux qui éclipsent les Anciens qu'ils ont pris pour modèles, La Fontaine avait tout pour figurer parmi les Modernes. C'est pourquoi il s'est empressé de proclamer qu'il a choisi l'autre camp, dans une *Épître* à un homme au savoir incontesté, mais modéré, ami de Perrault lui aussi.

La position de La Fontaine est sans équivoque : personne ne peut aujourd'hui se prétendre l'égal des Anciens... Huet est sûrement de son avis : « Tel est mon sentiment, tel doit être le vôtre. » Conviction minoritaire. Presque tout le monde croit qu'on peut écrire de beaux poèmes avec ses seules forces. On se trompe : « Faute d'admirer les Grecs et les Romains, / On s'égare en voulant tenir d'autres chemins. » Pas de chefs-d'œuvre sans culture et admiration préalables. Ce principe énoncé, La Fontaine prend son propre exemple. Il raconte sa formation littéraire et ses goûts. Il s'est donné de bons maîtres.

Térence est le premier cité. Il lui a fourni le sujet de sa première œuvre. Horace vient en second. C'est celui qui lui a ouvert les yeux, au début de sa carrière, quand il se laissait éblouir par un mauvais exemple. Il lui a appris la simplicité. « Homère et son rival sont mes dieux du Parnasse. » En associant les fondateurs de l'épopée dans un double éloge, La Fontaine rend hommage à ses constants et inaccessibles modèles, tout en faisant pièce à Perrault qui avait loué Virgile et rabaissé l'auteur grec. Puis il nomme Quintilien, occasion prochaine de l'*Épître,* qu'il a si souvent pris pour garant dans ses Préfaces et Avertissements. Comme pédagogue et comme rhéteur, il représente le savoir et le savoir-faire. Platon ferme la marche, dont personne ne saurait approcher parmi les savants et les sages éventuels de ce siècle. La préférence des Anciens paraît sans appel.

Elle est pourtant aussitôt contrebalancée par la façon dont La Fontaine rejoint Perrault pour condamner le « sot bétail » des imitateurs, vanter sa propre liberté (« J'en lis qui sont du Nord et qui sont du Midi ») et citer à côté des Anciens un nombre équivalent de maîtres modernes. Des Italiens d'abord :

> *Je chéris l'Arioste et j'estime le Tasse*
> *Plein de Machiavel, entêté de Boccace,*
> *J'en parle si souvent qu'on en est étourdi.*

Le poète ne se renie pas. Ces poètes sont ses fournisseurs de contes. Puis il cite des Français : d'Urfé, qu'il a lu dès l'enfance, Malherbe et Racan, qui ont hélas emporté avec eux l'art d'écrire de belles odes. Sept contre cinq : les Anciens sont loin d'être ses seules admirations.

« La France a la satire et le double théâtre », dit-il encore. Ce n'est pas rien que de lui attribuer pareil monopole dans un poème écrit en principe pour célébrer la suprématie des Anciens. D'autant que ce n'est pas fini : « On nous promet l'histoire. » Beau projet dont les exploits du roi fourniront la matière à Racine et Boileau, qui en sont les historiographes. Voilà de quoi « trembler pour Rome et pour la Grèce ». La Fontaine attribue finalement de larges pans de la culture à ses compatriotes, leur demandant seulement d'avoir la modestie de rendre foi et hommage aux Anciens, suzerains admirés mais largement dépossédés. Sa position est finalement plus nuancée qu'on ne l'aurait cru. Il insiste beaucoup plus sur la nécessité d'avoir de bons maîtres et une solide culture que sur la question assez vaine de définir des supérieurs et des inférieurs.

Il situe la querelle des Anciens et des Modernes à son point le plus haut, le rapport de la nature et de la culture. A quoi bon tant de savoir ? lui demandent ses adversaires. Ils se moquent de lui qui, « plein de sa lecture, va partout prêchant l'art de la simple nature ». Ils ont tort. Ils croient, comme Mascarille, que le naturel appartient par droit de naissance à ceux qui savent tout sans avoir jamais rien appris. Il est tout au contraire, selon La Fontaine, le fruit d'une vaste culture dont les Anciens sont l'indispensable fondement. Loin d'être la preuve de son ignorance, sa gaieté et sa facilité prouvent sa parfaite connaissance de sources gréco-latines ou italiennes où il se meut avec suffisamment d'aisance pour les adapter sans efforts apparents à l'attente et au goût de ses contemporains. Si sa modernité est vigoureuse, c'est qu'il la nourrit des Anciens.

L'*Épître à Huet* s'achève sur un vœu pieux :

Digne et savant prélat, vos soins et vos lumières
Me feront renoncer à mes erreurs premières :
Comme vous je dirai l'auteur de l'Univers.

Le poète n'a pas oublié qu'il a promis de ne plus écrire de
contes. Il n'a pas oublié qu'il a été un des premiers à prendre
parti pour le merveilleux chrétien. Sur ce point également,
il avait choisi les Modernes.

60.

La tentation anglaise

« Mme Mazarin s'en va aujourd'hui à Londres pour recevoir chez elle Mme de Bouillon qu'on y attend à tout moment. » Le 21 juillet 1687, Bonrepaus annonce à Seignelay, son ministre, la grande nouvelle de la réunion des deux sœurs. Hortense Mancini avait dû épouser un demi-fou, le duc de La Meilleraye, auquel Mazarin donna son nom, ses biens et sa nièce. Elle le quitta. Après avoir erré par le monde, un beau jour de 1676, elle débarqua en Angleterre « en habit de cavalier ». Charles II, qui l'avait connue et aimée en France dans sa jeunesse, au temps de son exil, lui donna une superbe résidence dans une dépendance du château royal de Saint-James. Il la pensionna. Il en fit l'une de ses maîtresses. Elle s'établit dans le pays et y mourut sans avoir revu la France. Elle y connut Saint-Évremond, exilé lui aussi depuis 1661. Elle était belle et non conformiste, comme toutes les « Mazarines ». Il l'admira, la fréquenta quotidiennement et la couvrit de petits soins et d'éloges. Sa mort en 1699 fut le plus grand de ses chagrins.

Impliquée dans l'affaire des Poisons, sa sœur Marie-Anne, la duchesse de Bouillon, n'avait pas réussi à rentrer en grâces auprès de Louis XIV. Elle n'avait plus le droit de paraître à la Cour. Elle passait la majeure partie de son temps à Évreux, dans une terre de son mari qui partageait sa disgrâce. Elle finit par quitter la France. « Au reste, Monsieur, demande La Fontaine à Bonrepaus le 31 août, n'admirez-vous pas que l'Angleterre a de l'obligation au mauvais génie qui se mêle de temps en temps des affaires de cette princesse ? Sans lui, ce climat ne l'aurait point vue. » Marie-Anne Mancini était partie contrainte et forcée. En septembre de l'année suivante, elle fit demander au roi la permission de s'en aller à Venise. « Elle peut aller où elle veut, répondit-il, sauf à la cour et à Paris. »

Comme sa sœur, elle reçut le meilleur accueil à la Cour de Jacques II. En novembre, rendant visite à la reine qui commençait à espérer une grossesse, elle lui fit, dit-on, « des contes qui la firent extrêmement rire ». A quarante ans, c'était un personnage haut en couleurs, qui promenait partout sa fureur de vivre et son éclatante beauté. « C'est un plaisir de la voir disputant, grondant, jouant et parlant de tout avec tant d'esprit que l'on ne saurait s'en imaginer davantage, écrit encore La Fontaine. Si elle avait été du temps des païens, on aurait édifié une quatrième Grâce pour l'amour d'elle. » Il ne se contenta pas de ces louanges indirectes. Il écrivit bientôt une autre lettre, directement adressée à la belle duchesse.

Elle a, lui écrit-il, « plus d'Amours, de Jeux et de Ris » que les trois Grâces. S'il était roi de France, il céderait volontiers deux ou trois îles à l'Angleterre, et même tout l'Océan pour qu'on la lui rende. Elle porte en tous lieux la joie et les plaisirs. « Allez en des climats inconnus aux Zéphirs, / Les champs se vêtiront de roses. » Même les Anglais, qui « ne sont pas de fort grands admirateurs », sont éblouis par son esprit, ses manières et « mille qualités qui se sont trouvées dans leur goût ». Le poète, en ce temps-là, multiplie les éloges. Beaucoup sont intéressés. Adressés à une femme exilée et discréditée dont il n'a plus rien à attendre, ceux-ci expriment au contraire en toute sincérité l'admiration profonde qu'il a gardée pour la suzeraine de Château-Thierry, son hôtesse de la rue Neuve-des-Petits-Champs, puis du quai Malaquais. Il la célèbre par reconnaissance, pour les joies qu'elle lui a données autrefois.

Comme sa sœur à Londres, la duchesse de Bouillon vivait entourée d'animaux. Elle aimait « toutes sortes de livres pourvu qu'ils soient bons ». Il l'a vue, rappelle La Fontaine, mettre le holà entre ses chiens, tout en écoutant les auteurs venus lui présenter leurs ouvrages. « Il me souvient qu'un matin, vous lisant des vers, je vous trouvai attentive à ma lec-

ture et à trois querelles d'animaux. Il est vrai qu'ils étaient
sur le point de s'étrangler. » Elle sait mieux que personne
s'intéresser au pathétique, au sublime, au sérieux et au plaisant. « Tout vous duit, l'histoire et la fable / Prose et vers,
latin et français. » Comme Mme de La Sablière, mais en
plus tournée vers les lettres, Marie-Anne Mancini est une
femme à l'esprit curieux, et d'une vaste culture où coha-
bitent agréablement les Anciens et les Modernes.

Tout cela sans affectation et sans efforts. « Ceux qui ne
seront pas suffisamment informés de ce que sait Votre
Altesse et de ce qu'elle voudrait savoir sans se donner
d'autres peines que d'entendre parler à table, me croiront
peu judicieux de vous entretenir ainsi de philosophie,
mais je leur apprends que toutes sortes de sujets vous
conviennent. » La duchesse est tout le contraire d'une
femme savante. Elle sait sans affectation de savoir et elle
apprend sans affectation d'apprendre. Beaucoup d'autres
femmes du XVIIᵉ siècle se sont ainsi instruites en conver-
sant familièrement avec les intellectuels du temps.
Elle accueillait quotidiennement chez elles les esprits
libres. A Londres même, elle a amené avec elle « un philosophe » dont La Fontaine avait demandé l'identité à Bonrepaus.

Dans sa lettre à Mme de Bouillon, il revient sur un sujet
qui ne l'intéressait pas moins que Mme de La Sablière :
l'âme de ces bêtes qu'elle aimait tant. « Votre philosophe, lui
dit-il, a été bien étonné quand on lui a dit que Descartes
n'était pas l'inventeur de ce système que nous appelons la
machine des animaux, et qu'un Espagnol l'avait prévenu. »
En 1684, Bayle avait signalé dans son journal qu'un médecin
espagnol, Gomézius Pereira, avait, dans un ouvrage publié
en 1554, énoncé une théorie très semblable à celle de Descartes. La Fontaine s'en persuade aisément, dit-il, et même
sans les preuves apportées au philosophe de la duchesse. Il
n'y a en effet « que les Espagnols pour bâtir un château tel
que celui-là ». Lorsqu'on parle à une dame d'un sujet difficile, la plaisanterie se mêle au sérieux pour l'égayer, selon le
vieux principe de la « galanterie ».

La théorie de Descartes sur l'âme des bêtes n'est pas, dit
La Fontaine, la seule dont on l'a cru l'inventeur, alors qu'il
se bornait à populariser les idées d'autrui. « Tous les jours, je

découvre ainsi quelque opinion de lui répandue de côté et d'autre dans les ouvrages des Anciens, comme celle-ci : qu'il n'y a point de couleurs au monde ; ce ne sont que les différents effets de la lumière sur les différentes superficies. » Le poète pense peut-être à Épicure, qui avait soutenu avant Descartes que les couleurs « ne sont pas innées dans les corps, mais produites suivant les diverses positions qu'ils occupent par rapport à notre œil ». Il s'amuse de l'idée en l'appliquant aux dames : « Adieu les lis et les roses de nos Amintes. Il n'y a ni peau blanche ni cheveux noirs ; notre passion n'a pour fondement qu'un corps sans couleur. Et après cela, je ferai des vers pour la principale beauté des femmes ! » Le badinage de l'expression n'ôte rien au sérieux de la critique. Le poète refuse une théorie contraire au bon sens et qui dépoétise la vie. Sa lettre est un bon échantillon de la manière aimable et un peu superficielle dont on traitait avec les dames des sujets à la mode. Un bon exemple aussi du ton des conversations qu'il avait entendues et tenues chez la duchesse au temps de la faveur des Bouillon.

Saint-Évremond, dans la réponse qu'il fit collectivement à La Fontaine au nom des deux sœurs et de l'ambassadeur Barrillon, fait chorus avec son correspondant pour célébrer les « grâces qui se répandent sur tout ce que fait et sur tout ce que dit » Mme de Bouillon, son mélange d'acquis et de naturel, son savoir égal à son agrément. Mais il note également l'extrême vivacité que cet esprit curieux et éclairé mettait dans la discussion. « En des contestations assez ordinaires, dit-il, elle dispute avec esprit, souvent à ma honte avec raison, mais une raison animée qui paraît de la passion aux connaisseurs médiocres, et que les délicats mêmes auraient de la peine à distinguer de la colère dans une personne moins aimable qu'elle n'est. » Dans une *Épître* qu'il lui avait dédiée au temps où il la voyait souvent, La Fontaine avait souligné lui aussi ce trait de caractère de la duchesse, qui l'invitait, disait-il, à lui tenir tête. Elle stimulait l'esprit critique.

Pour montrer son regret de cette époque heureuse, il avait prolongé l'éloge de la duchesse en imaginant qu'il faisait le voyage d'Angleterre. Il l'y retrouverait. Il y verrait Saint-Évremond. Il y ferait connaissance avec Waller, un vieux poète anglais dont on lui avait vanté les mérites voisins des siens. Il y serait reçu par Mme de Mazarin, qui, dit-il, ne fermera jamais sa porte à Anacréon et aux « gens de sa sorte, comme Waller, Saint-Évremond et moi ». Ce serait une belle chose de ressusciter le vieux poète grec. « Croyez-vous, Madame, qu'on pût trouver quatre poètes mieux assortis ?

> *Il nous ferait beau voir, parmi de jeunes gens,*
> *Inspirer le plaisir, danser et nous ébattre,*
> *Et de fleurs couronnés ainsi que le Printemps*
> *Faire trois cents ans à nous quatre. »*

Il profiterait de son voyage pour voir « cinq ou six Anglais et autant d'Anglaises » qui paraît-il, sont « bonnes à voir ». Il saluerait l'ami Bonrepaus et l'ambassadeur Barrillon. « Ce sont à peu près toutes les affaires que je puis avoir en Angleterre. » Si on voulait lui procurer cet honneur, avant de regagner la France, il irait « faire la révérence au monarque ». Belle occasion de faire en vers l'éloge de Charles II et d'y joindre assez curieusement celui de Louis XIV, modèle de tous les rois.

Vrai projet de voyage ou simple rêve ? Saint-Évremond, dans sa réponse, regrette que La Fontaine ne l'ait pas réalisé. « Si vous étiez, lui dit-il, aussi touché du mérite de Mme de Bouillon que nous en sommes charmés, vous l'auriez accompagnée en Angleterre où vous eussiez trouvé des dames qui vous connaissent autant par vos ouvrages que vous connaît Mme de La Sablière par votre commerce et votre entretien. » On parlait couramment français à la Cour et dans l'aristocratie anglaises. Saint-Évremond la fréquentait sans savoir la langue du pays. On y lisait donc le poète en langue originale. On le lisait aussi en traduction, car on en avait publié sans tarder.

Puisque Saint-Évremond célèbre la duchesse de Mazarin autant qu'il aime lui-même vanter la duchesse de Bouillon, il lui est venu une idée, répond La Fontaine à la mi-décembre. Ils n'ont qu'à se faire chevaliers de La Table ronde (cette chevalerie a commencé en Angleterre). Ils iront partout publier que « Marianne sans pair, Hortense sans seconde / Veulent les cœurs de tout le monde ». On verra lequel d'entre eux sera le plus persuasif. Et si le choix reste incertain, l'ambassadeur Barrillon, « dont l'esprit en adresses foisonne », les départagera ou trouvera un biais pour les accommoder. De l'idée d'un possible voyage en Angleterre, on passe à un jeu poétique, interrompu soudain par un brutal retour à la réalité : le poète l'a dit au début de sa lettre, il souffre beaucoup d'un rhumatisme. Impossible de voyager pour le moment.

« Nous attendrons le retour des feuilles et celui de ma santé ; autrement, il me faudrait chercher en litière les aventures. On m'appellerait le chevalier du rhumatisme, nom qui, ce me semble, ne convient guère à un chevalier errant. Autrefois que toutes saisons m'étaient bonnes, je me serais embarqué sans raisonner. » A ses amis d'Angleterre, La Fontaine a parlé d'aller les rejoindre dans deux lettres successives. Il en a caressé l'idée, mais seulement sous forme de rêve ou dans un avenir incertain. Il n'a jamais été grand voyageur. Il se plaît à Paris où il s'est fait une petite place parmi les esprits libres. C'est à ce titre qu'il s'intéresse depuis longtemps à l'Angleterre, non pour s'y rendre effectivement.

En 1683, il avait fait la connaissance d'une dame anglaise, Mme Harvey, quand elle était venue à Paris avec son frère, Ralph Montaigu, ancien ambassadeur d'Angleterre en France. « C'est une femme d'un esprit hardi et entreprenant », écrit Barrillon à son ministre. On peut compter sur elle pour retenir plusieurs des membres influents du Parlement anglais dans l'alliance française. « On la gagnera par un présent. » Inutile d'y mettre les formes : « Je crois, dit l'ambassadeur, qu'elle ne sera pas si difficile qu'elle ne veuille prendre de l'argent, et une somme de moindre valeur la contentera en lui donnant encore des espérances pour l'avenir. » Ignorant ces petits secrets, La Fontaine ne voyait en elle que l'amie de la France.

Auteur de la première biographie de Saint-Évremond, Des Maizeaux prétend au début du XVIIIᵉ siècle que le poète rendait souvent visite à Mme Harvey pendant son séjour à Paris. Elle lui aurait donné le sujet de la fable qu'il lui dédia : « Le Renard anglais ». Il y vante son « talent pour conduire et les affaires et les gens », son « humeur franche et libre » et son « don d'être amie malgré Jupiter même et les temps orageux ». Il connaissait le bon accueil qu'elle avait réservé chez elle aux réfugiés français, au risque de déplaire à Louis XIV. Il ne s'effarouchait pas de ses amours saphiques avec la belle Hortense Mancini. Il aimait les femmes pour leur beauté et leur esprit, non pour leur vertu.

A l'éloge de Mme Harvey, La Fontaine joint celui de sa nation. Il en avait déjà dit beaucoup de bien dans les *Fables* parues en 1678 et 1679. Il recommence dans « Le Renard anglais », imprimé en 1685 parmi les Fables de son recueil commun avec Maucroix :

> *Les Anglais pensent profondément;*
> *Leur esprit en cela suit leur tempérament.*
> *Creusant dans les sujets et forts d'expériences,*
> *Ils étendent partout l'empire des sciences.*

Après avoir conté le stratagème de son renard, qui trompe la meute de ses poursuivants en faisant le mort sur le gibet public, et sa prise pour avoir tenté la même ruse une seconde fois, le poète en revient aux Anglais. Il les crédite d'intelligence et de courage. Ils ont de l'esprit et méprisent la mort. C'étaient des qualités qu'on leur prêtait souvent. Il prend plaisir à les redire. Conscient de l'importance des sciences expérimentales, ce qui est rare à l'époque et très inattendu chez un poète, il les loue également de vouloir les appliquer à tous les domaines de l'esprit.

Depuis qu'il s'est ouvert sur le monde en habitant chez Mme de La Sablière, La Fontaine se passionne pour l'Angleterre. Il s'intéresse à la colonie française établie à Londres : l'ancienne, personnifiée par Saint-Évremond et Mme de Mazarin, « des Amours, reine tutélaire »; la nouvelle, beaucoup plus nombreuse, constituée de protestants qui viennent de fuir la France après la révocation de l'édit de Nantes. Bonrepaus a mission expresse d'en convertir et d'en rapatrier le plus possible. Dans le voyage qu'il rêve de faire là-bas, le poète cite trois bonnes amies françaises qu'il aimerait, dit-il, convertir lui-même si la tâche était faisable. Il s'intéresse aussi aux Anglais et aux Anglaises avec lesquels il a noué des relations amicales lors de leurs venues en France. Mme Harvey en est le symbole.

En 1678, dans « Un Animal dans la Lune », La Fontaine félicitait Charles II d'avoir préféré aux lauriers de la guerre une paix favorable au développement scientifique. Dans

« Le Renard anglais », il le loue de mépriser les vains compliments. « Votre prince vous dit un jour, rappelle-t-il en vers à Mme Harvey, qu'il aimait mieux un trait d'amour / Que quatre pages de louanges. » Attitude rare, à l'époque, d'un poète de France qui ose vanter un autre roi que le sien.

61.

Nouvelles amies

En février 1686, Anne d'Hervart avait épousé Françoise de Bretonvilliers, « l'une des plus belles femmes que l'on ait jamais vues », selon Mathieu Marais. Ce richissime conseiller au Parlement était le fils de Barthélemy d'Hervart, banquier allemand qui s'était établi en France au début du siècle. Il avait avancé des sommes considérables à Mazarin. On l'avait naturalisé et anobli. Il avait été un des collaborateurs de Foucquet, près de qui La Fontaine l'avait connu au temps de Vaux. Puis il avait servi Colbert, qui l'en avait récompensé en le faisant nommer contrôleur général des finances. Il était mort en 1676, avant la révocation de l'édit de Nantes qui avait dispersé sa famille. Sa veuve, sa fille et une de ses petites-filles s'étaient réfugiées en Angleterre où le poète rêvait d'aller les convertir. Son fils aîné avait dû se faire catholique pour demeurer en France où il avait ses biens. Il possédait un superbe hôtel à Paris, rue Plâtrière, et un château à la campagne, à Bois-le-Vicomte, acheté à la famille royale.

La Fontaine fréquente les nouveaux mariés. En août 1687, dans la lettre à Bonrepaus qui vante les charmes de Mme de Bouillon, il célèbre également la jeune femme en vers et en prose. « Comme je suis le parrain de plusieurs belles, dit-il, je veux et entends qu'à l'avenir Mme d'Hervart s'appelle Sylvie dans tous les domaines que je possède » au Parnasse. Sylvie, c'était jadis le nom de Mme Foucquet. Le temps a fait son œuvre. Bonrepaus « a beau courir chez les Anglais », puisqu'il s'est mis « une fois » au service de Mme d'Hervart, « il en a pour toute la vie ». Tous ceux qui l'ont vue sont dans ce cas, même son mari. C'est étonnant !

« J'ai tort de dire que je m'en étonne, se reprend La Fontaine. Il faudrait au contraire s'étonner que cela ne fût pas ainsi. Comment cesserait-il d'aimer une femme souverainement jolie, complaisante, d'humeur égale, d'un esprit doux, et qui l'aime de tout son cœur ? Vous voyez bien que toutes ces choses se rencontrant dans un seul sujet doivent prévaloir sur la qualité d'épouse. » Depuis *Philémon et Baucis*, c'est la seconde fois que le poète loue la bonne entente conjugale. Elle le surprend, mais elle existe puisqu'il l'a rencontrée. L'exception confirme la règle...

Il est dommage que Bonrepaus ne puisse voir présentement la jeune Mme d'Hervart. « On ne parle non plus chez elle ni de vapeurs ni de toux que si ces ennemies du genre humain s'en étaient allées dans un autre monde. Cependant, leur règne est encore de celui-ci : il n'y a que Mme d'Hervart qui les ait congédiées pour toujours. » Malgré la saison (on est en plein été), il y a une épidémie dans Paris. Mme de La Sablière est en bonne santé « à un rhume près », et son frère, Pierre Hessein, a la fièvre continue. On lui a déjà fait trois saignées. On pense à lui en faire une quatrième. On le sauva en lui donnant du quinquina, le remède célébré par La Fontaine. Ami de Boileau et de Racine, Pierre Hessein était aussi le sien.

La fréquentation de Mme d'Hervart et de sa nièce console en partie le poète de la distance que Mme de La Sablière prend par rapport à ses anciens familiers. « Je me contente de voir ces deux dames, dit-il. Elles adoucissent l'absence de celles de la rue Saint-Honoré, qui véritablement nous négligent un peu, je n'ai pas osé dire un peu trop. » La convertie de 1680 est très occupée de bonnes œuvres. Depuis la révocation de l'édit de Nantes, elle doit s'occuper de sept petits-enfants dont les parents ont quitté le pays en les lui confiant. Elle est entourée de ses deux filles : Mme de La Mésangère, récemment veuve et qui a regagné Paris depuis Rouen où elle vivait avec son mari ; Mme Misson, un temps enfermée au couvent pour avoir refusé de se convertir et qui, après une feinte soumission, prépare sa fuite vers la Hollande.

Barrillon « peut se souvenir, écrit La Fontaine à Bonrepaus, qui le voit fréquemment à Londres, que ce sont de telles enchanteresses qu'elles faisaient passer du vin médiocre et une omelette au lard pour du nectar et de l'ambroisie. Nous pensions nous être repus d'ambroisie, et nous soutenions que Jupiter avait mangé l'omelette au lard ». Même dans les meilleurs jours, la chère n'avait jamais été fine ni abondante chez Mme de La Sablière. Mais sa demeure était du moins un centre de vie mondaine et intellectuelle. Elle ne l'est plus, maintenant que la maîtresse des lieux est absorbée par des charités auxquelles ne suffisent pas les 2 000 livres de pension que le roi lui a accordées en mars 1685. « Les Grâces de la rue Saint-Honoré nous négligent », répète le poète désolé.

« Ce sont des ingrates à qui nous présentions plus d'encens qu'elles n'en voulaient. » Autrefois, il aurait rempli sa lettre des louanges d'Iris. « Non qu'elle se souciât d'être louée ; elle le souffrait seulement. » Sans se laisser prendre à « l'encens commun » dont abonde le Parnasse, elle acceptait « la louange délicate ». Elle n'en veut plus. Toujours logé et nourri rue Saint-Honoré, La Fontaine sent bien que son amie n'est presque plus de ce monde. Il le regrette, gardant la nostalgie d'un temps où le climat du lieu s'accordait tellement mieux avec son propre état d'esprit. Car il n'a pas envie de se ranger avec l'âge. Il préfère la jeunesse et la beauté qui règnent chez les Hervart à la pieuse charité qui l'entoure au logis.

Il y a maintenant son coin à lui, qu'il appelle « la chambre des philosophes ». Il vient d'y placer ceux qu'il aime. Il en a fait faire des moulages en terre. « Ils sont cuits, écrit-il à Bonrepaus, et embellissent tous les jours. » Malheureusement, il ne lui en nomme qu'un, Socrate. Cela confirme son goût pour les dialogues de Platon. Depuis qu'il était allé à Château-Thierry liquider ses derniers biens, La Fontaine avait un peu d'argent. Il a acheté un clavecin. Il aimait la musique et en jouait sans doute lui-même. A Socrate donc, mais aussi à ses amis vivants, Saint-Dié, « son fidèle Achate », Verger, « le beau berger », et Anne d'Hervart, « ornement » du parlement, il pourra désormais, à leur grand étonnement, offrir « dans le séjour philosophique » le plaisir d'un peu de musique.

Signe de l'ascension de sa famille, Anne d'Hervart était

conseiller au parlement de Paris depuis 1673. Conseiller au même parlement, Cyprien Perrot de Saint-Dié, frère de la mère de Mme d'Hervart, était au contraire d'une ancienne famille de robe. Intime ami de La Fontaine, puisqu'il le compare au plus fidèle compagnon d'Enée, il n'apparaît pourtant dans son œuvre que cette unique fois. Jacques Vergier, né à Lyon en 1655, avait d'abord songé à entrer dans les ordres. Ancien précepteur d'Anne d'Hervart, qu'il continuait de fréquenter familièrement, il portait encore la soutane au moment de la lettre de La Fontaine, qui le voit en séducteur de pastorale plutôt qu'en abbé. Il la quittera l'année suivante pour entrer dans la marine, sans doute sur la recommandation de Bonrepaus.

Ami de la bonne chère, Verger (pour conserver l'orthographe de La Fontaine) écrivit maintes chansons de table qui lui valurent d'être appelé plus tard « l'Anacréon français ». On tenait alors pour authentique toute une part de l'œuvre du poète grec, contestée depuis, qui célébrait le vin, les joies de la table et les douceurs de l'amour. Elle a longtemps servi de modèle à une production poétique légère à laquelle il plaisait à La Fontaine d'entendre comparer son œuvre. Au milieu de ses philosophes de terre cuite, il ne cultivait pas en solitaire une austérité stoïcienne, mais se réjouissait en bonne compagnie de profiter des plaisirs de la vie.

Saint-Évremond reconnaît en lui un épicurien de son école. « Il faut, lui écrit-il, dire un mot de votre morale. » Il le lui dit en vers :

> *S'accommoder aux ordres du destin,*
> *Aux plus heureux ne porter point d'envie;*
> *De ce faux air d'esprit que prend un libertin*
> *Connaître avec le temps comme nous la folie;*
> *Et dans les vers, jeu, musique et bon vin*
> *Entretenir son innocente vie,*
> *C'est le moyen d'en reculer la fin.*

L'exilé venait d'écrire, en 1684, un bref traité *Sur la Morale d'Épicure* : « Je confesse, disait-il, que de toutes les opinions des philosophes touchant le souverain bien, il n'y en a point qui me paraisse si raisonnable que la sienne. » Si les richesses, la puissance, l'honneur, la vertu peuvent contribuer à notre bonheur, « la seule jouissance du plaisir, la volupté pour tout dire, est la véritable fin où toutes nos actions se rapportent ». La difficulté vient de la diversité des opinions sur ce qu'Épicure entendait par volupté. Beaucoup l'ont condamné comme un sensuel et un paresseux. D'autres lui ont attribué « une volupté plus dure que la vertu des stoïques ». On s'est partagé pour le louer et le condamner. « Et parmi les chrétiens, si les pères l'ont décrié, M. Gassendi et M. Bernier le justifient. »

Entre les deux façons de présenter l'épicurisme, l'ataraxie ennuyeuse ou la débauche stupide, Saint-Évremond choisit une position moyenne, soutenant que la volupté varie avec les moments de la vie. Dans la force de l'âge, « indulgent aux mouvements de la nature, contraire aux efforts, ne comptant pas toujours la chasteté pour une vertu, mais toujours la luxure pour un vice », le philosophe grec « voulait que la sobriété fût une économie de l'appétit et que le repas qu'on faisait ne pût jamais nuire à celui qu'on devait faire ». Plus tard, tombé « dans les infirmité et les douleurs », il avait mis le souverain bien dans « l'indolence et la tranquillité », sachant que « la cessation de la douleur est la félicité de ceux qui souffrent ». A son exemple, le sage doit adapter sa philosophie à son état. Arrivé à un certain âge, il attache une particulière importance à son confort, à sa santé et à ses repas. Un temps vient où toutes les réflexions du monde ne valent pas une bonne digestion...

« Nous vivons au milieu d'une infinité de biens et de maux, avec des sens capables d'être touchés des uns et blessés des autres ; sans tant de philosophie, un peu de raison nous fera goûter les biens aussi délicieusement qu'il est possible et nous accommoder aux maux aussi patiemment que nous le pouvons. » Ce sont les derniers mots du *Traité*. L'auteur y convie ses lecteurs à la même sagesse raisonnable dont il félicite La Fontaine dans sa lettre, persuadé que cet ami de Bernier partage ses opinions sur la morale.

« J'en reviens à ce que vous dites de ma morale, lui répondit le poète, et suis fort aise que vous ayez de moi l'opinion que vous en avez. » Sans refuser l'image que le « sage Saint-Évremond » se fait de lui, il la nuance, insistant sur ce qui sépare l'épicurien gassendiste du libertin impie. « Je ne suis

pas moins ennemi que vous du faux air d'esprit que prend
un libertin. Quiconque l'affectera, je lui donnerai la palme
du ridicule :

> *Rien ne m'engage à faire un livre;*
> *Mais la raison m'oblige à vivre*
> *En sage citoyen de ce vaste Univers;*
> *Citoyen qui, voyant un monde si divers,*
> *Rend à son auteur les hommages*
> *Que méritent de tels ouvrages.* »

A l'inverse des libertins, La Fontaine accepte la preuve de
l'existence de Dieu par l'ordre du monde. Les hommes ne
sont pas jetés au hasard dans un univers aveugle. Il existe
une volonté qui l'organise, appelée destin par Saint-
Évremond, mais qu'on peut baptiser Providence pour la
christianiser. Devant l'Académie, énonçant dans l'*Épître à
Mme de La Sablière* les principes d'une conduite réglée, le
poète avait pareillement convenu qu'il fallait « s'acquitter
des honneurs dus à l'Être suprême ». Formule suffisamment
vague pour s'accorder à toutes les religions et à tous les
déismes.

Ces honneurs n'étaient contradictoires ni avec la poésie ni
avec les plaisirs de la vie. « Ce devoir acquitté, les beaux vers,
les doux sons, / Il est vrai sont peu nécessaires. / Mais qui
dira qu'ils soient contraires / A ces éternelles leçons ? » Beaucoup de nos actions sont moralement indifférentes. « On
peut goûter la joie de diverses façons. » La Fontaine en précise une :

> *Au sein de ses amis répandre mille choses,*
> *Et, recherchant de tout les effets et les causes,*
> *A table, au bord d'un bois, le long d'un clair ruisseau,*
> *Raisonner avec eux sur le bon, sur le beau.*

Plus qu'à Épicure, on pense à son disciple Lucrèce qui
mettait son bonheur à comprendre « les raisons de toutes
choses ». La douceur du cadre champêtre et la chaleur de
l'amitié font partie des valeurs épicuriennes. Elles
n'empêchent pas le sérieux de la conversation. Dans sa
réponse à Saint-Évremond comme dans le « Le Songe d'un

Habitant du Mogol », le poète dit toute l'importance qu'il attache au savoir. Son intérêt pour le développement des sciences expérimentales n'est qu'un aspect de son vaste désir de connaissances.

S'il aime « chercher les effets et les causes », il aime aussi raisonner sur les principes, tels le bon et le beau. La Fontaine est un épicurien à l'esprit curieux. Il ne se borne pas, comme Saint-Évremond, à une sagesse pratique pour laquelle le bon sens suffirait. Il va plus loin. Il se plaît à philosopher. Cette part de sa pensée nous échappe largement. Il en faisait le sujet de ses entretiens avec ses amis, mais il ne l'écrivait pas. Elle ne correspondait pas à ce que le public attendait de lui. Il aimait son talent unique de conteur, non ses goûts de philosophe.

Saint-Évremond n'avait pas seulement parlé de la morale du fabuliste, il l'avait également félicité de son « esprit ». Les dames qui l'entourent à Londres ont eu, lui dit-il, le plaisir de « lire une lettre assez galante et assez ingénieuse pour donner de la jalousie à Voiture s'il vivait encore ». C'était alors le plus beau compliment possible pour une lettre. La Fontaine lui renvoie sa politesse. « Tout le monde, écrit-il, vous propose pour modèle aux bons auteurs. » Lui-même lui doit beaucoup. Et aussi à Voiture et à Marot. Ils ont tous trois été ses maîtres. « J'oubliais maître François, ajoute-t-il, dont je me dis encore le disciple aussi bien que celui de maître Vincent et celui de maître Clément. » Insensiblement et sans en avoir l'air, le poète a évincé Saint-Évremond de la seconde énumération, pour la réduire à ses trois maîtres véritables : Clément Marot, François Rabelais et Vincent Voiture.

« Voilà, dit-il, bien des maîtres pour un écolier de mon âge. » Ce sont justement ses soixante-six ans qui rendent la confidence intéressante. Maintenant que le temps a passé et qu'un Saint-Évremond le qualifie de « grand poète », il peut regarder en arrière d'un œil serein et dresser le bilan des influences qui l'ont le plus marqué. A Rabelais, généralement méprisé par les gens de goût, il doit sa verve et le climat des *Contes*. Marot lui a servi de caution pour remettre à la mode, malgré les puristes, de vieux mots savoureux et des tournures archaïsantes. La galanterie de Voiture lui a donné le ton d'une œuvre qui mêle constamment le plaisant au sérieux.

Dans la même lettre où il confie son intérêt pour les plus graves questions de science et de philosophie, il se dit à l'école d'écrivains dont la leçon n'apparaît que sous le masque de la gaieté. Il pouvait difficilement, dans ses vers, être à la fois leur disciple et celui de Lucrèce, comme il l'aurait voulu. Il a toujours vécu écartelé entre la nécessité d'amuser et son désir d'une poésie savante et même philosophique. On pourrait croire qu'avec le succès, il a parfaitement assumé cette contradiction. Il n'en est rien. La preuve, c'est que depuis le second Recueil, paru voici bientôt dix ans, il n'a presque plus rien écrit pour la publication.

62.

Des Amarante aux Jeanneton

Un beau jour de juin 1688, Jean de La Fontaine s'est rendu à Bois-le-Vicomte, à vingt kilomètres de Paris, du côté d'Aulnay. Il aurait pu y admirer l'architecture du superbe château Louis XIII, ou la belle ordonnance du parc de vingt-cinq hectares traversé d'une immense avenue d'ormes, ou le spectacle de la campagne s'étendant à perte de vue jusqu'à Dammartin. Mais, de tout cela, il était blasé. Il n'avait eu d'yeux que pour Mlle de Beaulieu. Comment « résister à une fille de quinze ans, qui a les yeux beaux, la peau délicate et blanche, les traits du visage d'un agrément infini, une bouche et des regards » dont il fait juge l'abbé Verger à qui il conte son aventure, « sans parler d'autres merveilles » sur lesquelles Anne d'Hervart, son hôte, a eu la cruauté d'attirer son attention ? A soixante-sept ans, le voici amoureux comme un collégien.

Au point qu'étant parti après dîner pour s'en retourner à Paris, sur cette route qui lui est pourtant familière, il s'est égaré... Après avoir longtemps erré, il s'est retrouvé à Louvres « comme un idiot », plus loin que son point de départ. « La pluie, dit-il, me fit arrêter près de deux heures à Aulnay, et j'étais encore à cheval qu'il était près de dix heures du soir. » Son esprit a été tellement occupé de Mlle de Beaulieu qu'il ne « songeait ni à l'heure ni au chemin ». Paris étant à « quatre grandes lieues, il fallut gîter au village », dans la plus misérable des chambres. Il s'y est perdu dans ses pensées. Rien ne va plus depuis son retour. Le souvenir de la jeune fille lui a fait « consumer trois ou quatre jours en distractions et rêveries dont on fait des contes dans tout Paris ».

Il est fou. On le lui dit. Il le sait. Il se le répète en vers :

> *Amarante est jeune et belle,*
> *Je suis vieux sans être beau,*
> *Et vais pour une rebelle*
> *M'embarquer tout de nouveau.*

Il célèbre longuement ses roses, ses lis et les trésors cachés de son sein, réservés aux dieux et aux rois, inaccessibles aux vieux poètes.

Verger et tous les habitants de Bois-le-Vicomte peuvent se moquer de lui en toute liberté. Il l'accepte. « Si cette jeune divinité qui est venue troubler mon repos y trouve sujet de se réjouir, je ne lui en saurai pas mauvais gré. A quoi servent les radoteurs qu'à faire rire les jeunes filles ? » Il faut bien se moquer soi-même des faiblesse dont on sait le ridicule. « On ne plaint guère les gens de mon âge qui retombent dans ces erreurs », dit La Fontaine, qui tire fort sérieusement la morale de l'histoire : « Nous avons beau nous munir de préservatifs contre les attaques des passions, elles nous emportent à la première occasion qui se présente comme si nous n'avions fait aucune résolution de leur résister. » Tout cela paraît vrai. Tout cela paraît trop beau pour être vrai. Le poète a écrit pour divertir la compagnie.

Mission remplie. Tout le monde a bien ri de son aventure, répond l'abbé Verger en mêlant lui aussi les vers et la prose. Rien d'étonnant s'il a été ensorcelé : « Quel âge est à couvert des traits de la beauté ? » Ulysse, « non moins vieux, non moins sage », s'est trouvé comme lui maintes fois arrêté par l'amour. On s'étonne seulement qu'en cet état, il ne se soit égaré que de trois lieues. Il aurait dû aller tant que « terre et cheval auraient pu le porter ». Cette « présence d'esprit » le disculpe des distractions dont on l'accuse... « J'ai fait voir votre lettre à Mlle de Beaulieu, termine l'abbé. Sa jeunesse et sa modestie ne lui ont pas permis de dire ce qu'elle en pensait, mais je ne doute point que des douceurs si bien apprêtées ne l'aient touchée comme elles doivent. » Les Hervart sont ravis de l'excellent divertissement que leur a apporté à la campagne la lecture d'une lettre pareille. Des

« douceurs si bien apprêtées », un divertissement pour la campagne, la cause paraît entendue : il s'agit bien d'un jeu. Pour amuser la galerie, La Fontaine a considérablement amplifié l'émotion que lui avait donnée la vue d'une jeune et jolie personne.

Conservée par hasard, une autre lettre de Verger, à Mme d'Hervart cette fois, montre que ce n'est pas si simple. Deux ans plus tard, le poète doit aller passer six semaines à Bois-le-Vicomte. « Il sera, dit Verger, moins aise d'être avec vous que vous ne serez de l'avoir, surtout si Mlle de Beaulieu vient vous rendre visite et qu'il s'avise d'effaroucher sa jeunesse simple et modeste par ses naïvetés et par les petites façons qu'il emploie quand il veut caresser de jeunes filles. » C'est fort joliment dit, mais moins joli à comprendre. Longtemps après la première scène, La Fontaine est encore possédé pour la demoiselle d'une sorte de passion sénile. Il s'arrange pour la « caresser », nous dirions la peloter. Ce n'est ni la première fois qu'il le fait, ni la seule jeune fille qu'il attaque selon une méthode si habituelle que personne ne s'en offusque plus. Signe qu'il ne va pas bien loin. Signe d'une obsession assez pitoyable.

A défaut d'Amarante, La Fontaine se rattrapait sur les Chloris et les Jeanneton. Ninon de Lenclos l'a dit en connaisseur. Il s'est toujours contenté d'amours de bas étages et de femmes sans le sou. Il s'est lui-même montré réduit aux amours vénales. On est au printemps de 1689. L'intendant du duc de Vendôme, l'abbé de Chaulieu, doit lui donner un peu d'argent. Déjà, il en a « quelques louis au vent jetés ». Il les a joués par avance. « Le reste, ira, dit-il, en bas-reliefs *et caetera* », c'est-à-dire en mauvais festins, en beuveries et à tout ce qui s'ensuit d'inavouable. Il l'avoue cependant :

> *Ce mot-ci s'interprétera*
> *Des Jeanneton, car les Clymènes*
> *Aux vieilles gens sont inhumaines.*
> *Je ne vous réponds pas qu'encor*
> *Je n'emploie un peu de votre or*
> *A payer la blonde et la brune.*

Les Jeanneton, ce sont les prostituées professionnelles, différentes de la brune ou de la blonde d'occasion qu'on séduit facilement en ouvrant largement sa bourse. A Vendôme, qui s'y connaît en vices, La Fontaine n'a rien à cacher dans une épître écrite pour lui et conservée par hasard.

A Bonrepaus également, deux ans plus tôt, il avait avoué son concubinage avec une Chloris à propos de son clavecin. « Un clavecin chez moi! ce meuble vous étonne. » Que dira-t-il s'il s'y ajoute :

> *Une Chloris de qui la voix*
> *Y joindra ses sons quelquefois ?*
> *La Chloris est jolie, et jeune, et sa personne*
> *Pourrait bien ramener l'amour*
> *Au philosophique séjour.*

Évoquant le sort de Waller, La Fontaine se réjouit d'apprendre qu'il est « amoureux et poète à quatre-vingt-deux ans ». Il n'espère pas tant de faveurs du Ciel. « C'est du Ciel dont il est fait mention au pays des fables que je veux parler, explique-t-il, car celui que l'on prêche à présent en France veut que je renonce aux Chloris, à Bacchus et à Apollon. » Autrement dit, aux femmes, au vin et à la poésie. On entrevoit ce qu'est une Chloris. On le comprend mieux encore après avoir lu, dans sa lettre à Saint-Évremond, envoyée peu après, qu'il devrait renoncer à loger « les Chloris » dans ses vers « quand on les chasse de Paris », c'est-à-dire, comme il arrivait de temps à autre, quand on embarquait les prostituées de la capitale à destination du Nouveau Monde. A moins de torturer le texte pour lui trouver par pudeur une signification plus convenable, il faut conclure que le poète payait une de ces femmes pour chanter et lui tenir compagnie.

Si elle ramène l'amour chez lui, elle aura « chansons pour chansons », prétend-il d'abord. Si elle se montre inhumaine, il ne s'en plaindra pas, « n'étant bon désormais qu'à chanter les Chloris et les laisser en paix ». Il a pris sa retraite amoureuse. En finissant sa lettre, il n'est plus si catégorique. Regrettant le climat d'austérité et de bigoterie hostile aux femmes, au vin et à la poésie légère qui règne désormais en France, il tâchera de « concilier tout cela, dit-il, le moins mal

et le plus longtemps qu'il lui sera possible ». Il espère bien
continuer « encore quelques années de suivre Chloris et
Bacchus et Apollon et ce qui s'ensuit, avec la modération
requise, bien entendu ». Ce qui frappe pendant les dernières
années de La Fontaine, jusqu'à sa grave maladie de 1693,
c'est son appétit des plaisirs de la vie et son refus d'y renoncer à cause de son âge. « Vous avez plus de feu que n'ont nos
jeunes gens », lui dit Saint-Evremond. C'est pourquoi il fréquente de jeunes et belles dames et des lieux de bonne chère.
C'est pourquoi il fréquente également les Chloris, les Jeanneton et les lieux de débauche.

Ses confidences épicuriennes à Bonrepaus, à Saint-Évremond et à Vendôme n'étaient pas destinées à la publication.
Elles n'ont été divulguées qu'après sa mort, avec plusieurs
autres inédits, par une Mme Ulrich qui finira enfermée au
couvent des Madelonnettes pour conduite scandaleuse. Elle
osa aussi publier deux lettres que La Fontaine lui avait
adressées autour de 1690. Ni elle ni lui n'y jouent un très
beau rôle. On n'aurait pas, sans elles, imaginé jusqu'où pouvaient aller les faiblesses d'un si grand poète.

Orpheline sans fortune d'un violon du roi, la future
Mme Ulrich avait été remarquée dès l'enfance par un Sué-
dois, maître d'hôtel du comte d'Auvergne, frère du duc de
Bouillon. Elle dansait bien, chantait mieux encore. Il
l'épousa. Loin de lui inspirer la sagesse, ce mariage inespéré
lui tourna la tête. Elle multiplia les amants, plumant un
financier, trafiquant de ses charmes pour en tirer profit. Au
temps des lettres de La Fontaine, elle avait déjà une fille en
âge de plaire. « J'ai vu Mlle Thérèse, écrit La Fontaine à sa
mère, qui m'a semblé d'une beauté et d'un teint au-dessus de
toutes choses. Il n'y a que la fierté qui m'en choque. Ne vous
êtes-vous pas aperçue que votre fille était une fière petite
peste ? Je la verrai encore aujourd'hui s'il plaît à Dieu. »
Quand on sait les « petites façons » du poète pour « caresser »
les jeunes filles, on n'a pas de mal à imaginer pourquoi il a
trouvé la demoiselle fière... Elle a « le plus beau teint de
fille » qu'il ait vu de sa vie. Elle lui plaît. Sa mère aussi. Elle
le tient. Que pourrait-il lui refuser ?

Situation hautement comique : au moment où il lui écrit,
Mme Ulrich est sous sa garde. Le mari ayant dû s'absenter, il
s'est « porté caution » de la dame. Il a promis de la surveiller

et qu'elle serait sage. Et voilà qu'au mépris de la plus élémentaire prudence, elle s'est enfuie à la campagne avec le marquis de Sablé et son frère l'abbé Servien, fils du ministre qui avait un temps partagé la surintendance des Finances avec Foucquet. A Paris, on aurait pu s'arranger, mais maintenant? Que fera-t-on si le mari rentre à l'improviste? « Délivrez-moi le plus tôt que vous pourrez de l'inquiétude où je suis touchant le retour de votre époux, lui écrit La Fontaine, car je n'en dors point. Cela et mes rhumes me vont jeter dans une insomnie qui durera jusqu'à ce que vous soyez à Paris. » Il meurt littéralement de peur : « Ne nous laissons pas surprendre. » Il l'en supplie. Il le répète textuellement à deux reprises.

Pour favoriser le retour, il est prêt à toutes les concessions. « J'accepte, Madame, écrit-il, les perdrix, le vin de Champagne et les poulardes, avec une chambre chez M. le marquis de Sablé, pourvu que cette chambre soit à Paris. J'accepte aussi les honnêtetés, la bonne conversation et la politesse de M. l'abbé Servien et de votre ami. En un mot, j'accepte tout ce qui donne bien du plaisir, et vous en êtes toute pétrie, mais j'en reviens toujours à ce diable de mari. » Autrement dit, La Fontaine accepte de se faire complice des rendez-vous galants qu'il s'est chargé d'empêcher à condition qu'ils aient lieu à Paris, dans une chambre louée par Sablé... Il y partagera une part de leurs plaisirs.

Mme Ulrich ne céda pas. La Fontaine lui rendit les armes. Il a reçu une de ses lettres. « Elle est, lui dit-il, si pleine de tendresse à mon égard, et de toutes choses qui me doivent être infiniment agréables, que je voudrais en retenir une que je vous écrivis il y a dix jours. » Il est « au désespoir » des remontrances qu'il lui a faites. Elles sont raisonnables, « mais votre lettre ne permet pas qu'on écoute la raison en façon du monde, et vous renverserez l'esprit de qui vous voudrez et quand vous voudrez, fût-ce un philosophe du temps passé ». Pauvre La Fontaine! Si une lettre suffit à lui tourner la tête, comment aurait-il pu résister aux charmes d'une Mme Ulrich quand il était en sa présence?

On ne sait comment finit l'histoire. Bien, sans doute, puisque La Fontaine confia à la dame au moins une part de ses manuscrits. Elle les publia après sa mort, en 1696, dans un volume d'*Œuvres posthumes*. Elle en signa la dédicace au marquis de Sablé, le héros de la fugue de 1690. Elle y joignit une préface et un portrait de La Fontaine non signés, qui faisaient son panégyrique. Il s'était montré complaisant dans une situation impossible. Elle lui en demeura reconnaissante. Elle avait de l'esprit et le goût des lettres. Il faut l'imaginer comme une émule moins brillante de Ninon de Lenclos, comme une disciple moins discrète et socialement moins protégée de Mme de La Sablière. Elle est une preuve de plus que La Fontaine a surtout fréquenté des femmes de petite vertu.

Il s'est détaché de ce qui motive ordinairement les hommes, dit Verger :

> *Les soins de sa famille ou ceux de sa fortune*
> *Ne causent jamais son réveil.*

Ayant gaspillé sa fortune, il vit au jour le jour de ses jetons de présence et des charités de ses amis. Instinctivement attiré par la jeunesse et la beauté des femmes, il fuit la sienne. C'est ce qui le différencie d'Ulysse :

> *Il parcourut les mers d'un bout à l'autre*
> *Pour chercher son épouse et revoir ses appas.*
> *Quels périls ne courriez-vous pas*
> *Pour vous éloigner de la vôtre!*

Rien d'étonnant qu'il se soit égaré, dit Verger après l'épisode de Mlle de Beaulieu : « Tout le cours de ses ans est un tissu d'erreurs. » Erreurs aux yeux du monde, pleines de sagesse en fait, puisque « les plaisirs l'y guident sans cesse ».

> *Il laisse à son gré le Soleil*
> *Quitter l'Empire de Neptune,*
> *Et dort tant qu'il plaît au Sommeil.*
> *Il se lève au matin sans savoir pour quoi faire,*
> *Il se promène, il va, sans dessein, sans sujet,*
> *Et se couche le soir sans savoir d'ordinaire*
> *Ce que dans le jour il a fait.*

Maintenant qu'il n'écrit plus guère, La Fontaine mène au gré de son caprice une existence assez creuse de parasite sans projet. Peut-être y trouve-t-il son bonheur.

Ce n'est pas l'avis de Verger. Il le dit à Mme d'Hervart :
« Vous savez, Madame, qu'il s'ennuie partout, et même (ne
vous en déplaise) quand il est auprès de vous, surtout quand
vous vous avisez de régler ou ses mœurs ou sa dépense. » A
près de soixante-dix ans, La Fontaine reste farouchement
jaloux de sa liberté. Il veut gaspiller sans contrôle son temps
et son argent. Il veut courir à son gré les Chloris et les Jeanneton. Même dans les meilleures compagnies, il a tôt fait de
s'ennuyer. Il a besoin de divertissements. Il aime le changement pour le changement. C'est un instable. Il n'a rien à
quoi s'accrocher. Financièrement, familialement, sentimentalement, sa vie n'est qu'une longue faillite. Poétiquement, il a réussi autrement qu'il l'aurait souhaité, mais
enfin il a réussi. Il craint que cela ne le quitte aussi, triste-
ment persuadé qu'avec « l'effort des ans », les vers aussi
deviennent « malplaisants ».

63.

Contrastes

« De bonne heure. » Voilà un mot qui ne lui convient plus, dit La Fontaine à Saint-Évremond : il a « tant de fois vu naître l'aurore »! Ses jours « vont se précipitant vers le moment fatal ». Nombreuses sont autour de lui les morts qui l'avertissent que son heure approche. Celle de Chapelle, en janvier 1688. Le poète l'avait fréquenté avec Molière au temps où ils se moquaient ensemble de la perruque de Chapelain. Bernier lui avait composé une épitaphe et l'avait envoyée à Mme de La Sablière en la priant de la montrer à La Fontaine. Il avait fait, lui, le voyage d'Angleterre que son ancien commensal n'avait pas osé entreprendre. Il mourut en septembre. Furetière était mort en mai sans avoir réussi à obtenir le rétablissement de son privilège. Avant de mourir, il avait encore décoché de rudes flèches aux académiciens jetonniers.

Dans *Les Couches de l'Académie*, « poème allégorique et tragico-burlesque », il racontait les vains efforts de l'institution qui l'avait chassé, pour accoucher du *Dictionnaire* attendu depuis tant d'années. La Fontaine y figurait sous le nom transparent de La Quintaine, se vantant de son « art d'envelopper les ordures », qu'il devait à « une grisette, fille de chambre des Muses, chassée du Parnasse pour son libertinage et sa débauche ». En punition, le remords, « ver de la conscience », lui « déchirait sans cesse le cœur ».

En guise de notice nécrologique du rebelle, le *Mercure galant* publia une longue lettre qui justifiait l'Académie sous prétexte de rapporter les faits objectivement. Elle était de l'abbé Tallemant, l'une des cibles des factums. « Le plus impie et le plus sale de tous les hommes, disait-il de Furetière, reproche à La Fontaine quelques contes que le public excuse aisément par la manière agréable et ingénieuse dont le poète les a tournés. »

Tout cela lui remuait beaucoup de souvenirs. Il avait, lui, le marginal, préféré les grandeurs d'établissement à l'amitié. Elles le lui rendaient en prenant son parti. C'était normal, mais pas très joli moralement. Où était le temps où il partageait les espoirs, les illusions et les folies de Furetière ?

Il était contrarié aussi dans ses habitudes. Il venait à peine d'installer ses terres cuites dans la chambre « philosophique » qu'il dut déménager. Le 3 mars 1688, jour du mercredi des Cendres, Mme de La Sablière annonce à Rancé, qui la dirige depuis la Trappe, qu'elle a enfin réalisé un vieux projet : « Il y a longtemps que je désire quitter la maison que j'ai dans la rue Saint-Honoré, mais comme celui entre les mains de qui vous m'avez mis me le permettait plutôt qu'il ne l'approuvait, j'ai apporté une nonchalance sur cela qui m'a fait croire que je ne bougerais de ma place. Cependant, il s'est trouvé des gens qui, tout d'un coup, ont pris mon bail pour Pâques. Ainsi, je suis sans autre maison que celle-ci [l'hôpital des Incurables, où elle a un pied-à-terre] et une petite où je mets le peu de gens que j'ai. »

Ou La Fontaine a cessé un temps d'être logé par Mme de La Sablière, ou il a fait partie des quelques domestiques de sa « petite » maison près des Incurables, rue Rousselet. Situation provisoire, puisqu'elle ajoute : « Comme je ne suis ni approuvée ni soutenue dans ceci, j'ai repris pour la Saint-Jean [24 juin] une maison bien moins chère que celle que j'avais pour aller passer l'hiver qui vient dans ce quartier-là » [son ancien quartier de la rue Saint-Honoré]. Elle y mit La Fontaine, qui déménagea de nouveau. A moins qu'il n'ait un temps habité à part. Dans tous les cas, les décisions de sa protectrice ont perturbé ses habitudes et changé le climat moral et intellectuel qui avait si longtemps favorisé son épanouissement.

De la publication commune avec Maucroix en 1685 à celle d'*Astrée* en 1691, il ne donna rien de neuf que l'*Epître à Huet* et quelques pièces recueillies dans le *Mercure galant*. C'étaient majoritairement des pièces destinées à flatter le pouvoir, dans le secret espoir, toujours renouvelé et toujours déçu, d'obtenir enfin une pension. Il n'avait cessé de sacrifier aux poésies de circonstance. Le Dauphin faisait sa première campagne; il en célébra les exploits.

Pour intimider ses ennemis, regroupés dans la ligue d'Augsbourg, Louis XIV décida de prendre Philisbourg, place forte réputée quasi inexpugnable. Assiégée le 6 octobre 1688 par une puissante armée, elle capitula dès le 29. Spécialiste des fortifications, Vauban avait savamment conduit le siège pour que toute la gloire en revînt au fils du roi. On s'extasia sur l'exploit d'un capitaine de vingt-sept ans. Le *Mercure* consacra à l'événement toute la deuxième partie de sa livraison de décembre sous le titre « Campagne de Monseigneur le Dauphin ». On y lisait un *Recueil de divers ouvrages faits à la gloire de Monseigneur le Dauphin sur la prise de Philisbourg*, comprenant des poèmes de Leclerc, Perrault, Boyer, Barbier d'Aucourt et La Fontaine, tous membres de l'Académie française.

Le fabuliste en avait donné deux, signés de son nom suivi de sa qualité d'académicien. Le premier était une suite de sept quatrains « à la manière de Neuf-Germain ». Selon Tallemant des Réaux, c'était « un pauvre hère de poète » du début du siècle, qui « assassinait tout le monde de ses maudits vers ». Le marquis de Rambouillet « lui conseilla, pour voir si cela serait plaisant, de faire des vers qui rimassent sur chaque syllabe du nom de ceux pour qui il les ferait... Il en fit et cela a souvent fait rire les gens ». La Fontaine reprit la recette pour vanter la victoire du Dauphin. Les trois rimes de Phi-lis-bourg, puis le nom tout entier reviennent dans chaque quatrain sur le modèle de celui-ci :

> *Tu pourras jurer : « Par ma fi,*
> *C'est le digne héritier des Lis.*
> *Comment, diable! il prend comme un bourg*
> *L'inexpugnable PHILISBOURG! »*

Désir de se faire remarquer, besoin d'être original à tout prix, plaisir de la difficulté vaincue, ou malice d'un auteur qui prodigue ses louanges sans y croire? Maladresse aussi, puisque la forme jette une certaine dérision sur l'exploit célébré.

La deuxième pièce, une *Ballade sur le nom de Hardi, donné par les soldats à Monseigneur le Dauphin*, reprenait en refrain quatre fois « Louis le bien nommé, c'est Louis Le Hardi ». Un fantassin, « très bon nomenclateur », avait inventé ce surnom. Le poète, dans l'envoi, imaginait un curieux parrainage :

> *L'homme n'engendre guère à soixante et dix ans.*
> *Si le cas m'arrivait, comme à certaines gens,*
> *J'irais à ce soldat et, sans tant de mystère,*
> *Tout autre choix à part, je dirais : « Cadédi,*
> *Viens tenir mon enfant, tu seras mon compère :*
> *Louis le bien nommé, c'est Louis le Hardi. »*

Entre ces lignes étonnantes se devine un aveu : le désir de recommencement et la peur du poète de perdre sa fécondité avec l'âge. Il avait raison. Ses poèmes sur la prise de Philisbourg sont exécrables. Cette littérature officielle ne lui réussit pas. Il s'est un jour moqué de l'âne qui tentait de cajoler son maître comme savait si bien le faire le chien favori. Il aurait dû relire sa fable.

Il ne publie plus rien avant deux ans. En décembre 1690, encore dans le *Mercure galant*, il donne *Les Compagnons d'Ulysse*, qui raconte leur métamorphose en animaux et leur refus de reprendre forme humaine. Ce choix de la bestialité symbolise la préférence des passions aux « belles actions » par tous ceux qui se rendent « esclaves d'eux-mêmes ». Dédiée au duc de Bourgogne, le fils du Dauphin, qui avait huit ans et demi, cette fable est précédée d'un triple éloge, du dédicataire (« Prince, l'unique objet du soin des immortels »), de son père (« le héros dont il tient des qualités si belles »), de Louis XIV, son grand-père (« lui qu'un mois a rendu maître et vainqueur du Rhin »). « Souffrez que mon encens parfume vos autels », commençait le poète. Il est toujours l'encensoir à la main, prêt à chanter toutes les divinités du monde. Triste fin.

Il aurait pu vivre sur ses lauriers. Il en avait beaucoup. On ne cessait de le rééditer. Une réimpression de sa dernière œuvre importante, le recueil composé en commun avec Maucroix, parut en 1688. En 1687, on publia à Amsterdam une contrefaçon de l'édition complète des *Fables* de 1678, deux en 1688, une en province et une à Anvers en 1689. On tentait de profiter de la vogue qu'il avait donnée au genre. En 1690, Bruslé de Montpleinchamp publie un *Ésope en belle humeur, ou dernière traduction et augmentation de ses fables, en prose et en vers.* Ces sortes de recueils n'étaient pas une nouveauté. La Fontaine en avait autrefois connu qui ont dû lui servir de modèles. Mais on lui avait cette fois fait une large place. Il était à son tour devenu un maître.

En 1687, publiant des *Fables nouvelles en vers*, La Barre, auteur obscur, soulignait son audace « d'avoir pris un sujet que M. de La Fontaine a si bien rempli et qu'il a même épuisé d'une manière à ne permettre à personne d'y travailler après lui ». Sa punition sera d'avoir « le chagrin, avec tous les mythologistes modernes, de n'y avoir pu réussir comme lui ». Personne ne songe plus, comme l'avait fait Furetière, à lui contester sa supériorité dans un genre qu'il a entièrement renouvelé. En 1690, Boursault, auteur de théâtre chevronné (il avait écrit une pièce contre Molière au temps de *L'Ecole des femmes*) fait jouer une comédie composée d'une suite de fables de sa composition : *Les Fables d'Ésope ou Ésope à la ville.* Elle obtint un certain succès. Il lui donnera quelques années plus tard une sorte de suite dans un *Ésope à la cour*. La fable a conquis le grand public. On l'imagine à la portée de tous. Sa muse ayant été « élevée dans les armes », dit La Barre, il a choisi la fable pour « la liberté du style » et son incapacité à s'embrasser « dans une genre d'écrire ou plus ingrat, ou plus pénible ». La facilité apparente des *Fables* de La Fontaine contribuait à sa gloire. Elle se retournait aussi contre lui en donnant l'impression que chacun pouvait faire comme lui.

L'heure est venue où l'on ne peut plus parler des écrivains du siècle sans lui faire une place. Le père Bouhours, critique littéraire plein de finesse et d'autorité sur les gens du monde, publie en 1689 des *Pensées ingénieuses des Anciens et des Modernes*. Extrait du Discours de l'abbé de La Chambre à l'Académie française, il y donne un portrait-express très louangeur de La Fontaine : « Entre les pensées de nos beaux esprits, je n'en vois guère qui surpassent celles d'un Académicien en qui l'Académie reconnaît un génie facile, plein de délicatesse et de naïveté, quelque chose d'original et qui, dans sa simplicité apparente et sous un air négligé, renferme de grandes beautés et de grands trésors. » Il cite en preuves les

Fables, les *Fragments du Songe de Vaux* et l'*Elégie sur la disgrâce de Foucquet*. Le poète se réjouit de ne pas être réduit à ses *Fables*. Il regretta de rester classé parmi les « beaux esprits ». Il soupira d'aise en voyant reconnaître sa profondeur cachée.

Autre signe de sa gloire : dans la cinquième édition de ses *Caractères*, en 1690, La Bruyère le prend pour exemple d'œuvres dignes de durer. Si la langue française disparaissait comme ont disparu les langues anciennes, mériterait-on d'être traité de pédant, demande-t-il, pour continuer de « lire Molière et La Fontaine » comme on lit aujourd'hui les Anciens ? L'année suivante, dans la sixième édition de son livre, il introduit un portrait contrasté du fabuliste : « Un homme paraît grossier, lourd, stupide ; il ne sait pas parler, ni raconter ce qu'il vient de voir : s'il se met à écrire, c'est le modèle des bons contes ; il fait parler les animaux, les arbres, les pierres, tout ce qui ne parle point : ce n'est que légèreté, qu'élégance, que beau naturel, et que délicatesse dans ses ouvrages. » Bel exemple de pavé de l'ours ! Du contraste sur lequel est bâti l'éloge des œuvres, on a surtout retenu la satire de la personne. Louis Racine écrira plus tard : « Il ne parlait pas, ou ne voulait parler que de Platon. » La Fontaine serait-il donc devenu un vieux pédant silencieux ?

En tête de l'édition des *Œuvres posthumes* procurées par Mme Ulrich en 1696, l'ami qui fera son portrait (Maucroix ou plutôt le marquis de Sablé ?) s'insurgera contre l'image donnée par un auteur qui a songé « à faire un beau contraste » plutôt qu'à dire la vérité. « Dès qu'on le regardait un peu attentivement, dit-il, on trouvait de l'esprit dans ses yeux, et une certaine vivacité que l'âge même n'avait pu éteindre faisait voir qu'il n'était rien moins que ce qu'il paraissait. » Tout dépendait de son entourage. « Avec les gens qu'il ne connaissait point, ou qui ne lui convenaient pas, il était triste et rêveur ; mais dès que la conversation commençait à l'intéresser et qu'il prenait parti dans la dispute, ce n'était plus cet homme rêveur, c'était un homme qui parlait beaucoup et bien, qui citait les Anciens, et qui leur donnait de nouveaux agréments. C'était un philosophe, mais un philosophe galant, en un mot, c'était La Fontaine tel qu'il est dans ses livres. »

Les témoignages convergent : il ne se mettait pas en frais de conversation pour tout le monde. Chez Racine, qui s'était rangé depuis qu'il avait quitté le théâtre, il ne se sentait pas à son aise. L'atmosphère y était trop familiale, trop bourgeoise, trop conformiste pour lui. Il se réfugiait dans le silence ou dans ce grec dont son ami se flattait d'être un des meilleurs connaisseurs du temps. Il donnait au fils de son hôte l'image d'un vieil homme ennuyeux. Avec la duchesse de Bouillon, il se plaisait au contraire à disputer, quitte à faire le sophiste pour entretenir la vivacité de son interlocutrice. Chez les Hervart, les jours où il n'était pas hébété d'admiration pour Mlle de Beaulieu, il se montrait un fort brillant causeur.

Verger en témoigne dans une lettre écrite l'année même du portrait de La Bruyère. Il y regrette le temps où il voyait le fabuliste à Bois-le-Vicomte bavarder, disserter, philosopher avec une verve éblouissante :

> *Je voudrais bien le voir aussi,*
> *Dans ces charmants détours que votre parc enserre,*
> *Parler de paix, parler de guerre,*
> *Parler de vers, de vin, et d'amoureux souci,*
> *Former d'un vain projet le plan imaginaire,*
> *Changer en cent façons l'ordre de l'univers,*
> *Sans douter, proposer mille doutes divers.*

Voilà, pris sur le vif, le La Fontaine beau parleur et philosophe galant du portraitiste de 1696.

Voici maintenant l'ours mal léché dépeint par La Bruyère. Je voudrais bien le voir, dit Verger à Mme d'Hervart, faire tout cela,

> *Puis tout seul s'écarter, comme il fait d'ordinaire,*
> *Non pour rêver à vous (qui rêvez tant à lui),*
> *Non pour rêver à quelque affaire,*
> *Mais pour varier son ennui.*

La Fontaine est à la fois causeur brillant et rêveur taciturne selon les personnes et les lieux, mais aussi selon son humeur. C'est un cyclothymique dont la joyeuse excitation cesse à la moindre contrariété et retombe facilement d'elle-même. Il se grise de paroles, mais l'ennui, qui fait le fond de son caractère, a vite fait de reprendre le dessus. S'il va souvent jusqu'à la débauche, c'est qu'il cherche sans le trouver ce repos qu'il a vanté si souvent. Il s'étourdit dans le divertissement.

En 1690, Hyacinthe Rigaud peignit un excellent portrait du fabuliste, commandé, dit-on, en même temps que ceux de Boileau et du poète Santeul par un contrôleur général de la Grande Chancellerie. Il y porte grande perruque et manteau de cérémonie somptueusement ajusté. On y est loin du bonhomme qui se négligeait, de l'aveu de ses propres amis. « Il faut avouer, concède son panégyriste de 1696, que la personne de cet auteur fameux ne prévenait pas beaucoup en sa faveur. Il se négligeait, était toujours habillé très simplement, avait dans le visage un air grossier. » Rigaud le montre au contraire soigné, mystérieux, presque inquiétant. Dans son regard, on sent un je ne sais quoi de triste et de lointain, prise de distance par rapport au monde qui pourrait bien traduire cet ennui dont parle Verger. Et pourtant, le menton, la bouche et le nez semblent indiquer une farouche détermination. Le rêveur La Fontaine aime dominer. Dominer des lecteurs, des auditeurs, des femmes. Le portrait de Rigaud montre un septuagénaire bien conservé à l'affût de nouveaux succès.

64.

Derniers plaisirs

Presque toute la production littéraire de La Fontaine entre 1685 et 1691 est constituée de textes destinés à des protecteurs. Comme si on était revenu en arrière, au temps de la « pension poétique ». A cette différence près qu'il était alors le poète de Foucquet, et qu'il est maintenant celui de plusieurs personnages qui contribuent inégalement à son entretien. Il reste le poète de Mme de La Sablière ; il ne veut pas divulguer ses vers avant qu'elle les ait lus. Il est aussi le poète des Hervart ; il n'en reste presque rien – une bergerie en forme de chanson : « On languit, on meurt près de Sylvie... » On déserte les autels de Vénus pour les siens. Elle est plus belle que le printemps. Sa présence embellit la nature. Un berger grave son nom sur l'écorce des arbres. Il voudrait en remplir l'Univers. Banalités que justifient amplement la beauté et la jeunesse de la dame. Banalités qu'aurait pu dire ou faire tout autre qu'un La Fontaine. Il s'est, ce jour-là, paresseusement acquitté de son écot.

On a gardé aussi une lettre en vers mêlés de prose dédiée aux Muses et collectivement adressée « à Mmes d'Hervart, de Viriville et de Gouvernet », l'hôtesse de Bois-le-Vicomte et ses deux nièces restées en France après la Révocation. Il veut chanter dignement ses « trois déesses » et « les menus dieux qu'Hervart a pour satellites ». Il s'y peint comme « l'être le plus volage dont Dieu se soit avisé », aussi impossible à fixer que le mercure. Il les prend à témoin : « Comme il y a longtemps que vous vous mêlez de mes affaires, vous savez aussi bien que moi que ce que je dis est véritable. » Il les distrait en leur parlant d'elles et de lui. C'est ce qu'il faisait aussi dans sa lettre à l'abbé Verger sur Mlle de Beaulieu. Il y eut certainement beaucoup d'autres lettres de ce genre. Signe qu'on n'y attachait pas une importance extrême, elles n'ont pas été conservées.

La Fontaine est de plus le poète de Conti et de Vendôme. On a gardé de cette époque six épîtres en vers au premier, trois au second. Dès la mort de l'aîné des deux neveux de Condé, il s'était mis sous la protection de son cadet en lui adressant une épître de consolation. En juin 1688, il lui en adresse une de félicitations à l'occasion de son mariage avec une petite-fille du prince, sa nièce à la mode de Bretagne :

> *Hyménée et l'Amour vont conclure un traité*
> *Qui les doit rendre amis pendant longues années :*
> *Bourbon, jeune divinité,*
> *Conti, jeune héros, joignent leurs destinées.*
> *Condé l'avait, dit-on, en mourant souhaité.*

De son lit de mort, en décembre 1686, le prince avait tout fait pour obtenir du roi le retour en grâces de son neveu. Louis XIV ne l'avait accordé que par convenance. Conti eut permission de revenir à la Cour, mais continua de vivre en semi-disgrâce, ne recevant ni les faveurs ni les commandements auxquels son rang lui donnait quasi-droit. On espéra que son mariage entraînerait un vrai pardon. Parallèlement à l'épithalame, La Fontaine écrivit une longue fable, « Le Milan, le Roi et le Chasseur », également dédiée à Conti, pour dire les mérites de la clémence. Peine perdue. Conti se consola dans la débauche et les plaisirs.

Cause au moins partielle de sa défaveur, son homosexualité passée donne un certain piquant à la pompeuse et, sans cela, banale célébration de l'amour conjugal que lui adresse le poète. « Dans la carrière aux époux assignée », il y a deux chemins, explique-t-il. L'un, le plus ordinaire est fait de tiédeur, l'autre de passion :

> *N'en sortez point; c'est un état bien doux,*
> *Mais peu durable en notre âme inquiète.*
> *L'amour s'éteint par le bien qu'il souhaite;*
> *L'amant alors se comporte en époux.*

L'échec habituel des mariages n'est pas fortuit. Il vient de la nature humaine, incapable de constance et de repos. Il faudrait la changer.

> *Ne saurait-on établir le contraire*
> *Et renverser cette maudite loi ?*
> *Prince et princesse, entreprenez l'affaire ;*
> *Nul n'osera prendre exemple sur moi.*

La Fontaine, qui a toujours aimé les jeux paradoxaux, s'amuse à vanter d'autant mieux le bonheur conjugal qu'il s'en reconnaît incapable et le sait peu probable en la circonstance. Il termine sur une prophétie à la Marot. Mariage pour lui rime avec badinage.

Il est meilleur poète, et plus sincère, quand il célèbre la beauté d'une jeune femme. Comme aux beaux jours de sa jeunesse, il recourt à la fiction du rêve pour mieux en montrer la fugacité : « La déesse Conti m'est en songe apparue. » Le voici rassuré, il est encore capable de très beaux vers :

> *Conti me parut lors mille fois plus légère*
> *Que ne dansent au bois la nymphe et la bergère ;*
> *L'herbe l'aurait portée ; une fleur n'aurait pas*
> *Reçu l'empreinte de ses pas.*

L'apparition s'efface trop vite, laissant la place à « un chaos plein d'appareils de guerre ». La France doit lutter contre la ligue d'Augsbourg.

Aimé des troupes, mais sans commandement, le prince combattait à l'armée en simple volontaire. La Fontaine lui envoie des sortes de gazettes en vers pour commenter les événements, à la manière de celles qu'il avait jadis adressées à Turenne ou à la princesse de Bavière. On l'y voit tel qu'il se dépeint lui-même, attentif à toutes les nouvelles, prêt à les commenter et à prendre parti. En août 1689, il annonce la maladie du pape, les espoirs qu'on fonde en France sur sa mort et les déconvenues de Jacques II dans son essai de reconquête de l'Angleterre. Dans la lettre suivante, il détaille le remaniement ministériel auquel a procédé le roi, puis revient sur ce qui se passe à Rome. A son habitude, il souhaite la paix. « Je vous dirai que non pas la France, mais l'Europe entière ne peut que perdre à une guerre comme celle-ci. » Singulière prémonition d'une solidarité européenne en un temps où les grands États se battent en cherchant à tirer parti de principautés morcelées.

Conti, hélas, n'a rien à craindre des vœux pacifiques du poète, qui lui souhaite le commandement qu'on lui refuse. « Si Jupiter recueillait les voix (j'en reviens toujours à mon style poétique et à quelque chose de plus chatouilleux, il n'est pas besoin que je m'explique ici davantage, vous voyez déjà où je veux en venir), votre esprit et votre valeur auraient une ample matière de s'exercer. » Familier d'un prince en disgrâce, dans le même temps qu'il flatte le pouvoir dans ses poèmes officiels, La Fontaine critique avec Conti les décisions injustes d'un Jupiter-Louis XIV qui ne tient pas compte de la popularité du prince. Il a toujours joué avec le feu. Avide de la gloire et des pensions qu'on ne trouve qu'à la Cour, il aime trop s'amuser pour attendre sagement qu'un peu de faveur lui vienne enfin de là. Marginal qui n'a rien que sa célébrité douteuse, il s'acoquine avec un marginal de qualité. Il y trouve plaisir et très probablement profit.

A Conti et à sa femme, il donne double ration d'encens. Cela ne lui coûte rien. Sa marotte, depuis quelque temps, est d'en justifier l'emploi. La modestie du prince a tort de s'effaroucher des compliments que méritent ses vertus. « Voilà sans mentir une contrainte qui est trop dure... Je m'en plaindrai tout au long dans une lettre qui suivra de près celle-ci et où j'ai résolu d'examiner, en académicien, le bien et le mal qu'il y a d'ordinaire dans nos louanges. » Cette lettre n'est pas conservée. Elle n'a sans doute existé qu'en projet, par plaisanterie. Plaisanterie à demi-sérieuse, comme souvent. Réduit par son éternel besoin d'argent à flatter les puissants, le poète s'est forcément demandé un jour ce que valaient ces flatteries plus ou moins bien payées. A force de les pratiquer, il croit qu'il y est passé maître. Pauvre La Fontaine ! Savait-il, en écrivant « Le Corbeau et le Renard », qu'à près de soixante-dix ans il serait obligé d'en vivre ?

La nouvelle de la maladie du pape s'achève paradoxalement sur l'idée que « les gens d'au-delà les monts » auront vite fait de le pleurer, car « il défend les Jeanneton, / Chose très nécessaire à Rome ». Les Épîtres à Conti, en octo-

syllabes marotiques, prennent volontiers le ton goguenard
des *Contes*. Puis, commentant son propre texte : « Comme il
ne coûte rien d'appeler les choses par noms honorables, et
que les nymphes et les bergères mêmes pourraient s'offenser
de celui-ci, je leur dirai que j'ai voulu d'abord les qualifier de
Chloris; mais ma rime m'a fait choisir l'autre nom, que
j'avais déjà consacré à ces sujets-là. » Sans tenir compte du
« cérémonial » réglé dans les « registres du Parnasse », le
poète distribue les noms et les dignités à son gré, « par
caprice ». Il joue avec son texte. Il l'a toujours fait. C'est sa
façon de se sentir maître et souverain de son œuvre. D'un
bout à l'autre de sa vie, l'écriture s'accompagne chez lui d'un
regard critique sur ce qu'il écrit.

Cette mise à distance n'a pas pour but de sacraliser sa
fonction. En rappelant que le texte n'est qu'un texte, elle
l'empêche au contraire de se prendre au sérieux. Familier
des mondains et des grands personnages, il n'a pas le droit
d'être ennuyeux. Sa fonction est de les amuser. On le paie
pour cela. Par chance, c'est sa pente naturelle. Il le dit à
Conti au début d'une Épître racontant l'aventure de Mlle de
La Force. Elle avait épousé secrètement le fils d'un riche
président, qui demanda l'annulation du mariage. Le 15 juillet 1689, il l'obtint à l'issue d'un procès de deux ans. La Fontaine, qui a rapporté l'affaire à un ami de province, envoie
son récit à Conti : « Je crus, explique-t-il, que de lui écrire
simplement le contenu de l'arrêt et quelque chose de ce
qu'auraient dit les avocats, ce serait ne faire que ce qu'ont
fait un nombre infini de gens qui ont informé de cette
affaire tout le public. » La Fontaine n'écrit pas comme tout
le monde pour communiquer des informations; il écrit en
auteur d'un texte littéraire. « Je jugeai donc à propos, continue-t-il, de la mettre en vers. Je commence par une espèce
de *lamentabile carmen* à la manière des Anciens, et comme
l'aventure est tragi-comique, je me laisse bientôt entraîner à
ma façon d'écrire ordinaire. »

Nulle part ailleurs le poète n'a si clairement affirmé que
le ton de plaisanterie qu'il mêle à toutes sortes de sujets n'est
pas seulement la conséquence de sa situation de poète parasite, obligé de divertir ses protecteurs. Il ne se sent pas
condamné de l'extérieur à pratiquer malgré lui cette galanterie, cette gaieté qui ont fait le succès de ses *Contes* et de ses

Fables. Elles lui viennent spontanément à l'esprit et sous sa plume. C'est sa « façon d'écrire ordinaire », et quasi sa vision du monde. Lui qui a si souvent cherché à s'exprimer sur tous les tons, et particulièrement sur les tons élevés, il reconnaît au détour d'une phrase, sa carrière presque achevée, que le tragi-comique est son élément et qu'il se plaît dans la dérision. Quand il a voulu faire autrement, il a forcé son naturel.

Prince brillant, cultivé et intelligent, Conti était célèbre par ses débauches. Sa femme suivit largement son exemple. Le poète ne cultivait pas leur protection pour leur vertu. Petit-fils d'un bâtard légitimé d'Henri IV, le duc de Vendôme partageait les mêmes vices. Il était, comme Conti, le fils d'une nièce de Mazarin. La Fontaine l'avait connu chez sa tante, la duchesse de Bouillon, autre nièce du ministre. Au temps de l'affaire des Poisons, on disait qu'il était son amant, et ce n'était peut-être pas faux. Cela n'avait pas empêché La Fontaine de lui dédier, en 1685, *Philémon et Baucis*, qui contient son plus bel éloge de la vertu et de la fidélité conjugale.

A la fin de ce poème, il avait consacré une trentaine de vers à la louange du prince. « Ayant mille vertus, vous n'avez nul défaut », lui disait-il sans rire. Plus justement, il félicitait le séduisant jeune duc (il avait alors trente et un ans) d'être un homme de goût et de joindre à ses autres dons « l'amour des beaux ouvrages ». Ruiné par d'excessives dépenses, Vendôme avait dû vendre son hôtel parisien et s'exiler à la campagne dans son château d'Anet. La Fontaine, qui était allé le voir, lui prédisait que, « par l'ordre d'Apollon », les Muses y transporteraient bientôt « tout le sacré vallon ». La poésie et les plaisirs le suivaient quand il ne pouvait aller à eux. Mais Vendôme était vite revenu à Paris, chez son cadet Philippe, pourvu par Louis XIV de la charge de grand prieur de l'ordre de Malte, avec un superbe logement de fonction au Temple, en bordure du quartier du Marais. Les deux frères eurent tôt fait de transformer ce palais en centre de libertinage. On y croyait à peine en Dieu, et beaucoup aux plaisirs de la vie.

A l'aîné, qu'il fréquentait volontiers, La Fontaine envoyait les mêmes sortes d'épîtres qu'à Conti. Il le loue de son humanité et de ses qualités militaires. Il lui parle de la guerre et du pape sur le même ton badin. Ce qu'il ne faisait pas à son cousin, il lui parle ouvertement des subsides que lui verse Chaulieu. Attaché à l'hôtel de Bouillon et confident de la duchesse, cet abbé libertin était passé au service de son neveu Vendôme auquel il servait d'intendant. Il le volait, et Louis XIV l'interdit de cette fonction en 1699. Il resta dans la familiarité du duc, insouciant de ces détails matériels. « Chacun sait, lui dit le poète, que vous méprisez l'or. » Ce n'est pas son cas, ni celui de Pierre et Paul. S'il savait « quelque bonne oraison » pour en avoir, il la ferait de bon cœur. Les poètes ont toujours été pauvres. Sa chance est d'appartenir à Vendôme (« Je suis votre très humble serviteur et poète », signe-t-il en avril 1689), et que Chaulieu lui a promis de l'argent. Il s'en réjouit. « Je me console si, vers Noël, l'abbé me tient parole. » Le voilà revenu aux quartiers du temps de Foucquet. Avec, cette fois, un véritable besoin, puisqu'il n'a plus ni charges ni revenus, ni de maison familiale. A la nouvelle que le duc a été malade, il se peint aussitôt plaisamment en poète famélique.

Annonçant la retraite de Fieubet, bon vivant repenti, il feint d'abord de trouver son exemple parfait. Puis il ajoute qu'il « en sait un meilleur », qui est de « vivre ». Car on ne vit pas si on « fuit toutes compagnies, / Plaisant repas, menus devis, / Bon vin, chansonnettes jolies », si « en un mot », on n'a « goût à rien ». A soixante-dix ans, La Fontaine continue d'aimer les plaisirs de la vie. La bonne chère et les conversations en joyeuse compagnie en sont l'essentiel. Il les célèbre dans une Épître au duc où il lui conte qu'il est allé dîner au Temple chez le grand prieur. On y a, dit-il, « bu vingt bouteilles ». On ne s'est quitté qu'à l'aurore, « les verres nets et bien lavés ». On avait les « yeux un peu troubles ». La Fontaine concourt pour sa part à faire du Temple un lieu de grandes orgies et de pantagruéliques bombances. Il précise cependant : « sans pourtant voir les objets doubles ». La boisson a excité l'esprit sans l'égarer. Chaulieu parle de repas délicats où la qualité importe plus que la quantité. La table n'est pas, selon lui, l'occasion de goinfreries, mais d'échanges amicaux entre convives libérés et intelligents.

C'est cette atmosphère libre de contraintes et même un peu surexcitée qu'a dépeinte le poète :

On but, on rit, on disputa,
On raisonna sur les nouvelles;
Chacun en dit, et des plus belles.
Le Grand Prieur eut plus d'esprit
Qu'aucun de nous sans contredit.

Goût de la discussion dans une joyeuse atmosphère, tendance à raisonner sur ce qui se passe dans le monde, ce sont là des constantes du caractère de La Fontaine. On les trouve naturelles chez le jeune poète s'amusant avec ses bons camarades de la Table ronde. On est choqué de les retrouver chez le vieil homme festoyant au Temple avec des convives qui ont l'âge d'être ses enfants. Rien d'étonnant si son siècle s'en est scandalisé. Il exigeait de ses vieillards une retenue qui permettait de les respecter. Il voulait qu'à un certain âge, l'homme quitte les plaisirs de la vie pour songer à son salut et à la vie éternelle. Préjugés que nous ne partageons plus. Le marginal était en avance sur son temps.

65.

Déclin?

En novembre 1691, tout Paris s'intéressait à la nouvelle :
La Fontaine, qui ne publiait presque plus, La Fontaine qui
n'avait plus rien donné au théâtre depuis l'échec du *Rendez-
vous*, La Fontaine qui avait toujours rêvé de réussir un opéra
depuis *Daphné*, La Fontaine finissait d'écrire les paroles
d'une tragédie lyrique en trois actes. Lulli était mort en mars
1687. La voie était libre. Pour la mettre en musique, il
s'entendit avec Colasse, son gendre et successeur.

Il choisit d'écrire une *Astrée*. Trompée par un jaloux qui a
fabriqué une fausse lettre, cette bergère chasse Céladon,
qu'elle croit infidèle. Pendant la fête « du gui l'an neuf », on
lui apprend qu'il s'est jeté dans le Lignon. Elle s'en déses-
père. Elle ne sait pas qu'il n'est pas mort, qu'il a été recueilli
par Galatée, qu'il lui reste fidèle. Grâce à la fée Ismène,
Céladon la voit assister aux fêtes de l'amour en pensant à lui.
On reconnaît le roman d'Honoré d'Urfé. Comme dans la fin
imaginée par Baro, les deux amants se retrouvent finalement
pour une dernière épreuve à la fontaine de Vérité d'amour.
Ils en triomphent par leur fidélité. Galatée les unit au cours
d'une grande fête. Vraiment « vieillard ayant la barbe grise »,
La Fontaine est revenu au livre qui le ravissait « petit garçon ».

Il est inquiet pendant les répétitions. Il ne tient littéralement pas en place. « De demeurer tranquille à Bois-le-
Vicomte pendant qu'on répètera mon opéra à Paris, écrit-il
aux Hervart, c'est ce qu'il ne faut espérer d'aucun auteur,
quelque sage qu'il puisse être. Je resterai donc en un lieu où
je vais et je viens comme bon me semble et où je puis cacher

ma marche quand il me plaît. » Il ne veut pas se découvrir à
ses ennemis. Il en a. On commence déjà à se moquer de son
Astrée. Linière, célèbre pour ses épigrammes, répand partout
qu'il est bien content :

> *Ah! que j'aime La Fontaine*
> *D'avoir fait un opéra!*
> *Je vais voir finir ma peine*
> *Aussitôt qu'on le jouera.*
> *Par l'avis d'un fin critique,*
> *Je vas me mettre en boutique*
> *Pour y vendre des sifflets :*
> *Je serai riche à jamais.*

Linière ne se trompait pas. Le Dauphin et la princesse de
Conti eurent beau aller à Paris voir créer le nouvel opéra à
l'Académie de musique, le 28 novembre, il fallut le retirer
de l'affiche au bout de six représentations. C'était un échec.
La légende dit que le poète sortit de la salle après le premier
acte et « s'en alla au café de Marion où il s'endormit dans un
coin ». Quelqu'un survint, qui le reconnut et le réveilla,
s'étonnant qu'il ne soit pas au théâtre. « J'en reviens, aurait-il
répondu. J'ai essuyé le premier acte, qui m'a tant ennuyé
que je n'ai pas voulu entendre les autres. J'admire la
patience des Parisiens. » La vérité est qu'il était ulcéré, et
que le public ne le ménageait pas.

Pour la première fois de sa vie, on le chansonna. Certaines pièces étaient anodines. Pauvre Céladon, disait l'une,
il ne s'est sauvé du Lignon que pour se noyer dans La Fontaine. Et une autre : La Fontaine a toujours diverti le monde
en ses moindres écrits; son opéra le confirme : « On rit pendant la pièce entière. » Certaines, plus méchantes, repre-
naient les accusations de Furetière. Il n'aurait pas dû quitter
Boccace. Il s'est voulu « modeste et discret ». Il n'en a pas été
capable. Sa muse libertine s'est montrée « plus sotte qu'une
putain qui fait la femme de bien ». Il n'aurait pas dû sortir de
sa sphère, expliquait un sonnet qui « l'envoie à sa pinte, à sa
pipe ». Triste image d'un poète abruti de vin et de tabac.

La Fontaine n'eut vraiment pas de chance avec son opéra.
Selon l'usage, il avait célébré le roi dans le prologue. Il ne
lui avait pas ménagé les louanges, auxquelles il avait associé
le Dauphin. Il les montrait conquérant le monde :

Le Rhin sait leur vaillance.
Le Danube en pourra ressentir les effets.
Qui peut mieux qu'Apollon en avoir connaissance?
Mais je veux taire ces secrets :
Louis m'apprend par sa prudence
A cacher ses projets.

Quand l'auteur publia son *Astrée* à la fin de l'année, on l'avertit que ce passage ne plaisait pas à la Cour et qu'il fallait le cartonner. Il le fit et, pour donner le change, cacha par la même occasion un banal dialogue amoureux. Il était dit qu'il ne parviendrait jamais à séduire le public de théâtre ni à plaire à son roi. Il en était profondément déçu.

Il doutait de sa veine poétique. Il avait assez tôt manifesté sa peur de la décrépitude intellectuelle. Il l'avait dite à soixante-trois ans, le jour de sa réception à l'Académie française :

Désormais que ma Muse aussi bien que mes jours,
Touche de son déclin l'inévitable cours,
Et que de ma raison le flambeau va s'éteindre...

Il l'avait redite peu après, en tête du poème du *Quinquina*. Il songeait à cesser d'écrire quand lui est arrivé l'ordre de la duchesse de Bouillon : « La raison me disait que mes mains étaient lasses. » Racine et Boileau, ses amis, avaient à peu près cessé d'écrire. Pourquoi pas lui ?

En dédiant *Les Compagnons d'Ulysse* à l'élève de Fénelon en décembre 1690, il s'était excusé sur « les ans et les travaux » de ne pas lui avoir encore offert de son encens. « Mon esprit diminue », lui dit-il. Le *Mercure galant* protestait, rappelant le caractère inimitable des *Fables* : « Vous verrez par la lecture de celle que je vous envoie que, malgré l'excuse qu'il prend sur son âge, les années n'ont en rien diminué en lui ce feu d'esprit qui lui a fait faire tant d'agréables ouvrages. » Mais à Saint-Evremond aussi, dans une lettre semi-privée, le poète avait, en 1687, parlé de vers qui deviennent « malplaisants » sous l'effet de l'âge et de la maladie. Il craignait la stérilité.

Sauf en 1671, où il avait sans doute puisé dans ses réserves pour publier plusieurs volumes la même année, il n'a jamais été un auteur très fécond. Il aime trop jouir de la vie pour perdre son temps à écrire. Il préfère les conversations amicales et les discussions animées sur ce qui se passe dans le monde, ou bien philosopher dans la solitude, rêver, paresser. Il n'entreprend plus de grandes œuvres. Maintenant que Mme de La Sablière n'est plus là pour le stimuler, sa situation de poète à gages l'incite à se disperser en menus textes de circonstance. A l'inverse des écrits du temps de Vaux, qu'il a pour la plupart publiés après coup, il ne les a pas recueillis. C'est sans doute qu'il n'y croyait pas. Il n'y voyait – parfois à juste titre – que des jeux d'occasion, sans intérêt pour le public, encore moins pour la postérité. On comprend, dans ces conditions, que malgré cette production mondaine et quelques textes officiels, il ait eu l'impression que sa veine se tarissait, qu'il était un poète fini.

Il le dit nettement dans une épître du 28 août 1692 à Sillery, colonel au régiment de Conti. Il y chante en style marotique les victoires de Namur et de Steinkerque. Il y vante la valeur militaire du petit-fils du Grand Condé en parodiant le style épique. Il y raconte que, pour fêter l'événement, son père a donné une grande fête à Chantilly ; il y a dépensé de grosses sommes. Lui-même en a tiré cent louis. « Chacun m'en fait la cour, dit-il. Il a déifié ma veine. » Entendons que le prince a payé ses vers (non conservés) aussi généreusement qu'aurait pu le faire un dieu. Grande satisfaction pour le poète parasite, toujours à court d'argent. Maigre contentement pour le grand fabuliste Jean de La Fontaine, qui gaspille son talent.

Il le confesse en prose à la fin de son épître. L'action du prince à Steinkerque est « un fort beau sujet de poème », de poème épique. « Le caractère du héros, l'action et les circonstances, il n'y manque rien que le bon Homère ou le bon Virgile, si vous voulez. Car pour votre poète, il ne s'y faut plus attendre. Je suis épuisé, usé, sans le moindre feu, et ne sais comme j'ai pu tirer de ma tête ces derniers vers. Quand je dis que je suis sans le moindre feu, c'est de celui qui a fait les *Fables* et les *Contes* dont je veux parler, car d'ailleurs, je ne suis pas avec moins d'ardeur qu'il y a dix ans [...] votre très humble et très obéissant serviteur. » Pour les textes de circonstance, le poète s'en tire encore à peu près, la preuve.

Pour son rêve de poème épique, il y renonce. C'est une trop grande entreprise. Le voilà résigné. Son vrai regret, c'est de ne plus se sentir capable d'écrire Contes et Fables, comme autrefois. Le voici convaincu à son tour que c'est là le meilleur de son œuvre. Trop tard. Il n'a plus assez de flamme pour en faire d'autres. Et, en effet, de 1685 à sa mort, pendant dix ans, il n'en a écrit qu'une douzaine.

Il aurait sans doute bien aimé, comme beaucoup d'auteurs consacrés, publier ses *Œuvres complètes*. Mais comment y inclure des *Contes* dont on dénonçait le caractère scandaleux ? Il devait se contenter des réimpressions qui se succédaient en Hollande. Il avait égrené au fil du temps toutes sortes d'essais en tous genres dont la plupart n'avaient jamais été réimprimés. Les libraires de France n'avaient pas grande envie de les reprendre. C'étaient ses *Fables* qui se vendaient. En septembre 1690, il s'entendit avec le libraire Trabouillet, qui prit modestement, le 18, un privilège pour l'impression de *Fables choisies mises en vers*. Titre fétiche du premier Recueil, toujours conservé depuis. Titre rassurant pour la censure. Le privilège est enregistré sans problème, le 21 octobre, jour où paraissent chez Thierry et Barbin, auxquels Trabouillet avait cédé ses droits, quatre volumes de *Fables choisies mises en vers par M. de La Fontaine, par lui revues et augmentées*. La nouvelle édition avait le même titre, le même contenu et les mêmes éditeurs que les volumes parus de 1678 à 1679. On n'y trouvait même pas les fables publiées depuis dans le *Mercure galant* ou dans les *Œuvres* de 1685.

Avec quelques fables inédites, ces textes devaient former un tome supplémentaire, dont le poète avait décidé de faire un ensemble distinct. A la fin de décembre, un nouveau privilège est pris pour l'impression d'un volume qui porterait aussi le titre de *Fables choisies*. L'affaire tarda. La Fontaine n'allait pas très bien depuis quelque temps. Il souffrait chroniquement d'un rhumatisme. Il avait fréquemment de mauvais rhumes. A partir de la mi-décembre, il se sentit trop fatigué pour continuer de sortir. Il s'alita. Une sorte de maladie de langueur, compliquée de fluxions, mit ses jours en danger.

Tout le quittait. Il venait d'apprendre que Mme de La Sablière était condamnée. Il y avait longtemps que sa santé était ébranlée. « Je suis présentement sujette à des tremblements de cœur et à des cessations presque de mouvement qui m'épuisent le cerveau à tel point qu'il me semble que je vais mourir, écrit-elle à Rancé dès janvier 1690. Ce que je sens dans ces temps-là, ce sont des anéantissements de corps inexprimables et une douleur qui ne peut être comprise que par quelqu'un qui l'aurait sentie. » Elle s'accuse quasi comme d'un péché d'avoir cherché de la consolation en parlant de son état à une malade des Incurables qui éprouvait les mêmes symptômes. Elle traînait une vie languissante. Depuis qu'elle avait laissé la maison de la rue Saint-Honoré pour s'installer rue Rousselet, elle n'aspirait qu'à la solitude et au dépouillement. « Quand je suis dans ma maison que j'ai fait faire, ou dans cet hôpital où j'ai un logement, écrit-elle à Rancé, il ne me semble pas que je sois chez moi, tant j'ai l'esprit convaincu qu'il n'y a plus rien dans le monde qui m'appartienne. » Ce détachement la rendait inaccessible au poète. Il avait l'impression de l'avoir perdue. Il en souffrait. Mais enfin, elle vivait.

En juillet 1692, elle annonce à son directeur qu'elle s'est aperçue, peu avant la Pentecôte, qu'elle avait une dureté au sein. Après l'avoir examinée, le chirurgien des Incurables lui dit qu'elle devait l'avoir depuis au moins deux ans, et qu'elle était « d'une qualité très maligne ». Elle ne vivait que de pain et d'eau. Elle accepte de prendre du lait. Son mal progresse. Elle n'a plus assez de forces pour se rendre aux Incurables. Elle se confine rue Rousselet et y meurt le 6 février 1693. On l'enterre sans aucun apparat au cimetière de Saint-Sulpice, sa paroisse. Cette maladie et cette mort firent un grand effet sur le poète. Malade lui-même, il ne put aller aux obsèques lui rendre les derniers devoirs.

En 1696, parlant de La Fontaine dans ses *Hommes illustres*, Charles Perrault, son collègue à l'Académie et témoin digne de foi, rapporte : « Après la mort de cette dame, M. d'Hervart, qui aimait beaucoup La Fontaine, le pria de venir loger chez lui, ce qu'il fit. » Cideville, plus tardivement, raconte joliment : « Une Mme d'Hervart qui avait pitié de la situation de La Fontaine, qui n'avait rien, envoya, dès qu'elle sut que Mme de La Sablière chez laquelle il logeait était morte, dire à La Fontaine de venir prendre une chambre chez elle. Le laquais rencontra La Fontaine sur le

Pont-Neuf et fit sa commission. La Fontaine répondit :
" Mon cher ami, tu diras à ta maîtresse que je m'y en
allais. " » C'est beaucoup trop beau pour être totalement
vrai. Il est sûr que le poète mourut à l'hôtel d'Hervart. On ne
sait pas trop quand il s'y est installé.

Perrault ne dit pas qu'il vivait au même endroit que Mme
de La Sablière au moment de sa mort. Il est invraisemblable
qu'elle l'ait gardé avec elle, rue Rousselet, après ce qu'on
peut appeler sa seconde conversion, quand Rancé l'eut autorisée en 1688 à renoncer complètement au monde. L'aurait-
elle fait que l'ambiance de sa maison aurait été parfaitement
insupportable au vieux poète épicurien. Comment le fêtard
du Temple aurait-il pu se sentir à son aise chez une péni-
tente qui ne rêvait que solitude et austérité ? En 1688, elle
avait loué une maison rue Saint-Honoré pour y passer
l'hiver. Elle n'y revint plus, mais dut continuer d'y héberger
le poète. Comme elle n'était pas riche, on peut penser
qu'elle la sous-louait, à l'exception de la chambre de La
Fontaine. Elle le logeait chez elle. Elle ne le logeait plus
avec elle.

C'est en tout cas dans la paroisse Saint-Roch, dont dépendait la rue Saint-Honoré, que le poète habitait au moment
de sa grave maladie. Il y reçut la visite d'un jeune prêtre,
l'abbé Pouget, qui réussit à le persuader qu'il était temps de
songer au salut de son âme.

66.

Conversion

Le 12 février 1693, premier jeudi du Carême, il y avait beaucoup de monde dans la chambre de La Fontaine. Il allait recevoir le viatique. Certains étaient venus là par curiosité, d'autres par souci d'édification. Quelques membres de l'Académie s'y trouvaient par délégation, chargés de représenter l'ensemble de la compagnie. Réunis à la paroisse Saint-Roch, ils avaient accompagné le Saint-Sacrement de l'église au logis de leur confrère. Avant même d'y être invité par l'abbé Pouget, responsable de la cérémonie, le poète prononça la rétractation prévue.

« Monsieur, dit-il, j'ai prié Messieurs de l'Académie française, dont j'ai l'honneur d'être un des membres, de se trouver ici par députés pour être les témoins de l'action que je vais faire. Il est d'une notoriété qui n'est que trop publique que j'ai eu le malheur de composer un livre de *Contes* infâmes. En le composant, je n'ai pas cru que ce fût un ouvrage aussi pernicieux qu'il est. On m'a sur cela ouvert les yeux, et je conviens que c'est un livre abominable. Je suis très fâché de l'avoir écrit et publié. J'en demande pardon à Dieu, à l'Église, à vous, Monsieur, qui êtes son ministre, à vous, Messieurs de l'Académie, et à tous ceux qui sont ici présents. Je voudrais que cet ouvrage ne fût jamais sorti de ma plume et qu'il fût en mon pouvoir de le supprimer entièrement. Je promets solennellement en présence de mon Dieu que je vais avoir l'honneur de recevoir, quoique indigne, que je ne contribuerai jamais à son débit ni à son impression. Je renonce actuellement et pour toujours au profit qui devait me revenir d'une édition par moi retouchée, que j'ai malheureusement consenti que l'on fît actuellement en Hollande. Si Dieu me rend la santé, j'espère qu'il me fera la grâce de soutenir authentiquement la protestation publique que je fais aujourd'hui, et je suis résolu à passer le reste de mes jours dans les exercices de la pénitence autant que mes forces corporelles pourront me le permettre et à n'employer le talent de la poésie qu'à la composition d'ouvrages de piété. Je vous supplie, Messieurs, ajouta-t-il en se tournant du côté des députés, de rendre compte à l'Académie de ce dont vous venez d'être les témoins. »

S'il faut croire l'abbé Pouget, qui prétend rapporter exactement les faits et les paroles dans une *Lettre à l'abbé d'Olivet sur la conversion de La Fontaine* écrite vingt ans après, les *Contes* ont été au cœur de l'affaire. Ils avaient fait du poète un pécheur public. Acte privé, une simple confession ne pouvait suffire à le réconcilier avec l'Église. Il fallait une rétractation solennelle. Instance chargée de veiller sur la pureté de la littérature, l'Académie française avait paru l'institution la plus apte à la recevoir. En y accueillant le poète dix ans plus tôt, l'abbé de La Chambre l'avait exhorté à répudier ses *Contes* et à ne célébrer que le roi dans une sorte de conversion laïque. Pour une conversion chrétienne à laquelle la perspective de la mort donnait toute sa gravité, on l'obligeait cette fois à les déclarer impies et à promettre de ne célébrer que Dieu.

Cette rétractation, et la conversion de La Fontaine qui en était la raison, étaient l'œuvre du prêtre qui en a laissé le récit, l'abbé Pouget. Ayant appris que le poète n'allait pas bien, le curé de Saint-Roch, sa paroisse, décida de lui envoyer son vicaire, un jeune abbé à l'esprit vif, tout nouveau docteur de Sorbonne. Pour convertir un intellectuel, sa théologie, pensa-t-il, compenserait son inexpérience de pasteur qui n'avait pas encore assisté ni confessé de malade. Effrayé de sa tâche, car il savait que La Fontaine était auteur d'ouvrages « scandaleux et infiniment pernicieux », Pouget avait d'abord voulu se dérober. Le curé insista. Il dut se soumettre.

Il alla donc un matin chez le malade, accompagné d'un de ses amis qui était aussi un très proche ami du poète. La visite dura deux heures, et on en vint tout naturellement à parler de religion. « Avec une naïveté assez plaisante », écrit Pouget, le poète lui dit : « Je me suis mis depuis quelque temps à lire le *Nouveau Testament*. Je vous assure que c'est un fort bon livre, oui, par ma foi, c'est un bon livre. Mais il y a un article sur lequel je me me suis pas rendu, c'est celui de l'éternité des peines. Je ne comprends pas comment cette éternité peut s'accommoder avec la bonté de Dieu. » L'objection était traditionnelle. L'abbé lui répondit tout ce qu'on y répondait habituellement. La Fontaine s'en contenta et fut si satisfait de l'entretien qu'il déclara qu'à se confesser, il ne voudrait pas d'autre confesseur que son visiteur.

Alléché par cette perspective, l'abbé revint le voir l'après-midi même et lui fit deux visites quotidiennes pendant une douzaine de jours. Il gagna sa confiance et le conduisit tout doucement à la religion. « M. de La Fontaine, écrit-il, n'avait jamais été absolument mécréant mais aussi c'était un homme qui, comme tout le monde sait, n'avait jamais fait de la religion son capital. » Il fallait convaincre de son importance un homme qui avait vécu sans la nier, mais en la tenant loin de ses habituelles préoccupations. Dans une société toute imprégnée des cérémonies et des exigences de la foi catholique, cette indifférence passait facilement pour monstrueuse. Elle existait pourtant et on le savait, puisque Pascal avait, un quart de siècle plus tôt, entrepris un ouvrage destiné à tous ceux qui négligeaient leur salut, voulant leur faire prendre conscience que c'était la seule chose importante de la vie.

La Fontaine allait quelquefois à la messe, aux sermons. Il s'y ennuyait, comme tout le monde, quand ils étaient mauvais. Il les appréciait quand ils étaient bons. Concluant une épître à un ami de Troyes, le collectionneur Simon, « on fut au sermon après boire », dit-il en vers. Puis il explique en prose qu'il a fini son conte sur une pointe : « Pour rectifier cet endroit, je vous dirai en langue vulgaire que nous allâmes au sermon l'après-dînée, que nous y portâmes tout le sang-froid qu'auraient eu des philosophes à jeun et que même nous accourcîmes notre repas pour ne rien perdre de cette action. » Il y a trouvé « de la piété, de l'éloquence, des expressions et un bon tour, en beaucoup d'endroits, tout à fait selon son goût ». Le poète juge en connaisseur, plus sensible à la qualité littéraire de ce qu'il a entendu qu'à son contenu doctrinal.

Nulle volonté de scandale dans sa vie. Il n'était sûrement pas de ceux qui ne se découvraient pas aux processions ou qui mangeaient ostensiblement gras devant les autres les jours d'abstinence. Mais il ne faisait pas ses Pâques. Sinon, lors de sa maladie, la confession et le viatique seraient allés de soi, comme des pratiques habituelles. Au lieu de cela, l'abbé pose en préalable que le poète reconnaisse le caractère infâme de ses *Contes* et la nécessité d'en faire « une espèce de satisfaction publique et d'amende honorable devant le Saint-Sacrement ». Il « eut assez de peine à se rendre à cette proposition. Il ne pouvait s'imaginer que le livre de ses *Contes* fût un ouvrage si pernicieux, quoiqu'il ne le regardât pas comme un ouvrage irrépréhensible et qu'il ne le justifiât pas. Il protestait que ce livre n'avait jamais fait mauvaise impression sur lui en l'écrivant, et il ne pouvait pas comprendre qu'il pût être fort nuisible aux personnes qui le liraient ».

Curieux dialogue, qui suppose chez La Fontaine un prodigieux entêtement dans une bonne conscience que tout aurait dû lui ôter depuis longtemps. Car enfin, il avait dû se défendre contre l'accusation d'immoralité dès l'Avertissement de son premier recueil de *Contes* en 1665. Ses audaces avaient entraîné la saisie du volume de 1674, dont la lecture, disait la sentence de police, ne pouvait qu' « inspirer le libertinage ». On lui avait maintes fois répété, au moment de son entrée à l'Académie française, qu'il devait renoncer à ses *Contes*, et il avait promis d'être sage. Furetière avait dans ses factums crié son immoralité sur les toits. Il n'avait rien voulu entendre. Il pouvait certes invoquer les précédents de la tradition littéraire et les encouragements de Chapelain. Il pouvait dire qu'en d'autres temps, ses histoires n'eussent choqué personne. Il pouvait arguer de sa bonne foi. Il ne pouvait pas dire qu'il découvrait le problème dans ses conversations avec l'abbé Pouget. C'était une vieille querelle sur laquelle il n'avait pas voulu céder jusque-là. Il l'aurait forcément rencontrée antérieurement dans les mêmes termes s'il avait voulu se confesser plus tôt.

En fait, dans son récit, l'abbé Pouget laisse de côté l'essentiel, l'indifférence religieuse de La Fontaine, pour s'en tenir à sa conséquence spectaculaire, sans doute parce qu'il pouvait parler du péché public sans trahir le secret de la confession, mais non du reste qu'il faut deviner dans ce qu'il dit en général de son personnage. « C'était un homme abstrait, qui ne pensait guère de suite, qui avait quelquefois de très agréables saillies, qui d'autres fois paraissait avoir peu d'esprit, qui ne s'embarrassait de rien et qui ne prenait rien fort à cœur. » Comment aurait-il pu s'angoisser pour la vie éternelle s'il vivait à sauts et à gambades, intéressé seulement par ce qu'il faisait et disait dans l'instant ?

« M. de La Fontaine était un homme vrai et simple, dit encore l'abbé Pouget, qui sur mille choses pensait autrement que le reste des hommes et qui était aussi simple dans le mal que dans le bien. » Simple dans le mal ! Étonnante assertion d'un confesseur, qui revient à dire que le poète n'avait pas de conscience morale... Ou du moins qu'il s'était forgé une conscience morale différente, selon ses propres principes. En morale et en religion aussi, La Fontaine est un marginal. Une dizaine d'années plus tôt, Guilleragues l'avait déjà dit à Mme de La Sablière à propos de Bernier et lui. L'effort du prêtre qui l'a converti a dû principalement porter sur la nécessité, pour un catholique, d'accepter des normes précises et de s'y conformer. Ce n'était pas une mince besogne. L'étonnant est qu'il ait réussi.

L'indifférence de La Fontaine pour la religion n'était en effet pas si naïve que l'abbé Pouget le donne à penser. Son passage dans les ordres, ses sympathies jansénistes, sa *Captivité de Saint-Malc* témoignent qu'il la connaissait et qu'il s'y est intéressé à plusieurs reprises. Mais c'était un pécheur endurci. Il refusait la morale chrétienne et dans sa vie et dans son œuvre. Dans sa vie, puisqu'il vivait séparé de sa femme, s'adonnant au besoin aux Jeanneton. Dans son œuvre, puisqu'il continuait à écrire des *Contes* malgré les avertissements reçus. Peu importe qu'en d'autres temps, l'Église même y eût été plus indulgente. En refusant ses sévérités du moment, il se mettait en dehors d'elle. Il savait, par exemple en 1687, que « le Ciel » voulait qu'il renonçât « aux Chloris, à Bacchus et à Apollon », et il a continué de les pratiquer. Non par simple faiblesse, ce qui aurait réduit ses plaisirs à de banals péchés, mais par refus de les considérer comme de vraies fautes. Loin de l'innocenter, cette bonne conscience est au cœur de son irréligion, la raison pour laquelle il avait besoin d'être converti avant d'être absous. L'abbé Pouget dut commencer par l'obliger à se reconnaître pécheur.

Son inconduite pratique n'était pas sans fondement théorique. Au moins à partir du moment où il a vécu chez Mme de La Sablière, il pense et vit en disciple d'Épicure. Il a choisi de cultiver la morale du plaisir « avec la modération requise ». Sans être libertin, puisqu'il croit à l'ordre du monde et en l'immortalité de l'âme, il ne pense pas la religion nécessaire. Il rend hommage à l'auteur de l'Univers, mais, « ce [mince] devoir accompli », il cherche les « diverses façons » de « goûter la joie ». En pleine Académie, il demande à Mme de La Sablière : « Qu'est-ce que vivre, Iris ? », et il ose répondre à sa place : « C'est jouir des vrais biens avec tranquillité. » Pour la mort, il a répété qu'il faut l'attendre sereinement, sans y penser. Dans la force de l'âge, il avait affirmé avec une certaine solennité que, le moment venu, il voudrait sortir de la vie « ainsi que d'un banquet ».

A soixante-douze ans, il n'en a pas eu le courage. Il a demandé les secours de la religion, symbolisés par ce viatique, cette communion apportée aux malades en danger de mort pour leur donner des forces dans leur dernier voyage. Et il a, pour cela, souscrit aux conditions imposées par son confesseur. Il a donc renié ses *Contes* publiquement, et, en secret, toute sa vie. Il n'en est pas arrivé là sans débats. La maladie de Mme de La Sablière l'avait beaucoup frappé. Ne songeant qu'au salut éternel, elle avait pris à cœur d'inviter ceux qu'elle aimait à y songer aussi. On a conservé plusieurs de ses lettres à un correspondant anonyme qu'elle presse de suivre son exemple et de se repentir de ses fautes. Rien ne prouve qu'il s'agisse de La Fontaine. Mais il est très probable, vu leurs liens antérieurs, qu'à lui aussi, elle a écrit dans le même sens. Elle avait longtemps exercé sur lui une sorte de direction intellectuelle et morale. Elle l'avait conduit vers l'épicurisme. Elle le poussait à se convertir. Cela lui donnait à réfléchir. Il accepta, comme on disait, de songer à lui. Il se mit à relire le *Nouveau Testament*. Il allait mal. Comme il en avait alors l'obligation, le médecin l'invita à penser à son âme. Il suffisait d'une occasion pour le ramener dans le bon chemin. On la créa. La tâche était déjà à moitié faite quand l'abbé Pouget arriva. Comment, vieux et malade, aurait-il pu résister à l'ascendant d'un jeune prêtre fougueux ?

Au début de l'après-midi, La Fontaine reçut la visite d'un gentilhomme qui lui apportait une bourse de cinquante louis en espèces. Le duc de Bourgogne, dit-il, avait appris « avec beaucoup de joie ce qu'il avait fait le matin », et en particulier qu'il avait renoncé au profit qu'il devait tirer d'une réimpression hollandaise de ses *Contes*. Comme l'enfant ne trouvait pas juste que le poète fût « plus pauvre pour avoir fait son devoir », il lui faisait porter cet argent, « qui était tout ce qu'il avait alors pour ses menus plaisirs du mois courant », regrettant de n'avoir pas davantage à lui donner. « Monseigneur le duc de Bourgogne, ajoute Pouget, n'était lors que dans sa onzième année, et j'ai su qu'il avait fait cette belle action de lui-même et sans qu'elle lui eût été inspirée par personne. »

Sur les détails du récit de Pouget, on peut avoir quelques doutes. Il l'a fait très longtemps après, conformément aux règles d'un genre hagiographique précis dont le but principal était d'ébranler les esprits forts par le spectacle de la conversion d'un des leurs. Une épigramme de Linière, datée par la mort de Pellisson, l'ancien ami de La Fontaine, le 7 février, a le mérite d'authentifier le changement du fabuliste et de certifier son caractère surprenant :

> *Je ne jugerai de ma vie*
> *D'un homme avant qu'il soit éteint.*
> *Pellisson meurt comme un impie*
> *Et La Fontaine comme un saint.*

Pellisson n'était pas un saint, et La Fontaine, selon la formule de l'abbé d'Olivet, « n'avait jamais été un impie par principe ». Mieux encore, il ne mourut pas.

67.

L'été de la Saint-Martin

Les amis de La Fontaine s'inquiétaient. Où allait-il loger maintenant que Mme de La Sablière était morte ? Que signifiait cette conversion ? Selon d'Olivet, Saint-Évremond l'invita à se retirer en Angleterre, où « quelques milords s'obligèrent à pourvoir à ses besoins ». Les bienfaits du duc de Bourgogne l'en détournèrent, épargnant à la France « la douleur de perdre un si excellent homme et la honte de ne pas l'avoir arrêté par de si faibles secours ». Cette nouvelle invitation ne le tenta guère. A peine remis d'une si grave maladie, il n'était pas en état d'envisager une pareille transplantation. Son âge et toutes ses habitudes s'y opposaient. Tout le poussait au contraire à s'installer chez les Hervart, rue Plâtrière, au quartier Saint-Eustache voisin de celui qu'il quittait. Il les y visitait fréquemment et avait fait de longs séjours, jusqu'à six mois, à Bois-le-Vicomte.

Ninon de Lenclos, qui avait su la rétractation publique de l'auteur des *Contes,* déplorait son état mental. « J'ai su que vous souhaitiez La Fontaine en Angleterre, écrit-elle à Saint-Évremond en juin 1693. On n'en jouit guère à Paris. Sa tête est bien affaiblie. C'est le destin des poètes. Le Tasse et Lucrèce l'ont éprouvé. » L'ancienne courtisane partage le préjugé commun sur l'épuisement des cerveaux à force d'y puiser. La confession du poète et sa rétractation publique la confirment dans son idée qu'il n'a plus tout à fait sa tête. Saint-Évremond lui ayant demandé si sa maladie et ses conséquences mentales n'étaient pas dues à un abus d'aphrodisiaques, elle répond qu'elle ne le croit pas : « Je doute qu'il y ait eu du philtre amoureux pour La Fontaine : il n'a guère aimé de femmes qui pussent en faire la dépense. » Curieuse confirmation de sa pauvreté matérielle et morale...

Saint-Évremond ne doute pas de la décrépitude du poète. « A son âge et au mien, répond-il, on ne doit pas s'étonner qu'on perde la raison, mais qu'on la conserve. Sa conservation n'est pas un grand avantage; c'est un obstacle au repos des vieilles gens, une opposition aux plaisirs des jeunes personnes. La Fontaine ne se trouve plus dans l'embarras qu'elle sait donner, et peut-être en est-il plus heureux. Le mal n'est pas d'être fou, c'est d'avoir si peu de temps de l'être. » Consolations inutiles : La Fontaine était converti et convalescent.

Il avait même suffisamment de tête pour commencer les pieux exercices auxquels on l'avait condamné. Pour le 15 juin, jour de la réception de La Bruyère à l'Académie, il avait mené à bien une traduction paraphrasée de la prose du *Dies irae*, onze sizains d'une belle fermeté, lus en séance par l'abbé Lavau :

> *Dieu détruira le siècle au jour de sa fureur.*
> *Un vaste embrasement sera l'avant-coureur,*
> *Des suites du péché long et juste salaire.*
> *Le feu ravagera l'Univers à son tour;*
> *Terre et cieux passeront; et ce temps de colère*
> *Pour la dernière fois fera naître le jour.*

Signe que le poète n'a pas écrit cette paraphrase seulement pour s'acquitter d'un devoir public, il la reprend et la révise encore après sa lecture à l'Académie. En octobre, il en enverra à Maucroix « une copie un peu raturée ».

De ce qu'il n'a pas lu son texte lui-même, il ne faut pas conclure qu'il ne soit pas venu à la séance. Lavau était le lecteur habituel de l'Académie. Il avait lu en présence de Perrault la fameuse ode qui déclencha la querelle. Il est donc très probable que La Fontaine était là pour entendre les éloges que l'auteur des *Caractères* prodiguait à ceux de ses confrères, partisans des Anciens, qui l'avaient imposé malgré l'hostilité des Modernes. Il entendit donc son portrait, entre ceux de Segrais et de Boileau : « Un autre, plus égal que Marot et plus poète que Voiture, a le jeu et la naïveté de tous les deux. Il instruit en badinant, persuade aux hommes la vertu par l'organe des bêtes, élève les petits sujets jusqu'au sublime ; homme unique en son genre d'écrire, toujours original soit qu'il invente, soit qu'il traduise, qui a été au-delà de ses modèles, modèle lui-même difficile à imiter. » Le poète pouvait se réjouir : il avait inventé un nouveau genre dont il était le maître incontesté. Il fallait se résigner : il était fabuliste, et tout le reste de son œuvre ne méritait pas qu'on en parle... Il était satisfait de voir son nom égalé à ceux de Marot et de Voiture, agacé cependant d'être ainsi définitivement classé parmi les badins et les amuseurs. « La Fontaine est notre Homère », dira Sainte-Beuve un siècle et demi plus tard. Voilà ce qu'il aurait aimé entendre. Il avait écrit tant de vers pour qu'on le dise! Inutilement, puisque Sainte-Beuve lui-même ne le dira que pour ses *Fables*...

Quinze jours avant la réception de La Bruyère était paru un *Recueil de vers choisis* dû au P. Bouhours. De La Fontaine, il contenait l'*Épître à Huet* et *Le Soleil et les Grenouilles*, composée et publiée lors de la guerre de Hollande en 1672, mais non reprise depuis dans ses recueils de fables, et deux inédits : des vers à Simon, son ami de Troyes, qui remontaient aux alentours de 1687, et la fable « Le Juge arbitre, l'Hospitalier et le Solitaire », qu'il venait de composer. Comparant la vie active, pleine de déceptions pour ceux mêmes qui se dévouent à leur prochain, et la vie solitaire qui permet de se connaître soi-même, le poète choisissait la solitude. Mais non comme autrefois, pour y rêver paresseusement. Pour la première fois de sa vie, il la peignait comme un moyen de se trouver soi-même : « Pour mieux vous contempler, demeurez au désert. » Le moine paillard des *Contes* laissait la place au saint ermite.

Maintenant qu'il allait mieux, il reprit son projet de publier un nouveau livre de *Fables*, conformément au privilège pris en décembre 1690. Il y recueillit les dix fables publiées en 1685 dans les *Ouvrages de prose et de poésie* et celles qu'il avait égrenées dans le *Mercure galant* de décembre 1690 à mars 1691. Il y joignit les trois poèmes du Recueil de 1685 et les deux contes de 1682, dont *Belphégor*, amputé de la dédicace à la Champmeslé. Il reprit son bien à Bouhours pour terminer sur « Le Juge arbitre, l'Hospitalier et le Solitaire ». S'adressant à ceux dont « le public emporte tous les soins », il leur conseillait de prendre un peu de temps pour songer à eux :

> *Vous ne vous voyez point, vous ne voyez personne.*
> *Si quelque bon moment à ces pensers vous donne,*
> *Quelque flatteur vous interrompt.*
> *Cette leçon sera la fin de ces ouvrages :*
> *Puisse-t-elle être utile aux siècles à venir !*
> *Je la présente aux Rois, je la propose aux Sages;*
> *Par où saurais-je mieux finir ?*

Sur ces pieux conseils, La Fontaine prend congé de ses lecteurs. Sa mort prochaine leur donne un caractère définitif qu'ils n'avaient pas du tout pour lui à la parution du volume, le 1ᵉʳ septembre 1693. Il avait encore des projets.

A ces Fables déjà connues s'en ajoutaient dix autres, inédites, écrites dans les dernières années. L'une d'elles, « Le Milan, le Roi et le Chasseur », avait été adressée au second prince de Conti au moment de son mariage en 1688. Plusieurs autres avaient été composées pour le duc de Bourgogne, auquel était dédié le nouveau recueil. Nommé en août 1689 précepteur de l'enfant, qui avait sept ans, l'âge de raison, Fénelon eut l'idée de lui proposer pour sujets de compositions latines des histoires d'animaux tirées de fables. La Fontaine, comme il le rappelle dans la dédicace, a donc pu présenter au prince « un ouvrage [le sien] dont l'original [Esope] a été l'admiration de tous les siècles aussi bien que celle de tous les sages ». Il a été bien reçu. « Vous m'avez même ordonné de continuer, dit La Fontaine; et si vous me permettez de le dire, il y a des sujets dont je vous suis redevable, et où vous avez jeté des grâces qui ont été admirées de tout le monde. »

C'était le cas du « Loup et le Renard », que le poète conclut en rappelant que l'enfant lui en a donné « le sujet, le dialogue et la morale ». C'était le cas aussi de la ballade « Le Chat et la Souris », dédiée « A Monseigneur le duc de Bourgogne qui avait demandé à M. de La Fontaine une fable qui fût nommée " Le Chat et la Souris " », sorte de prologue à la fable « Le vieux Chat et la jeune Souris ». C'était le cas sans doute d'au moins deux autres, expressément dédiées au jeune duc. La dédicace générale du nouveau volume n'a donc pas du tout le même sens que celle de son premier recueil, une trentaine d'années plus tôt. Il avait dédié son coup d'essai quasi par nécessité à un Dauphin indifférent à un genre littéraire jusque-là sans gloire. Il dédiait son nouvel ouvrage à un jeune garçon qui s'était particulièrement intéressé à une œuvre devenue célèbre, et qui avait contribué à lui redonner le goût des fables.

Il n'est plus en âge d'espérer voir un jour les bons effets de son éducation. « Il faut, dit le poète, que je me contente de travailler sous vos ordres. L'envie de vous plaire me tiendra lieu d'une imagination que les ans ont affaiblie. Quand vous souhaiterez quelque fable, je la trouverai dans ce fonds-là. » En publiant son nouveau livre, La Fontaine n'a pas pensé dire un dernier adieu au genre qu'il avait si bien illustré, puisqu'il invite l'élève de Fénelon à lui fournir de nouveaux sujets. Mais l'appel demeura sans suite. Le beau temps de la « collaboration » du poète et de l'enfant datait de 1690-1691. La dédicace cherchait à la relancer. Découragé de son silence, La Fontaine n'écrivit pratiquement plus de fables ni pour le duc, ni pour nous. Ce n'était pas faute d'avoir retrouvé la santé.

« Je continue toujours à me bien porter et ai un appétit et une vigueur enragés, écrit-il le 26 octobre 1693 dans une longue lettre à Maucroix. Il y a six jours que j'allai à Bois-le-Vicomte à pied et sans avoir presque mangé ; il y a d'ici cinq lieues assez raisonnables. » Vingt kilomètres à pied presque à jeun, au sortir de maladie, à soixante-douze ans : La Fontaine est une force de la nature. La vie en ville ne lui a pas fait perdre les effets du solide entraînement de ses longues marches professionnelles d'autrefois dans les bois de Château-Thierry. Jeûne volontaire ? Marche volontaire ? Ou bien n'a-t-il plus de cheval et pas assez d'argent pour acheter des provisions par les chemins ?

Il continue de s'intéresser à la bonne chère et aux réalités concrètes. « Je crois t'avoir mandé, écrit-il encore, qu'un de mes amis avait acheté du vin de Suresnes nouveau, assez bon, et qui ne lui revenait qu'à huit sols la pinte rendu dans sa cave. Mande-moi quelles ont été vos vendanges et si vos seigles et vos blés sont bien levés. Ils le sont fort bien autour de Château-Thierry et en ce pays. » Il a donc fait tout récemment un voyage au pays natal. Son confesseur avait peut-être exigé une réconciliation avec sa femme. Peut-être aussi avait-il quelques dernières affaires à régler avec elle. Leurs liens n'avaient jamais été totalement rompus. Le 28 août 1691 encore, Marie avait passé devant un notaire de Château-Thierry une constitution de rente de 50 livres au nom de son mari et de son fils dont elle était procurataire. Ils avaient tous deux solidairement emprunté un millier de livres. Même avant sa conversion, le poète continuait de voir son fils, qui avait maintenant quarante ans.

L'Académie l'occupait beaucoup. Signe de sa bonne santé, elle l'avait élu Chancelier le 2 octobre 1693, huit mois après son amende honorable. A ce titre, il présidait les séances et les commissions de la compagnie, accueillant les éventuels nouveaux élus en l'absence du Directeur. Dans sa lettre à Maucroix, il se dit soulagé : « J'avais peur que ce ne fût à moi de répondre à M. du Bois, notre nouvel académicien, et cela m'eût embarrassé, car il eût fallu louer ses ouvrages : je ne les tiens pas si bons qu'il s'imagine que je le dois ». La Fontaine a gardé son talent satirique. Il connaissait bien ce du Bois, qui avait été maître à danser, puis gouverneur du duc de Guise, gendre de la duchesse d'Orléans dont il avait été huit ans le gentilhomme servant.

Les gens de Port-Royal lui avaient appris le latin sur le tard, vers la trentaine. Il traduisit pour eux saint Augustin, notamment ses *Lettres*. La Fontaine regrettait qu'on eût préféré ce latiniste d'occasion à un bon traducteur comme Maucroix. « Cet homme est froid, dit-il, et n'a pas la vigueur qui est dans tes écrits. C'est pourquoi je t'exhorte à traduire les *Offices* de Cicéron » – qu'avait également mal traduits le nouvel académicien. La Fontaine n'aime pas son style. Les gens de goût, les Dacier par exemple, sont de son avis, mais ils sont peu nombreux. La mode fait tout : « Quand un homme a une fois la vogue en ce pays-ci, tout le monde court » après la victoire, et « les gens comme nous ne sont nullement écoutés. Je vois tous les jours cela à l'Académie, mais je m'en console à merveille ». Pour se consoler, il se répète en latin le mot de Tacite : « A chacun la postérité paiera l'honneur qui lui est dû. » La conversion ne lui a ôté ni son esprit critique, ni le souci de sa gloire posthume.

Maucroix lui a envoyé sa traduction des *Homélies* d'Astérius. Il la reçoit, sa lettre presque achevée, avec un projet de préface sur lequel il s'empresse de donner un avis détaillé. Il propose des corrections de style. Il en critique le contenu. Il invite son correspondant à supprimer l'apologie qu'il y avait faite de leur ancien ami Pellisson, auquel on reprochait sa mort sans confession et d'avoir laissé de grandes dettes. « L'épigramme qui a été faite contre lui marque une opinion dont le public ne reviendra pas. Prends le conseil de tes amis, mais qui te conseillera mieux que moi là-dessus ? Les gens de Reims connaissent-ils mieux les esprits de la cour et de Paris que je ne fais ? » C'est un La Fontaine confiant dans la valeur de son jugement et sûr de lui qui écrit à Maucroix comme on peut le faire, sans circonlocutions, après plus de cinquante ans de fidèle amitié. Il lui adressera bientôt plusieurs pages de remarques précises sur la traduction même. Elles marquent l'acuité de son jugement et sa vivacité intellectuelle. « Je revois présentement tes homélies après les avoir lues déjà deux fois », commence-t-il. Il rendait à Maucroix le même service que Maucroix lui rendait, soumettant toutes ses œuvres à ses lectures attentives, acceptant ou refusant ses objections et ses projets de corrections.

Dans sa lettre du 26 octobre, il lui parle de ce qu'il a en train. « Je t'enverrai, dit-il, toutes mes *Hymnes* quand je les aurai mises un peu au net. » La Fontaine avait donc largement avancé dans la tâche de louer Dieu que lui avait fixée l'abbé Pouget. Il n'en subsiste rien que le *Dies irae*. « Tu les compareras, continue le poète, à celles de Messieurs de Port-Royal. » Il les fournira à Maucroix si le livre n'est pas « dans son pays ». Il lui demande inversement de lui envoyer plusieurs de ses ouvrages, notamment son *Histoire du Schisme d'Angleterre*, traduite de Nicolas Sanders, et son *Abrégé chronologique de l'Histoire universelle*, tiré d'un ouvrage latin du P. Pétau. En changeant de domicile, La Fontaine n'avait pas gardé avec lui ces ouvrages relativement anciens. Il en a besoin maintenant, signe qu'il s'intéresse à l'histoire religieuse.

Il se sent plein de projets et moins paresseux que jamais. « Voilà bien de la besogne, mais qu'y faire ? Je mourrais d'ennui si je ne composais plus. J'ai un grand dessein où tu pourras m'aider ; je ne te dirai ce que c'est que je ne l'aie avancé un peu davantage. » La vigueur intellectuelle du poète n'est pas moindre que sa vigueur physique. Rien n'est resté du « grand dessein » dont on a supposé, vu les livres demandés à Maucroix, que c'était un poème sur le triomphe de l'Église ou sur quelque hérésie vaincue. La Fontaine avait toujours rêvé de réussir une épopée. Pourquoi n'aurait-il pas rêvé de finir sa vie en beauté en célébrant les victoires de la vraie foi ? L'unité catholique retrouvée en France par la révocation de l'édit de Nantes était pour lui un très beau sujet...

Le 24 août 1694, il eut la satisfaction de voir l'Académie offrir enfin au roi les deux volumes in-folio du *Dictionnaire* si longtemps attendu. Il y avait personnellement travaillé, ayant été chargé en 1691 de la révision de la lettre F. Beaucoup plus complet, celui de Furetière était paru en Hollande dès 1690. Un hasard malicieux fit qu'on en présenta au roi la seconde édition presque en même temps que la première de la compagnie qui l'avait chassé. *Le Dictionnaire universel* avait perdu devant les juges et gagné devant la postérité. La Fontaine assistait fidèlement aux séances; le 2 octobre, par voie de tirage au sort, il est désigné Directeur. On avait sûrement aidé le sort...

Il continuait d'écrire à la gloire du roi. Il s'y trouva encouragé par Du Fresnoy, ancien premier commis de Louvois, qui voulut embellir sa maison de campagne, près de Glatigny, d'une galerie historique où seraient représentées les principales conquêtes du règne. Chaque tableau serait expliqué d'une double inscription, en latin et en français. Pour le latin, il s'adressa au baron Vuoerden, bailli des États de Lille, qui s'était depuis longtemps constitué le panégyriste de Louis XIV et de ses généraux en style lapidaire. Il demanda à La Fontaine de traduire les textes latins en vers français. Le poète accepta. Ce n'était pas la première fois qu'il pratiquait cet exercice. Il avait toujours aimé traduire, imiter, transposer, jouer avec les mots pour trouver des équivalences entre deux langages. Il y avait vingt-deux tableaux dans la galerie. Il n'avait traduit que seize inscriptions quand il mourut. Elles célèbrent les victoires du roi depuis la prise de Tournai, en juin 1667, à la paix de Nimègue en 1678. La Fontaine s'était toujours cru particulièrement doué pour les éloges. Il put s'en donner à cœur joie. On le payait (enfin!) pour célébrer les plus belles victoires du plus grand monarque du monde.

68.
Transparence ou mystère ?

La gloire de La Fontaine était extrême. Il parut trois éditions pirates de ses *Fables* en 1693, toutes trois prétendues d'Amsterdam, une autre en 1694. Barbin, cette année-là, réimprima lui aussi ses éditions précédentes. Benoît Vignieu en fit une édition autorisée à Lyon, et l'on tira, sans doute dans la même ville, une contrefaçon signée frauduleusement Barbin. Tous les recueils de fables ou de pièces diverses qui paraissent font une place au fabuliste. A lui seul, le volume contenant les six premiers livres des *Fables* a eu près de quarante éditions ou réimpressions du vivant de l'auteur, chiffre très exceptionnel à l'époque. Ce succès ne se démentira jamais. Les *Fables* de La Fontaine demeurent parmi les livres français les plus vendus.

On invoque l'autorité du poète. Envoyant à l'évêque de Langres trois épigrammes traduites de l'italien, Boursault se flatte de l'approbation que leur a donnée un auteur « si célèbre par les beaux ouvrages qu'il a mis au jour ». Teissier, moraliste obscur, le prend curieusement pour garant de la nécessité d'être constant en amour quand on a la chance d'être aimé... Belloq, satirique plus obscur encore, s'amuse à mettre en scène un marquis ridicule qui trouve ses *Contes* froids et leur préfère ses opéras. On commence à répandre sa légende. Cotolendi, dans *Le Livre sans nom*, rapporte des exemples de ses distractions qui deviendront célèbres. Venant à cheval de la campagne pour solliciter un procès, le poète s'arrête en chemin chez un ami et passe la nuit à parler de vers. Quand il arrive à Paris le lendemain, les juges siègent déjà. Il se dit « bien aise de n'avoir trouvé personne », car « il n'aimait point à parler ni à entendre parler d'affaires »... Le succès du poète a fait de lui un homme public sur lequel on raconte un peu n'importe quoi. Il n'est pas mort qu'on rapporte déjà sur lui des témoignages dont il faut se défier.

Dans sa lettre d'octobre 1693, le poète débordait de joie de vivre. Comme si son changement de vie lui avait apporté une nouvelle énergie. On lui a dit que Maucroix se portait à merveille. Il s'en réjouit : « J'espère, lui dit-il, que nous attraperons tous deux les quatre-vingts ans. » Son ami les dépassera. Mais pour lui, en février 1695, il sent venir la mort. On se moque de lui, par exemple l'évêque de Soissons qui lui répond qu'il est « plus malade d'esprit que de corps » et tâche de lui « inspirer du courage ». « Ce n'est pas de quoi je manque, écrit La Fontaine à Maucroix le 10. Je t'assure que le meilleur de tes amis n'a plus à compter sur quinze jours de vie. »

Voilà deux mois qu'il ne sort pas, sauf pour aller à l'Académie, parce que cela le distrait. En fait, comme l'a bien vu l'évêque de Soissons, son mal est surtout moral. Après l'exaltation qui a suivi sa conversion, il s'est laissé reprendre par son « ennui », cette inadaptation à la vie qu'il chassait jusqu'alors de son mieux en s'étourdissant de plaisirs. Sevré de cette drogue, il est envahi par une angoisse qui le fait littéralement mourir. « Hier, comme je revenais de l'Académie, dit-il encore à Maucroix, il me prit au milieu de la rue du Chantre [elle allait du Louvre, où se tenaient les séances, à la rue Saint-Honoré] une si grande faiblesse que je crus véritablement mourir. »

La mort en soi ne lui fait pas peur. Mais il craint pour sa vie éternelle. « Ô mon cher, mourir n'est rien. Mais songes-tu que je vais comparaître devant Dieu ? Tu sais comme j'ai vécu. Avant que tu reçoives ce billet, les portes de l'éternité seront peut-être ouvertes pour moi. » Maucroix lui répondit aussitôt. Il devait avoir confiance en la bonté divine. Une « véritable contrition » peut tout en obtenir. « Si Dieu te fait la grâce de te renvoyer la santé, disait-il, j'espère que tu viendras passer avec moi le reste de ta vie, et souvent nous parlerons ensemble des miséricordes de Dieu. » Le chanoine de Reims savait de quoi il parlait. Lui aussi avait

eu grand besoin de pardon. Il voulait rassurer le poète. Il lui
offrait un asile sûr. Le poète s'était installé chez les Hervart
par choix, non par nécessité. La maison de son plus vieil ami
lui avait toujours été ouverte.

La Fontaine s'en va doucement, entouré d'amitiés anciennes. On a voulu donner un rôle à Boileau et à Racine
dans sa conversion. Rien ne le prouve. Mais il est sûr qu'avec
le temps, le fabuliste s'était rapproché du satirique, qu'il rencontrait chez Racine où ils étaient tous deux familièrement
accueillis. S'il n'a pas « la force de lui écrire », lui disait
Maucroix, qu'il prie Racine de lui « rendre cet office de charité, le plus grand qu'il lui puisse jamais rendre ». Il le quittait avec émotion : « Adieu mon bon, mon ancien et mon
véritable ami. Que Dieu, par sa grande bonté, prenne soin
de la santé de ton corps et de celle de ton âme. » Tout
concourt à créer autour de La Fontaine le climat d'une mort
chrétienne.

Malgré ses forces déclinantes, il put encore sortir, le
10 avril 1695, premier dimanche après Pâques, pour se
rendre à Saint-Eustache, l'église de la paroisse dont dépendait l'hôtel d'Hervart, rue Plâtrière, actuelle rue Jean-
Jacques Rousseau. Il communia. Trois jours plus tard, il était
mort. On l'enterra au cimetière voisin des Saints-Innocents.
L'acte d'inhumation porte quittance de 64 livres 10 sols. Ce
n'était pas une très grosse somme, mais c'était loin d'être un
enterrement de pauvre. Ses amis ou ses parents (on ignore
qui paya) ont tenu à faire les choses décemment. On n'a pas
retrouvé de testament. Sans doute n'en avait-il pas fait. Il
n'avait rien à léguer.

A Maucroix qui l'avait interrogé sur les circonstances de
la mort de son ami, Boileau confirma « les choses hors de
vraisemblance » qu'on en rapportait partout : « Ce sont,
dit-il, ces haires, ces cilices et ces disciplines dont on m'a
assuré qu'il affligeait fréquemment son corps, et qui m'ont
paru d'autant plus incroyables de notre défunt ami que
jamais rien, à mon avis, ne fut plus éloigné de son caractère
que ces mortifications. » Ce sont là des effets de la grâce de
Dieu qui « ne se borne pas à des changements ordinaires »,
mais opère « quelquefois de véritables métamorphoses ».
L'abbé Pouget, dans sa relation, précise qu'il n'avait rien
prescrit de ce genre à son pénitent, « accablé d'années et

d'infirmités corporelles ». Le poète se les est imposées de lui-même.

Pendant sa grande maladie, on avait opposé sa conduite à celle de son ami Pellisson. On l'oppose maintenant à celle du poète Cassandre, rencontré plus d'une fois dans les lieux de plaisirs au temps de sa jeunesse. Il est mort « tel qu'il a vécu », écrit Boileau, très misanthrope, « haïssant les hommes » et refusant même de se réconcilier avec Dieu. « Il ne lui avait nulle obligation », disait-il. De ces deux hommes, continue Boileau, personne n'aurait imaginé que La Fontaine était « le vase d'élection ». Sa conversion avait été sincère et durable. Ayant pris sa vie passée en horreur, il en faisait durement pénitence. Vrai et sincère dans le repentir comme il l'avait été dans les plaisirs.

Maucroix, plusieurs années après, a rappelé la mort de La Fontaine dans des sortes de *Mémoires*. « Nous avons été amis plus de cinquante ans, écrit-il, et je remercie Dieu d'avoir conduit l'amitié extrême que je lui portais jusques à une si grande vieillesse sans aucune interruption ni refroidissement, pouvant dire que je l'ai toujours tendrement aimé, autant le dernier jour que le premier. Dieu, par sa miséricorde, le veuille mettre dans son saint repos ! » La vie de l'auteur des *Contes* finit comme un roman édifiant. L'âge et le poids de l'Église sur la société du temps ont fait leur œuvre. Finies les folies de Maucroix avec Henriette de Joyeuse ! Finies les parties de plaisir de Racine avec la Champmeslé ! Finies les débauches de Boileau avec Chapelle et consorts dans les cabarets parisiens ! Ils sont tous là, rangés et réglés, accueillant avec émotion l'enfant prodigue, leur ami La Fontaine, converti le dernier, mort le premier.

« C'était l'âme la plus sincère et la plus candide que j'aie jamais connue : jamais de déguisement, je ne sais s'il a menti en sa vie. » Étonnant jugement ! Maucroix fait un modèle de transparence et de simplicité d'un poète entouré de mystères, mêlant sans cesse mensonge et vérité, presque toujours masqué. Signe de la distance qui sépare l'homme assidûment fréquenté par un camarade d'enfance et le personnage soigneusement mis en scène par La Fontaine pour exprimer, à travers un message codé, toutes les profondeurs qu'il portait en lui sans vouloir ou pouvoir les dire, même à son plus intime ami. S'il ne lui mentait pas, il ne lui disait pas

tout. A preuve le cilice des dernières années. S'il ne lui semblait pas mentir au monde, c'est qu'il ne mentait pas par
esprit de dissimulation, mais pour survivre dans un milieu
où chacun devait tenir son rôle. Il avait choisi celui du
convive qui ne fait pas de bruit, sauf entre amis, toujours
apparemment d'accord avec plus forts que lui, ne tenant
jamais tête aux puissants, sauf sur leur ordre, prêt à tout
approuver pour avoir la paix, sincère au fond dans le mensonge social puisqu'il l'acceptait dans sa vie par principe. Il
ne l'en dénonçait que plus vigoureusement dans son œuvre.

Sous le voile de la fiction, il se dédommageait de sa simplicité en jouant toutes sortes de personnages qui le ven-
geaient de n'être que ce qu'il était, ou plutôt qui le pei-
gnaient tel qu'il était aussi, conteur merveilleux, metteur en
scène original, auteur attentif au goût, voire aux caprices de
son public, savant disciple des Anciens, Moderne désireux
de comprendre son temps, paresseux et ami du sommeil,
mais les yeux grands ouverts sur le monde, aimant la solitude et fréquentant « les riches lambris », méprisant les puissants et passé maître, croyait-il, dans l'art de leur prodiguer
les éloges. Content de peu parce qu'il voulait tout, il allait,
modeste en apparence, toujours en quête de l'ouvrage qui lui
apporterait enfin une gloire digne de son mérite. Homme de
lettres ou plutôt « homme de vers », selon sa formule, il a
tout sacrifié à la littérature et presque rien à y faire carrière.
Écrivain à succès et académicien, il est pourtant toujours
resté inclassable et délibérément marginal.

Le *Mercure*, dans son numéro d'avril, lui consacra une
brève notice nécrologique qui soulignait sa singularité : « Il
était original dans son genre, et ses *Fables* et ses *Contes* sont
des pièces achevées. Il a fait un livre en prose, intitulé *Psyché*, et rien ne partait de lui qui n'eût un caractère singulier
qui le distinguait des autres ouvrages de même nature. » Suivait l'épitaphe qu'il avait faite pour lui une trentaine
d'années plus tôt : « Jean s'en alla comme il était venu... »
Depuis, en effet, il avait véritablement dilapidé sa fortune.

Le 23 juin, l'abbé de Clérambault le remplaça à l'Académie. Il loua la simplicité et la douceur de « cet homme singulier qui n'avait jamais compté les biens de fortune parmi
les véritables biens ». Il loua aussi le « tour naïf et ingénieux
qui lui était si propre », son « génie seul semblable à lui-

même », son « air original » et sa « manière inimitable ». Personne ne peut désormais se dispenser de rappeler le caractère unique de son œuvre et éventuellement de sa vie.

Clérambault le peint « heureux d'avoir expié dans les dernières années de sa vie, par les larmes sincères de sa pénitence, le scandale qu'il avait pu causer par des écrits qu'un naturel trop facile avait produits sans aucune mauvaise intention et presque sans y avoir pensé ». Étonnante manière d'ôter à La Fontaine la responsabilité d'une œuvre qui avait fait son succès et qu'il avait quasi toujours continuée, parallèlement à ses *Fables*. « Ne parlons ici, continuait l'abbé, que de ces ouvrages immortels où toute la finesse de la morale se présente sous les images les plus simples. » Mais La Fontaine n'avait pas de chance avec les réceptions académiques. Ce fut Roze, l'adversaire de son élection, qui répondit à Clérambault. Bien sûr, l'Académie est « sensible à la perte d'un confrère », lui dit-il, mais « elle a une consolation proche de la joie de lui avoir su choisir un successeur tel que vous ». On se retrouvait enfin entre gens fréquentables...

Seul l'auteur du portrait placé en tête de l'édition des *Œuvres posthumes* procurée par Mme Ulrich en mars 1696 ose vanter les *Contes* sans restrictions. Les *Fables* sont des chefs-d'œuvre dignes de Phèdre. Mais, pour les *Contes*, dit-il, « je ne trouve personne qui puisse entrer en parallèle avec lui; il est absolument inimitable. Quels récits véritablement charmants! Quelles beautés! Quelle morale fine et galante! ». Pour en sentir les beautés, « il ne faut que les lire et avoir du goût ». A l'opposé du soulagement d'un Roze de ne plus avoir ce conteur pour confrère, cet enthousiasme provocateur pousse le paradoxe jusqu'à vanter la morale des *Contes*. Personne ne savait plus, à ce moment-là, juger une œuvre uniquement sur ses qualités littéraires et y voir seulement, comme La Fontaine y invitait ses premiers lecteurs, « un jeu qui ne peut porter coup ».

En septembre suivant, Charles Perrault consacrait La Fontaine comme un des grands poètes modernes en le plaçant parmi ses *Hommes illustres*. Il lui consacrait une sorte de notice biographique et littéraire, accompagnée d'une gravure par Edelinck de son portrait par Rigaud. Il affirmait la transparence de sa vie et de son œuvre : « S'il y a beaucoup de simplicité et de naïveté dans ses ouvrages, il n'y en a pas

eu moins dans sa vie et dans ses manières. Il n'a jamais dit
que ce qu'il pensait, et il n'a jamais fait que ce qu'il a voulu
faire. » Bel exemple de contre-vérités!... La simplicité et la
naïveté apparentes de l'œuvre proviennent d'un travail
minutieux et sont le comble de l'artifice. Sauf peut-être avec
Maucroix et quelques intimes, il a toujours dû se masquer
pour exprimer ce qu'il pensait. Il a payé un peu de liberté de
beaucoup de contraintes, esclave de son désir d'être reconnu
par un pouvoir qui ne l'aimait pas, flatteur et parasite des
grands dont il avait besoin pour survivre dans la marginalité.

« Son plus bel ouvrage et qui vivra éternellement, dit Perrault, c'est son recueil de *Fables* d'Ésope, qu'il a traduites ou
paraphrasées. » Comme s'il n'avait écrit que le premier
Recueil... « Il n'inventait pas les fables, mais il les choisissait
bien, et les rendait toujours meilleures qu'elles n'étaient. »
Sa réussite prouve que les Modernes ont raison de soutenir
qu'on peut faire mieux que les Anciens. « Ses *Contes*, poursuit l'auteur, sont de la même force et l'on ne pourrait trop
en faire d'estime s'il n'y entrait point presque partout trop de
licence contre la pureté. Les images de l'amour y sont si
vives qu'il y a peu de lectures plus dangereuses pour la jeunesse, quoique personne n'ait jamais parlé plus honnêtement
des choses déshonnêtes. »

Charles Perrault aurait voulu « pouvoir dissimuler cette
circonstance ». Il l'aurait fait si la faute n'avait pas été si
publique et si le poète n'en avait pas fait paraître un repentir
aussi sincère à la fin de sa vie. Bel exemple de détournement
d'intention. La publicité du repentir de La Fontaine contribue à la publicité du sujet de son repentir. Bon moyen pour
l'auteur d'affirmer sans scandale son admiration pour une
œuvre défendue et de ne pas partager l'homme et l'œuvre
en deux : le moraliste qui a écrit un chef-d'œuvre et le polis-
son égaré dans des horreurs indignes de son génie. Avec des
précautions qui montrent combien l'affaire était délicate,
Perrault ose dire que les *Contes* valent les *Fables* et qu'il n'y a
qu'un La Fontaine.

Tandis que le monde se partageait sur les *Contes*, Fénelon
rédigeait un éloge du poète en latin et le donnait à traduire
au duc de Bourgogne. On en a conservé le corrigé français :
« Hélas! il n'est plus, cet homme enjoué, nouvel Ésope,
supérieur à Phèdre dans l'art de badiner, qui a donné une

voix aux bêtes pour qu'elles fissent entendre aux hommes les leçons de la sagesse. » A un enfant, il était naturel de ne montrer en La Fontaine que l'auteur d'histoires d'animaux à valeur morale, conformément à l'origine pédagogique du genre. Mais Fénelon, comme Perrault, enrôle le fabuliste mort dans la fameuse querelle : « Nous ne plaçons pas La Fontaine, comme le voudrait l'ordre des temps, parmi les Modernes, mais pour les agréments de son esprit parmi les Anciens. » Si tu n'as pas confiance en ces éloges, lecteur, ter-mine Fénelon, ouvre le livre. Tu y retrouveras Anacréon. Tu y retrouveras Horace. Tu y retrouveras Térence. Tu y retrouveras Virgile...

La Fontaine pouvait être content. On faisait enfin son éloge à la Cour.

A titre posthume.

ANNEXES

Notes

Notes liminaires

Nous avons par commodité distingué les Fables des Contes en imprimant les titres des premières entre guillemets et celles des secondes en italiques. Nous avons également distingué entre les Fables et les Contes désignés indépendamment des divers recueils imprimés de La Fontaine et les *Fables* et les *Contes* désignant les éditions de ces mêmes textes.

Nous rappelons que livre et franc étaient de valeur équivalente et qu'un écu d'argent, ordinairement appelé simplement écu, valait trois livres. Une pistole équivalait à dix livres.

1. Fables

Nous empruntons les anecdotes citées en exemples de la constitution de la légende de La Fontaine à Charles Cotolendi (*Le Livre sans nom*, 1695), Vigneul-Marville (*Mélanges d'histoire et de littérature*, 1725), Fréron (« Vie de La Fontaine », dans *Observations sur les écrits modernes*, 1743), Cideville (« Traits, notes et remarques de Cideville » [1747] publiés par A. Niderst, dans *RHLF*, sept.-oct. 1969) et aux premiers biographes et témoins cités dans la bibliographie.

Les récits tardifs de Fréron, Cideville et Louis Racine rapportent tous les trois l'anecdote du retour à Paris. Celui de Cideville contient en germe la forme édulcorée de l'histoire, parue trente ans plus tard dans l'*Esprit des Journaux* où elle est attribuée aux petites-filles du poète. Mme de La Fontaine est à la messe. Son mari « se promène en attendant dans la rue. Passe M. de Fiesque avec son équipage. Il reconnaît La Fontaine, le fait arrêter et lui demande s'il veut qu'il le mène à Paris. La Fontaine monte dans le carrosse et oublia qu'il n'avait point vu sa femme ».

A propos du fils de La Fontaine, Fréron reprend et abrège le récit qu'avait fait Titon du Tillet dans son *Parnasse français* (1732).

L'anecdote sur Rabelais et saint Augustin se trouve dans une lettre de Brossette, le confident de Boileau, à Le Verrier. Elle est rapportée par Louis Racine dans une version un peu différente.

2. Rue des Cordeliers

Pour ce chapitre et les suivants, les documents découverts et cités par R. Josse (*op. cit.,* p. 332 sq.), sont essentiels. Ils prouvent en particulier que Charles de La Fontaine n'a acheté une maîtrise des eaux et forêts qu'après son union avec Françoise Pidoux. Walckenaer, repris par P. Mesnard et tous les biographes, a donc eu tort de lui attribuer le titre de maître des eaux et forêts dans son contrat de mariage. Ce contrat est malheureusement impossible à consulter actuellement.

S. Pidoux de La Maduère a donné, en 1964, une monographie de la famille Pidoux à travers les âges qui dépasse largement son titre : *La Famille maternelle de Jean de La Fontaine,* Le Perreux, 1964. On y voit la mère de La Fontaine intervenir, en 1642, lors d'une donation de René Pidoux de Rochefaton, abbé de La Valence, à Anne de Jouy, demi-sœur du poète. Agnès Petit est donc morte entre cette date et son inventaire après décès, en 1644, et non peu après 1637 comme on le croyait. Dans le voyage en Limousin, La Fontaine a cité trois Pidoux, un cousin avec lequel il a été en procès, une petite Marie-Louise dont la beauté l'intéresse (elle se mariera en juin 1668, cinq ans plus tard) et un vieux François Pidoux d'une exceptionnelle gaillardise : né le 10 octobre 1581, marié en 1645 pour la troisième fois, il allait encore avoir une fille, Jeanne, en 1664.

En retrouvant l'acte de baptême du père de La Fontaine, R. Josse a révélé le décalage d'âge entre les époux. Il a aussi très savamment resti-tué l'acte de baptême de Jean, qui est en très mauvais état.

La maison achetée par Charles de La Fontaine, et où fut élevé le poète à défaut d'y être né, est devenue un musée Jean de La Fontaine où sont conservés ses portraits, des éditions rares de ses livres et de précieux documents. L'aile nord a perdu sa tourelle et l'aile sud a disparu. Une grille a remplacé la porte cochère. L'acte de vente du 2 janvier 1676 (voir les notes du chapitre 45) donne une description sommaire des lieux et du mobilier.

On n'a pas retrouvé l'acte de naissance d'Anne de Jouy. Puisqu'elle est dite « d'âge de vingt-cinq ans passés » dans l'emprunt du 24 avril 1637 (M.C. LI, 286) où elle intervient conjointement avec son mari et son père, elle avait plus de cinq ans au moment du remariage de sa mère, plus de neuf à la naissance de Jean. Sur les conditions de son mariage, on consultera le contrat du 7 février 1627, M.C. LI, 149; la sentence du 15 janvier contre son beau-père y est jointe. Sur l'accord consécutif, voir la reconnaissance du compte de tutelle d'Anne de Jouy, par celle-ci et Philippe de Prast, son mari, à Charles de La Fontaine et Françoise Pidoux, sa mère (13 mai 1627, Archives de l'hôtel-Dieu de Château-Thierry).

3. Des maîtres de campagne

On ne peut presque rien tirer des articles pleins de bonnes intentions et de zèle pour La Fontaine de J. Salesse, E. Deraine, et autres parus entre 1894 et 1911 dans les *Annales de la Société historique et archéologique de Château-Thierry*. La légende y voisine constamment avec la vérité, les certitudes avec les hypothèses. Ces auteurs ont pourtant beaucoup fait pour maintenir en leur temps la gloire du poète dans son pays natal.

Le Lucien annoté concernant à la fois un Maucroix et La Fontaine (*Luciani Samosatensis dialogi selecti graece et latine, ex nova versione et cum notis edidit Steph. Moquot S.J., Augustaviti Pictonum, Ant. Mesnerius*, MDCXXI, in 8°) a été décrit par E.J.B. Rathery dans le *Bulletin du Bibliophile* de 1852, p. 895 sq. « Une note écrite le 8 septembre 1801, précise Rathery, atteste que ce volume était en la possession de M. de Saint-Georges, descendant de La Fontaine par Marie-Catherine Rose Pintrel, sa mère, et qu'il avait appartenu au fabuliste en communauté avec son ami Maucroix, ainsi qu'il paraît par leurs noms écrits en divers endroits du livre. » Note inexacte en ce qui concerne François de Maucroix, l'ami de Jean, qui, d'après les indications de Rathery même, n'apparaît pas dans le Lucien. Note tardive et qui pourrait comme tout le reste être l'œuvre d'un faussaire. Note tout à fait incontrôlable, puisque le précieux document a disparu depuis, peut-être dans l'incendie de la bibliothèque du Louvre sous la Commune. Mais Rathery, qui en fut conservateur de 1844 à 1859, était un témoin sérieux. L'abbé Hébert, dans une « Histoire de Château-Thierry » restée manuscrite, avait déjà relevé entre 1804 et 1806 l'existence de ce livre et de ses annotations. L'abbé Pocquet a reproduit les informations de Hébert dans une *Histoire de Château-Thierry* imprimée en 1839.

« Sa liaison [de Maucroix] avec La Fontaine, qui datait de l'enfance, écrit Louis Paris dans son *Maucroix, sa vie et ses ouvrages* (1851), me fait croire qu'il commença ses études au collège de Château-Thierry, dont l'enseignement à cette époque attirait la jeunesse et rivalisait avec les établissements universitaires de Reims et de Paris. » On affirme partout depuis la renommée et la qualité du collège fréquenté par les deux enfants. Mais L. Paris, qui ne donne jamais ses sources, est d'une autorité douteuse. En fait, rien ne prouve que l'éclat du collège de Château-Thierry ait rayonné au point d'attirer les élèves des environs. Si Maucroix est venu y faire ses études depuis Noyon, sa ville natale, ce fut le résultat de circonstances que nous ignorons.

Certains ont dit que La Fontaine a fait ses humanités au collège de Juilly, d'autres prétendent qu'il y « étudia les dogmes », donc qu'il y fit sa théologie. On nomme même son régent : Malézard. Tout cela en renvoyant à des notes tardives ou à un manuscrit non désigné, donc invérifiable.

L'hypothèse d'études de La Fontaine dans sa ville natale est la plus probable, ses parents n'ayant aucune raison de l'envoyer ailleurs puisqu'ils avaient dans leur ville un collège satisfaisant les notables qui en faisaient les frais. Pour le reste, on peut douter de l'existence du Lucien, penser qu'il s'agit d'un faux, supposer que le La Fontaine mentionné est le fils de Jean, qui aurait hérité de l'exemplaire de son parrain. Ce qui est sûr, c'est la durée de l'amitié de Maucroix et de La Fontaine. Peu importe si elle a ou non commencé dès le collège. Les *Lettres* de Maucroix ont été publiées par R. Kohn en 1962. De sa correspondance avec La Fontaine, il ne reste malheureusement que des épaves.

J. Duchesne a montré l'intérêt des fables ésopiques de Jean Meslier dans l'étude précise et documentée qu'il a consacrée à « Un premier Maître de La Fontaine », *Annales de Bretagne*, novembre 1887, p. 88-122.

G. Couton a rappelé l'importance de la formation rhétorique reçue au collège dans « Du pensum aux Fables », seconde partie de sa brève et excellente étude : *La Poétique de La Fontaine*, Faculté des Lettres de l'Université de Clermont, 1957.

Dans sa thèse monumentale sur *L'Âge de l'Éloquence* (Paris, 1980), Marc Fumaroli a établi de façon décisive l'opposition entre la culture humaniste traditionnelle des fils de robins et celle, plus moderne des fils de gentilshommes.

La ballade « Je me plais aux livres d'amour », dans laquelle La Fontaine parle de son intérêt dès l'enfance pour H. d'Urfé a été publiée à la fin du premier Recueil de Contes, en 1665.

4. Loisirs

Sur la création de la nouvelle charge de maître particulier triennal des eaux et forêts, voir les provisions du 13 mai 1637 en faveur de Philippe de Prast (office nouveau créé en 1635, A.N. Zie 573, f° 203) et les emprunts correspondants de Charles de La Fontaine (24 avril 1637, provisoire à Denis Amelot, contenant l'énoncé de ses biens, M.C. LI, 286 ; 7 mai 1637, définitif à René Pidoux, M.C., XXXIV, 69). Il y est précisé que la somme est empruntée « pour employer à l'achat de l'office de maître particulier triennal aux eaux et forêts » nouvellement créé.

On pourrait objecter au bilan de la fortune établi ici que le père de La Fontaine l'a gonflé pour donner confiance au prêteur. Mais il avait dû fournir ses preuves au notaire qui a établi l'acte. On retrouve à peu près les mêmes indications dans la constitution à René Pidoux, parent trop proche pour qu'on puisse le tromper. Laissant de côté la charge de maître des eaux et forêts, les deux maisons du faubourg de Château-Thierry, et les arpents de vigne de Gland, elle mentionne, sans indication de revenus, les quatre maisons de Château-Thierry et quatre fermes (au lieu de trois) à Clignon, Montmirail et Coulommiers, les deux fermes et leurs revenus en blé près de Château-Thierry, et 2 000 livres de rentes sur des particuliers (au lieu de l'énumération de l'acte du 24 avril dont le total ne fait que 1 520 livres, mais la somme comprend sans doute les 300 livres sur les maisons du faubourg de Château-Thierry).

Les chapitres 55 et 58 rapportent la fin de l'amitié de La Fontaine et de Furetière et les attaques formulées par le second contre le premier dans ses factums.

En tête de son édition des *Œuvres diverses de Maucroix* (Paris, 1854, 2 vol.), Louis Paris donne maintes précisions sur l'accueil reçu par Maucroix dans les milieux parisiens, notamment sur ses bonnes relations avec Patru et Conrart. On en déduit d'ordinaire que La Fontaine connut dans son sillage les mêmes influents personnages. Mais Louis Paris ne cite aucun document. Il ne s'agit que de vraisemblances. Il est très aléatoire de les appliquer à La Fontaine puisqu'il n'est pas prouvé qu'il est arrivé dans la capitale dans le sillage de Maucroix.

Sur les études de droit à Paris au XVIIe siècle, voir R. Mousnier, *Paris au XVIIe siècle*, fasc. 3, « La Fonction intellectuelle. L'Université », Les Cours de Sorbonne, CDU, 1961.

5. Un moment de ferveur

Les fonctions d'Adry à l'Oratoire donnent un certain poids à son témoignage. Mais il est relativement tardif et connu seulement par ce qu'en dit Fréron dans une note de sa très peu sûre « Vie de La Fontaine » (1743). La durée du séjour de La Fontaine est fixée à dix-huit mois par d'Olivet. C'est la durée qu'indique aussi Adry (« Il y resta encore environ un an », après l'envoi à Saint-Magloire). Mais cet auteur a écrit après d'Olivet. Batterel, la meilleure source, dans ses *Mémoires domestiques sur l'Oratoire* publiés en 1729, ne donne pas de date, mais semble, en signalant l'absence de mention ultérieure du novice, indiquer un départ assez rapide. Voir également A. Perraud, *L'Oratoire en France au XVIIe et au XIXe siècle*, 1866. Dans les *Catalogues alphabétiques des Noms des prêtres et confrères reçus dans la congrégation de l'Oratoire* dressés en 1710, on lit au feuillet 29 r° du *Second Catalogue* : « Claude de La Fontaine de Château-Thierry, 1641 ; sort 1650 », et au feuillet 10 v° du *Premier Catalogue* : « Jean de La Fontaine, 1641. » Le texte donnant la date précise de l'entrée de La Fontaine à l'Oratoire se trouve aux Archives nationales MM 623. Son séjour à la maison de Juilly « quelques semaines » après son entrée à l'Oratoire, auprès du P. Verneuil, « qui devait le préparer à la vêture », est rapporté par Hamel, *Histoire de Juilly*, p. 266, qui ne donne pas ses sources. La maison mère de l'Oratoire, ancien hôtel du Bouchage, est aujourd'hui un temple protestant. Le séminaire de Saint-Magloire, rue Denfert, est devenu l'asile des sourds-muets.

Le témoignage de Brienne sur les relations de La Fontaine et de Desmares se trouve dans un manuscrit référencé dans les notes du chapitre 37.

Daté du 11 août 1644, « l'état des biens meubles et immeubles appartenant à feue Françoise Pidoux lors du mariage entre elle et Charles de La Fontaine, outre ceux à elle arrivés depuis par le décès de sa mère et de Louis Pidoux, son frère », a été déposé le 23 décembre 1667, M.C., LV, 74. Cette pièce capitale établit en particulier que, toutes charges déduites et Charles de La Fontaine ayant pris ce qui lui revenait en vertu de son contrat de mariage, « reste et appartient auxdits héritiers, qui sont ladite Anne de Jouy et Jean et Claude de La Fontaine, la somme de 29 840 livres 11 sols 6 deniers, qui est à chacun 9 946 livres 17 sols 2 deniers ». « En considération de l'amitié et affection qu'il a toujours porté à ladite demoiselle Anne de Jouy », Charles porte en son nom et en celui de ses enfants la part de celle-ci à l'héritage maternel à 12 000 livres. En fait, cette concession avait été rendue nécessaire par l'usage personnel qu'il avait fait des biens de sa femme. « Des biens ci-dessus appartenant à ladite Pidoux se montant à la somme de 36 417 livres, lit-on dans l'acte, il ne reste en nature que les prés et terres du fonds de Coulommiers estimées entre les parties à 9 000 livres et les rentes qui ensuivent [2 120 livres], le reste ayant été vendu ou aliéné. »

6. « L'ascendant qui le poussait à faire des vers »

La Fontaine publiera la traduction des épîtres de Sénèque après la mort de Pierre Pintrel (chapitre 51).
Sur la date de l'épître au duc de Bouillon où La Fontaine évoque sa vocation poétique, voir les notes du chapitre 28.

7. Autour de la Table ronde

Tallemant des Réaux, qui faisait partie des palatins de la Table ronde, a été un des amis de jeunesse de La Fontaine. Ses *Historiettes* (édition A. Adam, à la Bibliothèque de La Pléiade, 2 vol., 1960) sont la plus ancienne et la meilleure source sur cette période de la vie du poète et de Maucroix. L'auteur du portrait apologétique paru juste après la mort de La Fontaine, en tête de ses *Œuvres posthumes*, le peint, contre La Bruyère, agréable en société et recherché « de tout ce qu'il y a de meilleur en France ». Il reconnaît pourtant sa rêverie : « Je ne prétends pas néanmoins sauver ses distractions, j'avoue qu'il en a eu; mais si c'est le faible d'un grand génie et d'un grand poète, à qui doit-on plutôt les pardonner qu'à celui-ci ? »
L'épître qui montre La Fontaine parmi les amis de la Table ronde est conservée à la Bibliothèque nationale (manuscrits, fonds français, 19 142) parmi d'autres épîtres provenant du même groupe littéraire, dont plusieurs adressées à Maucroix. Retourné dans sa province, Pellisson fondera dans sa ville natale, en décembre 1648, une académie tenant régulièrement réunion tous les jeudis. En mai 1649, il y lit un discours de remerciement pour sa réception dans une académie parisienne; en novembre, une lettre que Maucroix lui a envoyée en qualité de confrère. Sans doute a-t-on, en son absence, institutionnalisé davantage l'ancienne « troupe » de la Table ronde. Sur Pellisson, voir la thèse, un peu ancienne, de F.L. Marcou, *Étude sur la vie et sur les œuvres de Pellisson, suivie d'une correspondance inédite du même*, Paris, 1859 et les notes du chapitre 15.
A. Adam a consacré au climat littéraire de ce moment-là une étude

aussi intéressante que contestable, « L'École de 1650 », publiée dans *La Revue d'histoire de la philosophie*, Lille, 1939-1942. Chapelain, Balzac et Conrart en auraient été les maîtres. Par Mainard, dont Chapelain se proclamait le disciple en 1640, par Pellisson, créature de Conrart, le groupe auquel appartenait La Fontaine s'y serait rattaché. Il se serait ainsi trouvé dans le même camp que de grands aînés comme Patru, ou des auteurs déjà arrivés comme Ménage, d'Ablancourt, Boisrobert, ou des jeunes gens de son âge tels d'Aubignac, Sarasin, Furetière, Tallemant, d'autres encore. On s'y montrait hostile aux représentants de l'humanisme traditionnel, les « pédants » de la montagne Sainte-Geneviève, les érudits groupés autour des frères Dupuy. Au nom du goût et de la raison, avec Malherbe et Mainard, on y condamnait Ronsard et ses audaces pour vanter le purisme d'une poésie méticuleuse. Avec Balzac, on y était résolument moderne. La doctrine y préfigurait celle des futurs « classiques ».

8. Un mari de complaisance

Daté du 10 novembre 1647, le contrat de mariage Jean de La Fontaine et Marie Héricart a été publié par Méd. Lecomte dans la *Revue de Champagne et de Brie*, 1881, p. 158 sq. On ignore où et quand il fut solennisé à l'église, sans doute dans les jours qui suivirent, selon l'usage habituel.

Louis Roche, qui s'est plu à imaginer la vie des jeunes époux à Château-Thierry, y a également dépeint les possibles relations du poète (*op. cit.*, p. 59 sq.).

9. Fronde familiale

La transaction passée le 28 octobre 1650 entre les héritiers de Guillaume Héricart, devant maîtres Vol et Thierry François, notaires à La Ferté-Milon (Archives départementales de l'Aisne, 36 E 49 b/2), a été transcrite et publiée par R. Josse dans *Le Vieux papier, Bulletin de la Société archéologique, historique et artistique*, octobre 1976. Il y voit « une bataille de chiffonnier »; c'est au contraire un arrangement à l'amiable, avec d'âpres discussions préalables, pour éviter que le partage ne dégénère en bataille. Sur la vente ultérieure de Dammard, voit le chapitre 13.

Jean a passé trois accords avec son frère Claude, connus seulement par Walckenaer dans l'appendice (p. 295 sq.) de sa biographie de La Fontaine. Malheureusement, au texte à peu près complet du premier, il n'a ajouté qu'un rapide résumé du dernier et presque rien du second.

Le 9 décembre 1649, Jean de La Fontaine est à Paris et constitue une rente à Charles de Ligny, M.C. LXXIII, 400.

10. La sinécure des eaux et forêts

Nous donnons ici, une fois pour toutes, les références aux articles qui ont permis et permettent de retracer la carrière forestière de Jean de La

Fontaine. Il faut les compléter par les documents du Minutier central (voir bibliographie) et par les indications et découvertes de R. Josse (*id.*). C'est à partir de l'ensemble de ces sources que nous avons donné, chemin faisant, quelques indications chiffrées sur les interventions professionnelles du poète.

Vicomte de Grouchy, « Documents inédits sur La Fontaine », *Bulletin du bibliophile*, 1893.

L. Tuetey, « La Fontaine maître particulier des eaux et forêts d'après des documents inédits », *Revue bleue politique et littéraire*, février 1897. L'auteur a établi dès cette date que le poète n'avait pas succédé à son père lors de son mariage.

M. Henriet, « La Fontaine aux archives de Chantilly », *Revue bleue*, 19 août 1899.

M. Henriet, « Les Fonctions forestières de La Fontaine », *Annales de la Société historique et archéologique de Château-Thierry*, 1904. Repris presque textuellement dans *La Grande Revue*, mai 1905.

E. Jovy, *Pour quelles raisons et à quelle date La Fontaine cessa-t-il d'être maître des eaux et forêts?*, Vitry-le-François, 1904. On y établit que la cessation de fonction de La Fontaine est liée au passage du duché de Château-Thierry du domaine royal à la famille de Bouillon.

A. Blanchet, « Un Document autographe de Jean de La Fontaine », *Annales de la Société historique et archéologique de Château-Thierry*, 1925. L'auteur publie une quittance du 18 janvier 1655 qui porte, entre autres, la signature de Jean comme maître triennal et celle de son père comme maître ancien.

Sur l'inventaire après décès et le règlement de la succession de la mère de La Fontaine, le 11 août 1644, voir la dernière note du chapitre 5.

L'emprunt contracté solidairement en mai 1652 par les quatre amis (M.C. CIX, 193) ne sera remboursé par Louis Maucroix que le 6 décembre 1696 (LXXIII, 562) après la mort de La Fontaine.

L'acte de baptême du fils de La Fontaine a été publié par Walckenaer, *op. cit.*, t. II, p. 293.

11. L'échec de *L'Eunuque*

Roger Zuber a étudié le statut de traducteur et la dévalorisation de ce type d'écrivain dans sa thèse : *Les « Belles infidèles » et la formation du goût classique*, Paris, 1968. On trouvera d'intéressantes précisions sur l'évolution de la vogue des divers genres théâtraux dans Roger Guichemerre, *La Comédie avant Molière*, Paris, 1972. Voir également G. Forestier, *Esthétique de l'identité dans le théâtre français (1550-1680)*, Paris, 1988.

Sur l'admiration que La Fontaine portera à Molière, voir le chapitre 22.

En 1647, Le Maître de Sacy a publié ses *Comédies de Térence traduites en français avec le latin à côté et rendues très honnêtes en y changeant fort peu de choses* et, la même année, ses *Fables de Phèdre traduites en français avec le latin à côté pour servir à bien entendre la langue latine et à bien tra-*

duire en français. Il ne serait pas étonnant qu'une lecture du premier de ces ouvrages à l'occasion de sa traduction de *L'Eunuque* ait attiré l'attention de La Fontaine sur les Fables du second, et contribué à sa future vocation de fabuliste. D'autant que la préface du Térence renvoie aux Fables.

Tout en lui reconnaissant une « versification marquée au coin d'un maître », les frères Parfaict, dans leur *Histoire du théâtre français* (t. VII, p. 39-41), parlent du « peu de goût et de connaissance du théâtre que M. de La Fontaine a montré dans cette comédie ». Ils citent un jugement de Palaprat et Bruyes, qui, dans leur préface du *Muet* (1693), reprochent à l'auteur d'avoir suivi « pour ainsi dire littéralement » l'original.

12. Le poète au travail

La description de La Fontaine voyageant dans la circonscription de sa charge est empruntée à L. Roche, *op. cit.,* p. 95 sq. Les renseignements sur l'organigramme de ses maîtrises viennent notamment de R. Josse, *op. cit.,* p. 90 sq.

13. L'appel des sirènes

Les pièces concernant l'achat de La Trinité et l'emprunt correspondant se trouvent à leur date au Minutier central (LXXIII, 422 et XXIV, 439).

La lettre de La Fontaine à Jannart du 14 janvier 1656 explique l'échange qui aura lieu entre eux le 21 décembre 1658 (M.C., LXXIII, 438). Elle en montre le caractère prémédité et ôte à cette opération l'aspect dramatique qu'a cru y voir R. Josse (voir chapitre 16).

Les rapports de Mlle de Scudéry et de Pellisson ont été maintes fois étudiés, notamment dans la plus récente biographie de la première, par N. Aronson, Fayard, 1986. Le document de base sur cette époque de leur vie reste l'article de L. Belmont, « Documents inédits sur la société et la littérature précieuses : extraits de la chronique du samedi publiés d'après le registre original de Pellisson », *RHLF*, 1902. Sur l'entrée de Pellisson chez Foucquet et pour tout ce qui concerne la vie intellectuelle autour du surintendant, la meilleure source reste la thèse d'U.V. Chatelain, *Le Surintendant Foucquet protecteur des lettres, des arts et des sciences*, Paris, 1905.

La possibilité d'identifier l'Anacréon de Mlle de Scudéry à La Fontaine a été proposée par Mlle J. Plantié dans sa thèse : *La Mode du portrait littéraire en France dans la société littéraire* (exemplaire dactylographié, 1975).

14. L'heure des choix

La Rhétorique ou l'Art de parler du P. Bernard Lamy a connu maintes rééditions de 1670 à 1741 où l'ouvrage a pris sa forme définitive.

La valeur des biens laissés par Charles se déduit de l'échange entre son fils et Jannart du 21 décembre 1658 et des cautions énumérées dans l'emprunt du 24 avril 1637 (voir chapitre 4 et les notes).

Le texte de l'accord de La Fontaine avec son frère Claude ne figurant pas parmi les minutes conservées aux archives de l'Aisne, on ne dispose que du résumé qu'en a donné Walckenaer, *op. cit.*, t. I, p. 55. On n'y comprend pas comment Claude se plaignant d'avoir été désavantagé par une cession qui lui assurait 1 100 livres de rente, correspondant à 22 000 livres de capital, se satisfit ensuite de 8 225 livres. On voit mal d'autre part pourquoi Charles de La Fontaine doit à sa mort 17 600 livres à Maucroix. Nous proposons une hypothèse : lors de la révision, en 1652, de l'accord de 1649, Claude a préféré de l'argent liquide à une rente, et son père lui a donné 17 600 livres, empruntées à Maucroix, pour la part de sa mère et en avancement d'hoirie. En 1658, Claude reçoit le complément des 22 000 livres de sa part initiale, plus un petit supplément et les intérêts en retard.

15. *Adonis* ou la dissonance

Le rôle critique de Chapelain a été mis en valeur dès 1912 par G. Collas dans sa thèse : *Un poète protecteur des lettres au XVIIe siècle, J. Chapelain (1595-1674)*, Paris.

L'importance de Mme du Plessis-Bellière a été établie par U. Chatelain (*op. cit.*) dans le chapitre consacré au salon de cette dame (p. 60 sq.) Il y raconte l'affaire des bouts-rimés sur la mort de son perroquet.

16. Du côté de Château-Thierry

Les interventions de La Fontaine dans l'affaire Verdet sont rapportées par R. Josse (p. 147-148).

Sur le caractère prémédité de l'échange des biens fonciers de La Fontaine à Château-Thierry contre des rentes cédées par Jannart, voir le chapitre 13 et les notes. Preuve que la cession n'est pas fictive, deux jours plus tard, le poète vend une des rentes qui lui ont été cédées le 21 décembre (M.C., LXXIII, 438). A une date et dans des circonstances inconnues, La Fontaine a cependant retrouvé la propriété de sa maison (voir le chapitre 45 et les notes).

L'accord conclu par La Fontaine pour Jannart le 10 mars 1659 a été publié *in extenso* par P. Lacroix, *Nouvelles œuvres inédites*, Paris, 1869, p. 92-93.

Dans *XVIIe siècle*, 1972, C. Mazouer a publié « *Les Rieurs du Beau-Richard*, vitalité de la tradition des farces gauloises au XVIIe siècle ».

17. Ruptures

Les querelles qui ont entouré l'élection de Gilles Boileau à l'Académie ont été étudiées et les clivages politiques qu'elles recouvrent un peu trop systématisés par A. Adam, notamment dans *Les Premières Satires de Boileau*, Lille, 1941. Sur le climat intellectuel de ce moment et de tout le siècle, voir A. Viala, *Naissance de l'écrivain*, Paris, 1985.

La préface de Pinchêne a été reprise par A. Ubicini en tête de son édition, qui reste la seule complète, des *Œuvres* de Voiture, 2 vol., Paris, 1855. La *Pompe funèbre de Voiture* et l'importante préface de Pellisson ont été publiées avec les *Œuvres* de J.F. Sarasin par P. Festugière, Paris, 1926.

Présentant en 1671 le fragment du *Songe de Vaux* où l'Architecture, la Peinture, le Jardinage et la Poésie vantent chacun leur excellence, La Fontaine évoque le sort du « malheureux » qui déplut à son roi et les pleurs qu'il lui a donnés. « Jadis en sa faveur, continue-t-il, j'assemblai quatre fées. *Il voulut* que ma main leur dressât des trophées : /Œuvre long et qu'alors, jeune encor, j'entrepris. » C'est donc à la demande du surintendant que le poète s'était mis à l'ouvrage.

18. La tentation galante

Quand Mascarille arrive chez les Précieuses ridicules et leur fait un compliment alambiqué, « Ma chère, c'est le caractère enjoué », dit Magdelon à sa cousine. A quoi Cathos répond : « C'est un Amilcar. » Mlle de Scudéry avait vanté, dans *Clélie*, « l'enjouement de la belle humeur » du personnage dont Molière se moque, visant à travers lui non seulement son modèle, le poète Sarasin, mais celui qui venait d'en faire le plus vif des éloges, Paul Pellisson. Il avait fréquenté et aimé le poète aux samedis de Sapho. En 1654, il avait déploré sa mort à trente-neuf ans. Il avait longuement préfacé, en 1656, l'édition posthume de ses œuvres, presque toutes restées inédites, par les soins de Ménage. Les poètes de la cour de Foucquet, et La Fontaine parmi eux, y trouvaient à la fois des modèles et une justification théorique de ce qu'ils devaient faire à leur tour. Sur le climat intellectuel apporté chez Foucquet par Pellisson et son amie, on consultera le livre d'A. Niderst : *Madeleine de Scudéry, Paul Pellisson et leur monde*, Paris, 1976.

M. Pelous a écrit d'excellentes pages sur préciosité et galanterie dans sa thèse, *Amour précieux, amour galant (1654-1675)*, Paris, 1980. Nous avons résumé les conversations de Mlle de Scudéry sur l'air galant et souligné l'importance de cette notion dans notre *Mme de Sévigné et la lettre d'amour*, Paris, 1969.

19. Parmi les provinciaux

Pour les déplacements de Foucquet et pour tous les détails sur sa vie, nous avons utilisé J. Lair, *Nicolas Fouquet, procureur général, surintendant des finances, ministre d'état*, 2 vol., 1890.

20. Au paradis de Vaux

La lettre de Conrart à La Fontaine a été publiée *in extenso* par P. Lacroix, *Œuvres inédites de La Fontaine*, p. 340 sq.

C'est à travers Voiture qu'on lit Marot chez le surintendant, dans la ligne de *La Pompe Funèbre* de Sarasin où l'on voit « une troupe de bonnes gens se lamentant pitoyablement ». C'étaient nos vieux poètes que Voiture avait remis en vogue par ses ballades, ses triolets et ses rondeaux, et qui par sa mort retournaient dans le décri. Marot surtout, qui lui était le plus obligé, se plaignait plus fortement que les autres et, à demi désespéré, leur chantait la ballade au refrain bien connu : « Voiture est mort, adieu la Muse antique », non la Muse de l'Antiquité, mais celle de l'avant Pléiade.

21. L'impasse

27 août 1655, vente d'une ferme sise en la paroisse de Cergy par les époux La Fontaine, Archives départementales de l'Aisne, 275 E, 6, pièce 120.

Passée à Château-Thierry, la transaction perdue du 18 juillet 1661 est mentionnée dans la quittance de l'acompte donné en conséquence le 15 août suivant, M.C., LXXIII, 449.

La lettre de Racine à La Fontaine où il parle de sa sagesse devant les Nîmoises est du 11 novembre 1661. Voir la Correspondance de Racine dans les *Œuvres diverses* de ce dernier à la Bibliothèque de La Pléiade.

R. Josse a consacré un chapitre de son livre à la capitainerie des chasses et aux raisons pour lesquelles La Fontaine n'a pas succédé à son père dans cette charge, *op. cit.*, p. 117 sq. Reste que les notaires lui ont parfois donné ce titre et qu'il a (en vain) réclamé d'en être indemnisé. Reste aussi que dans l'acte mentionnant qu'il rend ses provisions, il est désigné comme « ci-devant capitaine des chasses » (voir chapitre 36).

22. La fête de Vaux

Les détails sur l'ambassade de Maucroix à Rome et sur la fête de Vaux viennent des livres d'U. Chatelain et de J. Lair sur Foucquet, complétés pour l'ambassade par R. Pintard, « Maucroix à Rome : heurs et malheurs d'un diplomate apprenti », *Mélanges offerts à Raymond Lebègue*, Nizet, 1969. Les chapitres suivants sur l'arrestation de Foucquet, ses défenses et son procès sont inspirés du premier de ces deux ouvrages, complété par A. Chéruel, *Mémoires sur la vie publique et privée de Foucquet*, 2 vol., Paris, 1862.

23. La chute

La lettre de Chapelain sur Foucquet figure à sa date dans notre édition de la *Correspondance* de Mme de Sévigné, à la Bibliothèque de La Pléiade.

L'importance des emblèmes d'Alciat dans l'histoire de la fable a été montrée par G. Couton dans *La Poétique de La Fontaine*, « La Fontaine et l'art des emblèmes ». Sur les Fables de John Ogilby, voir l'article de T. Allott, « Guerre et paix dans la fable en France et en Angleterre », dans les Actes à paraître du 19e colloque du CMR 17, *France et Grande-Bretagne de la chute de Charles Ier à celle de Jacques II.*

24. Un provincial très parisien

L'affaire des « entrepreneurs de chasse » est narrée tout au long dans un document publié par P. Lacroix, *Nouvelles Œuvres inédites de La Fontaine*, Paris, 1868, p. 97-98.

Sur le premier état de la satire I, voir A. Adam, *Les Premières Satires de Boileau*, Lille, 1941, p. 130 sq.

La lettre de La Fontaine à Racine de fin juin n'est pas conservée. Celui-ci en résume un passage dans une lettre à Le Vasseur du 4 juillet 1662. La réponse de Racine à La Fontaine du 4 juillet se trouve à sa date dans les *Œuvres diverses.*

27. Un mari surpassant tous les maris

Chronologie et étapes du *Voyage* d'après les Lettres (en italique, villes d'où elles sont datées) :

jeudi 23 août	Paris		Clamart
samedi 25	Clamart		*Clamart*
dimanche 26	Clamart-Bourg-la-Reine		Étampes
lundi 27	Étampes		Orléans
mardi 28	Orléans	Cléry	Saint-Dié
mercredi 29	Saint-Dié	Blois	Amboise
jeudi 30	*Amboise*		Hôtellerie après l'Indre
vendredi 31	Hôtellerie		Montels (pour Monbazon ?
samedi 1er septembre	Montels Port-de-Pilles		Richelieu Richelieu
lundi 3	*Richelieu*		Châtellerault
mercredi 5	*Châtellerault* (après déjeuner)		Chauvigny
jeudi 6	Chauvigny		Bellac
vendredi 7	Bellac		Limoges
mardi 12	1re lettre écrite de Limoges		
mardi 19	2e lettre écrite de Limoges		

Les *Lettres de La Fontaine à sa femme ou Relation d'un voyage de Paris en Limousin* ont fait l'objet d'une édition critique par l'abbé Caudal, Paris, 1966. On la complétera utilement par M. Defrenne « La Fontaine à la découverte du Limousin » dans *La Découverte de la France au XVIIe siècle*, 10e colloque du CMR 17, CNRS, Paris, 1971. On y voit notamment que la confusion dans l'ordre des rivières traversées par La Fontaine vient d'une sorte de géographie, qui pouvait aussi servir de guide de voyage, *Les Rivières de France* de Louis Coulon (1644). Cet emprunt confirme que, dans l'état où elles sont conservées, les Lettres du *Voyage* sont des textes élaborés littérairement en vue d'un projet de publication.

L. Petit a consacré une étude à « La Fontaine à Châtellerault, l'énigme de la maison d'ami », *Bulletin de la Société des Antiquaires de l'Ouest et des musées de Poitiers*, 1965.

Sur les circonstances du voyage, on consultera l'article de L. Petit, « Autour du procès de Foucquet, La Fontaine et son oncle Jannart sous la griffe de Colbert », *RHLF*, 1947. Les commentateurs se partagent entre partisans d'un exil ordonné par le roi et d'un départ volontaire pour accompagner Jannart. En fait, le doute fait partie des moyens sciemment employés par La Fontaine pour susciter la curiosité du lecteur. Son retour rapide à Château-Thierry montre au moins qu'il n'était pas assigné à résidence à Limoges (voir la liste des documents signés par lui comme maître des eaux et forêts dans R. Josse, *op. cit.*, p. 221). R. Jasinski a établi que Jannart lui-même avait été autorisé à quitter Limoges pour Château-Thierry dès mai 1665 (*La Fontaine et le premier recueil des Fables*, 2 vol., Paris, 1966, p. 134-135).

Nous estimons très exagérée la thèse de cet auteur, qui dépeint le poète totalement engagé aux côtés de Foucquet et orientant tout son futur recueil de Fables en fonction de sa fidélité pour le surintendant et de sa haine pour Colbert. Dès son retour de Limoges, La Fontaine tentera au contraire de se rallier à Colbert par l'intermédiaire de Bouillon.

28. Double jeu

On consultera l'excellente synthèse de G. Couton : « Effort publicitaire et organisation de la recherche : les gratifications aux gens de lettres sous Louis XIV », 6e colloque du CMR 17, *La Recherche au XVIIe siècle*, Marseille, 1977. A. Adam a étudié les rivalités et clivages qui en sont résultés dans le tome I de son *Histoire de la littérature française du XVIIe siècle*, Paris, 1948, et dans plusieurs articles, notamment : « La genèse des Précieuses ridicules », *Revue d'histoire de la philosophie*, 1939 et « L'École de 1660, histoire ou légende », même date.

L'article de J. Demeure : « L'introuvable Société des quatre amis », *RHLF*, 1929, est un modèle du genre. Il y montre à merveille comment se constituent les légendes. Nous lui empruntons les témoignages cités.

« Une allusion à Marie-Anne Mancini, devenue duchesse de Bouillon par son mariage, le 20 avril 1662, prouve que l'épître [au duc, son mari] est postérieure, de peu sans doute à cette date », écrit P. Clarac. Mais la poursuite contre La Fontaine n'est pas forcément si proche de l'édit royal du 8 février 1661 sur les usurpations de noblesse. Les recherches et les procédures ont demandé du temps. Lorsque La Fontaine énumère ses ennuis, « le Limousin » ne renvoie pas à l'exil de Mme Foucquet, comme le suppose P. Clarac, mais à son propre départ avec Jannart; le « Parlement » renvoie à la suspension de celui-ci de sa charge de procureur général au parlement de Paris, décidé en même temps que son exil. L'épître a donc été écrite en 1664, après le retour du poète à Paris (voir chapitre 25). L'offre de ralliement à Colbert, qu'il ne faut pas minimiser comme le fait P. Clarac, se comprend parfaitement à ce moment-là.

29. Premier succès

Rien ne confirme la supposition de R. Jasinski (*op. cit.*) que la duchesse douairière d'Orléans ait été favorable aux amis de Foucquet. Avec elle, le Luxembourg n'est plus un milieu d'opposition. Au temps de la Fronde, Gaston d'Orléans et Foucquet n'étaient pas dans le même camp.

A. Adam a publié la *Dissertation sur Joconde* parmi les *Œuvres* de Boileau-Despréaux à la Bibliothèque de La Pléiade, 1966. Sur le véritable auteur de ce texte et les circonstances de son écriture, voir la mise au point et les renvois qu'il fait, p. 1063-1064. Voir également C. Venesoen, « Un problème de paternité : qui a écrit la *Dissertation sur Joconde*? », *XVIIe siècle*, 1970.

Sur l'épitaphe latine traduite par La Fontaine en vers et en prose, et sa préférence pour le vers, voir chapitre 56.

A. Cioranescu a consacré un livre à *l'Arioste en France*, qui montre la relative nouveauté de l'entreprise de La Fontaine.

Sur la belle protectrice de La Fontaine, voir L. Petit, *Marie-Anne Mancini, duchesse de Bouillon*, Paris, 1970.

30. Enfin à la mode

Le privilège de janvier 1664 ne parle pas de Contes ou de Nouvelles, mais cite seulement deux titres, dont un seul correspond à un texte de La Fontaine. Le projet d'un recueil de Contes n'est donc pas encore formé à ce moment-là.

Parmi les nouveaux contes de 1665 figure celui, très bref, de « sœur Jeanne ayant fait un poupon », le seul qui ait déjà paru dans un recueil collectif, *Les Plaisirs de la poésie galante, gaillarde et amoureuse*, qu'on date de 1663-1664.

31. Entre Boccace et saint Augustin

Les travaux d'estimation sont conservés aux Archives nationales (P 1755). Voir R. Josse, *op. cit.*, p. 104-105, qui précise en note les noms actuels des lieux parcourus.

Sur les éditions des Contes, et plus tard des Fables, voir notamment P. Lacroix, en appendice aux *Œuvres inédites de La Fontaine.*

Les rapports de « La Fontaine et Port-Royal » ont été étudiées par P. Clarac, *Revue d'histoire de la philosophie,* 1943.

32. « Une carrière toute nouvelle »

La lettre de Chapelain à La Fontaine figure parmi ses *Lettres,* édition Tamizey de Larroque, 1880-1883, à la date du 12 février 1666. La différence entre l'attitude ouverte d'un Chapelain et la réprobation d'un abbé de La Chambre (chapitre 53), puis la condamnation d'un abbé Pouget (chapitre 66), montre le décalage des générations et le changement des mentalités au fil du temps.

33. Trois Contes

R. Josse, *op. cit.,* p. 115, note 5, donne les cotes, aux Archives nationales, des documents contenant le jugement fixant les indemnités accordées aux officiers des eaux et forêts évincés. Il note que, dans le carton contenant le dossier individuel de chacun des officiers, il en manque un : celui de La Fontaine. La lettre de Colbert à La Fontaine a été publiée par Walckenaer, *Œuvres de La Fontaine,* 1827, t. VI, p. 488 ; celle de La Fontaine à Bafoy, *ibid.,* p. 573.

Un des manuscrits Conrart de la bibliothèque de l'Arsenal (nº 5418) contient une copie de Contes de La Fontaine. Les sept parus dès 1665 se trouvent entre les pages 147 et 161 ; les trois parus en 1667 entre les pages 551 et 559. Il est donc légitime de penser qu'ils ont dès le début appartenu à deux séries distinctes.

34. Le pari des *Fables*

M. Fumaroli a joint à son édition des *Fables,* citée dans la bibliographie, une étude sur « Les Fables et la tradition humaniste de l'apologue ésopique » qui montre parfaitement l'origine savante et scolaire des Fables. On peut consulter aussi L. Hervieux, *Les Fabulistes latins depuis le siècle d'Auguste jusqu'à la fin du Moyen Age,* Paris, 5 vol., 1893, et sur les prédécesseurs immédiats de La Fontaine, R. Jasinski, *op. cit.,* I, p. 174 sq. Sur les traductions de Meslier et de Le Maître de Sacy, voir chapitre 3 ; sur la galanterie, si semblable à la gaieté, chapitre 18.

35. Les masques du fabuliste

L'anecdote sur la réception à la Cour et la bourse perdue est contée par Beauchamps, *Recherches sur les théâtres de France*, 1735, II, p. 208.

Sur la présence du moi dans les *Fables*, voir l'excellente mise au point de B. Bray : « Avatars et fonction du *je* d'auteur dans les *Fables* de La Fontaine », *Mélanges René Pintard*, Strasbourg, 1975.

On ne sait pas si les « Réflexions diverses » de La Rochefoucauld datent d'avant ou d'après la publication des *Fables*. La « Réflexion sur les animaux » exprime des idées qui étaient dans l'air.

L'idée de l'inutilité de contes écrits seulement « pour conter » est développée en prologue à la fable double sur laquelle s'ouvre le livre VI. L'interprétation « militante » des *Fables* est systématiquement soutenue et minutieusement développée fable après fable par R. Jasinski, *op. cit.* Voir également G. Couton, *La Politique de La Fontaine*, Paris, 1959.

36. Enfin libre

Dans « La Fontaine et son ami Furetière », *RHLF*, 1958, J. Marmier a montré les limites et difficultés de l'amitié entre les deux hommes, même avant la grande brouille de 1685, notamment au moment de la publication de leurs Fables.

Les quittances concernant la cessation de charge de La Fontaine sont conservées au Minutier central des Archives nationales, 4 décembre 1668, LXVIII, 203; 14 juin 1669, *ibid.*, 204; 18 avril 1671, avec 23 février, XCI, 373. Voir également les articles cités en note du chapitre 10, notamment celui de Grouchy, qui publie l'acte du 21 janvier 1671, en déficit au Minutier.

Le fait divers du 3 mai 1667 est transcrit par R. Josse, *op. cit.*, p. 107-108.

37. Les quatre amis

Si La Fontaine s'accommode « au goût de son siècle », ce n'est pas par goût, mais par nécessité, instruit, dit-il, « par sa propre expérience » qu'on ne peut réussir sans s'y soumettre.

Dans *La Promenade de Saint-Cloud*, publiée en 1669, G. Guéret fait une sorte de panorama littéraire de son temps. Les avis de Fournier et de Lambert sont conservés à la Bibliothèque nationale, dans un manuscrit (nouvelles acquisitions françaises 4333) qui contient beaucoup d'anecdotes littéraires notées par un personnage proche de Port-Royal.

De toutes les identifications proposées pour les amis de *Psyché*, nous ne retiendrons que celle (partielle) d'Acante à La Fontaine par

J. D. Hubert, « La Fontaine et Pellisson ou le mystère des deux Acante », *RHLF*, 1966. Voir J. Demeure, « Les quatre Amis de *Psyché* », *Mercure de France,* janvier 1928.

38. « Cocuage est un bien »

L'anecdote sur la réception de La Fontaine à la Cour après *Psyché* est rapportée par Montenault, *Vie de La Fontaine,* au tome I, p. xix des *Fables choisies,* Paris, 1755.

Sur les factums de Furetière contre La Fontaine, voir chapitre 58.

Sur l'honnêteté et la vertu des femmes et le rapport de ces valeurs avec le libertinage, voir notre *Ninon de Lenclos,* Paris, Fayard, 1984.

39. Au service de Port-Royal

Outre l'étude de P. Clarac citée en note du chapitre 31, on consultera l'étude essentielle de J. Brody, « Pierre Nicole, auteur de la Préface du *Recueil de poésies chrétiennes et diverses* », xviie siècle, 1964.

Sur les recueils Sercy, voir F. Lachèvre, *Bibliographie des recueils collectifs de poésie publiés de 1597 à 1700,* Paris, 1901-1922, 5 vol.

40. Une année de gloire

Sur la nécessité de joindre une morale au conte dans la Fable, voir le chapitre 35.

Les critiques divergent sur la date de rédaction des *Élégies à Clymène.* Voir en particulier J. P. Collinet et P. A. Wadsworth, *op. cit.* Ce qui compte pour la biographie intellectuelle de La Fontaine, c'est le moment où il s'est décidé à les publier.

41. Éloges et portraits

On conserve au musée de Reims un portrait que l'on considérait traditionnellement comme un portrait de La Fontaine par Philippe Lallemant. On considère aujourd'hui qu'il s'agit d'un « portrait d'homme » par un anonyme rémois du xviie siècle.

Les propos de La Fontaine rapportés ici proviennent du manuscrit 4333 des nouvelles acquisitions françaises de la Bibliothèque nationale dont il a déjà été question dans les notes du chapitre 37.

Sur la réutilisation des vers à la duchesse de Bouillon dans les « confidences » finales des « Deux Pigeons », voir chapitre 48.

La procuration du 26 juillet 1672 est conservée au Minutier central (CII, 75).

42. Nouvelle expérience

Sur la querelle du merveilleux païen et du merveilleux chrétien, l'ouvrage de base reste la thèse de P. V. Delaporte, *Du merveilleux dans la littérature française sous Louis XIV*, Paris, 1891.

L'inconduite de Mme de La Sablière est plus que suggérée par L. Roche, *op. cit.* Menjot d'Elbène, qui la dépeint surtout après sa conversion (*Mme de La Sablière, ses pensées chrétiennes, et ses lettres à l'abbé de Rancé*, Paris, 1923), en fait plutôt une victime, reprenant la thèse de la dame dans ses protestations notariées contre son mari.

43. La tentation de l'opéra

Les rapports de « Molière et Lulli » ont été étudiés par G. Mongrédien dans les Actes du 3e colloque du CMR 17, Marseille, 1973. Voir également H. Prunières, « La Fontaine et Lulli », *Revue musicale*, 191. Sur Quinault, voir la thèse d'E. Gros : *Ph. Quinault, sa vie et son œuvre*, Paris, 1926. Voir aussi la *Vie de Quinault*, en tête de son *Théâtre*, 1715.

44. « Annette, la contemplative »

La lettre décrivant le cadeau de Mme de Thianges au duc du Maine se trouve dans la correspondance de Bussy, à la date du 12 janvier 1675 (édition Lalanne, t. 2, p. 415).

45. Déracinement

Sur la vente de la maison de Château-Thierry, voir G. Saintville, « La Fontaine et Jannart et la maison de Château-Thierry », *Mélanges offerts à Jean Bonnerot*, Paris, 1954. L'acte est résumé par Walckenaer, II, p. 299. La vente de la place à l'église est reproduite en fac-similé par L. Garnier, pl. 34, fig. 166. Les pièces des 8 novembre 1675 et 9 novembre 1676 sont mentionnées dans un acte du 18 février 1687 retrouvé par R. Josse au Minutier central (LVII, 158). Voir son livre p. 227.

Les succès de la Champmeslé, ses amours avec Racine et Tonnerre, les débauches de son mari sont rapportés dans R. Picard, *La Carrière de J. Racine*, Paris, 1961.

46. Un nouvel horizon

L'influence de Bernier et de la philosophie de Gassendi sur La Fontaine a été amplement démontrée par R. Jasinski dans « Sur la philosophie de La Fontaine dans les livres VIII à XII des *Fables* », *Revue d'histoire de la philosophie*, 1933, puis dans « Encore La Fontaine et Bernier », *RHLF*, 1935. Ce dernier article répond à H. Busson, « La Fontaine et l'âme des bêtes », *RHLF*, 1935, qui montre que les idées gassendistes étaient dans l'air et que La Fontaine a pu les connaître par d'autres sources que les livres de Bernier, notamment par la conversation. Voir aussi F. Gohin, « A propos du *Discours à Mme de La Sablière* », *Revue universitaire*, 1936, et l'édition critique du *Discours à Mme de La Sablière,* par H. Busson et F. Gohin, Droz, 1938. Ces travaux résument parfaitement les controverses en cours sur l'âme des bêtes. Voir aussi L. Petit, « Mme de La Sablière et François Bernier », *Mercure de France*, avril 1950.

Sur le profond désir de paix de La Fontaine, opposé à la politique belliciste de Louis XIV, voir chapitre 49 et les notes.

47. Le pouvoir des Fables

Les actes montrant la permanence des liens de La Fontaine avec sa femme et la famille de sa femme sont cités *passim* par R. Josse, *op. cit.* Sur l'héritage de G. Héricart en 1650, voir chapitre 9.

Sur la tentation de l'Angleterre chez La Fontaine, voir chapitre 60 et les notes.

Le manuscrit autographe du *Ballet sur la paix,* dansé au château des Cours, est conservé à la Bibliothèque de Troyes (2240, 19). La lettre à M. Simon de Troyes, qui rapporte les circonstances de la rédaction du ballet et les vers de La Fontaine, a été publiée par Grosley en 1777 dans le *Journal encyclopédique et universel.*

48. « Un air et un tour un peu différents »

Le texte de Maucroix est tardif. Il figure parmi ses *Œuvres posthumes,* publiées en 1710, dans une lettre qu'on suppose adressée à d'Olivet.

Le passage des *Géorgiques* de Virgile imité par La Fontaine à la fin du « Songe » avait été traduit et paraphrasé avant lui, notamment par Marolles.

Voir le texte de l'épître à Mme de Bouillon, chapitre 41.

49. Grandeurs

On consultera avec profit l'étude de J. Grimm, « Grande est la gloire ainsi que la tuerie, guerre et rhétorique dans les *Fables* », *Cahiers d'Histoire des Littératures romanes,* Heidelberg, 1989. Même si nous ne partageons pas pleinement l'idée de l'auteur que « le La Fontaine des *Fables* est avant tout un auteur politique », nous sommes pleinement d'accord sur ses conclusions concernant la paix et la guerre. Voir également le chapitre 46.

Les ouvrages sur l'affaire des Poisons sont innombrables. On citera le plus ancien des livres sérieux (F. Funck-Brentano, *Le Drame des poisons*, 1909) et le plus récent (A. Lebigre, *L'affaire des Poisons*, 1989).

La lettre de Mondion à Condé du 6 avril 1680 est citée dans M. Henriet, « La Fontaine aux archives de Chantilly », *Revue bleue*, 19 août 1899 ; celle du 29 mai dans duc d'Aumale, *Histoire des Princes de Condé*, VII, p. 192.

50. Misères

Les conditions d'hébergement de La Fontaine chez Mme de La Sablière nous ont été révélées par F. Deloffre, « Guilleragues épistolier : une lettre inédite de Mme de La Sablière », *RHLF,* oct.-déc. 1965. Les actes notariés sont reproduits en appendice dans Menjot d'Elbène, *op. cit.*

51. Le quinquina

Le *Discours à La Rochefoucauld* se trouve à l'avant-dernière place du livre 10, celui à Mme de La Sablière, à la fin du 9e. Les trois tomes comportent onze livres, les six du premier Recueil et cinq nouveaux. Sur les ressemblances entre les hommes et les animaux dans le premier Recueil, voir chapitre 35. Voir aussi P. Wadsworth, « La Fontaine et La Rochefoucauld », *Romanic Review,* décembre 1955.

52. Déboires académiques

Sur la première candidature de La Fontaine à l'Académie, l'opposition de Roze et le soutien de Benserade, on consultera E. Roy, « La Fontaine à l'Académie française en 1682 d'après des nouveaux documents », *RHLF,* 1895.

L'existence du *Rendez-vous* n'est connue que par le « Registre pour les seuls comédiens du roi », conservé aux archives de la Comédie-Française.

Les procès-verbaux (malheureusement lacunaires) des séances de l'Académie ont été publiés, en 1895, chez Firmin-Didot dans *Les Registres de l'Académie française de 1676 à 1763.*

53. Une élection difficile

Le passage dans lequel La Fontaine rappelle le silence du roi est tiré de son discours de réception. Si l'on en croit A. Baillet (*Jugements des savants*, 1686, IV, p. 355), les amis de La Fontaine promettaient tout en son nom, « mais nous avons sujet de douter que ces amis eussent parole de lui pour faire de si grandes avances ».

Pour être plus libre, l'abbé de La Chambre n'avait pas eu recours, selon l'usage, au libraire de l'Académie.

La lettre de La Sablière à Bayle se trouve dans Dupuy, *Essais heb-
domadaires*, 1730, p. 129-131. L'auteur y reproche à Bayle de n'avoir pas,
dans un livre aussi « considérable » que le sien, fait « quelque éloge »
d'un personnage qui est « sans contredit l'un des plus illustres de notre
siècle ». Ce n'est pas, ajoute-t-il que La Fontaine « le souhaite, car c'est
l'homme le plus modeste du monde sur ce sujet-là ».

54. « Plût à Dieu qu'il m'en crût capable »

Le calcul de ce que les jetons de présence ont pu rapporter à La Fontaine est emprunté à L. Roche, *op. cit.*, p. 303.
Sur les portraits de La Fontaine voir la note du chapitre 63. Celui qui
a été peint par de Troy a fait l'objet d'une étude, par J. Maciet, dans les
Annales de la Société historique et archéologique de Château-Thierry, 1880.

55. Perturbations

A. Rey, en tête de la réimpression du *Dictionnaire* de Furetière par Le
Robert (1978), fait l'historique du projet de Furetière et de sa querelle
avec l'Académie. Les *Factums* de Furetière ont été réunis et publiés
(mais insuffisamment datés) par C. Asselineau en deux volumes parus en
1859. Il y a joint diverses pièces sur la même affaire, notamment les
extraits de *La République des lettres* de Bayle, de la *Gazette de Hollande* et
la lettre de l'abbé Tallemant parue dans le *Mercure galant* de mai 1688, à
la mort de Furetière. Sur la dégradation des rapports de Furetière et de
La Fontaine, voir l'article de Marmier cité dans les notes du chapitre 36.
La lettre de d'Harmonville à Bayle a été publiée pour la première fois
dans Bayle, *Choix de correspondance inédite*, 1890, p. 224-225.

56. « L'œuvre de deux amis »

Le début d'une traduction de Platon a été soumis à Condé en 1680
(chapitre 49).
Mme Ulrich n'a publié qu'un conte supplémentaire dans les *Œuvres
posthumes : Les Quiproquos*. On peut penser qu'il a été écrit après la
publication de 1685. A moins que La Fontaine ne l'ait pas jugé digne de
l'impression.

57. « Autre part, j'ai porté mes présents »

Le bail de La Trinité a été retrouvé par R. Josse, *op. cit.*, p. 165.
L'importante procuration générale du 19 avril a été signalée pour la première fois par E. Fournier, *Œuvres de La Fontaine*, 1877, XXXII, puis
par L. Roche, *op. cit.*, p. 322.
Sur le duel, vrai ou prétendu, entre La Fontaine et Poignant, voir cha-

pitre 12. Ce qui est sûr, c'est que le poète, le 9 juin 1690, se prétend l'héritier du capitaine, son « cousin » et fait procéder à ce titre à l'inventaire après décès d'Antoine Poignant, écuyer, sieur de Brumiers (M. C. LVII, 168). Voir R. Josse, *op. cit.,* p. 82. L'un des notaires qui instrumente est Arrouet, le père de Voltaire.

En ne se souciant pas de publier ses épîtres, La Fontaine fait comme Voiture. Pinchêne avait noté, en éditant son oncle, la difficulté de faire apprécier du grand nombre ce qui avait été écrit pour un groupe social particulier.

La constitution de rente du 11 octobre 1686 est conservée au Minutier central, en même temps qu'un rachat du 7 mars 1690 constatant la cession d'au moins une partie de cette rente à Mélicque (XLI, 282).

58. Polémiques

Pour la querelle La Fontaine-Furetière-Académie, voir les notes du chapitre 55. Les épigrammes échangées sont reproduites en appendice à l'édition Asselineau des *Factums*. Les lettres de Bussy et à Bussy s'y trouvent aussi en partie, et toutes dans l'édition de sa correspondance par L. Lalanne.

59. Ancien ou Moderne ?

Sur la querelle des Anciens et des Modernes, on consultera, outre le livre un peu ancien (1914) de H. Gillot, dont c'est le titre, la thèse de B. Magné : *Crise de la littérature française sous Louis XIV : Humanisme et nationalisme,* Lille, 1976, et les Actes du 16e colloque du CMR 17 : *D'un siècle à l'autre : Anciens et Modernes,* Marseille, 1987. Sur la célébration de Louis XIV, voir N. Ferrier-Caverivière, *L'image de Louis XIV dans la littérature française de 1660 à 1715,* Paris, 1981.

Nous citons le *Commentarius de rebus ad eum pertinentibus* de Huet (La Haye, 1718) d'après la traduction française de Ch. Nisard, publiée par lui sous le titre *Mémoires,* en 1853.

60. La tentation anglaise

Tous les documents sur ce qui touche à la fois La Fontaine et l'Angleterre ont été commodément réunis par L. Petit dans *La Fontaine et Saint-Évremond ou La Tentation de l'Angleterre,* Privat, 1953. Le même auteur a également consacré plusieurs articles au même sujet. Comme si souvent à propos de La Fontaine, la question est de savoir la part de réalité et la part de fiction dans son projet de voyage. L'essentiel est sûr : l'influence de l'Angleterre sur sa pensée.

Les trois amies que le poète voudrait aller convertir sont les membres de la famille d'Hervart exilés en Angleterre : voir chapitre suivant.

61. Nouvelles amies

Les lettres de Jacques Vergier à La Fontaine et à Mme d'Hervart citées ici et dans le chapitre suivant ont été publiées dans ses *Œuvres diverses* en 2 volumes, Rouen, 1726. Les textes à La Fontaine sont donnés par P. Clarac dans les *Œuvres diverses,* ceux qui parlent de lui dans les notes du même volume. La lettre de Saint-Évremond à La Fontaine citée dans le chapitre précédent y figure pareillement.

Nous avons présenté le traité de Saint-Évremond sur Épicure dans notre biographie de *Ninon de Lenclos, op. cit.*

Sur la pensée religieuse de La Fontaine, voir le chapitre 66 et les notes.

62. Des Amarante aux Jeanneton

Sur Ninon et les amours de La Fontaine, voir chapitre 67.

On a beaucoup brodé autour de Mme Ulrich (notamment Walckenaer). Nous nous rallions aux conclusions prudentes de P. Clarac.

La peur de voir ses vers devenir « malplaisants » avec l'âge est exprimée par La Fontaine en conclusion de sa lettre à Saint-Évremond du 18 décembre 1687.

63. Contrastes

Les *Fables d'Ésope, comédie,* d'E. Boursault viennent d'être réimprimées par T. Allott, Exeter, 1988. Dans son introduction, cet éditeur montre la vogue des Fables ésopiques, due en grande partie à La Fontaine. Dans les années 1680, paraissent au moins six éditions des *Fables choisies mises en vers* de La Fontaine, plus deux éditions des *Fables d'Ésope* en prose de Baudouin, sans compter deux recueils anonymes de *Fables nouvelles en vers,* attribuées à Daubanne (1685) et à La Barre (1687).

On peut voir les portraits de La Fontaine reproduits en noir et blanc dans le livre de L. Garnier cité dans la bibliographie. On en trouvera la liste à la fin de la notice biographique de P. Mesnard, p. CCXIX-CCXXIV. Il en cite huit, dont celui du musée de Reims, apocryphe (note au chapitre 41).

64. Derniers plaisirs

Les poésies de l'abbé de Chaulieu étaient des œuvres de circonstance qu'il n'a pas publiées lui-même. Elles l'ont été progressivement après sa mort. La première édition des *Poésies de M. l'abbé de Chaulieu et de M. le marquis de La Fare,* a été imprimée à Amsterdam en 1724.

65. Déclin?

Voir R. Lebègue, « *L'Astrée* de Colasse et de La Fontaine », *Bulletin de la Diana,* 1957. Les chansons et épigrammes dont l'opéra de La Fontaine a été le sujet sont reproduites par G. Mongrédien, *op. cit.,* p. 174-177.

La rencontre sur le Pont-Neuf suppose qu'en passant de chez Mme de La Sablière chez les d'Hervart, La Fontaine change de rive. En fait, la rue Plâtrière et la rue Saint-Honoré sont du même côté de la Seine, presque dans le même quartier. L'anecdote suppose que le poète aurait habité rue Rousselet, ce qui nous paraît impossible. D'autant plus que pendant sa maladie, il loge paroisse Saint-Roch.

66. Conversion

L'abbé Pouget a raconté la conversion de La Fontaine dans une lettre adressée longtemps après à l'abbé d'Olivet, qui préparait sa notice pour son *Histoire de l'Académie.* Elle a été publiée pour la première fois en 1726 dans le tome I de la *Continuation des Mémoires de littérature et d'histoire* de Sallengre par le P. Desmolets. Elle a été réimprimée par P. Lacroix, *Œuvres inédites,* p. 364 sq. Elle brode sûrement beaucoup autour des faits. Il est troublant qu'il n'y ait aucune mention d'envoi de délégués de l'Académie française dans les registres de cette institution (*op. cit.,* notes du chapitre 52). On peut remarquer aussi qu'il n'y a pas eu d'édition des *Contes* en 1692-1693, alors que l'abbé prétend que La Fontaine aurait regretté de ne pouvoir en arrêter la prochaine parution. Il est peu vraisemblable également qu'il ait renoncé à ses droits d'auteur : les éditions pirates hollandaises n'en comportaient pas. Selon Pouget, La Fontaine aurait également renoncé à la représentation d'une pièce de théâtre qu'il avait toute prête et qu'il devait « bientôt remettre aux comédiens pour la représenter ». On aurait consulté les docteurs sur la possibilité de travailler pour le théâtre sans péché. Réponse négative. Tous ces détails dramatisent deux vérités : l'abbé a exigé de La Fontaine qu'il condamne ses Contes et son théâtre.

Sur la religion de La Fontaine, outre les articles de Busson et de Jasinski cités chapitre 46 à propos de son gassendisme, on consultera le chapitre de F. Gohin (*op. cit.*) consacré à la religion de La Fontaine et l'ouvrage de L. Petit : *La Fontaine à la rencontre de Dieu,* Nizet, 1970.

L. Petit a proposé d'identifier à La Fontaine le « correspondant mystérieux de Mme de La Sablière » (*RHLF,* 1962).

L'anecdote sur la bourse envoyée par le petit duc de Bourgogne vient aussi de l'abbé Pouget. La Providence récompense la vertu.

67. L'été de la Saint-Martin

Sur La Fontaine et l'Angleterre, voir les notes du chapitre 60.

L'acte d'inhumation de La Fontaine, « un des quarante de l'Académie française », a été publié par Walckenaer (II, p. 293) d'après les registres de la paroisse Saint-Eustache. Il est dit « demeurant rue Plâtrière, à l'hôtel Derval » (pour d'Hervart) et « inhumé au cimetière des Saints-Innocents ».

Les lettres de Ninon et de Saint-Évremond sont publiées et datées dans l'édition de la *Correspondance* du second par R. Ternois, 2 vol., 1967.

Sur les dernières Fables de La Fontaine, voir l'article de J. Grimm, « Le livre XII des *Fables,* somme d'une vie, somme d'un siècle », Romanistisches Jahrbuch, 1988, 39, p. 73-82.

Sur les remarques de La Fontaine à propos de la traduction d'Astérius par Maucroix, voir P. Clarac, « Six pages inédites de La Fontaine », *RHLF,* 1961. Elles prouvent amplement que le poète avait conservé toute sa lucidité après sa maladie et sa conversion.

68. Transparence ou mystère ?

Le rôle éventuel de Boileau et Racine dans la conversion de La Fontaine a été évoqué parmi les « Fables » de notre chapitre 1.

L. Roche (*op. cit.,* p. 388) a vu au cabinet des titres un document établissant que La Fontaine est allé à Saint-Eustache faire ses Pâques. Malheureusement, il ne précise pas davantage sa référence. Nous n'avons pu vérifier.

Sur les *Mémoires* (incomplets) de Maucroix, voir R. Lebègue, « Maucroix, mémorialiste ou conteur ? », *Mélanges offerts à P. Jourda,* Nizet, 1971.

Le texte latin et la traduction de l'éloge funèbre de La Fontaine par Fénelon figurent dans les *Œuvres* de celui-ci, 1823, XIX, p. 496-497.

Bibliographie

SOURCES

A de rares exceptions près, les sources ont été excellemment décrites et recueillies dans Georges Mongrédien, *La Fontaine, Recueil des Textes et des Documents du XVIIe siècle*, Paris, CNRS, 1973. Nous y renvoyons le lecteur une fois pour toutes.

Pierre Clarac a minutieusement daté les textes de La Fontaine autres que les Contes et les Fables dans les notes de son édition des *Œuvres diverses* à la Bibliothèque de La Pléiade, Paris, 1958. On y trouvera aisément toutes nos citations en fonction de leur date et de leur destinataire.

Nous devons beaucoup à ces deux instruments de travail. On trouvera dans les notes les additions et corrections que nous avons dû y apporter.

Aux actes et pièces répertoriés dans les *Documents du minutier central concernant l'histoire littéraire (1680-1700)*, par M. Jurgens et A. M. Fleury, Paris, 1960, il convient d'ajouter les pièces patiemment découvertes par M. R. Josse tant au Minutier et au fonds des eaux et forêts des Archives nationales qu'à Château-Thierry et aux Archives départementales de l'Aisne et de la Marne. Il en a donné l'essentiel dans son livre *Jehan de La Fontaine*, Société historique et archéologique de Château-Thierry, 1987. Il a eu l'obligeance de nous communiquer ses références et les photocopies de plusieurs pièces inédites. Nous avons donc pu, grâce à lui, fonder nos conclusions sur une lecture personnelle des documents. Même sur les points où nous en tirons des conclusions différentes des siennes, c'est encore à son aide que nous le devons. Nous tenons à rendre hommage à ses recherches qui nous ont permis de renouveler quasi totalement ce que l'on savait de l'enfance et de la situation sociale de La Fontaine, et beaucoup de ce que l'on disait de ses charges des eaux et forêts.

Il faut considérer comme légendaires à peu près tous les témoignages publiés après la mort de La Fontaine.

On citera, bien que les informations données soient souvent contredites par des documents authentiques, ce qu'on peut considérer comme les trois premières biographies consacrées à La Fontaine :

le portrait La Fontaine dans *Les Hommes illustres qui ont paru en France pendant ce siècle avec leurs portraits au naturel,* par Charles Perrault, 1696.

la notice de l'abbé d'Olivet, écrite vers 1724 pour son *Histoire de l'Académie française* (publiée en 1729 et réimprimée en 1858 par Ch. L. Livet).

l'*Histoire de la vie et des ouvrages de M. de La Fontaine,* écrite par Mathieu Marais en 1725, première étude d'ensemble consacrée au poète (publiée en 1811).

On citera encore, bien qu'ils ne soient guère dignes de foi, les témoignages disséminés dans des textes qui ont pour sujet deux amis de La Fontaine :

– Nicolas Boileau, dont Brossette a recueilli les confidences, qu'il a publiées avec les *Œuvres* de ce poète en 1716. A compléter par les commentaires de Le Verrier sur les Satires de Boileau, publiés notamment par F. Lachèvre, 1906.

– Jean Racine, dont le fils Louis a écrit des *Mémoires contenant quelques particularités sur la Vie et les Ouvrages de Jean Racine,* parus en 1747. Louis a également parlé de La Fontaine dans ses *Réflexions sur la poésie,* parues la même année.

BIOGRAPHIES ET ÉTUDES D'ENSEMBLE

C. A. Walckenaer, *Histoire de la vie et des ouvrages de J. de La Fontaine* (deux volumes), Paris, 1858.

« Notice biographique sur La Fontaine » par P. Mesnard, dans *Œuvres de J. de La Fontaine,* par H. Régnier, tome I, Paris, 1883.

Louis Roche, *La Vie de La Fontaine,* Paris, 1913.

G. Michaut, *La Fontaine* (deux volumes), 1913-1914. A compléter par ses « Travaux récents sur La Fontaine », *Revue d'histoire littéraire de la France,* [abréviation *RHLF* dans la suite], janvier-mars 1916.

F. Gohin, *La Fontaine, Études et recherches,* Paris, 1937.

L. Garnier, *La vie de notre bon Jehan de La Fontaine contée par l'image,* Paris, 1938 (curieux mélange de documents originaux et d'inutilités de toutes sortes).

Philip A. Wadsworth, *Young La Fontaine,* Evanston, 1952.

P. Clarac, *La Fontaine* (collection Connaissance des Lettres), Paris, 1947, 2e édition, 1959.

J. P. Collinet, *Le Monde littéraire de La Fontaine,* Paris, 1970.

M. O. Sweetser, *La Fontaine* (Twayne publishers), Boston, 1987.

J. P. Collinet, *La Fontaine en amont et en aval,* Pise, 1988.

J. Grimm, *La Fontaine's Fabeln* französich/deutsh herausgegeben, Reklam-Verlag, Stuttgart, 1988.

Pour les études de détail, voir les notes des chapitres où ces études ont été utilisées.

ÉDITIONS DE RÉFÉRENCE

Œuvres, par Henri Régnier (collection des grands écrivains de la France), 11 volumes, Paris, 1883-1897.

Œuvres complètes, I, Fables et Contes, par J. P. Collinet (Bibliothèque de La Pléiade), Paris (sous presse); *II, Œuvres diverses,* par P. Clarac (Bibliothèque de La Pléiade), Paris, 1958.

Fables, par Marc Fumaroli (deux volumes), (Collection de l'Imprimerie nationale), Paris, 1985.

Table des matières

ANNEXES

Cet ouvrage a été réalisé par la
SOCIÉTÉ NOUVELLE FIRMIN-DIDOT
Mesnil-sur-l'Estrée
pour le compte des Éditions Fayard
en mai 1995

Imprimé en France
Dépôt légal : mai 1995
N° d'édition : 8798 - N° d'impression : 30909
35-68-9473-02/6
ISBN : 2-213-59473-2